Lenz · Werke

*Jakob Michael Reinhold Lenz*

# Werke

Herausgegeben von
Friedrich Voit

Philipp Reclam jun. Stuttgart

Umschlagabbildung: J. M. R. Lenz. Bleistiftzeichnung
von unbekannter Hand (um 1777)

Universal-Bibliothek Nr. 8755
Alle Rechte vorbehalten
© 1992 Philipp Reclam jun. GmbH & Co., Stuttgart
Gesamtherstellung: Reclam, Ditzingen. Printed in Germany 1992
RECLAM und UNIVERSAL-BIBLIOTHEK sind eingetragene
Warenzeichen der Philipp Reclam jun. GmbH & Co., Stuttgart
ISBN 3-15-008755-4

# Inhalt

## Dramen

## Prosa

## Gedichte

## Theoretische Schriften

## Anhang

# Dramen

# Der Hofmeister
## oder
## Vorteile der Privaterziehung

### Eine Komödie

---

## Namen

HERR VON BERG, Geheimer Rat
DER MAJOR, sein Bruder
DIE MAJORIN
GUSTCHEN, ihre Tochter
FRITZ VON BERG
GRAF WERMUTH
LÄUFFER, ein Hofmeister
PÄTUS
BOLLWERK } Studenten
HERR VON SEIFFENBLASE
SEIN HOFMEISTER
FRAU HAMSTER, Rätin
JUNGFER HAMSTER
JUNGFER KNICKS
FRAU BLITZER
WENZESLAUS, ein Schulmeister
MARTHE, alte Frau
LISE
DER ALTE PÄTUS
DER ALTE LÄUFFER, Stadtprediger
LEOPOLD, JUNKER DES MAJORS, ein Kind
HERR REHAAR, Lautenist
JUNGFER REHAAR, seine Tochter

# Erster Akt

## Erste Szene

### Zu Insterburg in Preußen

LÄUFFER.

Mein Vater sagt: ich sei nicht tauglich zum Adjunkt. Ich glaube, der Fehler liegt in seinem Beutel; er will keinen bezahlen. Zum Pfaffen bin ich auch zu jung, zu gut gewachsen, habe zu viel Welt gesehn und bei der Stadtschule hat mich der Geheime Rat nicht annehmen wollen. Mag's! er ist ein Pedant und dem ist freilich der Teufel selber nicht gelehrt genug. Im halben Jahr hätt ich doch wieder eingeholt, was ich von der Schule mitgebracht, und dann wär ich für einen Klassenpräzeptor noch immer viel zu gelehrt gewesen, aber der Herr Geheime Rat muß das Ding besser verstehen. Er nennt mich immer nur Monsieur Läuffer, und wenn wir von Leipzig sprechen, fragt er nach Händels Kuchengarten und Richters Kaffeehaus, ich weiß nicht: soll das Satyre sein, oder – Ich hab ihn doch mit unserm Konrektor bisweilen tiefsinnig genug diskurrieren hören; er sieht mich vermutlich nicht für voll an. – Da kommt er eben mit dem Major; ich weiß nicht, ich scheu ihn ärger als den Teufel. Der Kerl hat etwas in seinem Gesicht, das mir unerträglich ist. *(Geht dem Geheimen Rat und dem Major mit viel freundlichen Scharrfüßen vorbei.)*

## Zweite Szene

### GEHEIMER RAT. MAJOR.

MAJOR. Was willst du denn? Ist das nicht ein ganz artiges Männichen?

GEH. RAT. Artig genug, nur zu artig. Aber was soll er deinen Sohn lehren?

MAJOR. Ich weiß nicht, Berg, du tust immer solche wunderliche Fragen.

GEH. RAT. Nein aufrichtig! Du muß doch eine Absicht haben, wenn du einen Hofmeister nimmst und den Beutel mit einemmal so weit auftust, daß dreihundert Dukaten herausfallen. Sag mir, was meinst du mit dem Geld auszurichten; was foderst du dafür von deinem Hofmeister?

MAJOR. Daß er – was ich – daß er meinen Sohn in allen Wissenschaften und Artigkeiten und Weltmanieren – Ich weiß auch nicht, was du immer mit deinen Fragen willst; das wird sich schon finden; das werd ich ihm alles schon zu seiner Zeit sagen.

GEH. RAT. Das heißt: du willst Hofmeister deines Hofmeisters sein; bedenkst du aber auch, was du da auf dich nimmst – Was soll dein Sohn werden, sag mir einmal?

MAJOR. Was er ... Soldat soll er werden; ein Kerl, wie ich gewesen bin.

GEH. RAT. Das letzte laß nur weg, lieber Bruder; unsere Kinder sollen und müssen das nicht werden, was wir waren: die Zeiten ändern sich, Sitten, Umstände, alles, und wenn du nichts mehr und nichts weniger geworden wärst, als das leibhafte Kontrefei deines Eltervaters – –

MAJOR. Potz hundert! wenn er Major wird, und ein braver Kerl wie ich, und dem König so redlich dient als ich!

GEH. RAT. Ganz gut, aber nach funfzig Jahren haben wir vielleicht einen andern König und eine andre Art ihm zu dienen. Aber ich seh schon, ich kann mich mit dir in die Sachen nicht einlassen, ich müßte zu weit ausholen und würde doch nichts ausrichten. Du siehst immer nur der graden Linie nach, die deine Frau dir mit Kreide über den Schnabel zieht.

MAJOR. Was willst du damit sagen, Berg? Ich bitt dich, misch dich nicht in meine Hausangelegenheiten, so wie ich mich nicht in die deinigen. – Aber sieh doch! da läuft ja eben dein gnädiger Junker mit zwei Hollunken aus der Schule heraus. – Vortreffliche Erziehung, Herr Philosophus! Das wird einmal was Rechts geben! Wer sollt es in aller Welt glauben, daß der Gassenbengel der einzige Sohn Sr. Exzellenz des königlichen Geheimen Rats – –

GEH. RAT. Laß ihn nur. – Seine lustigen Spielgesellen werden ihn minder verderben als ein galonierter Müßiggänger, unterstützt von einer eiteln Patronin.

MAJOR. Du nimmst dir Freiheiten heraus. – Adieu.

GEH. RAT. Ich bedaure dich.


## Dritte Szene

### Der Majorin Zimmer

FRAU MAJORIN *auf einem Kanapee.* LÄUFFER *in sehr demütiger Stellung neben ihr sitzend.* LEOPOLD *steht.*

MAJORIN. Ich habe mit Ihrem Herrn Vater gesprochen und von den dreihundert Dukaten stehenden Gehalts sind wir bis auf hundertundfunfzig einig worden. Dafür verlang ich aber auch Herr – Wie heißen Sie? – Herr Läuffer, daß Sie sich in Kleidern sauber halten und unserm Hause keine Schande machen. Ich weiß, daß Sie Geschmack haben; ich habe schon von Ihnen gehört, als Sie noch in Leipzig waren. Sie wissen, daß man heutzutage auf nichts in der Welt so sehr sieht, als ob ein Mensch sich zu führen wisse.

LÄUFFER. Ich hoff, Euer Gnaden werden mit mir zufrieden sein. Wenigstens hab ich in Leipzig keinen Ball ausgelassen, und wohl über die funfzehn Tanzmeister in meinem Leben gehabt.

MAJORIN. So? lassen Sie doch sehen.

*(Läuffer steht auf.)*

Nicht furchtsam, Herr . . . Läuffer! nicht furchtsam! Mein Sohn ist buschscheu genug; wenn der einen blöden Hof-

meister bekommt, so ist's aus mit ihm. Versuchen Sie
doch einmal, mir ein Kompliment aus der Menuet zu
machen; zur Probe nur, damit ich doch sehe. – Nun, nun,
das geht schon an! Mein Sohn braucht vor der Hand
keinen Tanzmeister! Auch einen Pas, wenn's Ihnen beliebt. – Es wird schon gehen; das wird sich alles geben,
wenn Sie einmal einer unsrer Assembleen werden beigewohnt haben ... Sind Sie musikalisch?

LÄUFFER. Ich spiele die Geige, und das Klavier zur Not.

MAJORIN. Desto besser: wenn wir aufs Land gehn und
Fräulein Milchzahn besuchen uns einmal; ich habe bisher
ihnen immer was vorsingen müssen, wenn die guten
Kinder Lust bekamen zu tanzen: aber besser ist besser.

LÄUFFER. Euer Gnaden setzen mich außer mich: wo wär ein
Virtuos auf der Welt, der auf seinem Instrument Euer
Gnaden Stimme zu erreichen hoffen dürfte.

MAJORIN. Ha ha ha. Sie haben mich ja noch nicht gehört. ...
Warten Sie; ist Ihnen die Menuet bekannt? *(Singt.)*

LÄUFFER. O ... o ... verzeihen Sie dem Entzücken, dem
Enthusiasmus, der mich hinreißt. *(Küßt ihr die Hand.)*

MAJORIN. Und ich bin doch enrhumiert dazu; ich muß heut
krähen wie ein Rabe. Vous parlez françois, sans doute?

LÄUFFER. Un peu, Madame.

MAJORIN. Avez-Vous déjà fait Votre tour de France?

LÄUFFER. Non Madame ... Oui Madame.

MAJORIN. Vous devez donc savoir, qu'en France, on ne baise
pas les mains, mon cher. ...

BEDIENTER *(tritt herein).* Der Graf Wermuth ...
*(GRAF WERMUTH tritt herein.)*

GRAF *(nach einigen stummen Komplimenten setzt sich zur Majorin
aufs Kanapee. Läuffer bleibt verlegen stehen).* Haben Euer
Gnaden den neuen Tanzmeister schon gesehn, der aus
Dresden angekommen? Er ist ein Marchese aus Florenz,
und heißt ... Aufrichtig: ich habe nur zwei auf meinen
Reisen angetroffen, die ihm vorzuziehen waren.

MAJORIN. Das gesteh ich, nur zwei! In der Tat, Sie machen

mich neugierig; ich weiß, welchen verzärtelten Geschmack der Graf Wermuth hat.

LÄUFFER. Pintinello ... nicht wahr? ich hab ihn in Leipzig
auf dem Theater tanzen sehen; er tanzt nicht sonderlich ...

GRAF. Er tanzt – on ne peut pas mieux. – Wie ich Ihnen sage,
gnädige Frau, in Petersburg hab ich einen Beluzzi gesehn,
der ihm vorzuziehen war: aber dieser hat eine Leichtigkeit
in seinen Füßen, so etwas Freies, Göttlichnachlässiges in
seiner Stellung, in seinen Armen, in seinen Wendungen – –

LÄUFFER. Auf dem Kochischen Theater ward er ausgepfif-
fen, als er sich das letztemal sehen ließ.

MAJORIN. Merk Er sich, mein Freund! daß Domestiken in
Gesellschaften von Standespersonen nicht mitreden. Geh
Er auf Sein Zimmer. Wer hat Ihn gefragt?

*(Läuffer tritt einige Schritte zurück.)*

GRAF. Vermutlich der Hofmeister, den Sie dem jungen
Herrn bestimmt? ...

MAJORIN. Er kommt ganz frisch von der hohen Schule. –
Geh Er nur! Er hört ja, daß man von Ihm spricht; desto
weniger schickt es sich, stehen zu bleiben.

*(Läuffer geht mit einem steifen Kompliment ab.)*

Es ist was Unerträgliches, daß man für sein Geld keinen
rechtschaffenen Menschen mehr antreffen kann. Mein
Mann hat wohl dreimal an einen dasigen Professor geschrieben und dies soll doch noch der galanteste Mensch
auf der ganzen Akademie gewesen sein. Sie sehen's auch
wohl an seinem links bordierten Kleide. Stellen Sie sich
vor, von Leipzig bis Insterburg zweihundert Dukaten
Reisegeld und jährliches Gehalt fünfhundert Dukaten, ist
das nicht erschröcklich?

GRAF. Ich glaube, sein Vater ist der Prediger hier aus dem
Ort ...

MAJORIN. Ich weiß nicht – es kann sein – ich habe nicht
danach gefragt, ja doch, ich glaub es fast: er heißt ja auch

Läuffer; nun denn ist er freilich noch artig genug. Denn das ist ein rechter Bär, wenigstens hat er mich ein für allemal aus der Kirche gebrüllt.

GRAF. Ist's ein Katholik?

MAJORIN. Nein doch, Sie wissen ja, daß in Insterburg keine katholische Kirche ist: er ist lutherisch, oder protestantisch wollt ich sagen; er ist protestantisch.

GRAF. Pintinello tanzt ... Es ist wahr, ich habe mir mein Tanzen einige dreißigtausend Gulden kosten lassen, aber noch einmal so viel gäb ich drum, wenn ...

## Vierte Szene

### Läuffers Zimmer

LÄUFFER. LEOPOLD. DER MAJOR. *Erstere sitzen an einem Tisch, ein Buch in der Hand, indem sie der letztere überfällt.*

MAJOR. So recht; so lieb ich's; hübsch fleißig – und wenn die Canaille nicht behalten will, Herr Läuffer, so schlagen Sie ihm das Buch an den Kopf, daß er 's Aufstehen vergißt, oder wollt ich sagen, so dürfen Sie mir's nur klagen. Ich will dir den Kopf zurecht setzen. Heiduck du! Seht da zieht er das Maul schon wieder. Bist empfindlich, wenn dir dein Vater was sagt? Wer soll dir's denn sagen? Du sollst mir anders werden, oder ich will dich peitschen, daß dir die Eingeweide krachen sollen. Tuckmäuser! Und Sie, Herr, sein Sie fleißig mit ihm, das bitt ich mir aus, und kein Feriieren und Pausieren und Rekreieren, das leid ich nicht. Zum Plunder, vom Arbeiten wird kein Mensch das Malum hydropisiacum kriegen. Das sind nur Ausreden von euch Herren Gelehrten. – Wie steht's, kann er seinen Cornelio? Lippel! ich bitt dich um tausend Gottes willen, den Kopf grad. Den Kopf in die Höhe, Junge! *(Richtet ihn.)* Tausend Sackerment den Kopf aus den Schultern! oder ich zerbrech dir dein Rückenbein in tausend Millionen Stücken.

LÄUFFER. Der Herr Major verzeihen: er kann kaum Lateinisch lesen.

MAJOR. Was? So hat der Racker vergessen. – Der vorige Hofmeister hat mir doch gesagt, er sei perfekt im Lateinischen, perfekt ... Hat er's ausgeschwitzt – aber ich will dir – Ich will es nicht einmal vor Gottes Gericht zu verantworten haben, daß ich dir keinen Daumen aufs Auge gesetzt habe, und daß ein Galgendieb aus dir geworden ist, wie der junge Hufeise oder wie deines Onkels Friedrich, eh du mir so ein gassenläuferischer Taugenichts – Ich will dich zu Tode hauen – *(Gibt ihm eine Ohrfeige.)* Schon wieder wie ein Fragezeichen? Er läßt sich nicht sagen. – Fort mir aus den Augen. – Fort! Soll ich dir Beine machen? Fort, sag ich. *(Stampft mit dem Fuß. Leopold geht ab. Major setzt sich auf seinen Stuhl. Zu Läuffern.)* Bleiben Sie sitzen, Herr Läuffer; ich wollte mit Ihnen ein paar Worte allein sprechen, darum schickt ich den jungen Herrn fort. Sie können immer sitzen bleiben; ganz, ganz. Zum Henker Sie brechen mir ja den Stuhl entzwei, wenn Sie immer so auf einer Ecke ... Dafür steht ja der Stuhl da, daß man drauf sitzen soll. Sind Sie so weit gereist und wissen das noch nicht? – Hören Sie nur: ich seh Sie für einen hübschen artigen Mann an, der Gott fürchtet und folgsam ist, sonst würd ich das nimmer tun, was ich für Sie tue. Hundertundvierzig Dukaten jährlich hab ich Ihnen versprochen: das machen drei – Warte – Dreimal hundertundvierzig: wieviel machen das?

LÄUFFER. Vierhundertundzwanzig.

MAJOR. Ist's gewiß? Macht das so viel? Nun damit wir gerade Zahl haben, vierhundert Taler preußisch Courant hab ich zu Ihrem Salarii bestimmt. Sehen Sie, das ist mehr als das ganze Land gibt.

LÄUFFER. Aber mit Eurer Gnaden gnädigen Erlaubnis, die Frau Majorin haben mir von hundertfunfzig Dukaten gesagt; das machte gerade vierhundertfunfzig Taler und auf diese Bedingungen hab ich mich eingelassen.

MAJOR. Ei was wissen die Weiber! – Vierhundert Taler, Monsieur; mehr kann Er mit gutem Gewissen nicht fodern. Der vorige hat zweihundertfunfzig gehabt und ist zufrieden gewesen wie ein Gott. Er war doch, meine Seel! ein gelehrter Mann; auch und ein Hofmann zugleich: die ganze Welt gab ihm das Zeugnis, und Herr, Er muß noch ganz anders werden, eh Er so wird. Ich tu es nur aus Freundschaft für Seinen Herrn Vater, was ich an Ihm tue und um Seinetwillen auch, wenn Er hübsch folgsam ist, und werd auch schon einmal für Sein Glück zu sorgen wissen; das kann Er versichert sein. – Hör Er doch einmal: ich hab eine Tochter, das mein Ebenbild ist und die ganze Welt gibt ihr das Zeugnis, daß ihresgleichen an Schönheit im ganzen Preußenlande nichts anzutreffen. Das Mädchen hat ein ganz anders Gemüt als mein Sohn, der Buschklepper. Mit dem muß ganz anders umgegangen werden! Es weiß sein Christentum aus dem Grunde und in dem Grunde, aber es ist denn nun doch, weil sie bald zum Nachtmahl gehen soll und ich weiß wie die Pfaffen sind, so soll er auch alle Morgen etwas aus dem Christentum mit ihr nehmen. Alle Tage morgens eine Stunde und da geht Er auf ihr Zimmer; angezogen, das versteht sich: denn Gott behüte, daß Er so ein Schweinigel sein sollte wie ich einen gehabt habe, der durchaus im Schlafrock an Tisch kommen wollte. – Kann Er auch zeichnen?

LÄUFFER. Etwas, gnädiger Herr. – Ich kann Ihnen einige Proben weisen.

MAJOR *(besieht sie)*. Das ist ja scharmant! – Recht schön; gut das: Er soll meine Tochter auch zeichnen lehren. – Aber hören Sie, werter Herr Läuffer, um Gottes willen ihr nicht scharf begegnet; das Mädchen hat ein ganz ander Gemüt als der Junge. Weiß Gott! es ist als ob sie nicht Bruder und Schwester wären. Sie liegt Tag und Nacht über den Büchern und über den Trauerspielen da, und sobald man ihr nur ein Wort sagt, besonders ich, von mir kann sie nichts vertragen, gleich stehn ihr die Backen in

Feuer und die Tränen laufen ihr wie Perlen drüber herab.
Ich will's Ihm nur sagen: das Mädchen ist meines Herzens
einziger Trost. Meine Frau macht mir bittre Tage genug:
sie will alleweil herrschen und weil sie mehr List und
Verstand hat, als ich. Und der Sohn, das ist ihr Liebling;
den will sie nach ihrer Methode erziehen; fein säuberlich
mit dem Knaben Absalom, und da wird denn einmal so
ein Galgenstrick draus, der nicht Gott, nicht Menschen
was nutz ist. – Das will ich nicht haben. – Sobald er was
tut, oder was versieht, oder hat seinen Lex nicht gelernt,
sag Er's mir nur und der lebendige Teufel soll drein
fahren. – Aber mit der Tochter nehm Er sich in acht; die
Frau wird Ihm schon zureden, daß Er ihr scharf begegnen
soll. Sie kann sie nicht leiden, das weiß ich; aber wo ich
das Geringste merke. Ich bin Herr vom Hause, muß Er
wissen, und wer meiner Tochter zu nahe kommt – Es ist
mein einziges Kleinod, und wenn der König mir sein
Königreich für sie geben wollt: ich schickt ihn fort. Alle
Tage ist sie in meinem Abendgebet und Morgengebet und
in meinem Tischgebet, und alles in allem, und wenn Gott
mir die Gnade tun wollte, daß ich sie noch vor meinem
Ende mit einem General oder Staatsminister vom ersten
Range versorgt sähe, – denn keinen andern soll sie sein
Lebtage bekommen, – so wollt ich gern ein zehn Jahr eher
sterben. – Merk Er sich das – und wer meiner Tochter zu
nahe kommt oder ihr worin zu Leid lebt – die erste beste
Kugel durch den Kopf. Merk Er sich das. – *(Geht ab.)*

## Fünfte Szene

FRITZ VON BERG. AUGUSTCHEN.

FRITZ. Sie werden nicht Wort halten Gustchen: Sie werden
mir nicht schreiben, wenn Sie in Heidelbrunn sind, und
dann werd ich mich zu Tode grämen.

GUSTCHEN. Glaubst du denn, daß deine Juliette so unbeständig sein kann? O nein; ich bin ein Frauenzimmer; die Mannspersonen allein sind unbeständig.

FRITZ. Nein, Gustchen, die Frauenzimmer allein sind's. Ja wenn alle Julietten wären! – Wissen Sie was? Wenn Sie an mich schreiben, nennen Sie mich Ihren Romeo; tun Sie mir den Gefallen; ich versichere Sie, ich werd in allen Stücken Romeo sein, und wenn ich erst einen Degen trage. O ich kann mich auch erstechen, wenn's dazu kommt.

GUSTCHEN. Gehn Sie doch! Ja Sie werden's machen, wie im Gellert steht: er besah die Spitz und Schneide und steckt' ihn langsam wieder ein.

FRITZ. Sie sollen schon sehen. *(Faßt sie an die Hand.)* Gustchen – Gustchen! wenn ich Sie verlieren sollte oder der Onkel wollte Sie einem andern geben. – Der gottlose Graf Wermuth! Ich kann Ihnen den Gedanken nicht sagen Gustchen, aber Sie könnten ihn schon in meinen Augen lesen – Er wird ein Graf Paris für uns sein.

GUSTCHEN. Fritzchen – – so mach ich's wie Juliette.

FRITZ. Was denn? – Wie denn? – Das ist ja nur eine Erdichtung; es gibt keine solche Art Schlaftrunk.

GUSTCHEN. Ja, aber es gibt Schlaftränke zum ewigen Schlaf.

FRITZ *(fällt ihr um den Hals)*. Grausame!

GUSTCHEN. Ich hör meinen Vater auf dem Gange. – Laß uns in den Garten laufen. – Nein; er ist fort. – Gleich nach dem Kaffee Fritzchen reisen wir und sowie der Wagen dir aus den Augen verschwindt, werd ich dir auch schon aus dem Gedächtnis sein.

FRITZ. So mag Gott sich meiner nie mehr erinnern, wenn ich dich vergesse. Aber nimm dich für den Grafen in acht, er gilt so viel bei deiner Mutter und du weißt, sie möchte dich gern aus den Augen haben, und eh ich meine Schulen gemacht habe und drei Jahr auf der Universität, das ist gar lange.

GUSTCHEN. Wie denn Fritzchen! Ich bin ja noch ein Kind:

ich bin noch nicht zum Abendmahl gewesen, aber sag
mir. – O wer weiß, ob ich dich so bald wieder spreche! –
Wart, komm in den Garten.

FRITZ. Nein, nein, der Papa ist vorbeigegangen. – Siehst du,
der Henker! er ist im Garten. – Was wolltest du mir
sagen?

GUSTCHEN. Nichts ...

FRITZ. Liebes Gustchen ...

GUSTCHEN. Du solltest mir – Nein, ich darf das nicht von dir
verlangen.

FRITZ. Verlange mein Leben, meinen letzten Tropfen Bluts.

GUSTCHEN. Wir wollten uns beide einen Eid schwören.

FRITZ. O komm! Vortrefflich! Hier laß uns niederknien; am
Kanapee, und heb du so deinen Finger in die Höh und ich
so meinen. – Nun sag, was soll ich schwören?

GUSTCHEN. Daß du in drei Jahren von der Universität
zurückkommen willst und dein Gustchen zu deiner Frau
machen; dein Vater mag dazu sagen, was er will.

FRITZ. Und was willst du mir dafür wieder schwören, mein
englisches ... *(Küßt sie.)*

GUSTCHEN. Ich will schwören, daß ich in meinem Leben
keines ander Menschen Frau werden will, als deine und
wenn der Kaiser von Rußland selber käme.

FRITZ. Ich schwör dir hunderttausend Eide –
*(Der GEHEIME RAT tritt herein: beide springen mit lautem
Geschrei auf.)*


## Sechste Szene


GEH. RAT. Was habt ihr närrische Kinder? Was zittert ihr? –
Gleich, gesteht mir alles. Was habt ihr hier gemacht? Ihr
seid beide auf den Knien gelegen. – Junker Fritz, ich bitte
mir eine Antwort aus; unverzüglich: – Was habt ihr
vorgehabt?

FRITZ. Ich, gnädigster Papa?

GEH. RAT. Ich? und das mit einem so verwundrungsvollen Ton? Siehst du: ich merk alles. Du möchtest mir itzt gern eine Lüge sagen, aber entweder bist du zu dumm dazu, oder zu feig, und willst dich mit deinem Ich? heraushelfen ... Und Sie Mühmchen? – Ich weiß, Gustchen verhehlt mir nichts.

GUSTCHEN *(fällt ihm um die Füße)*. Ach, mein Vater – –

GEH. RAT *(hebt sie auf und küßt sie)*. Wünschst du mich zu deinem Vater? Zu früh, mein Kind, zu früh Gustchen, mein Kind. Du hast noch nicht kommuniziert. – Denn warum soll ich euch verhehlen, daß ich euch zugehört habe. – Das war ein sehr einfältig Stückchen von euch beiden; besonders von dir, großer vernünftiger Junker Fritz, der bald einen Bart haben wird wie ich, und eine Perücke aufsetzen und einen Degen anstecken. Pfui, ich glaubt einen vernünftigern Sohn zu haben. Das macht dich gleich ein Jahr jünger, und macht, daß du länger auf der Schule bleiben mußt. Und Sie, Gustchen, auch Ihnen muß ich sagen, daß es sich für Ihr Alter gar nicht mehr schickt, so kindisch zu tun. Was sind das für Romane, die Sie da spielen? Was für Eide, die Sie sich da schwören, und die ihr doch alle beide so gewiß brechen werdet als ich itzt mit euch rede. Meint ihr, ihr seid in den Jahren, Eide zu tun, oder meint ihr, ein Eid sei ein Kinderspiel, wie es das Versteckspiel oder die Blinde Kuh ist? Lernt erst einsehen, was ein Eid ist: lernt erst zittern dafür und alsdenn wagt's, ihn zu schwören. Wißt, daß ein Meineidiger die schändlichste und unglücklichste Kreatur ist, die von der Sonne angeschienen wird. Ein solcher darf weder den Himmel ansehen, den er verleugnet hat, noch andere Menschen, die sich unaufhörlich vor ihm scheuen, und seiner Gesellschaft mit mehr Sorgfalt ausweichen, als einer Schlange oder einem tückischen Hunde.

FRITZ. Aber ich denke meinen Eid zu halten.

GEH. RAT. In der Tat Romeo? Ha! Du kannst dich auch

erstechen, wenn's dazu kommt. Du hast geschworen, daß
mir die Haare zu Berg standen. Also gedenkst du deinen
Eid zu halten?

FRITZ. Ja Papa, bei Gott! ich denk ihn zu halten.

GEH. RAT. Schwur mit Schwur bekräftigt! – Ich werd es
deinem Rektor beibringen. Er soll Euch auf vierzehn Tage
nach Sekunda herunter transportieren, Junker: inskünfti-
ge lernt behutsamer schwören. Und worauf? Steht das in
deiner Gewalt, was du da versicherst? Du willst Gustchen
heiraten! Denk doch! weißt du auch schon, was für ein
Ding das ist, Heiraten? Geh doch, heirate sie: nimm sie
mit auf die Akademie. Nicht? Ich habe nichts dawider,
daß ihr euch gern seht, daß ihr euch lieb habt, daß ihr's
euch sagt, wie lieb ihr euch habt; aber Narrheiten müßt
ihr nicht machen; keine Affen von uns Alten sein, eh ihr
so reif seid als wir; keine Romane spielen wollen, die nur
in der ausschweifenden Einbildungskraft eines hungrigen
Poeten ausgeheckt sind und von denen ihr in der heutigen
Welt keinen Schatten der Wirklichkeit antrefft. Geht! ich
werde keinem Menschen was davon sagen, damit ihr nicht
nötig habt rot zu werden, wenn ihr mich seht. – Aber von
nun an sollt ihr einander nie mehr ohne Zeugen sehen.
Versteht ihr mich? Und euch nie andere Briefe schreiben
als offene und das auch alle Monate, oder höchstens alle
drei Wochen einmal, und sobald ein heimliches Briefchen
an Junker Fritz oder Fräulein Gustchen entdeckt wird –
so steckt man den Junker unter die Soldaten und das
Fräulein ins Kloster, bis sie vernünftiger werden. Versteht
ihr mich? – Jetzt – nehmt Abschied, hier in meiner
Gegenwart. – Die Kutsche ist angespannt, der Major
treibt fort; die Schwägerin hat schon Kaffee getrunken. –
Nehmt Abschied: ihr braucht euch vor mir nicht zu
scheuen. Geschwind, umarmt euch.

*(Fritz und Gustchen umarmen sich zitternd.)*

Und nun mein Tochter Gustchen, weil du doch das Wort
so gern hörst, *(hebt sie auf und küßt sie)* leb tausendmal

wohl, und begegne deiner Mutter mit Ehrfurcht; sie mag
dir sagen was sie will. – Jetzt geh, mach! –

*(Gustchen geht einige Schritte, sieht sich um; Fritz fliegt ihr
weinend an den Hals.)*

Die beiden Narren brechen mir das Herz! Wenn doch der
Major vernünftiger werden wollte, oder seine Frau weniger herrschsüchtig! –

## Zweiter Akt

### Erste Szene

#### PASTOR LÄUFFER. DER GEHEIME RAT.

GEH. RAT. Ich bedaure ihn – und Sie noch viel mehr, Herr
Pastor, daß Sie solchen Sohn haben.

PASTOR. Verzeihen Euer Gnaden, ich kann mich über meinen Sohn nicht beschweren; er ist ein sittsamer und
geschickter Mensch, die ganze Welt und Dero Herr Bruder und Frau Schwägerin selbst werden ihm das eingestehen müssen.

GEH. RAT. Ich sprech ihm das all nicht ab, aber er ist ein Tor,
und hat alle sein Mißvergnügen sich selber zu danken. Er
sollte den Sternen danken, daß meinem Bruder das Geld,
das er für den Hofmeister zahlt, einmal anfängt zu lieb zu
werden.

PASTOR. Aber bedenken Sie doch: nichts mehr als hundert
Dukaten; hundert arme Dukätchen; und dreihundert hatt
er ihm doch im ersten Jahr versprochen: aber beim Schluß
desselben nur hundertundvierzig ausgezahlt, jetzt beim
Beschluß des zweiten, da doch die Arbeit meines Sohnes
immer zunimmt, zahlt' er ihm hundert, und nun beim
Anfang des dritten wird ihm auch das zu viel. – Das ist
wider alle Billigkeit! Verzeihn Sie mir.

GEH. RAT. Laß es doch. – Das hätt ich euch Leuten voraussagen wollen, und doch sollt Ihr Sohn Gott danken, wenn
ihn nur der Major beim Kopf nähm und aus dem Hause
würfe. Was soll er da, sagen Sie mir Herr? Wollen Sie ein
Vater für Ihr Kind sein und schließen so Augen, Mund
und Ohren für seine ganze Glückseligkeit zu? Tagdieben,
und sich Geld dafür bezahlen lassen? Die edelsten Stunden des Tages bei einem jungen Herrn versitzen, der
nichts lernen mag und mit dem er's doch nicht verderben
darf, und die übrigen Stunden, die der Erhaltung seines
Lebens, den Speisen und dem Schlaf geheiligt sind, an
einer Sklavenkette verseufzen; an den Winken der gnädigen Frau hängen, und sich in die Falten des gnädigen
Herrn hineinstudieren; essen wenn er satt ist und fasten,
wenn er hungrig ist, Punsch trinken, wenn er p-ss-n
möchte, und Karten spielen, wenn er das Laufen hat.
Ohne Freiheit geht das Leben bergab rückwärts, Freiheit
ist das Element des Menschen wie das Wasser des Fisches,
und ein Mensch der sich der Freiheit begibt, vergiftet die
edelsten Geister seines Bluts, erstickt seine süßesten Freuden des Lebens in der Blüte und ermordet sich selbst.

PASTOR. Aber – Oh! erlauben Sie mir; das muß sich ja jeder
Hofmeister gefallen lassen; man kann nicht immer seinen
Willen haben, und das läßt sich mein Sohn auch gern
gefallen, nur –

GEH. RAT. Desto schlimmer, wenn er sich's gefallen läßt,
desto schlimmer; er hat den Vorrechten eines Menschen
entsagt, der nach seinen Grundsätzen muß leben können,
sonst bleibt er kein Mensch. Mögen die Elenden, die ihre
Ideen nicht zu höherer Glückseligkeit zu erheben wissen,
als zu essen und zu trinken, mögen die sich im Käficht zu
Tode füttern lassen, aber ein Gelehrter, ein Mensch, der
den Adel seiner Seele fühlt, der den Tod nicht zu scheuen
sollt als eine Handlung, die wider seine Grundsätze
läuft . . .

PASTOR. Aber was ist zu machen in der Welt? Was wollte

mein Sohn anfangen, wenn Dero Herr Bruder ihm die
Kondition aufsagten?

GEH. RAT. Laßt den Burschen was lernen, daß er dem Staat
nützen kann. Potz hundert Herr Pastor, Sie haben ihn
doch nicht zum Bedienten aufgezogen, und was ist er
anders als Bedienter, wenn er seine Freiheit einer Privat-
person für einige Handvoll Dukaten verkauft? Sklav ist
er, über den die Herrschaft unumschränkte Gewalt hat,
nur daß er so viel auf der Akademie gelernt haben muß,
ihren unbesonnenen Anmutungen von weitem zuvorzu-
kommen und so einen Firnis über seine Dienstbarkeit zu
streichen: das heißt denn ein feiner artiger Mensch, ein
unvergleichlicher Mensch; ein unvergleichlicher Schurke,
der, statt seine Kräfte und seinen Verstand dem allgemeinen Besten aufzuopfern, damit die Rasereien einer dampf-
figten Dame und eines abgedämpften Offiziers unterstützt, die denn täglich weiter um sich fressen wie ein
Krebsschaden und zuletzt unheilbar werden. Und was ist
der ganze Gewinst am Ende? Alle Mittag Braten und alle
Abend Punsch, und eine große Portion Galle, die ihm
tagsüber ins Maul gestiegen, abends, wenn er zu Bett
liegt, hinabgeschluckt, wie Pillen; das macht gesundes
Blut, auf meine Ehr! und muß auch ein vortreffliches
Herz auf die Länge geben. Ihr beklagt Euch so viel übern
Adel und über seinen Stolz, die Leute sähn Hofmeister
wie Domestiken an, Narren! was sind sie denn anders?
Stehn sie nicht in Lohn und Brot bei ihnen wie jene? Aber
wer heißt euch ihren Stolz nähren? Wer heißt euch Domestiken werden, wenn ihr was gelernt habt, und einem
starrköpfischen Edelmann zinsbar werden, der sein Tage
von seinen Hausgenossen nichts anders gewohnt war als
sklavische Unterwürfigkeit?

PASTOR. Aber Herr Geheimer Rat – Gütiger Gott! es ist in
der Welt nicht anders; man muß eine Warte haben, von
der man sich nach einem öffentlichen Amt umsehen kann,
wenn man von Universitäten kommt; wir müssen den

göttlichen Ruf erst abwarten und ein Patron ist sehr oft
das Mittel zu unserer Beförderung: wenigstens ist es mir
so gegangen.

GEH. RAT. Schweigen Sie, Herr Pastor, ich bitt Sie, schweigen Sie. Das gereicht Ihnen nicht zur Ehr. Man weiß ja
doch, daß Ihre selige Frau Ihr göttlicher Ruf war, sonst
säßen Sie noch itzt beim Herrn von Tiesen und düngten
ihm seinen Acker. Jemine! daß Ihr Herrn uns doch immer
einen so ehrwürdigen schwarzen Dunst vor Augen machen wollt. Noch nie hat ein Edelmann einen Hofmeister
angenommen, wo er ihm nicht hinter eine Allee von acht
neun Sklavenjahren ein schön Gemälde von Beförderung
gestellt hat und wenn ihr acht Jahr gegangen waret, so
macht' er's wie Laban ·und rückte das Bild um noch
einmal so weit vorwärts. Possen! lernt etwas und seid
brave Leut. Der Staat wird euch nicht lang am Markt
stehen lassen. Brave Leut sind allenthalben zu brauchen,
aber Schurken, die den Namen vom Gelehrten nur auf
den Zettel tragen und im Kopf ist leer Papier ...

PASTOR. Das ist sehr allgemein gesprochen, Herr Rat! – Es
müssen doch, bei Gott! auch Hauslehrer in der Welt sein;
nicht jedermann kann gleich Geheimer Rat werden und
wenn er gleich ein Hugo Grotius wär. Es gehören heutiges Tags andere Sachen dazu als Gelehrsamkeit. –

GEH. RAT. Sie werden warm, Herr Pastor! – Lieber, werter
Herr Pastor, lassen Sie uns den Faden unsers Streits nicht
verlieren. Ich behaupt: es müssen keine Hauslehrer in der
Welt sein! das Geschmeiß taugt den Teufel zu nichts.

PASTOR. Ich bin nicht hergekommen mir Grobheiten sagen
zu lassen: ich bin auch Hauslehrer gewesen. Ich habe die
Ehre – –

GEH. RAT. Warten Sie; bleiben Sie, lieber Herr Pastor!
Behüte mich der Himmel! Ich habe Sie nicht beleidigen
wollen und wenn's wider meinen Willen geschehen ist, so
bitt ich Sie tausendmal um Verzeihung. Es ist einmal
meine üble Gewohnheit, daß ich gleich in Feuer gerate,

wenn mir ein Gespräch interessant wird: alles übrige
verschwindt mir denn aus dem Gesicht und ich sehe nur
den Gegenstand, von dem ich spreche.

PASTOR. Sie schütten, – Verzeihen Sie mir, ich bin auch ein
Cholerikus, und rede gern von der Lunge ab. – Sie
schütten das Kind mit dem Bade aus. Hauslehrer taugen
zu nichts. – Wie können Sie mir das beweisen! Wer soll
euch jungen Herrn denn Verstand und gute Sitten beibringen! Was wär aus Ihnen geworden, mein werter Herr Geheimer Rat, wenn Sie keinen Hauslehrer gehabt hätten?

GEH. RAT. Ich bin von meinem Vater zur öffentlichen Schul
gehalten worden, und segne seine Asche dafür, und so
hoff ich, wird mein Sohn Fritz auch dereinst tun.

PASTOR. Ja, – da ist aber noch viel drüber zu sagen Herr! Ich
meinerseits bin Ihrer Meinung nicht; ja wenn die öffentlichen Schulen das wären, was sie sein sollten. – Aber die
nüchternen Subjecta, so oft den Klassen vorstehen; die
pedantischen Methoden, die sie brauchen, die unter der
Jugend eingerissenen verderbten Sitten –

GEH. RAT. Wes ist die Schuld? Wer ist schuld dran, als ihr
Schurken von Hauslehrern? Würde der Edelmann nicht
von euch in der Grille gestärkt, einen kleinen Hof anzu-
legen, wo er als Monarch oben auf dem Thron sitzt, und
ihm Hofmeister und Mamsell und ein ganzer Wisch von
Tagdieben huldigen, so würd er seine Jungen in die
öffentliche Schule tun müssen; er würde das Geld, von
dem er jetzt seinen Sohn zum hochadlichen Dummkopf
aufzieht, zum Fonds der Schule schlagen: davon könnten
denn gescheite Leute salariert werden und alles würde
seinen guten Gang gehn; das Studentchen müßte was
lernen, um bei einer solchen Anstalt brauchbar zu werden, und das junge Herrchen, anstatt seine Faulenzerei
vor den Augen des Papas und der Tanten, die alle keine
Argusse sind, künstlich und manierlich zu verstecken,
würde seinen Kopf anstrengen müssen, um es den bürgerlichen Jungen zuvorzutun, wenn es sich doch von ihnen

unterscheiden will. – Was die Sitten anbetrifft, das findt sich wahrhaftig. – Wenn er gleich nicht, wie seine hochadliche Vettern, die Nase von Kindesbeinen an höher tragen lernt als andere, und in einem nachlässigen Ton, von oben herab, Unsinn sagen, und Leuten ins Gesicht sehen, wenn sie den Hut vor ihm abziehen, um ihnen dadurch anzudeuten, daß sie auf kein Gegenkompliment warten sollen. Die feinen Sitten hol der Teufel! Man kann dem Jungen Tanzmeister auf der Stube halten, und ihn in artige Gesellschaften führen, aber er muß durchaus nicht aus der Sphäre seiner Schulkamraden herausgehoben, und in der Meinung gestärkt werden, er sei eine bessere Kreatur als andere.

PASTOR. Ich habe nicht Zeit, *(zieht die Uhr heraus)* mich in den Disput weiter mit Ihnen einzulassen, gnädiger Herr; aber so viel weiß ich, daß der Adel überall nicht Ihrer Meinung sein wird.

GEH. RAT. So sollten die Bürger meiner Meinung sein. – Die Not würde den Adel schon auf andere Gedanken bringen, und wir könnten uns bessere Zeiten versprechen. Sapperment, was kann aus unserm Adel werden wenn ein einziger Mensch das Faktotum bei dem Kinde sein soll, ich setz auch den unmöglichen Fall, daß er ein Polyhistor wäre, wo will der eine Mann Feuer und Mut und Tätigkeit hernehmen, wenn er alle seine Kräfte auf einen Schafskopf konzentrieren soll, besonders wenn Vater und Mutter sich kreuz und die quer immer mit in die Erziehung mengen, und dem Faß, in welches er füllt, den Boden immer wieder ausschlagen?

PASTOR. Ich bin um zehn Uhr zu einem Kranken bestellt. Sie werden mir verzeihen. – *(Im Abgehen wendet er sich um.)* Aber wär's nicht möglich, gnädiger Herr, daß Sie Ihren zweiten Sohn nur auf ein halb Jährchen zum Herrn Major in die Kost täten? Mein Sohn will gern mit achtzig Dukaten zufrieden sein, aber mit sechzigen, die ihm der Herr Bruder geben wollen, da kann er nicht von subsistieren.

GEH. RAT. Laß ihn quittieren. – Ich tu es nicht, Herr Pastor! Davon bin ich nicht abzubringen. Ich will Ihrem Herrn Sohn die dreißig Dukaten lieber schenken; aber meinen Sohn geb ich zu keinem Hofmeister.

*(Der Pastor hält ihm einen Brief hin.)*

Was soll ich damit? Es ist alles umsonst, sag ich Ihnen.

PASTOR. Lesen Sie – Lesen Sie nur –

GEH. RAT. Je nun, ihm ist nicht – *(Liest.)* »– – wenden Sie doch alles an, den Herrn Geheimen Rat dahin zu vermögen, – – Sie können sich nicht vorstellen, wie elend es mir hier geht; nichts wird mir gehalten, was mir ist versprochen worden. Ich speise nur mit der Herrschaft, wenn keine Fremde da sind, – – das ärgste ist, daß ich gar nicht von hier komme und in einem ganzen Jahr meinen Fuß nicht aus Heidelbrunn habe setzen – man hatte mir ein Pferd versprochen, alle Vierteljahr einmal nach Königsberg zu reisen, als ich es foderte, fragte mich die gnädige Frau, ob ich nicht lieber zum Karneval nach Venedig wollte.« – *(Wirft den Brief an die Erde.)* Je nun, laß ihn quittieren; warum ist er ein Narr und bleibt da?

PASTOR. Ja das ist eben die Sache. *(Hebt den Brief auf.)* Belieben Sie doch nur auszulesen.

GEH. RAT. Was ist da zu lesen? – *(Liest.)* »Dem ohngeachtet kann ich dies Haus nicht verlassen, und sollt es mich Leben und Gesundheit kosten. So viel darf ich Ihnen sagen, daß die Aussichten in eine selige Zukunft mir alle die Mühseligkeiten meines gegenwärtigen Standes –« Ja, das sind vielleicht Aussichten in die selige Ewigkeit, sonst weiß ich keine Aussichten, die mein Bruder ihm eröffnen könnte. Er betrügt sich, glauben Sie mir's; schreiben Sie ihm zurück, daß er ein Tor ist. Dreißig Dukaten will ich ihm dies Jahr aus meinem Beutel Zulage geben, aber ihn auch zugleich gebeten haben, mich mit allen fernern Anwerbungen um meinen Karl zu verschonen: denn ihm zu Gefallen werd ich mein Kind nicht verwahrlosen.

## Zweite Szene

### In Heidelbrunn

GUSTCHEN. LÄUFFER.

GUSTCHEN. Was fehlt Ihnen dann?

LÄUFFER. Wie steht's mit meinem Porträt? Nicht wahr, Sie
haben nicht dran gedacht? Wenn ich auch so saumselig
gewesen wäre – Hätt ich das gewußt: ich hätt Ihren Brief
solang zurückgehalten, aber ich war ein Narr.

GUSTCHEN. Ha ha ha. Lieber Herr Hofmeister! Ich habe
wahrhaftig noch nicht Zeit gehabt.

LÄUFFER. Grausame!

GUSTCHEN. Aber was fehlt Ihnen denn? Sagen Sie mir doch!
So tiefsinnig sind Sie ja noch nie gewesen. Die Augen
stehn Ihnen ja immer voll Wasser: ich habe gemerkt, Sie
essen nichts.

LÄUFFER. Haben Sie? In der Tat? Sie sind ein rechtes Muster
des Mitleidens.

GUSTCHEN. O Herr Hofmeister – –

LÄUFFER. Wollen Sie heut nachmittag Zeichenstunde halten?

GUSTCHEN *(faßt ihn an die Hand)*. Liebster Herr Hofmeister!
verzeihen Sie, daß ich sie gestern aussetzte. Es war mir
wahrhaftig unmöglich zu zeichnen; ich hatte den Schnuppen auf eine erstaunende Art.

LÄUFFER. So werden Sie ihn wohl heute noch haben. Ich
denke, wir hören ganz auf zu zeichnen. Es macht Ihnen
kein Vergnügen länger.

GUSTCHEN *(halb weinend)*. Wie können Sie das sagen, Herr
Läuffer? Es ist das einzige, was ich mit Lust tue.

LÄUFFER. Oder Sie versparen es bis auf den Winter in die
Stadt und nehmen einen Zeichenmeister. Überhaupt werd
ich Ihren Herrn Vater bitten, den Gegenstand Ihres Ab-
scheues, Ihres Hasses, Ihrer ganzen Grausamkeit von
Ihnen zu entfernen. Ich sehe doch, daß es Ihnen auf die
Länge unausstehlich wird, von mir Unterricht anzunehmen.

GUSTCHEN. Herr Läuffer –

LÄUFFER. Lassen Sie mich – Ich muß sehen, wie ich das elende Leben zu Ende bringe, weil mir doch der Tod verboten ist –

GUSTCHEN. Herr Läuffer –

LÄUFFER. Sie foltern mich. – *(Reißt sich los und geht ab.)*

GUSTCHEN. Wie dauert er mich!


Dritte Szene

Zu Halle in Sachsen
Pätus' Zimmer

FRITZ VON BERG. PÄTUS, *im Schlafrock an einem Tisch sitzend.*

PÄTUS. Ei was Berg! Du bist ja kein Kind mehr, daß du nach Papa und Mama – Pfui Teufel! ich hab dich allezeit für einen braven Kerl gehalten, wenn du nicht mein Schulkamerad wärst: ich würde mich schämen mit dir umzugehen.

FRITZ. Pätus, auf meine Ehr, es ist nicht Heimweh, du machst mich bis über die Ohren rot mit dem dummen Verdacht. Ich möchte gern Nachricht von Hause haben, das gesteh ich, aber das hat seine Ursachen – –

PÄTUS. Gustchen – Nicht wahr? Denk doch, du arme Seele! Hundertachtzig Stunden von ihr entfernt – Was für Wälder und Ströme liegen nicht zwischen euch? Aber warte, wir haben hier auch Mädchen; wenn ich nur besser besponnen wäre, ich wollte dich heut in eine Gesellschaft führen – Ich weiß nicht, wie du auch bist; ein Jahr in Halle und noch mit keinem Mädchen gesprochen: das muß melancholisch machen; es kann nicht anders sein. Warte, du mußt mir hier einziehen, daß du lustig wirst. Was machst du da bei dem Pfarrer? Das ist keine Stube für dich –

FRITZ. Was zahlst du hier?

pätus. Ich zahle – Wahrhaftig, Bruder, ich weiß es nicht. Es
ist ein guter ehrlicher Philister, bei dem ich wohne: seine
Frau ist freilich bisweilen ein bißchen wunderlich, aber
mag's. Was geht's mich an? Wir zanken uns einmal herum
und denn laß ich sie laufen: und die schreiben mir alles
auf, Hausmiete, Kaffee, Tabak; alles was ich verlange,
und denn zahl ich die Rechnung alle Jahre, wenn mein
Wechsel kommt.

fritz. Bist du jetzt viel schuldig?

pätus. Ich habe die vorige Woche bezahlt. Das ist wahr,
diesmal haben sie mir's arg gemacht: mein ganzer Wechsel
hat herhalten müssen bis auf den letzten Pfennig, und
mein Rock, den ich tags vorher versetzt hatte, weil ich in
der äußersten Not war, steht noch zu Gevattern. Weiß
der Himmel, wenn ich ihn wieder einlösen kann.

fritz. Und wie machst du's denn itzt?

pätus. Ich? – Ich bin krank. Heut morgen hat mich die Frau
Rätin Hamster invitieren lassen, gleich kroch ich ins
Bett . . .

fritz. Aber bei dem schönen Wetter immer zu Hause zu
sitzen.

pätus. Was macht das? des Abends geh ich im Schlafrock
spazieren, es ist ohnedem in den Hundstagen am Tage
nicht auszuhalten – Aber potz Mordio! Wo bleibt denn
mein Kaffee? *(Pocht mit dem Fuß.)* Frau Blitzer! – Nun
sollst du sehn, wie ich meinen Leuten umspringe – Frau
Blitzer! in aller Welt Frau Blitzer. *(Klingelt und pocht.)* – Ich
habe sie kürzlich bezahlt: nun kann ich schon breiter tun
– Frau . . .

*(FRAU BLITZER tritt herein mit einer Portion Kaffee.)*

pätus. In aller Welt, Mutter! wo bleibst du denn? Das
Wetter soll dich regieren. Ich warte hier schon über eine
Stunde –

frau blitzer. Was? Du nichtsnutziger Kerl, was lärmst du?
Bist du schon wieder nichts nutz, abgeschabte Laus? Den
Augenblick trag ich meinen Kaffee wieder herunter –

PÄTUS *(gießt sich ein).* Nun, nun, nicht so böse Mutter! aber Zwieback – Wo ist denn Zwieback?

FRAU BLITZER. Ja, kleine Steine dir! Es ist kein Zwieback im Hause. Denk doch, ob so ein kahler lausichter Kerl nun alle Nachmittag Zwieback frißt oder nicht – –

PÄTUS. Was tausend alle Welt! *(Stampft mit dem Fuß.)* Sie weiß, daß ich keinen Kaffee ohne Zwieback ins Maul nehme – Wofür gebe ich denn mein Geld aus –

FRAU BLITZER *(langt ihm Zwieback aus der Schürze, wobei sie ihn an den Haaren zupft).* Da siehst du, da ist Zwieback, Posaunenkerl! Er hat eine Stimme wie ein ganzes Regiment Soldaten. Nu, ist der Kaffee gut? Ist er nicht? Gleich sag mir's, oder ich reiß Ihm das letzte Haar aus Seinem kahlen Kopf heraus.

PÄTUS *(trinkt).* Unvergleichlich – Aye! – Ich hab in meinem Leben keinen bessern getrunken.

FRAU BLITZER. Siehst du Hundejunge! Wenn du die Mutter nicht hättest, die sich deiner annähme und dir zu essen und zu trinken gäbe, du müßtest an der Straße verhungern. Sehen Sie ihn einmal an, Herr von Berg, wie er dahergeht, keinen Rock auf dem Leibe und sein Schlafrock ist auch, als ob er darin wär aufgehenkt worden und wieder vom Galgen gefallen. Sie sind doch ein hübscher Herr, ich weiß nicht wie Sie mit dem Menschen umgehen können, nun freilich unter Landsleuten da ist immer so eine kleine Blutsverwandtschaft, drum sag ich immer, wenn doch der Herr von Berg zu uns einlogieren täte. Ich weiß, daß Sie viel Gewalt über ihn haben: da könnte doch noch was Ordentliches aus ihm werden, aber sonst wahrhaftig – *(Geht ab.)*

PÄTUS. Siehst du, ist das nicht ein gut fidel Weib. Ich seh ihr all etwas durch die Finger, aber potz, wenn ich auch einmal ernsthaft werde, kusch ist sie wie die Wand – Willst du nicht eine Tasse mittrinken? *(Gießt ihm ein.)* Siehst du, ich bin hier wohl bedient; ich zahle was Rechts, das ist wahr, aber dafür hab auch ich was . . .

FRITZ *(trinkt)*. Der Kaffee schmeckt nach Gerste.

PÄTUS. Was sagst du? – *(Schmeckt gleichfalls.)* Ja wahrhaftig, mit dem Zwieback hab ich's nicht so – *(Sieht in die Kanne.)* Nun so hol dich! *(Wirft das Kaffeezeug zum Fenster hinaus.)* Gerstenkaffee und fünfhundert Gulden jährlich! –

FRAU BLITZER *(stürzt herein)*. Wie? Was zum Teufel, was ist das? Herr, ist Er rasend oder plagt Ihn gar der Teufel? –

PÄTUS. Still Mutter!

FRAU BLITZER *(mit gräßlichem Geschrei)*. Aber wo ist mein Kaffeezeug? Ei! zum Henker! aus dem Fenster – Ich kratz Ihm die Augen aus dem Kopf heraus.

PÄTUS. Es war eine Spinne darin und ich warf's in der Angst – Was kann ich dafür, daß das Fenster offen stand?

FRAU BLITZER. Daß du verreckt wärst an der Spinne, wenn ich dich mit Haut und Haar verkaufe, so kannst du mir mein Kaffeezeug nicht bezahlen, nichtswürdiger Hund! Nichts als Schaden und Unglück kann Er machen. Ich will dich verklagen; ich will dich in Karzer werfen lassen. *(Läuft hinaus.)*

PÄTUS *(lachend)*. Was ist zu machen, Bruder! man muß sie schon ausrasen lassen.

FRITZ. Aber für dein Geld?

PÄTUS. Ei was! – Wenn ich bis Weihnachten warten muß, wer wird mir sogleich bis dahin kreditieren? Und denn ist's ja nur ein Weib und ein närrisch Weib dazu, dem's nicht immer so von Herzen geht: wenn mir's der Mann gesagt hätte, das wär was anders, dem schlüg ich das Leder voll – Siehst du wohl!

FRITZ. Hast du Feder und Tinte?

PÄTUS. Dort auf dem Fenster –

FRITZ. Ich weiß nicht, das Herz ist mir so schwer – Ich habe nie was auf Ahndungen gehalten.

PÄTUS. Ja mir auch – Die Döbblinsche Gesellschaft ist angekommen. Ich möchte gern in die Komödie gehn und habe keinen Rock anzuziehen. Der Schurke mein Wirt

leiht mir keinen und ich bin eine so große dicke Bestie,
daß mir keiner von all euren Röcken passen würde.

FRITZ. Ich muß gleich nach Hause schreiben. *(Setzt sich an ein Fenster nieder und schreibt.)*

PÄTUS *(setzt sich einem Wolfspelz gegenüber, der an der Wand hängt).* Hm! nichts als den Pelz gerettet, von allen meinen Kleidern, die ich habe, und die ich mir noch wollte machen lassen. Grade den Pelz, den ich im Sommer nicht tragen kann, und den mir nicht einmal der Jude zum Versatz annimmt, weil sich der Wurm leicht hineinsetzt. Hanke, Hanke! das ist doch unverantwortlich, daß du mir keinen Rock auf Pump machen willst. *(Steht auf und geht herum.)* Was hab ich dir getan, Hanke, daß du just mir keinen Rock machen willst? Just mir, der ich ihn am nötigsten brauche, weil ich jetzo keinen habe, just mir! – Der Teufel muß dich besitzen, er macht Hunz und Kunz auf Kredit und just mir nicht! *(Faßt sich an den Kopf und stampft mit dem Fuß.)* Just mir nicht, just mir nicht! –

BOLLWERK *(der sich mittlerweile hineingeschlichen und ihm zugehört, faßt ihn an: er kehrt sich um und bleibt stumm vor Bollwerk stehen).* Ha ha ha ... Nun du armer Pätus – ha ha ha! Nicht wahr, es ist doch ein gottloser Hanke, daß er just dir nicht – Aber, wo ist das rote Kleid mit Gold, das du bei ihm bestellt hast, und das blauseidne mit der silberstücknen Weste, und das rotsammetne mit schwarz Sammet gefüttert, das wär vortrefflich bei dieser Jahrszeit. Sage mir! antworte mir! Der verfluchte Hanke! Wollen wir gehn und ihm die Haut vollschlagen? Wo bleibt er so lang mit deiner Arbeit? Wollen wir?

PÄTUS *(wirft sich auf einen Stuhl).* Laß mich zufrieden.

BOLLWERK. Aber hör Pätus, Pätus, Pä Pä Pä Pätus *(setzt sich zu ihm)* Döbblin ist angekommen. Hör Pä Pä Pä Pä Pätus, wie wollen wir das machen? Ich denke, du ziehst deinen Wolfspelz an und gehst heut abend in die Komödie. Was schadt's, du bist doch fremd hier – und die ganze Welt weiß, daß du vier Paar Kleider bei Hanke bestellt hast.

Ob er sie dir machen wird, ist gleichviel! – Der verfluchte
Kerl! Wollen ihm die Fenster einschlagen, wenn er sie dir
nicht macht!

PÄTUS *(heftig)*. Laß mich zufrieden, sag ich dir.

BOLLWERK. Aber hör ... aber ... aber ... hör hör hör,
Pätus; nimm dich in acht Pätus! daß du mir des Nachts
nicht mehr im Schlafrock auf der Gasse läufst. Ich weiß,
daß du bange bist vor Hunden; es ist eben ausgetrummelt
worden, daß zehn wütige Hunde in der Stadt herumlaufen
sollen; sie haben schon einige Kinder gebissen: zwei sind
noch davon kommen, aber vier sind auf der Stelle gestorben. Das machen die Hundstage? Nicht wahr Pätus?
Es ist gut, daß du jetzt nicht ausgehen kannst. Nicht
wahr? Du gehst itzt mit allem Fleiß nicht aus? Nicht wahr
Pä Pä Pätus?

PÄTUS. Laß mich zufrieden ... oder wir verzürnen uns.

BOLLWERK. Du wirst doch kein Kind sein – Berg, kommen
Sie mit in die Komödie?

FRITZ *(zerstreut)*. Was? – Was für Komödie?

BOLLWERK. Es ist eine Gesellschaft angekommen – Legen Sie
die Schmieralien weg. Sie können ja auf den Abend schreiben. Man gibt heut Minna von Barnhelm.

FRITZ. O die muß ich sehen. – – *(Steckt seine Briefe zu sich.)*
Armer Pätus, daß du keinen Rock hast. –

BOLLWERK. Ich lieh' ihm gern einen, aber es ist hol mich der
Teufel mein einziger, den ich auf dem Leibe habe –
*(Gehn ab.)*

PÄTUS *(allein)*. Geht zum Teufel mit eurem Mitleiden! Das
ärgert mich mehr als wenn man mir ins Gesicht schlüge –
– Ei was mach ich mir draus. *(Zieht seinen Schlafrock aus.)*
Laß die Leute mich für wahnwitzig halten! Minna von
Barnhelm muß ich sehen und wenn ich nackend hingehen
sollte! *(Zieht den Wolfspelz an.)* Hanke, Hanke! es soll dir zu
Hause kommen! *(Stampft mit dem Fuß.)* Es soll dir zu
Hause kommen! *(Geht.)*

## Vierte Szene

FRAU HAMSTER. JUNGFER HAMSTER. JUNGFER KNICKS.

JUNGFER KNICKS. Ich kann's Ihnen vor Lachen nicht erzählen, Frau Rätin, ich muß krank vor Lachen werden. Stellen Sie sich vor: wir gehen mit Jungfer Hamster im Gäßchen hier nah bei, so läuft uns ein Mensch im Wolfspelz vorbei, als ob er durch Spießruten gejagt würde; drei große Hunde hinter ihm drein. Jungfer Hamster bekam einen Schubb, daß sie mit dem Kopf an die Mauer schlug und überlaut schreien mußte.

FRAU HAMSTER. Wer war es denn?

JUNGFER KNICKS. Stellen Sie sich vor, als wir ihm nachsahen, war's Herr Pätus – Er muß rasend worden sein.

FRAU HAMSTER. Mit einem Wolfspelz in dieser Hitze!

JUNGFER HAMSTER *(hält sich den Kopf)*. Ich glaube noch immer, er ist aus dem hitzigen Fieber aufgesprungen. Er ließ uns heut morgen sagen, er sei krank.

JUNGFER KNICKS. Und die drei Hunde hinter ihm drein, das war das lustigste. Ich hatte mir vorgenommen heut in die Komödie zu gehen, aber nun mag ich nicht, ich würde doch da nicht soviel zu lachen kriegen. Das vergeß ich mein Lebtage nicht. Seine Haare flogen ihm nach wie der Schweif an einem Kometen, und je eifriger er lief, desto eifriger schlugen die Hunde an und er hatte das Herz nicht, sich einmal umzusehen ... Das war unvergleichlich!

FRAU HAMSTER. Schrie er nicht? Er wird gemeint haben, die Hunde sein wütig.

JUNGFER KNICKS. Ich glaub, er hatte keine Zeit zum Schreien, aber rot war er wie ein Krebs und hielt das Maul offen, wie die Hunde hinter ihm drein – O das war nicht mit Geld zu bezahlen! Ich gäbe nicht meine Schnur echter Perlen darum, daß ich das nicht gesehen.

# Fünfte Szene

In Heidelbrunn

Augustchens Zimmer

GUSTCHEN *liegt auf dem Bette.* LÄUFFER *sitzt am Bette.*

LÄUFFER. Stell dir vor Gustchen, der Geheime Rat will nicht. Du siehst, daß dein Vater mir das Leben immer saurer macht: nun will er mir gar aufs folgende Jahr nur vierzig Dukaten geben. Wie kann ich das aushalten? Ich muß quittieren.

GUSTCHEN. Grausamer, und was werd ich denn anfangen? *(Nachdem beide eine Zeitlang sich schweigend angesehen.)* Du siehst: ich bin schwach, und krank: hier in der Einsamkeit unter einer barbarischen Mutter – Niemand fragt nach mir, niemand bekümmert sich um mich: meine ganze Familie kann mich nicht mehr leiden; mein Vater selber nicht mehr: ich weiß nicht warum.

LÄUFFER. Mach, daß du zu meinem Vater in die Lehre kommst; nach Insterburg.

GUSTCHEN. Da kriegen wir uns nie zu sehen. Mein Onkel leidet es nimmer, daß mein Vater mich zu deinem Vater ins Haus gibt.

LÄUFFER. Mit dem verfluchten Adelstolz!

GUSTCHEN *(nimmt seine Hand).* Wenn du auch böse wirst, Herrmannchen! *(Küßt sie.)* O Tod! Tod! warum erbarmst du dich nicht!

LÄUFFER. Rate mir selber – Dein Bruder ist der ungezogenste Junge den ich kenne: neulich hat er mir eine Ohrfeige gegeben und ich durft ihm nichts dafür tun, durft nicht einmal drüber klagen. Dein Vater hätt ihm gleich Arm und Bein gebrochen und die gnädige Mama alle Schuld zuletzt auf mich geschoben.

GUSTCHEN. Aber um meinetwillen – Ich dachte, du liebtest mich.

LÄUFFER *(stützt sich mit der andern Hand auf ihrem Bett, indem sie fortfährt seine eine Hand von Zeit zu Zeit an die Lippen zu bringen).* Laß mich denken ... *(Bleibt nachsinnend sitzen.)*

GUSTCHEN *(in der beschriebenen Pantomime).* O Romeo! Wenn dies deine Hand wäre. – Aber so verlässest du mich, unedler Romeo! Siehst nicht, daß deine Julie für dich stirbt – von der ganzen Welt, von ihrer ganzen Familie gehaßt, verachtet, ausgespien. *(Drückt seine Hand an ihre Augen.)* O unmenschlicher Romeo!

LÄUFFER *(sieht auf).* Was schwärmst du wieder?

GUSTCHEN. Es ist ein Monolog aus einem Trauerspiel, den ich gern rezitiere, wenn ich Sorgen habe.
*(Läuffer fällt wieder in Gedanken, nach einer Pause fängt sie wieder an.)*
Vielleicht bist du nicht ganz strafbar. Deines Vaters Verbot, Briefe mit mir zu wechseln, aber die Liebe setzt über Meere und Ströme, über Verbot und Todesgefahr selbst – Du hast mich vergessen ... Vielleicht besorgtest du für mich – Ja, ja, dein zärtliches Herz sah, was mir drohte, für schröcklicher an, als das was ich leide. *(Küßt Läuffers Hand inbrünstig.)* O göttlicher Romeo!

LÄUFFER *(küßt ihre Hand lange wieder und sieht sie eine Weile stumm an).* Es könnte mir gehen wie Abälard —

GUSTCHEN *(richtet sich auf).* Du irrst dich – Meine Krankheit liegt im Gemüt – Niemand wird dich mutmaßen – *(Fällt wieder hin.)* Hast du die Neue Heloise gelesen?

LÄUFFER. Ich höre was auf dem Gang nach der Schulstube. –

GUSTCHEN. Meines Vaters – Um Gottes willen! – Du bist drei Viertelstund zu lang hiergeblieben.
*(Läuffer läuft fort.)*

*von Rousseau – wurde für seine Liebe bestraft : kastriert*

## Sechste Szene

DIE MAJORIN. GRAF WERMUTH.

GRAF. Aber gnädige Frau! kriegt man denn Fräulein Gustchen gar nicht mehr zu sehen? Wie befindt sie sich auf die vorgestrige Jagd?

MAJORIN. Zu Ihrem Befehl; sie hat die Nacht Zahnschmerzen gehabt, darum darf sie sich heut nicht sehen lassen. Was macht Ihr Magen, Graf! auf die Austern?

GRAF. O das bin ich gewohnt. Ich habe neulich mit meinem Bruder ganz allein auf unsre Hand sechshundert Stück aufgegessen und zwanzig Bouteillen Champagner dabei ausgetrunken.

MAJORIN. Rheinwein wollten Sie sagen.

GRAF. Champagner – Es war eine Idee, und ist uns beiden recht gut bekommen. Denselben Abend war Ball in Königsberg, mein Bruder hat bis an den andern Mittag getanzt und ich Geld verloren.

MAJORIN. Wollen wir ein Piquet machen?

GRAF. Wenn Fräulein Gustchen käme, macht ich ein paar Touren im Garten mit ihr. Ihnen, gnädige Frau, darf ich's nicht zumuten; mit Ihrer Fontenelle am Fuß.

MAJORIN. Ich weiß auch nicht, wo der Major immer steckt. Er ist in seinem Leben so rasend nicht auf die Ökonomie gewesen; den ganzen ausgeschlagenen Tag auf dem Felde und wenn er nach Hause kommt, sitzt er stumm wie ein Stock. Glauben Sie, daß ich anfange mir Gedanken drüber zu machen.

GRAF. Er scheint melancholisch.

MAJORIN. Weiß es der Himmel – Neulich hatt er wieder einmal den Einfall bei mir zu schlafen, und da ist er mitten in der Nacht aus dem Bett aufgesprungen und hat sich – He he, ich sollt's Ihnen nicht erzählen, aber Sie kennen ja die lächerliche Seite von meinem Mann schon.

GRAF. Und hat sich ...

MAJORIN. Auf die Knie niedergeworfen und an die Brust geschlagen und geschluchzt und geheult, daß mir zu grauen anfing. Ich hab ihn aber nicht fragen mögen, was gehen mich seine Narrheiten an? Mag er Pietist oder Quacker werden. Meinethalben! Er wird dadurch weder häßlicher noch liebenswürdiger in meinen Augen werden, als er ist. *(Sieht den Grafen schalkhaft an.)*

GRAF *(faßt sie ans Kinn).* Boshafte Frau! – Aber wo ist Gustchen? Ich möchte gar zu gern mit ihr spazieren gehn.

MAJORIN. Still da kommt ja der Major ... Sie können mit ihm gehen, Graf.

GRAF. Denk doch – Ich will nun aber mit Ihrer Tochter gehn.

MAJORIN. Sie wird noch nicht angezogen sein: es ist was Unausstehliches, wie faul das Mädchen ist –

*(MAJOR VON BERG kommt im Nachtwämschen, einen Strohhut auf.)*

MAJORIN. Nun wie steht's, Mann? Wo treiben Sie sich denn wieder herum? Man kriegt Sie ja den ganzen Tag nicht zu sehen. Sehn Sie ihn nur an Herr Graf; sieht er doch wie der Heautontimorumenos in meiner großen Madame Dacier abgemalt – Ich glaube, du hast gepflügt, Herr Major? Wir sind itzt in den Hundstagen.

GRAF. In der Tat, Herr Major, Sie haben noch nie so übel ausgesehen, blaß, hager, Sie müssen etwas haben, das Ihnen auf dem Gemüt liegt, was bedeuten die Tränen in Ihren Augen, sobald man Sie aufmerksam ansieht? Ich kenne Sie doch zehn Jahr schon und habe Sie nie so gesehen, selbst da nicht, als Ihr Bruder starb.

MAJORIN. Geiz, nichts als der leidige Geiz, er meint, wir werden verhungern, wenn er nicht täglich wie ein Maulwurf auf dem Felde wühlt. Bald gräbt er, bald pflügt er, bald eggt er. Du willst doch nicht Bauer werden? Du mußt mir vorher einen andern Mann geben, der die Aufsicht über dich führt.

MAJOR. Ich muß wohl schaffen und scharren, meiner Tochter einen Platz im Hospital auszumachen.

MAJORIN. Was sind das nun wieder für Phantasien! – Ich muß wahrhaftig den Doktor Würz noch aus Königsberg holen lassen.

MAJOR. Du siehst nimmer nichts, vornehme Frau! daß dein Kind von Tag zu Tag abfällt, daß sie Schönheit, Gesundheit und den ganzen Plunder verliert und dahergeht, als ob sie, hol mich der Teufel – Gott verzeih mir meine schwere Sünde, – als ob der arme Lazarus sie gemacht hätte – Es frißt mir die Leber ab –

MAJORIN. Hören Sie ihn nur! Wie er mich anfährt! Bin ich schuld daran? Bist du denn wahnwitzig?

MAJOR. Ja freilich bist du schuld daran, oder was ist sonst schuld daran? Ich kann's, zerschlag mich der Donner! nicht begreifen. Ich dacht immer, ihr eine der ersten Partien im Reich auszumachen: denn sie hat auf der ganzen Welt an Schönheit nicht ihresgleichen gehabt und nun sieht sie aus wie eine Kühmagd – Ja freilich bist du schuld daran mit deiner Strenge und deinen Grausamkeiten und deinem Neid, das hat sie sich zu Gemüt gezogen und das ist ihr nun zum Gesicht herausgeschlagen, aber das ist deine Freude, gnädige Frau, denn du bist lang schalu über sie gewesen. Das kannst du doch nicht leugnen? Solltst dich in dein Herz schämen, wahrhaftig! *(Geht ab.)*

MAJORIN. Aber ... aber was sagen Sie dazu, Herr Graf! Haben Sie in Ihrem Leben eine ärgere Kollektion von Sottisen gesehen?

GRAF. Kommen Sie; wir wollen Piquet spielen, bis Fräulein Gustchen angezogen ist ...

## Siebente Szene

### In Halle

FRITZ VON BERG *im Gefängnis.* BOLLWERK, VON SEIFFENBLASE *und sein* HOFMEISTER *stehn um ihn.*

BOLLWERK. Wenn ich doch den Jungen hier hätte, das Fell zög ich ihm über die Ohren. Es ist mit alledem doch infam gehandelt, einen ehrlichen Jungen, wie Berg, ins Karzer zu bringen; da sich keiner sein hat annehmen wollen. Denn das ist ja wahr, kein einziger Landsmann hat den Fuß vor die Tür seinethalben gesetzt. Wenn Berg nicht gut für ihn gesagt hätte, wär er im Gefängnis verfault. Und in vierzehn Tagen soll das Geld hier sein und wo er den Berg in Verlegenheit läßt, soll man ihn für einen ausgemachten Schurken halten. O du verdammter Pä Pä Pä Pä Pätus! Wart du verhenkerter Pätus, wart einmal! –

HOFMEISTER. Ich kann Ihnen nicht genug beschreiben, lieber Herr von Berg, wie leid es mir besonders um Ihres Herrn Vaters und der Familie willen tut, Sie in einem solchen Zustande zu sehen und noch dazu ohne Ihre Schuld, aus bloßer jugendlicher Unbesonnenheit. Es hat schon einer von den sieben Weisen Griechenlandes gesagt, für Bürgschaften sollst du dich in acht nehmen und in der Tat es ist nichts unverschämter, als daß ein junger Durchbringer, der sich durch seine lüderliche Wirtschaft ins Elend gestürzt hat, auch andere mit hineinziehen will, denn vermutlich hat er das gleich anfangs im Sinne gehabt, als er auf der Akademie Ihre Freundschaft suchte.

HERR VON SEIFFENBLASE. Ja ja, lieber Bruder Berg! nimm mir nicht übel, da hast du einen großen Bock gemacht. Du bist selbst schuld daran; dem Kerl hättst du's doch gleich ansehen können, daß er dich betrügen würde. Er ist bei mir auch gewesen und hat mich angesprochen: er wär aufs Äußerste getrieben, seine Kreditores wollten ihn wegstek-

ken lassen, wo ihn nicht Sonn noch Mond beschiene. Laß
sie dich, dacht ich, es schadt dir nichts. Das ist dafür, daß
du uns sonst kaum über die Achsel ansahst, aber wenn ihr
in Not seid, da sind die Adelichen zu Kaventen gut genug.
Er erzählte mir Langes und Breites; er hätte seine Pistolen
schon geladen, im Fall die Kreditores ihn angriffen – Und
nun läßt der lüderliche Hund dich an seiner Stelle prostituieren. Das ist wahr, wenn mir das geschehen wäre: ich
könnte so ruhig nicht dabei sein: zwischen vier Mauren
der Herr von Berg und das um eines lüderlichen Studenten willen.

FRITZ. Er war mein Schulkamerad – – Laßt ihn zufrieden.
Wenn ich mich nicht über ihn beklage, was geht's Euch
an? Ich kenn ihn länger als Ihr; ich weiß, daß er mich
nicht mit seinem guten Willen hier sitzen läßt.

HOFMEISTER. Aber, Herr von Berg wir müssen in der Welt
mit Vernunft handeln. Sein Schade ist es gewiß nicht, daß
Sie hier für ihn sitzen und seinethalben können Sie noch
ein Säkulum so sitzen bleiben –

FRITZ. Ich hab ihn von Jugend auf gekannt: wir haben uns
noch niemals was abgeschlagen. Er hat mich wie seinen
Bruder geliebt, ich ihn wie meinen. Als er nach Halle
reiste, weint' er zum erstenmal in seinem Leben, weil er
nicht mit mir reisen konnte. Ein ganzes Jahr früher hätt er
schon auf die Akademie gehn können, aber um mit mir
zusammen zu reisen, stellt' er sich gegen die Präzeptores
dummer als er war, und doch wollt es das Schicksal und
unsre Väter so, daß wir nicht zusammen reisten und das
war sein Unglück. Er hat nie gewußt mit Geld umzugehen
und gab jedem was er verlangte. Hätt ihm ein Bettler das
letzte Hemd vom Leibe gezogen und dabei gesagt: mit
Ihrer Erlaubnis, lieber Herr Pätus, er hätt's ihm gelassen.
Seine Kreditores gingen mit ihm um wie Straßenräuber
und sein Vater verdiente nie, einen verlornen Sohn zu
haben, der bei all seinem Elend ein so gutes Herz nach
Hause brachte.

HOFMEISTER. O verzeihn Sie mir, Sie sind jung und sehen alles noch aus dem vorteilhaftesten Gesichtspunkt an: man muß erst eine Weile unter den Menschen gelebt haben um Charaktere beurteilen zu können. Der Herr Pätus, oder wie er da heißt, hat sich Ihnen bisher immer nur unter der Maske gezeigt; jetzt kommt sein wahres Gesicht erst ans Tageslicht: er muß einer der feinsten und abgefeimtesten Betrüger gewesen sein, denn die treuherzigen Spitzbuben ...

PÄTUS *(in Reisekleidern, fällt Berg um den Hals)*. Bruder Berg – –

FRITZ. Bruder Pätus – –

PÄTUS. Nein – laß – zu deinen Füßen muß ich liegen – dich hier – um meinetwillen. *(Rauft sich das Haar mit beiden Händen und stampft mit den Füßen.)* O Schicksal! Schicksal! Schicksal!

FRITZ. Nun wie ist's? Hast du Geld mitgebracht? Ist dein Vater versöhnt? Was bedeutet dein Zurückkommen?

PÄTUS. Nichts, nichts – Er hat mich nicht vor sich gelassen – Hundert Meilen umsonst gereist! – Ihr Diener, Ihr Herren. Bollwerk wein nicht, du erniedrigst mich zu tief, wenn du gut für mich denkst – O Himmel, Himmel!

FRITZ. So bist du der ärgste Narr, der auf dem Erdboden wandelt. Warum kommst du zurück? Bist du wahnwitzig? Haben alle deine Sinne dich verlassen? Willst du, daß die Kreditores dich gewahr werden – Fort! Bollwerk, führ ihn fort; sieh daß du ihn sicher aus der Stadt bringst – Ich höre den Pedell – Pätus, ewig mein Feind, wo du nicht im Augenblick –

*(Pätus wirft sich ihm zu Füßen.)*

Ich möchte rasend werden. –

BOLLWERK. So sei doch nun kein Narr, da Berg so großmütig ist und für dich sitzen bleiben will; sein Vater wird ihn schon auslösen; aber wenn du einmal sitzest, so ist keine Hoffnung mehr für dich; du mußt im Gefängnis verfaulen.

PÄTUS. Gebt mir einen Degen her ...

FRITZ. Fort! –

BOLLWERK. Fort! –

PÄTUS. Ihr tut mir eine Barmherzigkeit, wenn ihr mir einen
Degen –

SEIFFENBLASE. Da haben Sie meinen ...

BOLLWERK *(greift ihn in den Arm)*. Herr – Schurke! Lassen Sie
– Stecken Sie nicht ein! Sie sollen nicht umsonst gezogen
haben. Erst will ich meinen Freund in Sicherheit und dann
erwarten Sie mich hier – Draußen, wohl zu verstehen;
also vor der Hand zur Tür hinaus! *(Wirft ihn zur Tür
hinaus.)*

HOFMEISTER. Mein Herr Bollwerk –

BOLLWERK. Kein Wort, Sie – gehen Sie Ihrem Jungen nach
und lehren Sie ihn, kein schlechter Kerl sein – Sie können
mich haben wo und wie Sie wollen.

*(Der Hofmeister geht ab.)*

PÄTUS. Bollwerk! ich will dein Sekundant sein.

BOLLWERK. Narr auch! Du tust als – Willst du mir den
Handschuh vielleicht halten, wenn ich vorher eins übern
Daumen pisse? – Was braucht's da Sekundanten. Komm
nur fort und sekundiere dich zur Stadt hinaus, Hasenfuß.

PÄTUS. Aber ihrer sind zwei.

BOLLWERK. Ich wünschte, daß ihrer zehn wären und keine
Seiffenblasen drunter – So komm doch, und mach dich
nicht selbst unglücklich, närrischer Kerl.

PÄTUS. Berg! –

*(Bollwerk reißt ihn mit sich fort.)*

# Dritter Akt

## Erste Szene

### In Heidelbrunn

DER MAJOR *im Nachtwämschen.* DER GEHEIME RAT.

MAJOR. Bruder, ich bin der alte nicht mehr. Mein Herz sieht zehnmal toller aus als mein Gesicht – Es ist sehr gut, daß du mich besuchst; wer weiß, ob wir uns so lang mehr sehen.

GEH. RAT. Du bist immer ausschweifend, in allen Stücken – Dir ein Nichts so zu Herzen gehen zu lassen! – Wenn deiner Tochter die Schönheit abgeht, so bleibt sie doch immer noch das gute Mädchen, das sie war; so kann sie hundert andre liebenswürdige Eigenschaften besitzen.

MAJOR. Ihre Schönheit – Hol mich der Teufel, es ist nicht das allein, was ihr abgeht; ich weiß nicht, ich werde noch den Verstand verlieren, wenn ich das Mädchen lang unter Augen behalte. Ihre Gesundheit ist hin, ihre Munterkeit, ihre Lieblichkeit, weiß der Teufel, wie man das Dings all nennen soll; aber obschon ich's nicht nennen kann, so kann ich's doch sehen, so kann ich's doch fühlen und begreifen, und du weißt, daß ich aus dem Mädchen meinen Abgott gemacht habe. Und daß ich sie so sehn muß unter meinen Händen hinsterben, verwesen. – *(Weint.)* Bruder Geheimer Rat, du hast keine Tochter; du weißt nicht, wie einem Vater zu Mut sein muß, der eine Tochter hat. Ich hab dreizehn Bataillen beigewohnt und achtzehn Blessuren bekommen, und hab den Tod vor Augen gesehen und bin – O laß mich zufrieden; pack dich zu meinem Haus hinaus; laß die ganze Welt sich fortpacken. Ich will es anstecken und die Schaufel in die Hand nehmen und Bauer werden.

GEH. RAT. Und Frau und Kinder –

MAJOR. Du beliebst zu scherzen: ich weiß von keiner Frau und Kindern, ich bin Major Berg gottseligen Andenkens und will den Pflug in die Hand nehmen und will Vater Berg werden, und wer mir zu nahe kommt, dem geb ich mit meiner Hack über die Ohren.

GEH. RAT. So schwärmerisch-schwermütig hab ich ihn doch nie gesehen.

(DIE MAJORIN *stürzt herein.*)

MAJORIN. Zu Hülfe Mann – Wir sind verloren – Unsere Familie! unsere Familie!

GEH. RAT. Gott behüt Frau Schwester! Was stellen Sie an? Wollen Sie Ihren Mann rasend machen?

MAJORIN. Er soll rasend werden – Unsere Familie – Infamie! – – O ich kann nicht mehr – (*Fällt auf einen Stuhl.*)

MAJOR (*geht auf sie zu*). Willst du mit der Sprach heraus? – Oder ich dreh dir den Hals um.

MAJORIN. Deine Dochter – Der Hofmeister. – Lauf! (*Fällt in Ohnmacht.*)

MAJOR. Hat er sie zur Hure gemacht? (*Schüttelt sie.*) Was fällst du da hin; jetzt ist's nicht Zeit zum Hinfallen. Heraus mit, oder das Wetter soll dich zerschlagen. Zur Hure gemacht? Ist's das? – Nun so werd denn die ganze Welt zur Hure und du Berg nimm die Mistgabel in die Hand – (*Will gehen.*)

GEH. RAT (*hält ihn zurück*). Bruder, wenn du dein Leben lieb hast, so bleib hier – Ich will alles untersuchen – Deine Wut macht dich unmündig. (*Geht ab und schließt die Tür zu.*)

MAJOR (*arbeitet vergebens sie aufzumachen*). Ich werd dich beunmündig – (*Zu seiner Frau.*) Komm, komm, Hure, du auch! sieh zu. (*Reißt die Tür auf.*) Ich will ein Exempel statuieren – Gott hat mich bis hieher erhalten, damit ich an Weib und Kindern Exempel statuieren kann – Verbrannt, verbrannt, verbrannt! (*Schleppt seine Frau ohnmächtig vom Theater.*)

## Zweite Szene

### Eine Schule im Dorf

*Es ist finstrer Abend.* WENZESLAUS. LÄUFFER.

WENZESLAUS *(sitzt an einem Tisch, die Brill auf der Nase und lineiert).* Wer da? Was gibt's?

LÄUFFER. Schutz! Schutz! werter Herr Schulmeister! Man steht mir nach dem Leben.

WENZESLAUS. Wer ist Er denn?

LÄUFFER. Ich bin Hofmeister im benachbarten Schloß. Der Major Berg ist mit all seinen Bedienten hinter mir und wollen mich erschießen.

WENZESLAUS. Behüte – Setz Er sich hier nieder zu mir – Hier hat Er meine Hand: Er soll sicher bei mir sein – Und nun erzähl Er mir, derweil ich diese Vorschrift hier schreibe.

LÄUFFER. Lassen Sie mich erst zu mir selber kommen.

WENZESLAUS. Gut, verschnauf Er sich und hernach will ich Ihm ein Glas Wein geben lassen und wollen eins zusammen trinken. Unterdessen, sag Er mich doch – Hofmeister – *(Legt das Lineal weg, nimmt die Brille ab und sieht ihn eine Weile an.)* Nun ja, nach dem Rock zu urteilen. – Nun nun, ich glaub's Ihm, daß Er der Hofmeister ist. Er sieht ja so rot und weiß drein. Nun sag Er mir aber doch, mein lieber Freund, *(setzt die Brille wieder auf)* wie ist Er denn zu dem Unstern gekommen, daß Sein Herr Patron so entrüstet auf Ihn ist? Ich kann mir's doch nimmermehr einbilden, daß ein Mann, wie der Herr Major von Berg – Ich kenne ihn wohl; ich habe genug von ihm reden hören; er soll freilich von einem hastigen Temperament sein; viel Cholera, viel Cholera – Sehen Sie, da muß ich meinen Buben selber die Linien ziehen, denn nichts lernen die Bursche so schwer als das Gradeschreiben, das Gleichschreiben – Nicht zierlich geschrieben; nicht geschwind geschrieben; sag ich immer, aber nur grad geschrieben, denn das hat seinen Einfluß in alles, auf die Sitten, auf

die Wissenschaften, in alles, lieber Herr Hofmeister. Ein
Mensch, der nicht grad schreiben kann, sag ich immer,
der kann auch nicht grad handeln – Wo waren wir?

LÄUFFER. Dürft ich mir ein Glas Wasser ausbitten?

WENZESLAUS. Wasser? – Sie sollen haben. Aber – ja wovon
redten wir? Vom Gradschreiben; nein vom Major – he he
he – Aber wissen Sie auch Herr – Wie ist Ihr Name?

LÄUFFER. Mein – Ich heiße – Mandel.

WENZESLAUS. Herr Mandel – Und darauf mußten Sie sich
noch besinnen? Nun ja, man hat bisweilen Abwesenheiten
des Geistes; besonders die jungen Herren weiß und rot –
Sie heißen unrecht Mandel; Sie sollten Mandelblüte heißen, denn Sie sind ja weiß und rot wie Mandelblüte – Nun
ja freilich, der Hofmeisterstand ist einer von denen, unus
ex his, die alleweile mit Rosen und Lilien überstreut sind,
und wo einen die Dornen des Lebens nur gar selten
stechen. Denn was hat man zu tun? Man ißt, trinkt,
schläft, hat für nichts zu sorgen; sein gut Glas Wein
gewiß, seinen Braten täglich, alle Morgen seinen Kaffee,
Tee, Schokolade, oder was man trinkt und das geht denn
immer so fort – Nun ja, ich wollt Ihnen sagen: wissen Sie
auch, Herr Mandel, daß ein Glas Wasser der Gesundheit
ebenso schädlich auf eine heftige Gemütsbewegung als auf
eine heftige Leibesbewegung: aber freilich, was fragt ihr
jungen Herren Hofmeister nach der Gesundheit – Denn
sagt mir doch, *(legt Brille und Lineal weg und steht auf)* wo in
aller Welt kann das der Gesundheit gut tun, wenn alle
Nerven und Adern gespannt sind und das Blut ist in der
heftigsten Zirkulation und die Lebensgeister sind alle in
einer – Hitze, in einer –

LÄUFFER. Um Gottes willen der Graf Wermuth – *(Springt in
eine Kammer.)*

*(GRAF WERMUTH mit ein paar Bedienten, die Pistolen tragen.)*

GRAF. Ist hier ein gewisser Läuffer – Ein Student im blauen
Rock mit Tressen?

WENZESLAUS. Herr, in unserm Dorf ist's die Mode, daß man

den Hut abzieht, wenn man in die Stube tritt und mit dem
Herrn vom Hause spricht.

GRAF. Die Sache pressiert – Sagt mir, ist er hier oder nicht?

WENZESLAUS. Und was soll er denn verbrochen haben, daß
Ihr ihn so mit gewaffneter Hand sucht?

*(Graf will in die Kammer, er stellt sich vor die Tür.)*

Halt Herr! Die Kammer ist mein, und wo Ihr nicht
augenblicklich Euch aus meinem Hause packt, so zieh ich
nur an meiner Schelle und ein halb Dutzend handfester
Bauerkerle schlägt Euch zu morsch Pulver-Granatenstük-
ken. Seid Ihr Straßenräuber, so muß man Euch als Stra-
ßenräubern begegnen. Und damit Ihr Euch nicht verirrt
und den Weg zum Haus hinaus so gut findt als Ihr ihn
hinein gefunden habt – *(Faßt ihn an die Hand und führt ihn
zur Tür hinaus: die Bedienten folgen ihm.)*

LÄUFFER *(springt aus der Kammer hervor).* Glücklicher Mann!
Beneidenswerter Mann!

WENZESLAUS *(in der obigen Attitüde).* In – Die Lebensgeister
sagt ich, sind in einer – Begeisterung, alle Passionen sind
gleichsam in einer Empörung, in einem Aufruhr – Nun
wenn Ihr da Wasser trinkt, so geht's, wie wenn man in
eine mächtige Flamme Wasser schüttet. Die starke Bewegung der Luft und der Krieg zwischen den beiden ent-
gegengesetzten Elementen macht eine Efferveszenz, eine
Gärung, eine Unruhe, ein tumultuarisches Wesen. –

LÄUFFER. Ich bewundere Sie ...

WENZESLAUS. Gottlieb! – Jetzt können Sie schon allgemach
trinken – Allgemach – und denn werden Sie auf den
Abend mit einem Salat und Knackwurst vorlieb nehmen –
Was war das für ein ungeschliffener Kerl, der nach Ihnen
suchte?

LÄUFFER. Es ist der Graf Wermuth, der künftige Schwiegersohn des Majors; er ist eifersüchtig auf mich, weil das
Fräulein ihn nicht leiden kann –

WENZESLAUS. Aber was soll denn das auch? Was will das
Mädchen denn auch mit Ihm Monsieur Jungfernknecht?

Sich ihr Glück zu verderben, um eines solchen jungen
Siegfrieds willen, der nirgends Haus oder Herd hat? Das
laß Er sich aus dem Kopf und folg Er mir nach in die
Küche. Ich seh, mein Bube ist fortgangen, mir Bratwürste
zu holen. Ich will ihm selber Wasser schöpfen, denn
Magd hab ich nicht und an eine Frau hab ich mich noch
nicht unterstanden zu denken, weil ich weiß, daß ich
keine ernähren kann – geschweige denn eine drauf angesehen, wie ihr junge Herren Weiß und Rot – Aber man
sagt wohl mit Recht, die Welt verändert sich.

### Dritte Szene

#### In Heidelbrunn

DER GEHEIME RAT. HERR VON SEIFFENBLASE
*und sein* HOFMEISTER.

HOFMEISTER. Wir haben uns in Halle nur ein Jahr aufgehalten und als wir von Göttingen kamen, nahmen wir unsere
Rückreise über alle berühmte Universitäten in Deutschland. Wir konnten also in Halle das zweitemal nicht lange
verweilen; zudem saß Ihr Herr Sohn grade zu der Zeit in
dem unglücklichen Arrest, wo ich ihn nur einigemal zu
sprechen die Ehre haben konnte: also könnt ich Ihnen
aufrichtig von der Führung Dero Herrn Sohns draußen
keine umständliche Nachricht geben.

GEH. RAT. Der Himmel verhängt Strafen über unsre ganze
Familie. Mein Bruder – Ich will's Ihnen nur nicht verhehlen, denn leider ist Stadt und Land voll davon – hat das
Unglück gehabt, daß seine Tochter ihm verschwunden
ist, ohne daß eine Spur von ihr anzutreffen – Ich höre itzt
von meinem Sohn – Wenn er sich gut geführt hätte, wie
wär's möglich gewesen, ihn ins Gefängnis zu bringen? Ich
hab ihm außer seinem starken Wechsel noch alle halbe
Jahr außerordentliche geschickt; auf allen Fall –

HOFMEISTER. Die bösen Gesellschaften; die erstaunenden Verführungen auf Akademien.

SEIFFENBLASE. Das seltsamste dabei ist, daß er für einen andern sitzt; ein Ausbund aller Lüderlichkeit, ein Mensch, für den ich keinen Groschen ausgäbe und er auf meinem Misthaufen Hungers krepierte. Er ist hier gewesen, Sie werden von ihm gehört haben; er suchte Geld bei seinem Vater, unter dem Vorwand, Ihren Herrn Sohn auszulösen; vermutlich wär er damit auf eine andere Akademie gegangen und hätte von frischem angefangen zu wirtschaften. Ich weiß schon, wie's die lüderlichen Studenten machen, aber sein Vater hat den Braten gerochen und hat ihn nicht vor sich kommen lassen.

GEH. RAT. Doch wohl nicht der junge Pätus, des Ratsherrn Sohn?

SEIFFENBLASE. Ich glaub, es ist derselbe.

GEH. RAT. Jedermann hat dem Vater die Härte verdacht.

HOFMEISTER. Ja was ist da zu verdenken, mein gnädiger Herr Geheimer Rat; wenn ein Sohn die Güte des Vaters zu sehr mißbraucht, so muß sich das Vaterherz wohl ab von ihm wenden. Der Hohepriester Eli war nicht hart und brach den Hals.

GEH. RAT. Gegen die Ausschweifungen seiner Kinder kann man nie zu hart sein, aber wohl gegen ihr Elend. Der junge Mensch soll hier haben betteln müssen. Und mein Sohn sitzt um seinetwillen?

SEIFFENBLASE. Was anders? Er war sein vertrautester Freund und fand niemand würdiger, mit ihm die Komödie von Damon und Pythias zu spielen. Noch mehr, Herr Pätus kam zurück und wollte seinen Platz wieder einnehmen, aber Ihr Sohn bestund drauf, er wollte sitzen bleiben: Sie würden ihn schon auslösen, und Pätus mit einem andern Erzrenommisten und Spieler wollten die Flucht nehmen und sich zu helfen suchen, so gut sie könnten. Vielleicht überfallen sie wieder so irgend einen armen Studenten mit Masken vor den Gesichtern auf der Stube und nehmen ihm die Uhr und Goldbörse, mit der Pistol auf der Brust, weg, wie sie's in Halle schon einem gemacht haben.

GEH. RAT. Und mein Sohn ist der dritte aus diesem Kleeblatt?

SEIFFENBLASE. Ich weiß nicht, Herr Geheimer Rat.

GEH. RAT. Kommen Sie zum Essen, meine Herren! Ich weiß schon zu viel. Es ist ein Gericht Gottes über gewisse Familien; bei einigen sind gewisse Krankheiten erblich, bei andern arten die Kinder aus, die Väter mögen tun was sie wollen. Essen Sie: ich will fasten und beten, vielleicht hab ich diesen Abend durch die Ausschweifungen meiner Jugend verdient.

## Vierte Szene

### Die Schule

WENZESLAUS *und* LÄUFFER
*an einem ungedeckten Tisch speisend.*

WENZESLAUS. Schmeckt's? Nicht wahr, es ist ein Abstand von meinem Tisch und des Majors? Aber wenn der Schulmeister Wenzeslaus seine Wurst ißt, so hilft ihm das gute Gewissen verdauen, und wenn der Herr Mandel Kapaunenbraten mit der Champignonsauce aß, so stieß ihm sein Gewissen jeden Bissen, den er hinabschluckte, mit der Moral wieder in Hals zurück: du bist ein – Denn sagt mir einmal, lieber Herr Mandel; nehmt mir nicht übel, daß ich Euch die Wahrheit sage; das würzt das Gespräch wie Pfeffer den Gurkensalat; sagt mir einmal, ist das nicht hundsföttisch, wenn ich davon überzeugt bin, daß ich ein Ignorant bin, und meine Untergebenen nichts lehren kann, und so müßig bei ihnen gehe und sie müßig gehen lasse, und dem lieben Gott ihren Tag stehlen und doch hundert Dukaten – War's nicht soviel? Gott verzeih mir, ich hab in meinem Leben nicht so viel Geld auf einem Haufen beisammen gesehen! Hundertfunfzig Dukaten, sag ich, in Sack stecke, für nichts und wieder nichts!

LÄUFFER. O! und Sie haben noch nicht alles gesagt, Sie kennen Ihren Vorzug nicht ganz, oder fühlen ihn, ohn ihn zu kennen. Haben Sie nie einen Sklaven im betreßten Rock gesehen? O Freiheit, güldene Freiheit!

WENZESLAUS. Ei was Freiheit! Ich bin auch so frei nicht; ich bin an meine Schule gebunden, und muß Gott und meinem Gewissen Rechenschaft von geben.

LÄUFFER. Eben das – Aber wie, wenn Sie den Grillen eines wunderlichen Kopfs davon Rechenschaft ablegen müßten, der mit Ihnen umginge hundertmal ärger als Sie mit Ihren Schulknaben?

WENZESLAUS. Ja nun – dann müßt er aber auch an Verstand so weit über mich erhaben sein, wie ich über meine Schulknaben, und das trifft man selten, glaub ich wohl; besonders bei unsern Edelleuten; da mögt Ihr wohl recht haben: wenigstens der Flegel da, der mir vorhin in meine Kammer wollte, ohne mich vorher um Erlaubnis zu bitten. Wenn ich zum Herrn Grafen käme und wollt ihm, mir nichts, dir nichts, die Zimmer visitieren – Aber potz Millius, so eßt doch; Ihr macht ja ein Gesicht, als ob Ihr zu laxieren einnähmt. Nicht wahr, Ihr hättet gern ein Glas Wein dazu? Ich hab Euch zwar vorhin eins versprochen, aber ich habe keinen im Hause. Morgen werd ich wieder bekommen, und da trinken wir sonntags und donnerstags, und wenn der Organist Franz zu uns kommt, extra. Wasser, Wasser, mein Freund, ἄριστον μὲν το ὕδωρ, das hab ich noch von der Schule mitgebracht, und da eine Pfeife dazu geraucht nach dem Essen im Mondenschein und einen Gang ums Feld gemacht; da läßt sich drauf schlafen, vergnügter als der große Mogul – Ihr raucht doch eins mit heut?

LÄUFFER. Ich will's versuchen; ich hab in meinem Leben nicht geraucht.

WENZESLAUS. Ja freilich, ihr Herren Weiß und Rot, das
verderbt euch die Zähne. Nicht wahr? und verderbt euch
die Farbe; nicht wahr? Ich habe geraucht, als ich kaum
von meiner Mutter Brust entwöhnt war; die Warze mit
dem Pfeifenmundstück verwechselt. He he he! Das ist gut
wider die böse Luft und wider die bösen Begierden ebenfalls. Das ist so meine Diät: des Morgens kalt Wasser und
eine Pfeife, dann Schul gehalten bis eilfe, dann wieder eine
Pfeife bis die Suppe fertig ist: die kocht mir mein Gottlieb
so gut als eure französische Köche, und da ein Stück
Gebratenes und Zugemüse und dann wieder eine Pfeife,
dann wieder Schul gehalten, dann Vorschriften geschrieben bis zum Abendessen; da eß ich denn gemeiniglich kalt
etwas, eine Wurst mit Salat, ein Stück Käs oder was der
liebe Gott gegeben hat und dann wieder eine Pfeife vor
Schlafengehen.

LÄUFFER. Gott behüte, ich bin in eine Tabagie gekommen –

WENZESLAUS. Und da werd ich dick und fett bei und lebe
vergnügt und denke noch ans Sterben nicht.

LÄUFFER. Es ist aber doch unverantwortlich, daß die Obrigkeit nicht dafür sorgt, Ihnen das Leben angenehmer zu
machen.

WENZESLAUS. Ei was, es ist nun einmal so; und damit muß
man zufrieden sein; bin ich doch auch mein eigner Herr
und hat kein Mensch mich zu schikanieren, da ich alle
Tage weiß, daß ich mehr tu als ich soll. Ich soll meinen
Buben lesen und schreiben lehren; ich lehre sie rechnen
dazu und Lateinisch dazu und mit Vernunft lesen dazu
und gute Sachen schreiben dazu.

LÄUFFER. Und was für Lohn haben Sie dafür?

WENZESLAUS. Was für Lohn? – Will Er denn das kleine
Stückchen Wurst da nicht aufessen? Er kriegt nichts Bes-
sers; wart Er auf nichts Bessers, oder Er muß das erstemal
Seines Lebens hungrig zu Bette gehn – Was für Lohn? Das
war dumm gefragt, Herr Mandel. Verzeih Er mir; was für
Lohn? Gottes Lohn hab ich dafür, ein gutes Gewissen

und wenn ich da vielen Lohn von der Obrigkeit begehren wollte, so hätt ich ja meinen Lohn dahin. Will Er denn den Gurkensalat durchaus verderben lassen? So eß Er doch; so sei Er doch nicht blöde: bei einer schmalen Mahlzeit muß man zum Kuckuck nicht blöde sein. Wart Er, ich will Ihm noch ein Stück Brot abschneiden.

LÄUFFER. Ich bin satt überhörig.

WENZESLAUS. Nun so laß Er's stehen; aber es ist Seine eigne Schuld wenn's nicht wahr ist. Und wenn es wahr ist, so hat Er unrecht, daß Er sich überhörig satt ißt, denn das macht böse Begierden und schläfert den Geist ein. Ihr Herren Weiß und Rot mögt's glauben oder nicht. Man sagt zwar auch vom Tobak, daß er ein narkotisches, schläfrigmachendes, dummachendes Öl habe und ich hab's bisweilen auch wohl so wahr gefunden und bin versucht worden, Pfeife und allen Henker ins Kamin zu werfen, aber unsere Nebel hier herum beständig und die feuchte Winter- und Herbstluft alleweile und denn die vortreffliche Wirkung, die ich davon verspüre, daß es zugleich die bösen Begierden mit einschläfert – Holla, wo seid Ihr denn, lieber Mann? Eben da ich vom Einschläfern rede, nickt Ihr schon; so geht's, wenn der Kopf leer ist und faul dabei und niemals ist angestrengt worden. Allons! frisch, eine Pfeife mit mir geraucht! *(Stopft sich und ihm.)* Laßt uns noch eins miteinander plaudern. *(Raucht.)* Ich hab Euch schon vorhin in der Küche sagen wollen: ich sehe, daß Ihr schwach in der Latinität seid, aber da Ihr doch eine gute Hand schreibt, wie Ihr sagt, so könntet Ihr mir doch so abends an die Hand gehen, weil ich meiner Augen muß anfangen zu schonen, und meinen Buben die Vorschriften schreiben. Ich will Euch dabei Corderii Colloquia geben und Gürtleri Lexikon, wenn Ihr fleißig sein wollt. Ihr habt ja den ganzen Tag für Euch, so könnt Ihr Euch in der lateinischen Sprache was umtun, und wer weiß wenn es Gott gefällt mich heute oder morgen von der Welt zu nehmen – Aber Ihr müßt fleißig sein, das sag ich Euch, denn so seid Ihr ja noch kaum zum Kollaborator tüchtig, geschweige denn – *(Trinkt.)*

LÄUFFER *(legt die Pfeife weg)*. Welche Demütigung!

WENZESLAUS. Aber ... aber ... aber *(reißt ihm den Zahnstocher
aus dem Munde)* was ist denn das da? Habt Ihr denn noch
nicht einmal so viel gelernt, großer Mensch, daß Ihr für
Euren eigenen Körper Sorge tragen könnt. Das Zähnestochern ist ein Selbstmord; ja ein Selbstmord, eine mutwillige Zerstörung Jerusalems, die man mit seinen Zähnen
vornimmt. Da, wenn Euch was im Zahn sitzen bleibt:
*(Nimmt Wasser und schwenkt den Mund aus.)* So müßt Ihr's
machen, wenn Ihr gesunde Zähne behalten wollt, Gott
und Eurem Nebenmenschen zu Ehren, und nicht einmal
im Alter herumlaufen, wie ein alter Kettenhund, dem die
Zähne in der Jugend ausgebrochen worden, und der die
Kinnbacken nicht zusammenhalten kann. Das wird einen
schönen Schulmeister abgeben, will's Gott, wenn ihm
aufs Alter die Worte ungeboren zum Munde herausfallen
und er zwischen Nase und Oberlippen da was herausschnarcht, das kein Hund oder Hahn versteht.

LÄUFFER. Der wird mich noch zu Tode meistern – Das
unerträglichste ist, daß er recht hat –

WENZESLAUS. Nun wie geht's? Schmeckt Euch der Tobak
nicht? Ich wette, nur ein paar Tage noch mit dem alten
Wenzeslaus zusammen, so werdet Ihr rauchen wie ein
Bootsknecht. Ich will Euch nach meiner Hand ziehen,
daß Ihr Euch selber nicht mehr wiedererkennen sollt.

## Vierter Akt

### Erste Szene

Zu Insterburg

GEHEIMER RAT. MAJOR.

MAJOR. Hier Bruder – Ich schweife wie Kain herum, unstet und flüchtig – Weißt du was? Die Russen sollen Krieg mit den Türken haben; ich will nach Königsberg gehn, um nähere Nachrichten einzuziehen: ich will mein Weib verlassen und in der Türkei sterben.

GEH. RAT. Deine Ausschweifungen schlagen mich vollends zu Boden. – O Himmel, muß es denn von allen Seiten stürmen? – Da lies den Brief vom Professor M–r.

MAJOR. Ich kann nicht mehr lesen; ich hab meine Augen fast blind geweint.

GEH. RAT. So will ich dir vorlesen, damit du siehst, daß du nicht der einzige Vater seist, der sich zu beklagen hat: »Ihr Sohn ist vor einiger Zeit wegen Bürgschaft gefänglich eingezogen worden: er hat, wie er mir vorgestern mit Tränen gestanden, nach fünf vergeblich geschriebenen Briefen keine Hoffnung mehr, von Eurer Exzellenz Verzeihung zu erhalten. Ich redte ihm zu, sich zu beruhigen, bis ich gleichfalls in dieser Sache mich vermittelt hätte: er versprach es mir, ist aber ungeachtet dieses Versprechens noch in derselben Nacht heimlich aus dem Gefängnis entwischt. Die Schuldner haben ihm Steckbriefe nachsenden und seinen Namen in allen Zeitungen bekannt machen wollen; ich habe sie aber dran verhindert und für die Summe gutgesagt, weil ich viel zu sehr überzeugt bin, daß Eure Exzellenz diesen Schimpf nicht werden auf Dero Familie kommen lassen. Übrigens habe die Ehre, in Erwartung Dero Entschlusses mich mit vollkommenster ...«

MAJOR. Schreib ihm zurück: sie sollen ihn hängen.

GEH. RAT. Und die Familie –

MAJOR. Lächerlich! Es gibt keine Familie; wir haben keine Familie. Narrenspossen! Die Russen sind meine Familie: ich will griechisch werden.

GEH. RAT. Und noch keine Spur von deiner Tochter?

MAJOR. Was sagst du?

GEH. RAT. Hast nicht die geringste Nachricht von deiner Tochter?

MAJOR. Laß mich zufrieden.

GEH. RAT. Es ist doch dein Ernst nicht, nach Königsberg zu reisen?

MAJOR. Wenn mag doch die Post abgehn von Königsberg nach Warschau?

GEH. RAT. Ich werde dich nicht fortlassen; es ist nur umsonst. Meinst du, vernünftige Leute werden sich von deinen Phantasien übertölpeln lassen? Ich kündige dir hiermit Hausarrest an. Gegen Leute, wie du bist, muß man Ernst gebrauchen, sonst verwandelt sich ihr Gram in Narrheit.

MAJOR *(weint)*. Ein ganzes Jahr – Bruder Geheimer Rat – Ein ganzes Jahr – und niemand weiß, wohin sie gestoben oder geflogen ist?

GEH. RAT. Vielleicht tot –

MAJOR. Vielleicht? – Gewiß tot – und wenn ich nur den Trost haben könnte, sie noch zu begraben – aber sie muß sich selbst umgebracht haben, weil mir niemand Anzeige von ihr geben kann. – Eine Kugel durch den Kopf, Berg, oder einen Türkenpallasch; das wär eine Viktorie.

GEH. RAT. Es ist ja ebenso wohl möglich, daß sie den Läuffer irgendwo angetroffen und mit dem aus dem Lande gegangen. Gestern hat mich Graf Wermuth besucht und hat mir gesagt, er sei denselben Abend noch in eine Schule gekommen, wo ihn der Schulmeister nicht hab in die Kammer lassen wollen: er vermutet immer noch, der Hofmeister habe drin gesteckt, vielleicht deine Tochter bei ihm.

MAJOR. Wo ist der Schulmeister? Wo ist das Dorf? Und der Schurke von Grafen ist nicht mit Gewalt in die Kammer eingedrungen? Komm: wo ist der Graf?

GEH. RAT. Er wird wohl wieder im Hecht abgestiegen sein, wie gewöhnlich.

MAJOR. O wenn ich sie auffände – Wenn ich nur hoffen könnte, sie noch einmal wieder zu sehen – Hol mich der Kuckuck, so alt wie ich bin und abgegrämt und wahnwitzig; ja hol mich der Teufel, dann wollt ich doch noch in meinem Leben wieder einmal lachen, das letztemal laut lachen und meinen Kopf in ihren entehrten Schoß legen und denn wieder einmal heulen und denn – Adieu Berg! Das wäre mir gestorben, das hieß' mir sanft und selig im Herrn entschlafen. – Komm Bruder, dein Junge ist nur ein Spitzbube geworden: das ist nur Kleinigkeit; an allen Höfen gibt's Spitzbuben; aber meine Tochter ist eine Gassenhure, das heiß ich einem Vater Freud machen: vielleicht hat sie schon drei Lilien auf dem Rücken. – Vivat die Hofmeister und daß der Teufel sie holt! Amen.

*(Gehn ab.)*

## Zweite Szene

### Eine Bettlerhütte im Walde

AUGUSTCHEN, *im groben Kittel.* MARTHE, *ein alt blindes Weib.*

GUSTCHEN. Liebe Marthe, bleibt zu Hause und seht wohl nach dem Kinde; es ist das erstemal, daß ich Euch allein lasse in einem ganzen Jahr; also könnt Ihr mich nun wohl auch einmal einen Gang für mich tun lassen. Ihr habt Proviant für heut und morgen; Ihr braucht also heute nicht auf der Landstraß auszustehn.

MARTHE. Aber wo wollt Ihr denn hin, Grethe; daß Gott erbarm! da Ihr noch so krank und so schwach seid; laßt Euch doch sagen: ich hab auch Kinder bekommen und ohne viele Schmerzen, so wie Ihr, Gott sei Dank! aber einmal hab ich's versucht, den zweiten Tag nach der Niederkunft auszugehen und nimmermehr wieder; ich hatte schon meinen Geist aufgegeben, wahrlich ich könnt Euch sagen, wie einem Toten zu Mute ist – Laßt Euch doch lehren; wenn Ihr was im nächsten Dorf zu bestellen habt, obschon ich blind bin, ich will schon hinfinden; bleibt nur zu Hause und macht daß Ihr zu Kräften kommt: ich will alles für Euch ausrichten, was es auch sei.

GUSTCHEN. Laßt mich nur, Mutter; ich hab Kräfte wie eine junge Bärin – und seht nach meinem Kinde.

MARTHE. Aber wie soll ich denn darnach sehen, heilige Mutter Gottes! da ich blind bin? Wenn es wird saugen wollen, soll ich's an meine schwarze verwelkte Zitzen legen? und es mitzunehmen, habt Ihr keine Kräfte, bleibt zu Hause, liebes Grethel, bleibt zu Hause.

GUSTCHEN. Ich darf nicht, liebe Mutter, mein Gewissen treibt mich fort von hier. Ich hab einen Vater, der mich mehr liebt als sein Leben und seine Seele. Ich habe die vorige Nacht im Traum gesehen, daß er sich die weißen Haare ausriß und Blut in den Augen hatte: er wird meinen, ich sei tot. Ich muß ins Dorf und jemand bitten, daß er ihm Nachricht von mir gibt.

MARTHE. Aber hilf lieber Gott, wer treibt Euch denn? Wenn Ihr nun unterwegens liegen bleibt? Ihr könnt nicht fort ...

GUSTCHEN. Ich muß – Mein Vater stand wankend; auf einmal warf er sich auf die Erde und blieb tot liegen – Er bringt sich um, wenn er keine Nachricht von mir bekommt.

MARTHE. Wißt Ihr denn nicht, daß Träume grade das Gegenteil bedeuten?

GUSTCHEN. Bei mir nicht – Laßt mich – Gott wird mit mir sein. *(Geht ab.)*

## Dritte Szene

### Die Schule

WENZESLAUS, LÄUFFER, *an einem Tisch sitzend.* DER MAJOR.
DER GEHEIME RAT *und* GRAF WERMUTH *treten herein mit Bedienten.*

WENZESLAUS *(läßt die Brille fallen).* Wer da?

MAJOR *(mit gezogenem Pistol).* Daß dich das Wetter! da sitzt der Has im Kohl. *(Schießt und trifft Läuffern in Arm, der vom Stuhl fällt.)*

GEH. RAT *(der vergeblich versucht hat ihn zurückzuhalten).* Bruder – *(Stößt ihn unwillig.)* So hab's denn darnach, Tollhäusler!

MAJOR. Was? ist er tot? *(Schlägt sich vors Gesicht.)* Was hab ich getan? Kann Er mir keine Nachricht mehr von meiner Tochter geben?

WENZESLAUS. Ihr Herren! Ist das Jüngste Gericht nahe, oder sonst etwas? Was ist das? *(Zieht an seiner Schelle.)* Ich will Euch lehren, einen ehrlichen Mann in seinem Hause überfallen.

LÄUFFER. Ich beschwör Euch: schellt nicht! – Es ist der Major; ich hab's an seiner Tochter verdient.

GEH. RAT. Ist kein Chirurgus im Dorf, ehrlicher Schulmeister! Er ist nur am Arm verwundet, ich will ihn kurieren lassen.

WENZESLAUS. Ei was kurieren lassen! Straßenräuber! schießt man Leute übern Haufen, weil man so viel hat, daß man sie kurieren lassen kann? Er ist mein Kollaborator; er ist eben ein Jahr in meinem Hause: ein stiller, friedfertiger, fleißiger Mensch, und sein Tage hat man nichts von ihm gehört, und Ihr kommt und erschießt mir meinen Kollaborator in meinem eignen Hause! – Das soll gerochen werden, oder ich will nicht selig sterben. Seht Ihr das!

GEH. RAT *(bemüht Läuffern zu verbinden).* Wozu das Geschwätz, lieber Mann? Es tut uns leid genug – Aber die

Wunde könnte sich verbluten, schafft uns nur einen Chirurgus.

WENZESLAUS. Ei was! Wenn Ihr Wunden macht, so mögt Ihr sie auch heilen, Straßenräuber! Ich muß doch nur zum Gevatter Schöpsen gehen. *(Geht ab.)*

MAJOR *(zu Läuffern)*. Wo ist meine Tochter?

LÄUFFER. Ich weiß es nicht.

MAJOR. Du weißt nicht? *(Zieht noch eine Pistol hervor.)*

GEH. RAT *(entreißt sie ihm und schießt sie aus dem Fenster ab)*. Sollen wir dich mit Ketten binden lassen, du –

LÄUFFER. Ich habe sie nicht gesehen, seit ich aus Ihrem Hause geflüchtet bin; das bezeug ich vor Gott, vor dessen Gericht ich vielleicht bald erscheinen werde.

MAJOR. Also ist sie nicht mit dir gelaufen?

LÄUFFER. Nein.

MAJOR. Nun denn; so wieder eine Ladung Pulver umsonst verschossen! Ich wollt, sie wäre dir durch den Kopf gefahren, da du kein gescheutes Wort zu reden weißt, Lumpenhund! Laßt ihn liegen und kommt bis ans Ende der Welt. Ich muß meine Tochter wiederhaben, und wenn nicht in diesem Leben, doch in jener Welt, und da soll mein hochweiser Bruder und mein hochweiseres Weib mich wahrhaftig nicht von abhalten. *(Läuft fort.)*

GEH. RAT. Ich darf ihn nicht aus den Augen lassen. *(Wirft Läuffern einen Beutel zu.)* Lassen Sie sich davon kurieren, und bedenken Sie, daß Sie meinen Bruder weit gefährlicher verwundet haben, als er Sie. Es ist ein Bankozettel drin, geben Sie acht drauf und machen ihn sich zu Nutz so gut Sie können.
*(Gehn alle ab.* WENZESLAUS *kömmt mit dem* BARBIER SCHÖPSEN *und einigen Bauerkerlen.)*

WENZESLAUS. Wo ist das Otterngezüchte? Redet!

LÄUFFER. Ich bitt Euch, seid ruhig. Ich habe weit weniger bekommen, als meine Taten wert waren. Meister Schöpsen, ist meine Wunde gefährlich?
*(Schöpsen besieht sie.)*

WENZESLAUS. Was denn? Wo sind sie? Das leid ich nicht; nein, das leid ich nicht und sollt es mich Schul und Amt und Haar und Bart kosten. Ich will sie zu Morsch schlagen, die Hunde – Stellen Sie sich vor, Herr Gevatter; wo ist das in aller Welt in iure naturae, und in iure civili, und im iure canonico, und im iure gentium, und wo Sie wollen, wo ist das erhört, daß man einem ehrlichen Mann in sein Haus fällt und in eine Schule dazu; an heiliger Stätte – Gefährlich; nicht wahr? Haben Sie sondiert? Ist's?

SCHÖPSEN. Es ließe sich viel drüber sagen – nun doch wir wollen sehen – am Ende wollen wir schon sehen.

WENZESLAUS. Ja Herr, he he, in fine videbitur cuius toni; das heißt, wenn er wird tot sein, oder wenn er völlig gesund sein wird, da wollen Sie uns erst sagen, ob die Wunde gefährlich war oder nicht: das ist aber nicht medizinisch gesprochen; verzeih Er mir. Ein tüchtiger Arzt muß das Dings vorher wissen, sonst sag ich ihm ins Gesicht: er hat seine Pathologie oder Chirurgie nur so halbwege studiert und ist mehr in die Bordells gegangen, als in die Kollegia; denn in amore omnia insunt vitia, und wenn ich einen Ignoranten sehe, er mag sein aus was für einer Fakultät er wolle, so sag ich immer: er ist ein Jungfernknecht gewesen; ein Hurenhengst; das laß ich mir nicht ausreden.

SCHÖPSEN *(nachdem er die Wunde noch einmal besichtigt)*. Ja die Wunde ist, nachdem man sie nimmt – Wir wollen sehen, wir wollen sehen.

LÄUFFER. Hier, Herr Schulmeister! hat mir des Majors Bruder einen Beutel gelassen, der ganz schwer von Dukaten ist und obenein ist ein Bankozettel drin – Da sind wir auf viel Jahre geholfen.

WENZESLAUS *(hebt den Beutel)*. Nun das ist etwas – Aber Hausgewalt bleibt doch Hausgewalt und Kirchenraub, Kirchenraub – Ich will ihm einen Brief schreiben, dem Herrn Major, den er nicht ins Fenster stecken soll.

SCHÖPSEN *(der sich die Weil über vergessen und eifrig nach dem Beutel gesehen, fällt wieder über die Wunde her)*. Sie wird sich

endlich schon kurieren lassen, aber sehr schwer, hoff ich,
sehr schwer –

WENZESLAUS. Das hoff ich nicht, Herr Gevatter Schöpsen;
das fürcht ich, das fürcht ich – aber ich will Ihm nur zum
voraus sagen, daß wenn Er die Wunde langsam kuriert, so
kriegt Er auch langsame Bezahlung; wenn Er ihn aber in
zwei Tagen wieder auf frischen Fuß stellt, so soll Er auch
frisch bezahlt werden; darnach kann Er sich richten.

SCHÖPSEN. Wir wollen sehen.


## Vierte Szene

GUSTCHEN *liegend, an einem Teich mit Gesträuch umgeben.*

Soll ich denn hier sterben? – Mein Vater! Mein Vater! gib
mir die Schuld nicht, daß du nicht Nachricht von mir
bekömmst. Ich hab meine letzten Kräfte angewandt – sie
sind erschöpft – Sein Bild, o sein Bild steht mir immer vor
den Augen! Er ist tot, ja tot – und für Gram um mich –
Sein Geist ist mir diese Nacht erschienen, mir Nachricht
davon zu geben – mich zur Rechenschaft dafür zu fodern
– Ich komme, ja ich komme. *(Rafft sich auf und wirft sich in
Teich.)*

*(MAJOR von weitem.* GEHEIMER RAT *und* GRAF WERMUTH
*folgen ihm.)*

MAJOR. Hei! hoh! da ging's in Teich – Ein Weibsbild war's
und wenngleich nicht meine Tochter, doch auch ein unglücklich Weibsbild – Nach, Berg! Das ist der Weg zu
Gustchen oder zur Hölle! *(Springt ihr nach.)*

GEH. RAT *(kommt).* Gott im Himmel! was sollen wir anfangen?

GRAF WERMUTH. Ich kann nicht schwimmen.

GEH. RAT. Auf die andere Seite! – Mich deucht, er haschte
das Mädchen . . . Dort – dort hinten im Gebüsch. – Sehen
Sie nicht? Nun treibt er den Teich mit ihr hinunter –
Nach!

## Fünfte Szene

### Eine andere Seite des Teichs

*Hinter der Szene Geschrei:*

Hülfe! 's meine Tochter! Sackerment und all das Wetter!
Graf! reicht mir doch die Stange: daß Euch die schwere
Not.

(MAJOR BERG *trägt* GUSTCHEN *aufs Theater.* GEHEIMER RAT
*und* GRAF *folgen.*)

MAJOR. Da! – *(Setzt sie nieder. Geheimer Rat und Graf suchen sie
zu ermuntern.)* Verfluchtes Kind! habe ich das an dir erziehen müssen! *(Kniet nieder bei ihr.)* Gustel! was fehlt dir?
Hast Wasser eingeschluckt? Bist noch mein Gustel? –
Gottlose Kanaille. Hättst du mir nur ein Wort vorher
davon gesagt; ich hätte dem Lausejungen einen Adelbrief
gekauft, da hättet ihr können zusammenkriechen. – Gott
behüt! so helft ihr doch; sie ist ja ohnmächtig. *(Springt auf,
ringt die Hände; umhergehend.)* Wenn ich nur wüßt, wo der
maledeite Chirurgus vom Dorf anzutreffen wäre. – Ist sie
noch nicht wach?

GUSTCHEN *(mit schwacher Stimme)*. Mein Vater!

MAJOR. Was verlangst du?

GUSTCHEN. Verzeihung.

MAJOR *(geht auf sie zu)*. Ja verzeih dir's der Teufel, ungerate-
nes Kind. – Nein, *(kniet wieder bei ihr)* fall nur nicht hin,
mein Gustel – mein Gustel! Ich verzeih dir; ist alles
vergeben und vergessen – Gott weiß es: ich verzeih dir –
Verzeih du mir nur! Ja aber nun ist's nicht mehr zu
ändern. Ich hab dem Hundsfott eine Kugel durch den
Kopf geknallt.

GEH. RAT. Ich denke, wir tragen sie fort.

MAJOR. Laßt stehen! Was geht sie Euch an? Ist sie doch Eure
Tochter nicht. Bekümmert Euch um Euer Fleisch und
Bein daheime. *(Er nimmt sie auf die Arme.)* Da Mädchen –
Ich sollte wohl wieder nach dem Teich mit dir – *(schwenkt*

*sie gegen den Teich zu)* aber wir wollen nicht eher schwimmen als bis wir 's Schwimmen gelernt haben, mein ich. – *(Drückt sie an sein Herz.)* O du mein einzig teurester Schatz! Daß ich dich wieder in meinen Armen tragen kann, gottlose Kanaille! *(Trägt sie fort.)*

## Sechste Szene

### In Leipzig

#### FRITZ VON BERG. PÄTUS.

FRITZ. Das einzige, was ich an dir auszusetzen habe, Pätus. Ich habe dir's schon lang sagen wollen: untersuche dich nur selbst; was ist die Ursach zu all deinem Unglück gewesen? Ich tadle es nicht, wenn man sich verliebt. Wir sind in den Jahren; wir sind auf der See, der Wind treibt uns, aber die Vernunft muß immer am Steuerruder bleiben, sonst jagen wir auf die erste beste Klippe und scheitern. Die Hamstern war eine Kokette, die aus dir machte, was sie wollte; sie hat dich um deinen letzten Rock, um deinen guten Namen und um den guten Namen deiner Freunde dazu gebracht: ich dächte, da hättest du klug werden können. Die Rehaarin ist ein unverführtes unschuldiges jugendliches Lamm: wenn man gegen ein Herz, das sich nicht verteidigen will, noch verteidigen kann, alle mögliche Batterien spielen läßt, um es – was soll ich sagen? zu zerstören, einzuäschern, das ist unrecht, Bruder Pätus, das ist unrecht. Nimm mir's nicht übel, wir können so nicht gute Freunde zusammen bleiben. Ein Mann, der gegen ein Frauenzimmer es so weit treibt, als er nur immer kann, ist entweder ein Teekessel oder ein Bösewicht; ein Teekessel, wenn er sich selbst nicht beherrschen kann, die Ehrfurcht, die er der Unschuld und Tugend schuldig ist, aus den Augen zu setzen: oder ein Bösewicht, wenn er sich selbst nicht beherrschen will und

wie der Teufel im Paradiese sein einzig Glück darin setzt,
ein Weib ins Verderben zu stürzen.

PÄTUS. Predige nur nicht, Bruder! Du hast recht; es reuet
mich, aber ich schwöre dir, ich kann drauf fluchen, daß
ich das Mädchen nicht angerührt habe.

FRITZ. So bist du doch zum Fenster hineingestiegen und die
Nachbarn haben's gesehen, meinst du, ihre Zunge wird so
verschämt sein, wie deine Hand vielleicht gewesen ist? Ich
kenne dich, ich weiß, so dreust du scheinst, bist du doch
blöde gegen 's Frauenzimmer und darum lieb ich dich:
aber wenn's auch nichts mehr wäre, als daß das Mädchen
ihren guten Namen verliert, und eine Musikantentochter
dazu, ein Mädchen, das alles von der Natur empfing: vom
Glück nichts, der ihre einzige Aussteuer, ihren guten
Namen, zu rauben – Du hast sie unglücklich gemacht,
Pätus. –

*(HERR REHAAR kommt, eine Laute unterm Arm.)*

REHAAR. Ergebener Diener von Ihnen; ergebener Diener,
Herr von Berg, wünsche schönen guten Morgen. Wie
haben Sie geschlafen und wie steht 's Konzertchen? *(Setzt
sich und stimmt.)* Haben Sie's durchgespielt? *(Stimmt.)* Ich
habe die Nacht einen häßlichen Schrecken gehabt, aber
ich will's dem eingedenk sein. – Sie kennen ihn wohl, es
ist einer von Ihren Landsleuten. Twing, twing. Das ist
eine verdammte Quinte! Will sie doch meine Tage nicht
recht tönen; ich will Ihnen nachmittag eine andere bringen.

FRITZ *(setzt sich mit seiner Laute)*. Ich hab das Konzert noch
nicht angesehen.

REHAAR. Ei ei, faules Herr von Bergchen, noch nicht angesehen? Twing! Nachmittag bring ich Ihnen eine andre. *(Legt
die Laute weg und nimmt eine Prise.)* Man sagt: die Türken
sind über die Donau gegangen und haben die Russen brav
zurückgepeitscht, bis – Wie heißt doch nun der Ort? Bis
Otschakof, glaub ich; was weiß ich? so viel sag ich Ihnen,
wenn Rehaar unter ihnen gewesen wäre, was meinen Sie?

Er wäre noch weiter gelaufen. Ha ha ha! *(Nimmt die Laute wieder.)* Ich sag Ihnen, Herr von Berg, ich hab keine größere Freude, als wenn ich wieder einmal in der Zeitung lese, daß eine Armee gelaufen ist. Die Russen sind brave Leute, daß sie gelaufen sind; Rehaar wär auch gelaufen und alle gescheute Leute, denn wozu nützt das Stehen und sich totschlagen lassen, ha ha ha.

FRITZ. Nicht wahr, das ist der erste Griff?

REHAAR. Ganz recht; den zweiten Finger etwas mehr übergelegt und mit dem kleinen abgerissen, so – Rund, rund den Triller, rund Herr von Bergchen – Mein seliger Vater pflegt' immer zu sagen, ein Musikus muß keine Courage haben, und ein Musikus der Herz hat, ist ein Hundsfutt. Wenn er sein Konzertchen spielen kann und seinen Marsch gut bläst – Das hab ich auch dem Herzog von Kurland gesagt, als ich nach Petersburg ging, das erstemal in der Suite vom Prinzen Czartorinsky, und vor ihm spielen mußte. Ich muß noch lachen; als ich in den Saal kam und wollt ihm mein tief tief Kompliment machen, sah ich nicht, daß der Fußboden von Spiegel war und die Wände auch von Spiegel, und fiel herunter wie ein Stück Holz und schlug mir ein gewaltig Loch in Kopf: da kamen die Hofkavaliere und wollten mich drüber nekken. Leidt das nicht, Rehaar, sagte der Herzog, Ihr habt ja einen Degen an der Seite; leidt das nicht. Ja, sagt ich, Ew. Herzoglichen Majestät, mein Degen ist seit Anno Dreißig nicht aus der Scheide gekommen, und ein Musikus braucht den Degen nicht zu ziehen, denn ein Musikus, der Herz hat und den Degen zieht, ist ein Hundsfutt und kann sein Tag auf keinem Instrument was vor sich bringen – Nein, nein, das dritte Chor war's, k, k, so – Rein, rein, den Triller rund und den Daumen unten nicht bewegt, so –

PÄTUS *(der sich die Zeit über seitwärts gehalten, tritt hervor und bietet Rehaar die Hand).* Ihr Diener, Herr Rehaar; wie geht's?

REHAAR *(hebt sich mit der Laute).* Ergebener Die – Wie soll's gehen, Herr Pätus? Toujours content, jamais d'argent: das ist des alten Rehaars Sprichwort, wissen Sie, und die Herren Studenten wissen's alle; aber darum geben sie mir doch nichts – Der Herr Pätus ist mir auch noch schuldig, von der letzten Serenade, aber er denkt nicht dran ...

PÄTUS. Sie sollen haben, liebster Rehaar; in acht Tagen erwart ich unfehlbar meinen Wechsel.

REHAAR. Ja, Sie haben schon lang gewartet, Herr Pätus, und Wechselchen ist doch nicht gekommen. Was ist zu tun, man muß Geduld haben, ich sag immer, ich begegne keinem Menschen mit so viel Ehrfurcht als einem Studenten: denn ein Student ist nichts, das ist wahr, aber es kann doch alles aus ihm werden. *(Er legt die Laute auf den Tisch und nimmt eine Prise.)* Aber was haben Sie mir denn gemacht, Herr Pätus? Ist das recht; ist das auch honett gehandelt? Sind mir gestern zum Fenster hineingestiegen, in meiner Tochter Schlafkammer.

PÄTUS. Was denn, Vaterchen? ich? ...

REHAAR *(läßt die Dose fallen).* Ja ich will dich bevaterchen und ich werd es gehörigen Orts zu melden wissen, Herr, das sein Sie versichert. Meiner Tochter Ehr ist mir lieb und es ist ein honettes Mädchen, hol's der Henker! und wenn ich's nur gestern gemerkt hätte oder wär aufgewacht, ich hätt Euch zum Fenster hinausgehänselt, daß Ihr das Unterste zuoberst – Ist das honett, ist das ehrlich? Pfui Teufel, wenn ich Student bin, muß ich mich auch als Student aufführen, nicht als ein Schlingel – Da haben mir's die Nachbarn heut gesagt: ich dacht ich sollte den Schlag drüber kriegen, augenblicks hat mir das Mädchen auf den Postwagen müssen und das nach Kurland zu ihrer Tante; ja nach Kurland, Herr, denn hier ist ihre Ehr hin und wer zahlt mir nun die Reisekosten? Ich habe wahrhaftig den ganzen Tag keine Laut anrühren können und über die funfzehn Quinten sind mir heut gesprungen. Ja Herr, ich zittere noch am ganzen Leibe und Herr Pätus, ich

will ein Hühnchen mit Ihnen pflücken. Es soll nicht so
bleiben; ich will Euch Schlingeln lehren ehrlicher Leute
Kinder verführen.

PÄTUS. Herr, schimpf Er nicht, oder –

REHAAR. Sehn Sie nur an, Herr von Berg! sehn Sie einmal
an – wenn ich nun Herz hätte, ich fodert ihn augenblicklich vor die Klinge – Sehen Sie, da steht er und lacht mir
noch in die Zähne obenein. Sind wir denn unter Türken
und Heiden, daß ein Vater nicht mehr mit seiner Tochter
sicher ist? Herr Pätus, Sie sollen mir's nicht umsonst
getan haben, ich sag's Ihnen und sollt's bis an den Kurfürsten selber kommen. Unter die Soldaten mit solchen
lüderlichen Hunden! Dem Kalbsfell folgen, das ist ge-
scheiter! Schlingel seid Ihr und keine Studenten!

PÄTUS *(gibt ihm eine Ohrfeige).* Schimpf Er nicht; ich hab's
Ihm fünfmal gesagt!

REHAAR *(springt auf, das Schnupftuch vorm Gesicht).* So? Wart –
Wenn ich doch nur den roten Fleck behalten könnte, bis
ich vorn Magnifikus komme – Wenn ich ihn doch nur
acht Tage behalten könnte, daß ich nach Dresden reise
und ihn dem Kurfürsten zeige – Wart, es soll dir zu Hause
kommen, wart, wart – Ist das erlaubt? *(Weint.)* Einen
Lautenisten zu schlagen? weil er dir seine Tochter nicht
geben will, daß du Lautchen auf ihr spielen kannst? –
Wart, ich will's seiner Kurfürstlichen Majestät sagen, daß
du mich ins Gesicht geschlagen hast. Die Hand soll dir
abgehauen werden – Schlingel! *(Läuft ab, Pätus will ihm
nach; Fritz hält ihn zurück.)*

FRITZ. Pätus! Du hast schlecht gehandelt. Er war beleidigter
Vater, du hättest ihn schonen sollen.

PÄTUS. Was schimpfte der Schurke?

FRITZ. Schimpfliche Handlungen verdienen Schimpf. Er
konnte die Ehre seiner Tochter auf keine andere Weise
rächen, aber es möchten sich Leute finden –

PÄTUS. Was? Was für Leute?

FRITZ. Du hast sie entehrt, du hast ihren Vater entehrt. Ein schlechter Kerl, der sich an Weiber und Musikanten wagt, die noch weniger als Weiber sind.

PÄTUS. Ein schlechter Kerl?

FRITZ. Du sollst ihm öffentlich abbitten.

PÄTUS. Mit meinem Stock.

FRITZ. So werd ich dir in seinem Namen antworten.

PÄTUS *(schreit)*. Was willst du von mir?

FRITZ. Genugtuung für Rehaarn.

PÄTUS. Du wirst mich doch nicht zwingen wollen; einfältiger Mensch –

FRITZ. Ja, ich will dich zwingen, kein Schurke zu sein.

PÄTUS. Du bist einer – Du mußt dich mit mir schlagen.

FRITZ. Herzlich gern – wenn du Rehaarn nicht Satisfaktion gibst.

PÄTUS. Nimmermehr.

FRITZ. Es wird sich zeigen.

## Fünfter Akt

### Erste Szene

#### Die Schule

LÄUFFER. MARTHE, *ein Kind auf dem Arm.*

MARTHE. Um Gottes willen! helft einer armen blinden Frau und einem unschuldigen Kinde, das seine Mutter verloren hat.

LÄUFFER *(gibt ihr was)*. Wie seid Ihr denn hergekommen, da Ihr nicht sehen könnt?

MARTHE. Mühselig genug. Die Mutter dieses Kindes war meine Leiterin; sie ging eines Tags aus dem Hause, zwei Tage nach ihrer Niederkunft, mittags ging sie fort und wollt auf den Abend wiederkommen, sie soll noch wie-

derkommen. Gott schenk ihr die ewige Freud und Herrlichkeit!

LÄUFFER. Warum tut Ihr den Wunsch?

MARTHE. Weil sie tot ist, das gute Weib; sonst hätte sie ihr
Wort nicht gebrochen. Ein Arbeitsmann vom Hügel ist
mir begegnet, der hat sie sich in Teich stürzen sehen. Ein
alter Mann ist hinter ihr drein gewesen und hat sich
nachgestürzt; das muß wohl ihr Vater gewest sein.

LÄUFFER. O Himmel! Welch ein Zittern – Ist das ihr Kind?

MARTHE. Das ist es; sehen Sie nur, wie rund es ist, von lauter
Kohl und Rüben aufgefüttert. Was sollt ich Arme machen; ich konnt es nicht stillen, und da mein Vorrat auf
war, macht ich's wie Hagar, nahm das Kind auf die
Schulter und ging auf Gottes Barmherzigkeit.

LÄUFFER. Gebt es mir auf den Arm – O mein Herz! – Daß
ich's an mein Herz drücken kann – Du gehst mir auf,
furchtbares Rätsel! *(Nimmt das Kind auf den Arm und tritt
damit vor den Spiegel.)* Wie? dies wären nicht meine Züge?
*(Fällt in Ohnmacht; das Kind fängt an zu schreien.)*

MARTHE. Fallt Ihr hin? *(Hebt das Kind vom Boden auf.)* Sußchen, mein liebes Sußchen! *(Das Kind beruhigt sich.)* Hört!
was habt Ihr gemacht? Er antwortet nicht: ich muß doch
um Hülfe rufen; ich glaube, ihm ist weh geworden. *(Geht
hinaus.)*

## Zweite Szene

### Ein Wäldchen vor Leipzig

FRITZ VON BERG *und* PÄTUS *stehn mit gezogenem Degen.*
REHAAR.

FRITZ. Wird es bald?

PÄTUS. Willst du anfangen?

FRITZ. Stoß du zuerst.

PÄTUS *(wirft den Degen weg)*. Ich kann mich mit dir nicht
schlagen.

FRITZ. Warum nicht? Nimm ihn auf. Hab ich dich beleidigt,
so muß ich dir Genugtuung geben.

PÄTUS. Du magst mich beleidigen wie du willst, ich brauch
keine Genugtuung von dir.

FRITZ. Du beleidigst mich.

PÄTUS *(rennt auf ihn zu und umarmt ihn)*. Liebster Berg! Nimm
es für keine Beleidigung, wenn ich dir sage, du bist nicht
im Stande mich zu beleidigen. Ich kenne dein Gemüt –
und ein Gedanke daran macht mich zur feigsten Memme
auf dem Erdboden. Laß uns gute Freunde bleiben, ich
will mich gegen den Teufel selber schlagen, aber nicht
gegen dich.

FRITZ. So gib Rehaarn Satisfaktion, eh zieh ich nicht ab von
hier.

PÄTUS. Das will ich herzlich gern, wenn er's verlangt.

FRITZ. Er ist immatrikuliert, wie du; du hast ihn ins Gesicht
geschlagen – Frisch Rehaar, zieht!

REHAAR *(zieht)*. Ja, aber er muß seinen Degen da nicht
aufheben.

FRITZ. Sie sind nicht gescheit. Wollen Sie gegen einen Menschen ziehen, der sich nicht wehren kann?

REHAAR. Ei laß die gegen bewehrte Leute ziehen, die Courage haben. Ein Musikus muß keine Courage haben, und
Herr Pätus, Er soll mir Satisfaktion geben. *(Stößt auf ihn
zu. Pätus weicht zurück.)* Satisfaktion geben. *(Stößt Pätus in
den Arm. Fritz legiert ihm den Degen.)*

FRITZ. Jetzt seh ich, daß Sie Ohrfeigen verdienen, Rehaar.
Pfui!

REHAAR. Ja was soll ich denn machen, wenn ich kein Herz
habe?

FRITZ. Ohrfeigen einstecken und das Maul halten.

PÄTUS. Still Berg! ich bin nur geschrammt. Herr Rehaar, ich
bitt Sie um Verzeihung. Ich hätte Sie nicht schlagen
sollen, da ich wußte, daß Sie nicht im Stande waren,
Genugtuung zu fodern; viel weniger hätt ich Ihnen Ursache geben sollen, mich zu schimpfen. Ich gesteh's, diese

Rache ist noch viel zu gering für die Beleidigungen, die ich Ihrem Hause angetan: ich will sehen, sie auf eine bessere Weise gut zu machen, wenn das Schicksal meinen guten Vorsätzen beisteht. Ich will Ihrer Tochter nachreisen; ich will sie heiraten. In meinem Vaterlande wird sich schon eine Stelle für mich finden, und wenn auch mein Vater bei seinen Lebzeiten sich nicht besänftigen ließe, so ist mir doch eine Erbschaft von funfzehntausend Gulden gewiß. *(Umarmt ihn.)* Wollen Sie mir Ihre Tochter bewilligen?

REHAAR. Ei was! ich hab nichts dawider, wenn Ihr ordentlich und ehrlich um sie anhaltet, und im Stand seid, sie zu versorgen – Ha ha ha, hab ich's doch mein Tag gesagt: mit den Studenten ist gut auskommen. Die haben doch noch Honnettetät im Leibe, aber mit den Offiziers – Die machen einem Mädchen ein Kind und kräht nicht Hund oder Hahn nach: das macht, weil sie alle kuraschöse Leute sein, und sich müssen totschlagen lassen. Denn wer Courage hat, der ist zu allen Lastern fähig.

FRITZ. Sie sind ja auch Student. Kommen Sie; wir haben lange keinen Punsch zusammen gemacht; wir wollen auf die Gesundheit Ihrer Tochter trinken.

REHAAR. Ja und Ihr Lautenkonzertchen dazu, Herr von Bergchen. Ich hab Ihnen jetzt drei Stund nacheinander geschwänzt, und weil ich auch honett denke, so will ich heute dafür drei Stunden nacheinander auf Ihrem Zimmerchen bleiben und wollen Lautchen spielen, bis dunkel wird.

PÄTUS. Und ich will die Violin dazu streichen.

## Dritte Szene

### Die Schule

LÄUFFER *liegt zu Bette*. WENZESLAUS.

WENZESLAUS. Das Gott! was gibt's schon wieder, daß Ihr
mich von der Arbeit abrufen laßt? Seid Ihr schon wieder
schwach? Ich glaube, das alte Weib war eine Hexe. – Seit
der Zeit habt Ihr keine gesunde Stunde mehr.

LÄUFFER. Ich werd es wohl nicht lange mehr machen.

WENZESLAUS. Soll ich Gevatter Schöpsen rufen lassen?

LÄUFFER. Nein.

WENZESLAUS. Liegt Euch was auf dem Gewissen? Sagt mir's,
entdeckt mir's, unverhohlen. – Ihr blickt so scheu umher,
daß es einem ein Grauen einjagt; frigidus per ossa – Sagt
mir, was ist's? – Als ob er jemand tot geschlagen hätte –
Was verzerrt Ihr denn die Lineamenten so – Behüt Gott,
ich muß doch nur zu Schöpsen –

LÄUFFER. Bleibt – Ich weiß nicht, ob ich recht getan – Ich
habe mich kastriert . . .

WENZESLAUS. Wa – Kastriert – Da mach ich Euch meinen herzlichen Glückwunsch drüber, vortrefflich, junger
Mann, zweiter Origenes! Laß dich umarmen, teures, aus-
erwähltes Rüstzeug! Ich kann's Euch nicht verhehlen,
fast – fast kann ich dem Heldenvorsatz nicht widerstehen,
Euch nachzuahmen. So recht, werter Freund! Das ist die
Bahn, auf der Ihr eine Leuchte der Kirche, ein Stern erster
Größe, ein Kirchenvater selber werden könnt. Ich glück-
wünsche Euch, ich ruf Euch ein Jubilate und Evoë zu,
mein geistlicher Sohn – Wär ich nicht über die Jahre
hinaus, wo der Teufel unsern ersten und besten Kräften
sein arglistiges Netz ausstellt, gewiß ich würde mich
keinen Augenblick bedenken.

LÄUFFER. Bei alledem, Herr Schulmeister, gereut es mich.

WENZESLAUS. Wie, es gereut Ihn? Das sei ferne, werter Herr
Mitbruder! Er wird eine so edle Tat doch nicht mit

törichter Reue verdunkeln und mit sündlichen Tränen besudeln? Ich seh schon welche über Sein Augenlid hervorquellen. Schluck Er sie wieder hinunter und sing Er mit Freudigkeit: ich bin der Nichtigkeit entbunden, nun Flügel, Flügel, Flügel her. Er wird es doch nicht machen wie Lots Weib und sich wieder nach Sodom umsehen, nachdem Er einmal das friedfertige stille Zoar erreicht hat? Nein, Herr Kollega; ich muß Ihm auch nur sagen, daß Er nicht der einzige ist, der den Gedanken gehabt hat. Schon unter den blinden Juden war eine Sekte, zu der ich mich gern öffentlich bekannt hätte, wenn ich nicht befürchtet, meine Nachbarn und meine armen Lämmer in der Schule damit zu ärgern: auch hatten sie freilich einige Schlacken und Torheiten dabei, die ich nun eben nicht mitmachen möchte. Zum Exempel, daß sie des Sonntags nicht einmal ihre Notdurft verrichteten, welches doch wider alle Regeln einer vernünftigen Diät ist, und halt ich's da lieber mit unserm seligen Doktor Luther: was hinaufsteigt, das ist für meinen lieben Gott, aber was hinuntergeht, Teufel, das ist für dich – Ja wo war ich?

LÄUFFER. Ich fürchte, meine Bewegungsgründe waren von andrer Art ... Reue, Verzweiflung –

WENZESLAUS. Ja, nun hab ich's – Die Essäer, sag ich, haben auch nie Weiber genommen; es war eins von ihren Grundgesetzen und dabei sind sie zu hohem Alter kommen, wie solches im Josephus zu lesen. Wie die es nun angefangen, ihr Fleisch so zu bezähmen; ob sie es gemacht, wie ich, nüchtern und mäßig gelebt und brav Tobak geraucht, oder ob sie Euren Weg eingeschlagen – So viel ist gewiß, in amore, in amore omnia insunt vitia und ein Jüngling, der diese Klippe vorbeischifft, Heil, Heil ihm, ich will ihm Lorbeeren zuwerfen; lauro tempora cingam et sublimi fronte sidera pulsabit.

LÄUFFER. Ich fürcht, ich werd an dem Schnitt sterben müssen.

WENZESLAUS. Mitnichten, da sei Gott für. Ich will gleich zu

Gevatter Schöpsen. Der Fall wird ihm freilich noch nie vorgekommen sein, aber hat er Euch Euren Arm kuriert, welches doch eine Wunde war, die nicht zu Eurer Wohlfahrt diente, so wird ja Gott auch ihm Gnade zu einer Kur geben, die Euer ewiges Seelenheil befördern wird. *(Geht ab.)*

LÄUFFER. Sein Frohlocken verwundet mich mehr als mein Messer. O Unschuld, welch eine Perle bist du! Seit ich dich verloren, tat ich Schritt auf Schritt in der Leidenschaft und endigte mit Verzweiflung. Möchte dieser letzte mich nicht zum Tode führen, vielleicht könnt ich itzt wieder anfangen zu leben und zum Wenzeslaus wiedergeboren werden.

## Vierte Szene

### In Leipzig

FRITZ VON BERG *und* REHAAR *begegnen sich auf der Straße.*

REHAAR. Herr von Bergchen, ein Briefchen, unter meinem Kuvert gekommen. Herr von Seiffenblase hat an mich geschrieben; hat auch Lautchen bei mir gelernt vormals. Er bittet mich, ich soll doch diesen Brief einem gewissen Herrn von Berg in Leipzig abgeben, wenn er anders noch da wäre – O wie bin ich gesprungen!

FRITZ. Wo hält er sich denn itzt auf, Seiffenblase?

REHAAR. Soll es dem Herrn von Berg abgeben, schreibt er, wenn Sie anders diesen würdigen Mann kennen. O wie bin ich gesprungen – Er ist in Königsberg, der Herr von Seiffenblase. Was meinen Sie, und meine Tochter ist auch da, und logiert ihm grad gegenüber. Sie schreibt mir, die Kathrinchen, daß sie nicht genug rühmen kann, was er ihr für Höflichkeit erzeigt, alles um meinetwillen; hat sieben Monat bei mir gelernt.

FRITZ *(zieht die Uhr aus).* Liebster Rehaar, ich muß ins Kollegium – Sagen Sie Pätus nichts davon, ich bitte Sie – *(Geht ab.)*

REHAAR *(ruft ihm nach).* Auf den Nachmittag – Konzertchen! –

## Fünfte Szene

### Zu Königsberg in Preußen

GEHEIMER RAT, GUSTCHEN, MAJOR *stehn in ihrem Hause am Fenster.*

GEH. RAT. Ist er's?

GUSTCHEN. Ja, er ist's.

GEH. RAT. Ich sehe doch, die Tante muß ein lüderliches Mensch sein, oder sie hat einen Haß auf ihre Nichte geworfen und will sie mit Fleiß ins Verderben stürzen.

GUSTCHEN. Aber Onkel, sie kann ihm doch das Haus nicht verbieten.

GEH. RAT. Auf das, was ich ihr gesagt? – Wer will's ihr übel nehmen, wenn sie zu ihm sagte: Herr von Seiffenblase, Sie haben sich auf einem Kaffeehause verlauten lassen, Sie wollten meine Nichte zu Ihrer Mätresse machen, suchen Sie sich andre Bekanntschaften in der Stadt; bei mir kommen Sie unrecht: meine Nichte ist eine Ausländerin, die meiner Aufsicht anvertraut ist; die sonst keine Stütze hat; wenn sie verführt würde, fiel' alle Rechenschaft auf mich. Gott und Menschen müßten mich verdammen.

MAJOR. Still Bruder! Er kommt heraus und läßt die Nase erbärmlich hängen. Ho, ho, ho, daß du die Krepanz! Wie blaß er ist.

GEH. RAT. Ich will doch gleich hinüber, und sehn was es gegeben hat.

## Sechste Szene

### In Leipzig

PÄTUS *an einem Tisch und schreibt.* BERG *tritt herein einen Brief in der Hand.*

PÄTUS *(sieht auf und schreibt fort).*

FRITZ. Pätus! – Hast zu tun?

PÄTUS. Gleich –

*(Fritz spaziert auf und ab.)*

Jetzt – *(Legt das Schreibzeug weg.)*

FRITZ. Pätus! ich hab einen Brief bekommen – und hab nicht das Herz, ihn aufzumachen.

PÄTUS. Von wo kommt er? Ist's deines Vaters Hand?

FRITZ. Nein, von Seiffenblase – aber die Hand zittert mir, sobald ich erbrechen will. Brich doch auf, Bruder, und lies mir vor. *(Wirft sich auf einen Lehnstuhl.)*

PÄTUS *(liest).* »Die Erinnerung so mancher angenehmen Stunden, deren ich mich noch mit Ihnen genossen zu haben erinnere, verpflichtet mich, Ihnen zu schreiben und Sie an diese angenehme Stunden zu erinnern« – Was der Junge für eine rasende Orthographie hat.

FRITZ. Lies doch nur –

PÄTUS. »Und weil ich mich verpflichtet hielt, Ihnen Nachrichten von meiner Ankunft und den Neuigkeiten, die allhier vorgefallen, als melde Ihnen von Dero wertesten Familie, welche leider sehr viele Unglücksfälle in diesem Jahre erlebt hat, und wegen der Freundschaft, welche ich in Dero Eltern ihrem Hause genossen, sehe mich verpflichtet, weil ich weiß, daß Sie mit Ihrem Herrn Vater in Mißverständnis und er Ihnen lange wohl nicht wird geschrieben haben, so werden Sie auch wohl den Unglücksfall nicht wissen mit dem Hofmeister, welcher aus Ihres gnädigen Onkels Hause ist gejagt worden, weil er Ihre Kusine genotzüchtigt, worüber sie sich so zu Gemüt gezogen, daß sie in einen Teich gesprungen, durch wel-

chen Trauerfall Ihre ganze Familie in den höchsten
Schröcken« – Berg! was ist dir – *(Begießt ihn mit Lavendel.)*
Wie nun Berg? Rede, wird dir weh – Hätt ich dir doch
den verdammten Brief nicht – Ganz gewiß ist's eine
Erdichtung – Berg! Berg!

FRITZ. Laß mich – Es wird schon übergehn.

PÄTUS. Soll ich jemand holen, der dir die Ader schlägt.

FRITZ. O pfui doch – tu doch so französisch nicht – Lies
mir's noch einmal vor.

PÄTUS. Ja, ich werde dir – Ich will den hundsföttischen
maliziösen Brief den Augenblick – *(Zerreißt ihn.)*

FRITZ. Genotzüchtigt – ersäuft. *(Schlägt sich an die Stirn.)*
Meine Schuld! *(steht auf)* meine Schuld einzig und allein –

PÄTUS. Du bist wohl nicht klug – Willst dir die Schuld
geben, daß sie sich vom Hofmeister verführen läßt –

FRITZ. Pätus, ich schwur ihr, zurückzukommen, ich schwur
ihr – Die drei Jahr sind verflossen, ich bin nicht gekommen, ich bin aus Halle fortgangen, mein Vater hat keine
Nachrichten von mir gehabt. Mein Vater hat mich aufgeben, sie hat es erfahren, Gram – Du kennst ihren Hang
zur Melancholei – die Strenge ihrer Mutter obenein,
Einsamkeit, auf dem Lande, betrogne Liebe – Siehst du
das nicht ein, Pätus; siehst du das nicht ein? Ich bin ein
Bösewicht: ich bin schuld an ihrem Tode. *(Wirft sich wieder
in den Stuhl und verhüllt sein Gesicht.)*

PÄTUS. Einbildungen! – Es ist nicht wahr, es ist so nicht
gegangen. *(Stampft mit dem Fuß.)* Tausend Sapperment, daß
du so dumm bist, und alles glaubst, der Spitzbube, der
Hundsfutt, der Bärenhäuter, der Seiffenblase, will dir
einen Streich spielen – Laß mich ihn einmal zu sehen
kriegen. – Es ist nicht wahr, daß sie tot ist, und wenn sie
tot ist, so hat sie sich nicht selbst umgebracht . . .

FRITZ. Er kann doch das nicht aus der Luft saugen – Selbst
umgebracht – *(Springt auf.)* O das ist entsetzlich!

PÄTUS *(stampft abermal mit dem Fuß)*. Nein, sie hat sich selbst
nicht umgebracht. Seiffenblase lügt; wir müssen mehr

Bestätigung haben. Du weißt, daß du ihm einmal im Rausch erzählt hast, daß du in deine Kusine verliebt wärst; siehst du, das hat die maliziöse Kanaille aufgefangen – aber weißt du was; weißt du, was du tust? Hust ihm was; pfeif ihm was; pfui ihm was, schreib ihm, Ew. Edlen danke dienstfreundlichst für Dero Neuigkeiten, und bitte, Sie wollen mich im – Das ist der beste Rat, schreib ihm zurück: Ihr seid ein Hundsfutt. Das ist das Vernünftigste, was du bei der Sache tun kannst.

FRITZ. Ich will nach Hause reisen.

PÄTUS. So reis ich mit dir – Berg, ich laß dich keinen Augenblick allein.

FRITZ. Aber wovon? Reisen ist bald ausgesprochen – Wenn ich keine abschlägige Antwort befürchtete, so wollt ich es bei Leichtfuß et Compagnie versuchen, aber ich bin ihnen schon hundertfunfzig Dukaten schuldig –

PÄTUS. Wir wollen beide zusammen hingehn – Wart, wir müssen die Lotterie vorbei. Heut ist die Post aus Hamburg angekommen, ich will doch unterwegs nachfragen; zum Spaß nur –

## Siebente Szene

### In Königsberg

GEHEIMER RAT *führt* JUNGFER REHAAR *an der Hand.*
AUGUSTCHEN. MAJOR.

GEH. RAT. Hier, Gustchen, bring ich dir eine Gespielin. Ihr seid in einem Alter, einem Verhältnisse – Gebt euch die Hand, und seid Freundinnen.

GUSTCHEN. Das bin ich lange gewesen, liebe Mamsell! Ich weiß nicht, was es war, das in meinem Busen auf und ab stieg, wenn ich Sie aus dem Fenster sah; aber Sie waren in so viel Zerstreuungen verwickelt, so mit Kutschenbesuchen und Serenaden belästigt, daß ich mit meinem Besuch zu unrechter Zeit zu kommen fürchtete.

JUNGFER REHAAR. Ich wäre Ihnen zuvorgekommen, gnädiges Fräulein, wenn ich das Herz gehabt. Allein in ein so vornehmes Haus mich einzudrängen, hielt ich für unbesonnen, und mußte dem Zug meines Herzens, das mich schon oft bis vor Ihre Tür geführt hat, allemal mit Gewalt widerstehen.

GEH. RAT. Stell dir vor, Major; der Seiffenblase hat auf die Warnung, die ich der Frau Dutzend tat, und die sie ihm wiedererzählt hat und zwar, wie ich's verlangt, unter meinem Namen, geantwortet: er werde sich schon an mir zu rächen wissen. Er hat alles das so gut von sich abzulehnen gewußt, und ist gleich tags drauf mit dem Minister Deichsel hingefahren kommen, daß die arme Frau das Herz nicht gehabt, sich seine Besuche zu verbitten. Gestern nacht hat er zwei Wagen in diese Straße bestellt und einen am Brandenburger Tor, das wegen des Feuerwerks offen blieb, das erfährt die Madam gestern vormittag schon. Den Nachmittag will er für Henkers Gewalt die Mamsell überreden, mit ihm zum Minister auf die Assemblee zu fahren, aber Madam Dutzend traute dem Frieden nicht, und hat's ihm rund abgeschlagen. Zweimal ist er vor die Tür gefahren, aber hat wieder umkehren müssen; da seine Karte also verzettelt war, wollt er's heut probieren. Madam Dutzend hat ihm nicht allein das Haus verboten, sondern zugleich angedeutet: sie sehe sich genötigt, sich vom Gouverneur Wache vor ihrem Hause auszubitten. Da hat er Flammen gespien, hat mit dem Minister gedroht – Um die Madam völlig zu beruhigen, hab ich ihr angetragen: die Mamsell in unser Haus zu nehmen. Wir wollen sie auf ein halb Jahr nach Insterburg mitnehmen, bis Seiffenblase sie vergessen hat, oder so lang als es ihr selber nur da gefallen kann –

MAJOR. Ich hab schon anspannen lassen. Wenn wir nach Heidelbrunn fahren, Mamsell, so laß ich Sie nicht los. Sie müssen mit, oder meine Tochter bleibt mit Ihnen in Insterburg.

GEH. RAT. Das wär wohl am besten. Ohnehin taugt das Land für Gustchen nicht und Mamsell Rehaar laß ich nicht von mir.

MAJOR. Gut, daß deine Frau dich nicht hört – oder hast du Absichten auf deinen Sohn?

GEH. RAT. Mach das gute Kind nicht rot. Sie werden ihn in Leipzig oft genug müssen gesehen haben, den bösen Buben. Gustchen, du wirst zur Gesellschaft mit rot? Er verdient's nicht.

GUSTCHEN. Da mein Vater mir vergeben hat, sollte Ihr Sohn ein minder gütiges Herz bei Ihnen finden?

GEH. RAT. Er ist auch noch in keinen Teich gesprungen.

MAJOR. Wenn wir nur das blinde Weib mit dem Kinde ausfindig gemacht hätten, von dem mir der Schulmeister schreibt; eh kann ich nicht ruhig werden – Kommt! ich muß noch heut auf mein Gut.

GEH. RAT. Daraus wird nichts. Du mußt die Nacht in Insterburg schlafen.

## Achte Szene

### Leipzig

### Bergs Zimmer

FRITZ VON BERG *sitzt, die Hand untern Kopf gestützt.*
PÄTUS *stürzt herein.*

PÄTUS. Triumph Berg! Was kalmäuserst du? – Gott! Gott! *(Greift sich an den Kopf und fällt auf die Knie.)* Schicksal! Schicksal! – Nicht wahr, Leichtfuß hat dir nicht vorschießen wollen? Laß ihn dich – Ich hab Geld, ich hab alles – Dreihundertdreiundachtzig Friedrichsd'or gewonnen auf einem Zug! *(Springt auf und schreit.)* Heididelbum, nach Insterburg! Pack ein!

FRITZ. Bist du närrisch worden?

PÄTUS *(zieht einen Beutel mit Gold hervor und wirft alles auf die*

*Erde).* Da ist meine Narrheit. Du bist ein Narr mit deinem
Unglauben – Nun hilf auflesen; buck dich etwas – und
heut noch nach Insterburg, juchhe! *(Lesen auf.)* Ich will
meinem Vater die achtzig Friedrichsd'or schenken, so viel
betrug grad mein letzter Wechsel, und zu ihm sagen: nun
Herr Papa, wie gefall ich Ihnen itzt? All deine Schulden können wir bezahlen, und meine obenein, und denn
reisen wir wie die Prinzen. Juchhe!

## Neunte Szene

### Die Schule

WENZESLAUS, LÄUFFER. *Beide in schwarzen Kleidern.*

WENZESLAUS. Wie hat Ihm die Predigt gefallen, Kollege! Wie
hat Er sich erbaut?

LÄUFFER. Gut, recht gut. *(Seufzt.)*

WENZESLAUS *(nimmt seine Perücke ab und setzt eine Nachtmütze
auf).* Damit ist's nicht ausgemacht. Er soll mir sagen,
welche Stelle aus der Predigt vorzüglich gesegnet an seinem Herzen gewesen. Hör Er – setz Er sich. Ich muß Ihm
was sagen; ich hab eine Anmerkung in der Kirche gemacht, die mich gebeugt hat. Er hat mir da so wetterwen-
disch gesessen, daß ich mich Seiner, die Wahrheit zu
sagen, vor der ganzen Gemeine geschämt habe und dadurch oft fast aus meinem Konzept kommen bin. Wie,
dacht ich, dieser junge Kämpfer, der so ritterlich durchge-
brochen und den schwersten Strauß schon gewissermaßen
überwunden hat – Ich muß es Ihm bekennen: Er hat mich
geärgert, σκάνδαλον ἐδίδους, ἕταιρε! Ich hab's wohl
gemerkt, wohin es ging, ich hab's wohl gemerkt; immer
nach der mittlern Tür zu da nach der Orgel hinunter.

LÄUFFER. Ich muß bekennen, es hing ein Gemälde dort, das
mich ganz zerstreut hat. Der Evangelist Markus mit einem
Gesicht, das um kein Haar menschlicher aussah, als der

Löwe, der bei ihm saß, und der Engel beim Evangelisten
Matthäus eher einer geflügelten Schlange ähnlich.

WENZESLAUS. Es war nicht das, mein Freund! Bild Er mir's
nicht ein; es war nicht das. Sag Er mir doch, ein Bild sieht
man an und sieht wieder weg, und dann ist's alles. Hat Er
denn gehört, was ich gesagt habe! Weiß Er mir Ein Wort
aus meiner Predigt wieder anzuführen? Und sie war doch
ganz für Ihn gehalten; ganz kasuistisch – O! o! o!

LÄUFFER. Der Gedanke gefiel mir vorzüglich, daß zwischen
unsrer Seele und ihrer Wiedergeburt und zwischen dem
Flachs- und Hanfbau eine große Ähnlichkeit herrsche,
und so wie der Hanf im Schneidebrett durch heftige Stöße
und Klopfen von seiner alten Hülse befreit werden müsse,
so müsse unser Geist auch durch allerlei Kreuz und
Leiden und Ertötung der Sinnlichkeit für den Himmel
zubereitet werden.

WENZESLAUS. Er war kasuistisch, mein Freund –

LÄUFFER. Doch kann ich Ihnen auch nicht bergen, daß Ihre
Liste von Teufeln, die aus dem Himmel gejagt worden,
und die Geschichte der ganzen Revolution da, daß Lucifer
sich für den schönsten gehalten – Die heutige Welt ist
über den Aberglauben längst hinweg; warum will man ihn
wieder aufwärmen. In der ganzen heutigen vernünftigen
Welt wird kein Teufel mehr statuiert –

WENZESLAUS. Darum wird auch die ganze heutige vernünftige Welt zum Teufel fahren. Ich mag nicht verdammen,
lieber Herr Mandel; aber das ist wahr, wir leben in
seelenverderblichen Zeiten: es ist die letzte böse Zeit. Ich
mag mich drüber weiter nicht auslassen: ich seh wohl, Er
ist ein Zweifler auch, und auch solche Leute muß man
tragen. Es wird schon kommen; Er ist noch jung – aber
gesetzt auch, posito auch, aber nicht zugestanden, unsere
Glaubenslehren wären all Aberglauben, über Geister,
über Höll, über Teufel, da – Was tut's Euch, was beißt's
Euch, daß Ihr Euch so mit Händen und Füßen dagegen
wehrt? Tut nichts Böses, tut recht und denn so braucht

Ihr die Teufel nicht zu scheuen, und wenn ihrer mehr
wären wie Ziegel auf dem Dach, wie der selige Lutherus
sagt. Und Aberglauben – O schweigt still, schweigt still,
lieben Leut. Erwägt erst mit reifem Nachdenken, was der
Aberglaube bisher für Nutzen gestiftet hat, und denn habt
mir noch das Herz, mit euren nüchternen Spötteleien
gegen mich anzuziehen. Reutet mir den Aberglauben aus;
ja wahrhaftig der rechte Glaub wird mit draufgehn, und
ein nacktes Feld dableiben. Aber ich weiß jemand, der
gesagt hat, man soll beides wachsen lassen, es wird schon
die Zeit kommen, da Kraut sich von dem Unkraut scheiden wird. Aberglauben – Nehmt dem Pöbel seinen Aberglauben, er wird freigeistern, wie Ihr und Euch vor den
Kopf schlagen. Nehmt dem Bauer seinen Teufel, und er
wird ein Teufel gegen seine Herrschaft werden und ihr
beweisen, daß es welche gibt. Aber wir wollen das beiseite
setzen – Wovon redt ich doch? – Recht, sag Er mir, wen
hat Er angesehen in der ganzen Predigt? Verhehl Er mir
nichts. Ich war es nicht, denn sonst müßt Er schielen, daß
es eine Schande wäre.

LÄUFFER. Das Bild.

WENZESLAUS. Es war nicht das Bild – Dort unten, wo die
Mädchen sitzen, die bei ihm in die Kinderlehre gehen –
Lieber Freund! es wird doch nichts vom alten Sauerteig in
seinem Herzen geblieben sein – Ei, ei! wer einmal geschmeckt hat die Kräfte der zukünftigen Welt – Ich bitt
Ihn, mir stehn die Haare zu Berge – Nicht wahr, die eine
da mit dem gelben Haar so nachlässig unter das rote
Häubchen gesteckt und mit den lichtbraunen Augen, die
allemal unter den schwarzen Augbraunen so schalkhaft
hervorblinzen, wie die Sterne hinter Regenwolken – Es ist
wahr, das Mädchen ist gefährlich; ich hab's nur einmal
von der Kanzel angesehn, und mußte hernach allemal die
Augen platt zudrücken, wenn sie auf sie fielen, sonst wär
mir's gegangen, wie den weisen Männern im Areopagus,
die Recht und Gerechtigkeit vergaßen um einer schnöden

Phryne willen. – Aber sag Er mir doch, wo will Er hin, daß Er sich noch bösen Begierden überläßt, da's Ihm sogar an Mitteln fehlt, sie zu befriedigen? Will Er sich dem Teufel ohne Sold dahingeben? Ist das das Gelübd, das er dem Herrn getan – Ich rede als Sein geistlicher Vater mit Ihm – Er, der itzt mit so wenig Mühe über alle Sinnlichkeit triumphieren, über die Erde sich hinausschwingen und bessern Revieren zufliegen könnte. *(Umarmt ihn.)* Ach mein lieber Sohn, bei diesen Tränen, die ich aus wahrer herzlicher Sorgfalt für Ihn vergieße; kehr Er nicht zu den Fleischtöpfen Egyptens zurück, da Er Kanaan so nahe war! Eile, eile! rette deine unsterbliche Seele! Du hast auf der Welt nichts, das dich mehr zurückhalten könnte. Die Welt hat nichts mehr für dich, womit sie deine Untreu dir einmal belohnen könnte; nicht einmal eine sinnliche Freude, geschweige denn Ruhe der Seelen – Ich geh und überlasse dich deinen Entschließungen. *(Geht ab.)*
*(Läuffer bleibt in tiefen Gedanken sitzen.)*

## Zehnte Szene

LISE *tritt herein, ein Gesangbuch in der Hand, ohne daß er sie gewahr wird. Sie sieht ihm lang stillschweigend zu. Er springt auf, will knien; wird sie gewahr und sieht sie eine Weile verwirrt an.*

LÄUFFER *(nähert sich ihr).* Du hast eine Seele dem Himmel gestohlen. *(Faßt sie an die Hand.)* Was führt dich hieher, Lise?

LISE. Ich komme, Herr Mandel – Ich komme, weil Sie gesagt haben, es würd morgen keine Kinderlehr – weil Sie – so komm ich – gesagt haben – ich komme, zu fragen, ob morgen Kinderlehre sein wird.

LÄUFFER. Ach! – – Seht diese Wangen, ihr Engel! Wie sie in unschuldigem Feuer brennen und denn verdammt mich,

wenn ihr könnt – – Lise, warum zittert deine Hand?
Warum sind dir die Lippen so bleich und die Wangen so
rot? Was willst du?

LISE. Ob morgen Kinderlehr sein wird?

LÄUFFER. Setz dich zu mir nieder – Leg dein Gesangbuch
weg – Wer steckt dir das Haar auf, wenn du nach der
Kirche gehst? *(Setzt sie auf einen Stuhl neben seinem.)*

LISE *(will aufstehn)*. Verzeih Er mir; die Haube wird wohl
nicht recht gesteckt sein; es macht' einen so erschrecklichen Wind, als ich zur Kirche kam.

LÄUFFER *(nimmt ihre beiden Hände in seine Hand)*. O du bist –
Wie alt bist du, Lise? – Hast du niemals – Was wollt ich
doch fragen – Hast du nie Freier gehabt?

LISE *(munter)*. O ja einen, noch die vorige Woche; und des
Schafwirts Grethe war so neidisch auf mich und hat
immer gesagt: ich weiß nicht was er sich um das einfältige
Mädchen so viel Mühe macht, und denn hab ich auch
noch einen Offizier gehabt; es ist noch kein Vierteljahr.

LÄUFFER. Einen Offizier?

LISE. Ja doch, und einer von den recht vornehmen. Ich sag
Ihnen, er hat drei Tressen auf dem Arm gehabt: aber ich
war noch zu jung und mein Vater wollt mich ihm nicht
geben, wegen des soldatischen Wesens und Ziehens.

LÄUFFER. Würdest du – O ich weiß nicht, was ich rede –
Würdest du wohl – Ich Elender!

LISE. O ja, von ganzem Herzen.

LÄUFFER. Bezaubernde! – *(Will ihr die Hand küssen.)* Du weißt
ja noch nicht, was ich fragen wollte.

LISE *(zieht sie weg)*. O lassen Sie, meine Hand ist ja so schwarz
– O pfui doch! Was machen Sie? Sehen Sie, einen geistlichen Herrn hätt ich allewege gern: von meiner ersten
Jugend an hab ich die studierte Herren immer gern gehabt; sie sind alleweil so artig, so manierlich, nicht so puff
paff, wie die Soldaten, obschon ich einewege die auch
gern habe, das leugn' ich nicht, wegen ihrer bunten
Röcke; ganz gewiß, wenn die geistlichen Herren in so

bunten Röcken gingen, wie die Soldaten, das wäre zum
Sterben.

LÄUFFER. Laß mich deinen mutwilligen Mund mit meinen
Lippen zuschließen. *(Küßt sie.)* O Lise! Wenn du wüßtest,
wie unglücklich ich bin.

LISE. O pfui, Herr, was machen Sie?

LÄUFFER. Noch einmal und denn ewig nicht wieder! *(Küßt
sie.* WENZESLAUS *tritt herein.)*

WENZESLAUS. Was ist das? Pro deum atque hominum fidem!
Wie nun, falscher, falscher, falscher Prophet! Reißender
Wolf in Schafskleidern! Ist das die Sorgfalt, die du deiner
Herde schuldig bist? Die Unschuld selber verführen, die
du vor Verführung bewahren sollst? Es muß ja Ärgernis
kommen, doch wehe dem Menschen, durch welchen Ärgernis kommt!

LÄUFFER. Herr Wenzeslaus!

WENZESLAUS. Nichts mehr! Kein Wort mehr! Ihr habt Euch
in Eurer wahren Gestalt gezeigt. Aus meinem Hause,
Verführer!

LISE *(kniet vor Wenzeslaus)*. Lieber Herr Schulmeister, er hat
mir nichts Böses getan.

WENZESLAUS. Er hat dir mehr Böses getan, als dir dein
ärgster Feind tun könnte. Er hat dein unschuldiges Herz
verführt.

LÄUFFER. Ich bekenne mich schuldig – Aber kann man so
vielen Reizungen widerstehen? Wenn man mir dies Herz
aus dem Leibe risse und mich Glied vor Glied verstüm-
melte und ich behielt' nur eine Ader von Blut noch übrig, so würde diese verrätrische Ader doch für Lisen
schlagen.

LISE. Er hat mir nichts Leides getan.

WENZESLAUS. Dir nichts Leides getan – Himmlischer Vater!

LÄUFFER. Ich hab ihr gesagt, daß sie die liebenswürdigste
Kreatur sei, die jemals die Schöpfung beglückt hat; ich
hab ihr das auf ihre Lippen gedrückt; ich hab diesen
unschuldigen Mund mit meinen Küssen versiegelt, wel-

cher mich sonst durch seine Zaubersprache zu noch weit
größeren Verbrechen würde hingerissen haben.

WENZESLAUS. Ist das kein Verbrechen? Was nennt Ihr jungen Herrn heutzutage Verbrechen? O tempora, o mores!
Habt Ihr den Valerius Maximus gelesen? Habt Ihr den
Artikel gelesen de pudicitia? Da führt er einen Mänius an,
der seinen Freigelassenen tot geschlagen hat, weil er seine
Tochter einmal küßte und die Räson: ut etiam oscula ad
maritum sincera perferret. Riecht Ihr das? Schmeckt Ihr
das? Etiam oscula, non solum virginitatem, etiam oscula.
Und Mänius war doch nur ein Heide: was soll ein Christ
tun, der weiß, daß der Ehstand von Gott eingesetzt ist
und daß die Glückseligkeit eines solchen Standes an der
Wurzel vergiften, einem künftigen Gatten in seiner Gattin
seine Freud und Trost verderben; seinen Himmel profanieren – Fort, aus meinen Augen, Ihr Bösewicht! Ich mag
mit Euch nichts zu tun haben! Geht zu einem Sultan und
laßt Euch zum Aufseher über ein Serail dingen, aber nicht
zum Hirten meiner Schafe. Ihr Mietling. Ihr reißender
Wolf in Schafskleidern!

LÄUFFER. Ich will Lisen heiraten.

WENZESLAUS. Heiraten – Ei ja doch – als ob sie mit einem
Eunuch zufrieden?

LISE. O ja, ich bin's herzlich wohl zufrieden, Herr Schulmeister.

LÄUFFER. Ich Unglücklicher!

LISE. Glauben Sie mir, lieber Herr Schulmeister, ich laß
einmal nicht von ihm ab. Nehmen Sie mir das Leben; ich
lasse nicht ab von ihm. Ich hab ihn gern und mein Herz
sagt mir, daß ich niemand auf der Welt so gern haben
kann als ihn.

WENZESLAUS. So – daß doch – Lise, du verstehst das Ding
nicht – Lise, es läßt sich dir so nicht sagen, aber du kannst
ihn nicht heiraten; es ist unmöglich.

LISE. Warum soll es denn unmöglich sein, Herr Schulmeister? Wie kann's unmöglich sein, wenn ich will und wenn

er will, und mein Vater auch es will? Denn mein Vater hat mir immer gesagt, wenn ich einmal einen geistlichen Herrn bekommen könnte –

WENZESLAUS. Aber daß dich der Kuckuck, er kann ja nichts – Gott verzeih mir meine Sünde, so laß dir doch sagen.

LÄUFFER. Vielleicht fodert sie das nicht – Lise, ich kann bei dir nicht schlafen.

LISE. So kann Er doch wachen bei mir, wenn wir nur den Tag über beisammen sind und uns so anlachen und uns einsweilen die Hände küssen – Denn bei Gott! ich hab ihn gern. Gott weiß es, ich hab Ihn gern.

LÄUFFER. Sehn Sie, Herr Wenzeslaus! Sie verlangt nur Liebe von mir. Und ist's denn notwendig zum Glück der Ehe, daß man tierische Triebe stillt?

WENZESLAUS. Ei was – Connubium sine prole, est quasi dies sine sole ... Seid fruchtbar und mehret euch, steht in Gottes Wort. Wo Eh ist, müssen auch Kinder sein.

LISE. Nein Herr Schulmeister, ich schwör's Ihm, in meinem Leben möcht ich keine Kinder haben. Ei ja doch, Kinder! Was Sie nicht meinen! Damit wär mir auch wohl groß gedient, wenn ich noch Kinder dazu bekäme. Mein Vater hat Enten und Hühner genug, die ich alle Tage füttern muß, wenn ich noch Kinder obenein füttern müßte.

LÄUFFER *(küßt sie).* Göttliche Lise!

WENZESLAUS *(reißt sie voneinander).* Ei was denn! Was denn! Vor meinen Augen? – So kriecht denn zusammen; meinetwegen; weil doch Heiraten besser ist als Brunst leiden – Aber mit uns, Herr Mandel, ist es aus: alle große Hoffnungen, die ich mir von Ihm gemacht, alle große Erwartungen, die mir Sein Heldenmut einflößte. – Gütiger Himmel! wie weit ist doch noch die Kluft, die zwischen einem Kirchenvater und zwischen einem Kapaun befestigt ist. Ich dacht, er sollte Origenes der Zweite – O homuncio, homuncio! Das müßt ein ganz andrer Mann sein, der aus Absicht und Grundsätzen den Weg einschlüge, um ein Pfeiler unsrer sinkenden Kirche zu werden. Ein ganz anderer Mann! Wer weiß, was noch einmal geschicht! *(Geht ab.)*

LÄUFFER. Komm zu deinem Vater, Lise, seine Einwilligung noch und ich bin der glücklichste Mensch auf dem Erdboden!

## Eilfte Szene

### Zu Insterburg

GEHEIMER RAT. FRITZ VON BERG. PÄTUS. GUSTCHEN. JUNGFER REHAAR. *Gustchen und Jungfer Rehaar verstecken sich bei der Ankunft der erstern in die Kammer. Geheimer Rat und Fritz laufen sich entgegen.*

FRITZ *(fällt vor ihm auf die Knie).* Mein Vater!

GEH. RAT *(hebt ihn auf und umarmt ihn).* Mein Sohn!

FRITZ. Haben Sie mir vergeben?

GEH. RAT. Mein Sohn!

FRITZ. Ich bin nicht wert, daß ich Ihr Sohn heiße.

GEH. RAT. Setz dich; denk mir nicht mehr dran. Aber, wie hast du dich in Leipzig erhalten? Wieder Schulden auf meine Rechnung gemacht? Nicht? und wie bist du fortkommen?

FRITZ. Dieser großmütige Junge hat alles für mich bezahlt.

GEH. RAT. Wie denn?

PÄTUS. Dieser noch großmütigere – O ich kann nicht reden.

GEH. RAT. Setzt euch Kinder; sprecht deutlicher. Hat Ihr Vater sich mit Ihnen ausgesöhnt, Herr Pätus?

PÄTUS. Keine Zeile von ihm gesehen.

GEH. RAT. Und wie habt ihr's denn beide gemacht?

PÄTUS. In der Lotterie gewonnen, eine Kleinigkeit – aber es kam uns zustatten, da wir herreisen wollten.

GEH. RAT. Ich seh, ihr wilde Bursche denkt besser als eure Väter. Was hast du wohl von mir gedacht, Fritz? Aber man hat dich auch bei mir verleumdet.

PÄTUS. Seiffenblase gewiß?

GEH. RAT. Ich mag ihn nicht nennen; das gäbe Katzbalge-
reien, die hier am unrechten Ort wären.

PÄTUS. Seiffenblase! Ich laß mich hängen.

GEH. RAT. Aber was führt dich denn nach Hause zurück,
eben jetzt da? –

FRITZ. Fahren Sie fort – O das eben jetzt, mein Vater! das
eben jetzt ist's, was ich wissen wollte.

GEH. RAT. Was denn? was denn?

FRITZ. Ist Gustchen tot?

GEH. RAT. Holla, der Liebhaber! – Was veranlaßt dich, so zu
fragen?

FRITZ. Ein Brief von Seiffenblase.

GEH. RAT. Er hat dir geschrieben: sie wäre tot?

FRITZ. Und entehrt dazu.

PÄTUS. Es ist ein verleumderscher Schurke!

GEH. RAT. Kennst du eine Jungfer Rehaar in Leipzig?

FRITZ. O ja, ihr Vater war mein Lautenmeister.

GEH. RAT. Die hat er entehren wollen; ich hab sie von seinen
Nachstellungen errettet: das hat ihn uns feind gemacht.

PÄTUS *(steht auf)*. Jungfer Rehaar – Der Teufel soll ihn holen.

GEH. RAT. Wo wollen Sie hin?

PÄTUS. Ist er in Insterburg?

GEH. RAT. Nein doch – Nehmen Sie sich der Prinzessinnen
nicht zu eifrig an, Herr Ritter von der runden Tafel! Oder
haben Sie Jungfer Rehaar auch gekannt?

PÄTUS. Ich? Nein, ich habe sie nicht gekannt – Ja, ich habe
sie gekannt.

GEH. RAT. Ich merke – – Wollen Sie nicht auf einen Augenblick in die Kammer spazieren? *(Führt ihn an die Tür.)*

PÄTUS *(macht auf und fährt zurück, sich mit beiden Händen an den
Kopf greifend)*. Jungfer Rehaar – Zu Ihren Füßen – *(Hinter
der Szene.)* Bin ich so glücklich? oder ist's nur ein Traum?
Ein Rausch? – Eine Bezauberung? – –

GEH. RAT. Lassen wir ihn! – *(Kehrt zu Fritz.)* Und du denkst
noch an Gustchen?

FRITZ. Sie haben mir das furchtbare Rätsel noch nicht aufgelöst. Hat Seiffenblase gelogen?

GEH. RAT. Ich denke, wir reden hernach davon: wir wollen
uns die Freud itzt nicht verderben.

FRITZ *(kniend).* O mein Vater, wenn Sie noch Zärtlichkeit für
mich haben, lassen Sie mich nicht zwischen Himmel und
Erde, zwischen Hoffnung und Verzweiflung schweben.
Darum bin ich gereist; ich konnte die qualvolle Ungewißheit nicht länger aushalten. Lebt Gustchen? Ist's wahr,
daß sie entehrt ist?

GEH. RAT. Es ist leider nur eine zu traurige Wahrheit.

FRITZ. Und hat sich in einen Teich gestürzt?

GEH. RAT. Und ihr Vater hat sich ihr nachgestürzt.

FRITZ. So falle denn Henkers Beil – Ich bin der Unglücklichste unter den Menschen!

GEH. RAT. Steh auf! Du bist unschuldig dran.

FRITZ. Nie will ich aufstehn. *(Schlägt sich an die Brust.)* Schuldig war ich; einzig und allein schuldig. Gustchen, seliger
Geist, verzeihe mir!

GEH. RAT. Und was hast du dir vorzuwerfen?

FRITZ. Ich habe geschworen, falsch geschworen – Gustchen!
wär es erlaubt, dir nachzuspringen! *(Steht hastig auf.)* Wo
ist der Teich?

GEH. RAT. Hier! *(Führt ihn in die Kammer.)*

FRITZ *(hinter der Szene mit lautem Geschrei).* Gustchen! – Seh
ich ein Schattenbild? – Himmel! Himmel welche Freude!
– Laß mich sterben! laß mich an deinem Halse sterben.

GEH. RAT *(wischt sich die Augen).* Eine zärtliche Gruppe! –
Wenn doch der Major hier wäre! *(Geht hinein.)*

## Letzte Szene

DER MAJOR, *ein Kind auf dem Arm.* DER ALTE PÄTUS.

MAJOR. Kommen Sie, Herr Pätus. Sie haben mir das Leben wiedergegeben. Das war der einzige Wurm, der mir noch dran nagte. Ich muß Sie meinem Bruder präsentieren, und Ihre alte blinde Großmutter will ich in Gold einfassen lassen.

DER ALTE PÄTUS. O meine Mutter hat mich durch ihren unvermuteten Besuch weit glücklicher gemacht, als Sie. Sie haben nur einen Enkel wiedererhalten, der Sie an traurige Geschichten erinnert; ich aber eine Mutter, die mich an die angenehmsten Szenen meines Lebens erinnert, und deren mütterliche Zärtlichkeit ich leider noch durch nichts habe erwidern können, als Haß und Undankbarkeit. Ich habe sie aus dem Hause gestoßen, nachdem sie mir den ganzen Nachlaß meines Vaters und ihr Vermögen mit übergeben hatte; ich habe ärger gegen sie gehandelt als ein Tiger – Welche Gnade von Gott ist es, daß sie noch lebt, daß sie mir noch verzeihen kann, die großmütige Heilige! daß es noch in meine Gewalt gestellt ist, meine verfluchte Verbrechen wieder gut zu machen.

MAJOR. Bruder Berg! wo bist du? He!

*(GEHEIMER RAT kömmt.)*

Hier ist mein Kind, mein Großsohn. Wo ist Gustchen? Mein allerliebstes Großsöhnchen! *(schmeichelt ihm)* meine allerliebste närrische Puppe!

GEH. RAT. Das ist vortrefflich! – und Sie, Herr Pätus?

MAJOR. Sie Herr Pätus hat's mir verschafft – – Seine Mutter war das alte blinde Weib, die Bettlerin, von der uns Gustchen so viel erzählt hat.

DER ALTE PÄTUS. Und durch mich Bettlerin – – O die Scham bindet mir die Zunge. Aber ich will's der ganzen Welt erzählen, was ich für ein Ungeheuer war –

GEH. RAT. Weißt du was Neues, Major? Es finden sich

Freier für deine Tochter – aber dring nicht in mich, dir
den Namen zu sagen.

MAJOR. Freier für meine Tochter! – *(Wirft das Kind ins Kanapee.)* Wo ist sie?

GEH. RAT. Sacht! ihr Freier ist bei ihr – Willst du deine
Einwilligung geben?

MAJOR. Ist's ein Mensch von gutem Hause? Ist er von Adel?

GEH. RAT. Ich zweifle.

MAJOR. Doch keiner zu weit unter ihrem Stande? O sie sollte
die erste Partie im Königreich werden. Das ist ein verma-
ledeiter Gedanke! wenn ich doch den erst fort hätte; er
wird mich noch ins Irrhaus bringen.

*(Geheimer Rat öffnet die Kammer; auf seinen Wink tritt* FRITZ
*mit* GUSTCHEN *heraus.)*

MAJOR *(fällt ihm um den Hals)*. Fritz! *(Zum Geheimen Rat.)* Ist's
dein Fritz? Willst du meine Tochter heiraten? – Gott
segne dich. Weißt du nichts, oder weißt du alles?
Siehst du, wie mein Haar grau geworden ist vor der Zeit!
*(Führt ihn ans Kanapee.)* Siehst du, dort ist das Kind. Bist ein
Philosoph? Kannst alles vergessen? Ist Gustchen dir noch
schön genug? O sie hat bereut. Jung, ich schwöre dir, sie
hat bereut, wie keine Nonne und kein Heiliger. Aber was
ist zu machen? Sind doch die Engel aus dem Himmel
gefallen – Aber Gustchen ist wieder aufgestanden.

FRITZ. Lassen Sie mich zum Wort kommen.

MAJOR *(drückt ihn immer an die Brust)*. Nein Junge – Ich
möchte dich totdrücken – Daß du so großmütig bist, daß
du so edel denkst – daß du – – mein Junge bist –

FRITZ. In Gustchens Armen beneid ich keinen König.

MAJOR. So recht; das ist recht. – Sie wird dir schon gestanden haben; sie wird dir alles erzählt haben –

FRITZ. Dieser Fehltritt macht sie mir nur noch teurer –
macht ihr Herz nur noch englischer. – Sie darf nur in den
Spiegel sehn, um überzeugt zu sein, daß sie mein ganzes
Glück machen werde und doch zittert sie immer vor dem,
wie sie sagt, ihr unerträglichen Gedanken: sie werde mich

unglücklich machen. O was hab ich von einer solchen Frau anders zu gewarten, als einen Himmel?

MAJOR. Ja wohl einen Himmel; wenn's wahr ist, daß die Gerechten nicht allein hineinkommen, sondern auch die Sünder, die Buße tun. Meine Tochter hat Buße getan und ich hab für meine Torheiten und daß ich einem Bruder nicht folgen wollte, der das Ding besser verstund, auch Buße getan; ihr zur Gesellschaft: und darum macht mich der liebe Gott auch ihr zur Gesellschaft mit glücklich.

GEH. RAT *(ruft zur Kammer hinein).* Herr Pätus, kommen Sie doch hervor. Ihr Vater ist hier.

DER ALTE PÄTUS. Was hör ich – Mein Sohn?

PÄTUS *(fällt ihm um den Hals).* Ihr unglücklicher verstoßener Sohn. Aber Gott hat sich meiner als eines armen Waisen angenommen. Hier, Papa, ist das Geld, das Sie zu meiner Erziehung in der Fremde angewandt; hier ist's zurück und mein Dank dazu: es hat doppelte Zinsen getragen, das Kapital hat sich vermehrt und Ihr Sohn ist ein recht-schaffener Kerl geworden.

DER ALTE PÄTUS. Muß denn alles heute wetteifern, mich durch Großmut zu beschämen. Mein Sohn, erkenne deinen Vater wieder, der eine Weile seine menschliche Natur ausgezogen und in ein wildes Tier ausgeartet war. Es ging deiner Großmutter wie dir: sie ist auch wiedergekommen und hat mir verziehen und hat mich wieder zum Sohn gemacht, so wie du mich wieder zum Vater machst. Nimm mein ganzes Vermögen, Gustav! schalte damit nach deinem Gefallen, nur laß mich die Undankbarkeit nicht entgelten, die ich bei einem ähnlichen Geschenk gegen deine Großmutter äußerte.

PÄTUS. Erlauben Sie mir, das tugendhafteste süßeste Mädchen glücklich damit zu machen –

DER ALTE PÄTUS. Was denn? Du auch verliebt? Mit Freuden erlaub ich dir alles. Ich bin alt und möchte vor meinem Tode gern Enkel sehen, denen ich die Treue beweisen könnte, die eure Großmutter für euch bewiesen hat.

FRITZ *(umarmt das Kind auf dem Kanapee, küßt's und trägt's zu Gustchen)*. Dies Kind ist jetzt auch das meinige; ein trauriges Pfand der Schwachheit deines Geschlechts und der Torheiten des unsrigen: am meisten aber der vorteilhaften Erziehung junger Frauenzimmer durch Hofmeister.

MAJOR. Ja mein lieber Sohn, wie sollen sie denn erzogen werden?

GEH. RAT. Gibt's für sie keine Anstalten, keine Nähschulen, keine Klöster, keine Erziehungshäuser? – – Doch davon wollen wir ein andermal sprechen.

FRITZ *(küßt's abermal)*. Und dennoch mir unendlich schätzbar, weil's das Bild seiner Mutter trägt. Wenigstens, mein süßer Junge! werd ich dich nie durch Hofmeister erziehen lassen.

# Der neue Menoza
## oder
## Geschichte
## des cumbanischen Prinzen Tandi

### Eine Komödie

---

## Personen

HERR V. BIEDERLING, wohnhaft in Naumburg
FRAU V. BIEDERLING
WILHELMINE, Tochter
DER PRINZ TANDI
DER GRAF CAMÄLEON
DONNA DIANA, eine spanische Gräfin
BABET, ihre Amme
HERR V. ZOPF, ein Edelmann aus Tyrol
HERR ZIERAU, Bakkalaureus
DER BURGERMEISTER, sein Vater
DER MAGISTER BEZA, an der Pforte
BEDIENTE, u. s. w.

Der Schauplatz ist hie und da.

# Erster Akt

## Erste Szene

### Zu Naumburg

HERR VON BIEDERLING *tritt auf mit dem* PRINZEN *zur* FRAU VON
BIEDERLING *und* WILHELMINEN.

HERR V. BIEDERLING. Hier Frau! bring ich dir einen Gast.
Wir haben in Dresden in einem Hause gewohnt, und da er
die Reise nach Frankreich über Naumburg zu machen
hatte, schlug ich ihm vor, bei mir einzukehren und meine
Gärten ein wenig in Augenschein zu nehmen.

FRAU V. BIEDERLING. Ich bin sehr erfreut –

HERR V. BIEDERLING. Es ist keiner von den Alltagspassagie-
rern, Frau! es ist ein Prinz aus einer andern Welt, der
unsere europäische Welt will kennen lernen und sehen, ob
sie des Rühmens auch wohl wert sei. Also müssen wir an
unserm Teil unser Bestes tun, ihm eine gute Meinung von
uns beizubringen. Denk einmal, bis in Cumba hinein
bekannt zu werden, ein Land, das nicht einmal auf unserer Landkarte steht.

FRAU V. BIEDERLING. Es ist ein unerwartetes Glück für unser
Haus, daß ein Reisender von so hoher Geburt –

PRINZ. Nun genug, meine Freunde, *(setzt sich)* ich bin von
keiner hohen Geburt. Wenn Sie mir den Aufenthalt angenehm machen wollen, so gehen Sie mit mir um, wie mit
Ihrem Sohne.

HERR V. BIEDERLING. Das wollen wir auch. *(Setzt sich zu ihm.)*
Sitz nieder, Frau! Mine! kannst zu uns sitzen. Was wollt
ich doch sagen, weil Sie denn haben wollen, daß wir
geradzu mit Ihnen umgehen – Peter! ist das Gepäck
eingebracht? – so erzählen Sie mir doch einmal so was von
Ihrer Reise, Prinz, von Ihren Abenteuern, Sie haben doch
zum Element ein gut Stück Weges gemacht, da läßt sich

schon was davon erzählen. Und wie sind Sie auf den Einfall gekommen, zu reisen, wenn ich fragen darf?

PRINZ. Land und Leute regieren, und nicht Menschen kennen, dünkt mich, wie ein Rechenmeister, der Pferde bereiten will.

HERR V. BIEDERLING. Oder wie unser Hr. Magister Beza an der Pforte, ha ha ha. Aber sagen Sie mir doch, wer hat Ihnen dann was von Europa gesagt, da wir kluge Europäer doch kein Wort von dem Königreiche Cumba wissen, potz Sapperment.

PRINZ. Ich bin in Europa geboren. Eine Mission Jesuiten nahm mich nach Asien mit.

HERR V. BIEDERLING. Aber, ei! ei! . . . wie sind Sie denn Prinz worden, daß ich fragen darf?

PRINZ. Wie's in der Welt geht, das Glück wälzt bergauf, bergab, bin Page worden, dann Leibpage, dann adoptiert, dann zum Thronfolger erklärt, dann wieder gestürzt, bergunterrollt bis an die Hölle! ha ha ha!

HERR V. BIEDERLING. Gott behüt! wie das? wie das?

PRINZ. Die Geschichte ist langweilig und schändlich. Ein Weib, die Königin –

HERR V. BIEDERLING. Und was denn mit den Weibern, das sag ich immer, die Weiber sind an allem Unglück in der Welt schuld. O ich bitte Sie, erzählen Sie doch fort.

PRINZ. Ich sollt ihres Gemahls Ehebett beflecken, eines Mannes, der mich mehr liebte, als sich selbst, und sein Weib mehr als uns alle beide. Als ich nicht wollte, kam ich auf den Pyramidenturm, auf dem alle die langsam sterben, die sich an der Person des Königs oder der Königin vergreifen. Die Furcht, ich würde die Wahrheit verraten, machte sie mit jedem Tage grausamer. Alle Tage ward ich einen Stock höher in ein engeres Gefängnis geführt, bis ich am dreißigsten Tage mich in einer schwindelnden Höhe befand, zwischen vier Mauren, die so eng waren, daß sie kaum Fußgestell einer Statue gaben. Und doch, nachdem ich eine Nacht in diesem abscheulichen Aufent-

halte zugebracht, faßt ich den Entschluß, mich hinabzustürzen –

FRAU V. BIEDERLING. Hinabzustürzen – – o weh mir!

PRINZ. Stellen Sie sich eine Tiefe vor, die feucht und neb-
licht alle Kreaturen aus meinem Gesichte entzog. Ich sah
in dieser fürchterlich-blauen Ferne nichts als mich selbst,
und die Bewegung die ich machte, zu springen. Ich
sprang –

FRAU V. BIEDERLING. Meine Tochter –

HERR V. BIEDERLING (*springt auf*). Was ist, Narre! Mine! was
ist.

(*Sie suchen Wilhelminen zu ermuntern, die in Ohnmacht liegt.*)

PRINZ. Ich bin vielleicht mit Ursache – o meine einfältige
Erzählung zur Unzeit!

HERR V. BIEDERLING. Zu Bett, zu Bett mit ihr. O Jemir, was
sind doch die Weibsen für Geschöpfe! O ihr Papierge-
schöpfe ihr!


## Zweite Szene

### In Dresden

GRAF CAMÄLEON. SEIN VERWALTER.

GRAF. Ihr müßt die Gebäude innerhalb vier Monaten fix und
fertig liefern, mag's kosten was es wolle, daß der Hauptmann Biederling noch vor der Saatzeit seine Pacht antreten kann.

VERWALTER. Und ist's nicht erlaubt zu fragen, was er Sie
zahlt?

GRAF. Darum bekümmert Euch nicht, wir sind eins worden,
die Sache ist nicht mehr rückgängig zu machen.

VERWALTER. Wenn ich Ihnen aber einen stelle, der mehr
zahlen tut, als der Hauptmann zahlen wird, verzeihen Sie
mir, gnädiger Herr! ich rede aufrichtig, ich weiß, was aus
dem Gute zu machen ist, wer's versteht, darnach hab ich

eine Schenke in Naumburg und der Weinbau und das
Dings alles – es kann Ihnen keiner so viel zahlen als ich,
Herr Graf. Das ist nur nichts.

GRAF. Ein für allemal.

VERWALTER. Wenn ich Sie aber noch einmal soviel biete.

GRAF. Er bietet mir gar nichts, daß Ihr's wißt und mich
zufrieden laßt. Er ist mein guter Freund und ich hab ihn
unter meinen Pachtgütern eins aussuchen lassen, das zu
seinen ökonomischen Projekten am gelegensten ist.

VERWALTER. Was ökonomische Projekte, er bringt sich um
Hab und Gut, der gute Herr Hauptmann, dazu muß man
einen ganz andern Beutel haben, als er –

GRAF. Schweigt und gehorcht.

VERWALTER. O Himmel! die Gräfin kommt.

(DONNA DIANA *mit zerstreutem Haar tritt herein. Der Graf
springt auf.*)

GRAF. Was gibt's, Donna?

DONNA. Meines Lebens nicht sicher.

GRAF. Was denn? wo kommen Sie her?

DONNA (*wirft sich in einen Stuhl*). Gustav – verfluchter Graf!
was hast du für Bediente?

GRAF. Gustav – Ihnen nach dem Leben?

DONNA. Hätt ich nicht Gegengift bei mir gehabt, so wär's
aus jetzt.

GRAF. Wo ist er?

DONNA. In der Welt. Mit Kutsch und Pferden fort. Wir
waren zwei Stund von Dresden, er machte mir Schokolate
und als ich nicht geschwind genug sterben wollte, griff er
mir an Hals und –

GRAF. Gift –

DONNA. Auf mein Geschrei der Wirt. Er sagt, er hätte mich
wollen zum Erbrechen bringen. Und derweil der Wirt mir
Hülf schaffte, springt er auf den Bock und fort –

GRAF. Nachgesetzt Leute, augenblicks – (*Mit dem Verwalter
ab.*)

DONNA. Wenn ich dem Kerl nur in meinem Leben was zu

Leide getan hätte! Es ärgert mich nichts mehr, als daß er
mich unschuldiger Weise umbringen will. Hätt ich das
gewußt, ich hätt ihm die Augen im Schlafe ausgestochen,
oder Sukzessionspulver eingegeben, so hätt er doch Ursache an mir gehabt. Aber unschuldiger Weise – – ich
möchte rasend werden.

### Dritte Szene

#### In Naumburg

HERR VON BIEDERLING. FRAU VON BIEDERLING.

FRAU V. BIEDERLING. Was denn? wenn du dein Pachtgut
beziehst? Bist du nicht gescheit im Kopf? was sollen wir
mit einer fremden Mannsperson anfangen?

HERR V. BIEDERLING. Es ist ja aber ein verheirateter Mann,
was willst du denn? Und krank dazu, will den Brunnen
hier trinken; kann man ihm die kleine Gefälligkeit nicht
gestatten, da er mir Haus und Hof eingibt auf achtzehn
Jahr?

FRAU V. BIEDERLING. Da er dir einen Strick gibt, dich
aufzuhängen. Das letzte wird aufgehn, was wir noch aus
dem Schiffbruche des Kriegs und deiner Projekten gerettet
haben, wir werden zu Grunde gehen, ich seh es zum
voraus.

HERR V. BIEDERLING. Du siehst immer, siehst – den Himmel
für eine Geige an. Mit euren Einsichten solltet ihr doch zu
Hause bleiben, Madam Weiber. Sorg, daß du uns was zu
essen auf den Tisch schaffst, mir und meinem lieben
Calmuckenprinzen, fürs übrige laß du den lieben Gott
sorgen und deinen Mann. Hör noch, über einige Wochen
krieg ich noch einen Gast, auf den du dich wohl nicht
versiehst – dem du mir ordentlich begegnen mußt, rüste
dich nur drauf – aus Triest.

FRAU V. BIEDERLING. Herr von Zopf?

HERR V. BIEDERLING. Den Nagel auf dem Kopf getroffen. – Nun was soll das Erstaunen und die starren Augen da? Er ist ein ehrlicher Mann, ich hab mit ihm ausgeredt. –

FRAU V. BIEDERLING. Rabenvater!

HERR V. BIEDERLING. Er wartet nur noch in Dresden auf die Seidenwürmereier, die er mir bringen soll, so – –

FRAU V. BIEDERLING. Ja wenn's Seidenwürmer wären, aber so sind's nur deine Kinder. O Himmel! strafst du mich so hoch, daß ich so spät erst einsehen muß, was ich an meinem Manne habe.

HERR V. BIEDERLING. So schweige Sie still, Komödiantin! Kein Wort von der Affäre mehr, ich bitte mir's aus. Es ist alles abgetan, das sind keine Weibersachen.

FRAU V. BIEDERLING. Ich mich um meinen Sohn nicht bekümmern?

HERR V. BIEDERLING. Je nun, deinen Sohn, kannst du ihn mit deinem Bekümmern lebendig machen? Wenn es dem lieben Gott gefallen hat, das Unglück über uns zu verhängen –

FRAU V. BIEDERLING. Dem Herrn von Biederling hat's gefallen. Kindermörder! Was hab ich gesagt, als du ihn dem Zopf anvertrautest, was hab ich gesagt? Aber du wolltest ihn ins Wasser werfen, du wolltest seiner los sein – Geh mir aus den Augen, Böswicht! Du bist mein Mann nicht mehr –

HERR V. BIEDERLING. Was denn? Tratarat, daß das Donner Hagel tausend Wetter, was willst du denn von mir? bist toll geworden? Ja da war wohl groß Frage, wem unsern Sohn anvertrauen? wenn ein Zigeuner kommen wäre, ich hätt ihm Dank gesagt. Wenn man ins Feld soll und nichts zu beißen und zu brechen, hast wohl viel Ehr zu räsonieren und hat denselben Tag sich die Augen bald blind geweint für Hunger – ja da plärrt sie, wenn man ihr auf den Zeh tritt, weil sie jetzt im Überfluß sitzt, so möcht sie gern vergessen, wo ihr der Schuh gedrückt hat.

FRAU V. BIEDERLING. Ist eine unglücklichere Frau unter der Sonnen als ich? *(Geht fort.)*

HERR V. BIEDERLING. Ja warum nicht unter dem Mond lieber? *(Ab.)*

## Vierte Szene

WILHELMINE *sitzt auf einem Sofa in tiefen Gedanken.* DER PRINZ *tritt herein, sie wird ihn erst spät gewahr und steht etwas erschrocken auf.*

PRINZ *(nachdem er sie ehrerbietig gegrüßt).* Verzeihen Sie – Ich glaubt Ihre Eltern bei Ihnen. *(Entfernt sich.)*
*(Wilhelmine, nachdem sie ihm einen tiefen Knicks gemacht, fällt wieder in ihre vorige Stellung.)*

## Fünfte Szene

GRAF CAMÄLEON. HERR VON BIEDERLING. FRAU VON BIEDERLING.

HERR V. BIEDERLING. Warum bringen Sie uns denn die Frau Gemahlin nicht mit?

GRAF. Meine Frau? – Wer hat Ihnen gesagt, daß ich verheiratet sei?

HERR V. BIEDERLING. In Dresden, die ganze Stadt – Verzeihen Sie, die spanische Gräfin, die Sie mitgebracht haben –

GRAF. Ist meine Brudersfrau.

HERR V. BIEDERLING. Des Herrn Bruders, der noch in Spanien . . . o! o! o! Denk doch, denk doch! und ich habe ganz gewiß geglaubt – nehmen Sie's aber nicht übel –

GRAF. Er wird ehestens auch ins Land kommen –

FRAU V. BIEDERLING. Wie kommt es, daß wir so unvermutet das Glück haben –

GRAF. Ich hab meinen Entschluß ändern müssen, gnädige Frau! ich komme nicht her, Kur zu trinken, ein unvorge-

sehner Unglücksfall zwingt mich, diesen Zufluchtsort zu
suchen.

HERR V. BIEDERLING. Doch wohl kein Duell – da sei Gott
vor.

GRAF. So ist es, die Gerechtigkeit verfolgt mich, und meine
schwächliche Gesundheit hindert mich, aus dem Land zu
gehen. Ich habe den Grafen Erzleben erschossen.

FRAU V. BIEDERLING. Gott!

HERR V. BIEDERLING. So muß es kein Mensch erfahren, daß
er hier ist, hörst du! unsere Tochter selber nicht, keine
menschliche Seele, ich denke, wir logieren ihn ins Gartenhäuschen, ist ja ein Kamin drin, sich des Abends ein klein
Feuer anzumachen, weil doch die Nächte noch kalt sind,
ich will ihm das Essen allezeit selber – oder nein, nein
zum Geier, da merkt man's, ich will im Gartenhaus
immer mit ihm essen, als tät ich's vor mein Pläsier, und du
mußt mir immer das Essen hintragen, liebes Sußchen!
willt du?

GRAF. Was haben Sie für Hausgenossen?

HERR V. BIEDERLING. Niemand als einen indianischen Prinzen, das der scharmanteste artigste Mann von der Welt ist,
er denkt diesen Sommer noch in Paris zu sein.

GRAF. Der würde mich wohl nicht verraten.

HERR V. BIEDERLING. Nein, gewiß nicht. Soll ich's ihm
erzählen? Aber ich erwarte da noch einen guten Freund,
das freilich mein guter Freund auch ist, aber doch möcht
ich ihm sowas – sehen Sie, er ist ein großer Verehrer von
den Jesuiten, weiß es der Henker, was er immer mit ihnen
hat – – nein, nein, wie ich gesagt habe, Sie bleiben im
Gartenhäuschen und so wollen wir das machen, sonst
könnte uns der Zopf überfallen.

GRAF. Ihr Pachtgut soll Ihnen aufs eheste eingeräumet werden, ich hab Briefe von meinem Verwalter, die Gebäude
werden bald unter Dach sein. Es sind einige Koppel auch
schon zu Baumschulen eingehegt, wenn Sie's mit Ihren
Maulbeerbäumen versuchen wollen.

HERR V. BIEDERLING. O gehorsamer Diener, gehorsamer Diener! Zopf wird mir einige hundert mitbringen. Aber so mach denn, Frau, daß das Gartenhäuschen aufgeputzt – wollen wir's besehen? sehen Sie unsere Schlafkammer führt gerad in den Garten und da ist's nur fünf Schritt. – Sie können in Abrahams Schoß nicht sicherer sein.

## Sechste Szene

### Garten

DER PRINZ *schneidet einen Namen im Baum.*

Wachs itzt. – *(küßt ihn)* wachs itzt – – nun genug, *(geht, sieht sich um)* er dankt mir, der Baum. Du hast's Ursach. *(Ab.)*

## Siebende Szene

### Des Prinzen Zimmer

*Er sitzt an einem Tisch voll Büchern, eine Landkarte vor sich.*
ZIERAU, *ein Bakkalaureus, tritt auf.*

ZIERAU. Ihr untertänigster Diener, mein Prinz!
PRINZ. Der Ihrige. Wer sind Sie?
ZIERAU. Ein Bakkalaureus aus Wittenberg, doch hab ich schon über drei Jahr in Leipzig den Musen und Grazien geopfert.
PRINZ. Was führt Sie zu mir?
ZIERAU. Neugier und Hochachtung zugleich. Ich habe die edle Absicht vernommen, aus welcher Sie Ihre Reise angetreten, die Sitten der aufgeklärtesten Nationen Europens kennen zu lernen und in Ihren väterlichen Boden zu verpflanzen.
PRINZ. Das ist meine Absicht nicht. Ja, wenn die Sitten gut sind – – setzen Sie sich – –

BAKKALAUREUS *(setzt sich)*. Verzeihen Sie! Die Verbesserung
aller Künste, aller Disziplinen und Stände ist seit einigen
tausend Jahren die vereinigte Bemühung unserer besten
Köpfe gewesen, es scheint, wir sind dem Zeitpunkte nah,
da wir von diesen herkulischen Bestrebungen endlich
einmal die Früchte einsammeln und es wäre zu wünschen,
die entferntesten Nationen der Welt kämen, an unsrer
Ernte teilzunehmen.

PRINZ. So?

ZIERAU. Besonders da itzt in Deutschland das Licht der
schönen Wissenschaften aufgegangen, das den gründlichen und tiefsinnigen Wissenschaften, in denen unsere
Vorfahren Entdeckungen gemacht, die Fackel vorhält und
uns gleichsam jetzt erst mit unsern Reichtümern bekannt
macht, daß wir die herrlichen Minen und Gänge bewundern, die jene aufgehauen, und ihr hervorgegrabenes Gold
vermünzen.

PRINZ. So?

ZIERAU. Wir haben itzt schon seit einem Jahrhunderte fast,
Namen aufzuweisen, die wir kühnlich den größesten
Genies unserer Nachbarn an die Seite setzen können, die
alle zur Verbesserung und Verfeinerung unsrer Nation
geschrieben haben, einen Besser, Gellert, Rabner, Dusch,
Schlegel, Utz, Weisse, Jacobi, worunter aber vorzüglich
der unsterbliche Wieland über sie alle gleichsam hervor-
ragt, ut inter ignes luna minores, besonders durch den
letzten Traktat, den er geschrieben und wodurch er allen
seinen Werken die Krone scheint aufgesetzt zu haben, den
Goldenen Spiegel, ich weiß nicht, ob Sie schon davon
gehört haben, meiner Einsicht nach sollte er's den dia-
mantenen Spiegel heißen.

PRINZ. Wovon handelt das Buch?

ZIERAU. Wovon? ja es ist sehr weitläufig, von Staatsverbes-
serungen, von Einrichtung eines vollkommenen Staats,
dessen Bürger, wenn ich so sagen darf, alle unsere kühnsten Fiktionen von Engeln an Grazie übertreffen.

PRINZ. So? und wo findet man diese Menschen?

ZIERAU. Wo? he he, in dem Buche des Herrn Hofrat Wieland. Wenn's Ihnen gefällt, will ich gleich ein Exemplar herbringen.

PRINZ. Geben Sie sich keine Mühe, ich nehme die Menschen lieber wie sie sind, ohne Grazie, als wie sie aus einem spitzigen Federkiel hervorgehen. – Haben Sie sonst noch etwas?

ZIERAU. Ich wollte Eurer Hoheit in tiefster Untertänigkeit – – Herr Wieland hat seinen Goldenen Spiegel dem Kaiser von Scheschinschina zugeeignet und ich, durch ein so großes Beispiel kühn gemacht *(zieht ein Manuskript hervor)* ich hab ein Werk unter Händen, das, wie ich hoffe, zum Wohl des Ganzen nicht weniger beitragen wird, der Titel ist ganz bescheiden, aber ich denke die Erwartung meiner Leser zu überraschen »Die wahre Goldmacherei; oder, unvorgreifliche Ratschläge, das goldene Zeitalter wieder einzuführen; oder, ein Versuch, das goldene Zeitalter« – – ich bin mit mir selbst noch nicht einig. *(Überreicht ihm lächelnd das Manuskript.)*

PRINZ. Und worin bestehn Ihre Ratschläge, wenn ich bitten darf? geben Sie mir einen Blick in Ihre Geheimnisse!

ZIERAU. Worin? – – Das will ich Ihnen sagen. Es soll Ihnen doch dediziert werden, also: *(sieht sich um: etwas leise)* Wenn vors erste die Erziehung auf einen andern Fuß gestellt, würdige und gelehrte Männer an den Schulen, auf den Akademien, wenn die Geistlichkeit aus lauter verdienstvollen, einsichtsvollen Leuten ausgewählt, weder Mucker und Fanatiker, noch auch bloße Bauchdiener und Faulenzer, wenn die Gerichte aus lauter erfahrenen, rechtsgeübten, alten, ehrwürdigen, wenn der Unterscheid der Stände, wenn nicht Geburt oder Geld, sondern bloß Verdienst, wenn der Landesherr, wenn seine Räte – –

PRINZ. Genug, genug, mit all Euren Wenns wird die Welt kein Haar besser oder schlimmer, mein lieber ehrwürdiger Herr Autor. Vergebt mir, daß ich Euch an den Papst erinnere, der auch einem aus euren Mitteln sein Goldmacherbuch *(gibt ihm das Manuskript zurück)* – Und hiemit Gott befohlen.

BAKKALAUREUS. Entweder fehlt es ihm an aller Kultur, oder der gute Prinz ist überspannt und gehört aux petites maisons. *(Ab.)*


## Zweiter Akt

### Erste Szene

Nacht und Mondschein im Garten

WILHELMINE *mit einem Federmesser in den Baum schneidend.*

Es ist gewagt. Wer es auch war, der meinen Namen herschnitt. – – *(Steht eine Zeitlang und sieht ihn an.)* Ich möchte alles wieder ausmachen, aber des Prinzen Hand – – ja es ist seine, wahrhaftig es ist seine, so kühne, mutige Züge konnte keine andere Hand tun. *(Sie windt Efeu um den Baum.)* So! grünt itzt zusammen: wenn er selber wieder nachsehen sollte – – – o ich vergehe. Ich muß *(fällt auf den Baum her und will ihn abschälen).* O Himmel! wer kommt da! *(Läuft fort.)*

PRINZ *(tritt auf).* Ihr Sterne! die ihr fröhlich über meinem Schmerz dahertanzt! du allein, mitleidiger Mond – – bedaure mich nicht. Ich leide willig. Ich war nie so glücklich, als auf dieser Folter. Du unendliches Gewölbe des Himmels! du sollst meine Decke diese Nacht sein. Noch zu eng für mein banges Herz. *(Wirft sich nieder in ein Gesträuch.)*

*(GRAF CAMÄLEON tritt auf mit WILHELMINEN, die sich sträubt.)*

GRAF. Wo wollen Sie hin? – – Sie wissen itzt meine ganze Geschichte. So kommen Sie doch nur ins Gartenhaus, wenn Sie mir nicht glauben wollen.

WILHELMINE. Ich glaube Ihnen.

GRAF. So lassen Sie uns doch den Abend im Garten genießen, mein englisches Fräulein! er ist gar zu einladend.

WILHELMINE. Ich muß fort – –

GRAF. Reizende Blödigkeit! halten Sie's für so gefährlich, mit einem kranken Manne im Garten zu spazieren? Ich will nichts als gesund werden, Sie können mich gesund machen, ein Wort, ein Atem von Ihnen.

WILHELMINE. Meine Mutter –

GRAF. Laß sie Sie hier aufsuchen, sehen Sie, ich trotze Ihrem Mißtrauen.

WILHELMINE. Wollen Sie mich loslassen?

GRAF. Nein, ich laß dich nicht, meine Göttin, bevor du mir erlaubt hast, dich anzubeten. *(Kniend.)*

WILHELMINE. Hülfe!

GRAF. Grausame! willst du mir auch diese Glückseligkeit nicht – – *(Umfaßt ihre Knie und drückt sein Gesicht an dieselbe.)* Um diesen Augenblick nähm ich keine Königreiche, ich bin glücklich, ich bin ein Gott. –

PRINZ *(mit bloßem Degen).* Schurke!

*(Graf läuft davon.)*

Fräulein! ich darf Sie nicht verlassen, sonst würd ich diesem Buben nach und ihm sein zündbares Blut abzapfen. Ich will Sie aber vorher bis an Ihre Tür begleiten.

*(Beide gehen stillschweigend ab.)*


## Zweite Szene

### Das Gartenhaus

PRINZ. GRAF *sitzt am Kamin.*

PRINZ. Hier – – ich kenne Euch – – aber seid wer Ihr seid, ich fordere Rechenschaft von Euch – – wenn Euch Euer Gewissen verfolgt, so dürft Ihr den Tod nicht scheuen. Wo ist Euer Degen?

GRAF *(steht auf).* Was wollen Sie von mir?

PRINZ. Rechenschaft, Rechenschaft, blutige Rechenschaft. Nehmt Euren Degen. Vielleicht seid Ihr damit so glücklich wie mit Pistolen.

GRAF. Was hab ich getan?

PRINZ. Euch der Glorie der Schönheit unheilig genähert, die Drachen und Ungeheuer in ehrerbietiger Entfernung würde erhalten haben. Ihr seid mehr als ein Raubtier, will sehen, ob Ihr auch seinen Mut habt, Euren Raub zu verteidigen.

GRAF. Ich soll mich mit Ihnen schlagen, ich kenne Sie nicht.

PRINZ. Brauchst du zu kennen, um zu schlagen? *(Bricht eine Rute ab.)* So sei denn hiemit zum Schurken geschlagen. Kot! Du verdienst nicht, daß ich meinen Degen an dir verunehre.

## Dritte Szene

### In Immenhof

DONNA DIANA. BABET *ihre Amme, einen Brief in der Hand.*

DONNA. Lies vor, sag ich dir.

BABET. Auf meinen Knien bitt ich Sie, erlauben Sie mir, ihn unvorgelesen zu verbrennen.

DONNA. Eben jetzt will ich ihn hören und müßt ich davon auf der Stelle sterben.

BABET. Wenn Sie ein Frauenzimmer wären wie andere, aber bei Ihrem großen Herzen, bei Ihrem edlen Blut, edler als Ihr Ursprung.

DONNA. Was edler als mein Ursprung – – Hexe! wo du mir meines Vaters auf eine unehrerbietige Art erwähnst.

BABET. Er ist tot.

DONNA. Tot – – schweig stille! – – ist er tot? – halt's Maul, sag mir nichts weiter. *(Nach einer Pause.)* Woran ist er gestorben?

BABET. Darf ich?

DONNA. Sag mir woran.

BABET. Weh mir!

DONNA *(schlägt sie)*. Woran? oder ich bohr dir das Herz durch! woran? *(Sieht sich nach einem Gewehr um.)*

BABET. An Gift.

DONNA. An Gift? Das ist betrübt – das ist arg – abscheulich. Ja an Gift – – also – – lies mir den Brief vor.

BABET. O wie mißhandeln Sie mich. Wenn ich ihn aber lese, so ist's um mich geschehen.

DONNA. Närrin! verdammte Hexe!

BABET. Sie werden mich umbringen.

DONNA. Was ist's mehr, wenn ein solcher Balg umkommt? Ob ein Blasebalg mehr oder weniger in der Welt – was sind wir denn anders, Amme? ich halt mich nichts besser als meinen Hund, solang ich ein Weib bin. Laß uns Hosen anziehn, und die Männer bei ihren Haaren im Blute herumschleppen.

BABET. O Gott! was macht Ihre Lebensgeister so scharf? Ich hab Sie doch auch sanftmütiger gesehen.

DONNA. Wir wollen's den Männern überlassen, den Hunden, die uns die Hände lecken, und im Schlaf an die Gurgel packen. Ein Weib muß nicht sanftmütig sein, oder sie ist eine Hure, die über die Trommel gespannt werden mag. Lies Hexe! oder ich zieh dir dein Fell ab, das einzige Gut, das du noch übrig hast, und verkauf es einem Paukenschläger.

BABET *(liest)*. »Wenn Dein Herz, niederträchtige Seele, noch des Schröckens fähig ist, denn alle andere Empfindungen haben es längst verlassen – Dein Vater starb an Gift. Wenn Dein Gemahl noch bei Dir ist, so sag ihm, ich werde ihm durch die Gerechtigkeit meinen Schmuck abfordern lassen, den Ihr mir gestohlen habt. Dir aber will ich hiemit den Schleier abreißen, und Dir zeigen wer Du bist. Nicht meine Tochter, ich konnte keine Vatermörderin gebären – Du bist – – vertauscht –«

DONNA. Nicht weiter – – nicht weiter. – Gütiger Gott und

alle Heiligen! Laß einen doch zu Atem kommen. *(Wirft sich auf einen Stuhl. Babet will fortschleichen, sie springt auf und reißt sie zur Erde.)* Verdammter Kobold! willst du lesen?

BABET *(liest)*. »Deine Mutter ist ...«

DONNA. Lies.

BABET. Weh mir.

DONNA. Wo du ohnmächtig wirst, so durchstoß ich, zerreiß ich dich und mich.

BABET. Weh mir.

DONNA. Wer ist es?

BABET. Ich.

DONNA. So stirb! damit ich auch Muttermörderin werde. Nein. *(Hebt sie auf.)* Komm! *(Fällt ihr um den Hals und fängt laut an zu weinen.)* Nein Mutter! Mutter! *(Küßt ihr die Hand.)* Verzeih mir Gott, wie ich dir verzeihe, daß du meine Mutter bist. *(Fällt auf die Knie vor ihr.)* Hier knie ich und huldige dir, ja ich bin deine Tochter, und wenn du mich mit Ruten hauen willst, sag mir's, ich will dir Dornen dazu abschneiden. Geißele mich, ich hab meinen Vater vergiftet, ich will Buße tun.

BABET. Die Zukunft wird alles aufklären. Lassen Sie mich zu Bett legen, ich halt's nicht aus.

## Vierte Szene

### Des Prinzen Zimmer

#### HERR VON BIEDERLING. PRINZ TANDI.

PRINZ. Ich reise, aber nicht vorwärts, zurück! ich habe genug gesehn und gehört, es wird mir zum Ekel.

HERR V. BIEDERLING. Nach Cumba?

PRINZ. Nach Cumba, einmal wieder Atem zu schöpfen. Ich glaubt in einer Welt zu sein, wo ich edlere Leute anträfe, als bei mir, große, vielumfassende, vieltätige -- ich ersticke. -

HERR V. BIEDERLING. Wollen Sie zur Ader lassen?

PRINZ. Spottet Ihr?

HERR V. BIEDERLING. Nein in der Tat. – Sie sind so blut-
reich, ich glaubte im hastigen Reden wär Ihnen was
zugestoßen –

PRINZ. In eurem Morast ersticke ich – treib's nicht länger –
mein Seel nicht! Das der aufgeklärte Weltteil! Allenthalben wo man hinriecht, Lässigkeit, faule ohnmächtige
Begier, lallender Tod für Feuer und Leben, Geschwätz
für Handlung – Das der berühmte Weltteil! o pfui doch!

HERR V. BIEDERLING. O erlauben Sie – Sie sind noch jung,
und denn sind Sie ein Fremder, und wissen sich viel in
unsere Sitten zu rücken und zu schicken. Das ist nur
nichts geredt.

PRINZ *(faßt ihn an die Hand)*. Ohne Vorurteil, mein Freund!
ganz mit kaltem Blut – ich füchte mich, weiter zu gehen,
wenn mein Mißvergnügen immer so zunimmt wie bisher
– Aber wißt ihr was die Ursache ist, daß eure Sitten nur
Fremden so auffallen? – O ich mag nicht reden, ich müßt
entsetzlich weit ausholen, ich will euch zufrieden lassen
und nach Hause reisen, in Unschuld meine väterlichen
Besitztümer zu genießen, mein Land regieren und Mauren
herumziehn, daß jeder, der aus Europa kommt, erst
Quarantäne hält, eh er seine Pestbeulen unter meinen
Untertanen vervielfältigt.

HERR V. BIEDERLING *(zieht die Schultern zusammen)*. Das ist
erstaunend hart, allerliebster Herr Prinz! Ich wünschte
gern, daß Sie eine gute Meinung von uns nach Hause
nähmen. Sie haben sich noch nicht um unsern Land- und
Gartenbau bekümmert. Aber was, Sie sind noch jung, Sie
müßten sich in zehn, zwanzig Jahr wenigstens bei uns
aufhalten, bis daß Sie lernten, wo wir es allen andern
Nationen in der ganzen Welt zuvorgetan.

PRINZ. Im Betrügen, in der Spitzbüberei.

HERR V. BIEDERLING *(ärgerlich)*. Ei was? was? ich redte vom
Feldbau und Sie –

PRINZ *(faßt ihn an die Hand).* Alles zugestanden – ich baue zuerst mein Herz, denn um mich herum – alles zugestanden, ihr wißt erstaunlich viel, aber ihr tut nichts – ich rede nicht von Ihnen, Sie sind der wackerste Europäer, den ich kenne.

HERR V. BIEDERLING. Das bitt ich mir aus, ich schaffe den ganzen Tag.

PRINZ. Ich wollte sagen, ihr wißt nichts; alles, was ihr zusammengestoppelt, bleibt auf der Oberfläche eures Verstandes, wird zu List, nicht zu Empfindung, ihr kennt das Wort nicht einmal; was ihr Empfindung nennt, ist verkleisterte Wollust, was ihr Tugend nennt, ist Schminke, womit ihr Brutalität bestreicht. Ihr seid wunderschöne Masken mit Lastern und Niederträchtigkeiten ausgestopft, wie ein Fuchsbalg mit Heu, Herz und Eingeweide sucht man vergeblich, die sind schon im zwölften Jahre zu allen Teufeln gegangen.

HERR V. BIEDERLING *(ganz hastig).* Leben Sie wohl – *(Kommt zurück.)* Wenn Sie Lust haben, mit mir einen Spaziergang haußen vorm Tor auf mein Gut – – aber wenn Sie was zu tun haben, so schenieren Sie sich meinentwillen nicht – –

PRINZ. Ich will heut abend reisen.

HERR V. BIEDERLING. Ei so behüt und bewahr – – was haben wir Ihnen denn zu Leid getan?

PRINZ. Wollen Sie mir Ihre Tochter mitgeben? Ich geh nach Cumba zurück.

HERR V. BIEDERLING. Mitgeben? meine Tochter? was wollen Sie damit sagen?

PRINZ. Ich will Ihre Tochter zu meiner Frau machen.

HERR V. BIEDERLING. Ta ta ta, ein, zwei, drei und damit fertig. Nein, das geht so geschwind bei uns nicht, Herr!

PRINZ. Biet' ihr das Königreich Cumba zur Morgengabe, die Königin meine Mutter ist tot, hier ist der Brief, und mein Vater, der meine Unschuld von Alkaln, meinem Freunde, erfahren, räumt mir Reich und Thron ein, sobald ich wiederkomme.

HERR V. BIEDERLING. Ich will es alles herzlich gern glauben, aber – –

PRINZ. Will den Eid beim Allmächtigen schwören.

HERR V. BIEDERLING. Ja Eid – – was Eid – – –

PRINZ. Europäer!

HERR V. BIEDERLING. Und wenn dem allen so wär auch – – meine Tochter einen so weiten Weg machen zu lassen?

PRINZ. Ist's der Vater, was aus dir spricht?

HERR V. BIEDERLING. Ei Herr! es ist – nennen Sie's, wie Sie wollen.

PRINZ. So will ich, des Vaters zu schonen, fünf Jahr in Europa bleiben. Ihre Tochter darf mich begleiten, wohin sie Lust hat, weit herum werd ich nicht mehr reisen, nur einige Standpunkte noch nehmen, aus denen ich durchs Fernglas der Vernunft die Nationen beschaue.

HERR V. BIEDERLING. Freilich! was, in Naumburg ist nichts zu machen. Es müßte denn sein, daß Sie hier auf dem Land herum die Landwirtschaft ein wenig erkundigten, wollen Sie mich morgen nach Rosenheim begleiten, das ist das Pachtgut, das der Herr Graf mir geschenkt hat, so gut als geschenkt wenigstens – –

PRINZ. Der Graf soll Ihnen nichts schenken, ich kauf es Ihnen zum Eigentum.

HERR V. BIEDERLING. Kaufen – lieber Herr Prinz –

PRINZ. So sei das vor der Hand meine Morgengabe.

HERR V. BIEDERLING. Ich werd ihn aber beleidigen, wenn ich ihm was anbiete.

PRINZ. Sie sollen ihn beleidigen, er hat Sie beleidigt, das Gastrecht verletzt, das uns heiliger sein sollte, als Gottesdienst.

HERR V. BIEDERLING. Wieso? wieso? das scheint Ihnen nur so, er hat mit meiner Tochter nichts Böses im Sinn gehabt.

PRINZ. Ihr seid nicht Väter, Europäer! wenn ihr euch unmündig macht. Wer eines Mannes Kind verlüderlicht, der hat ihn an seinem Leben angetastet.

HERR V. BIEDERLING. Der Teufel soll ihn holen, wenn ich ihm zu Dach steige.

PRINZ. Nehmen Sie den Vorschlag mit Ihrer Tochter in Überlegung und sagen Sie mir wieder, ob Sie sich stark genug fühlen, nach fünf Jahren Ihr Kind auf ewig aus den Armen zu lassen. Wenn nicht, so wickle ich mich in meinen Schmerz ein und reis ohne Klage heim.

## Fünfte Szene

GRAF CAMÄLEON. FRAU VON BIEDERLING.

GRAF. Sie sehen, gnädige Frau! wie die Sachen stehen. Meine ganze Ruhe, meine ganze Glückseligkeit in Ihren Händen. – – O Schicksal, warum mußte meines Gegners Kugel mich fehlen!

FRAU V. BIEDERLING. Ja, ich leugne nicht, Herr Graf! daß ich nicht noch unendlich viel Schwürigkeiten dabei voraussehe, nicht bloß auf meiner Seite, ich versichere Sie, denn was ich bei der Sache tun kann –

GRAF. O meine gnädige *(küßt ihr die Hand)* gnädige Frau! nicht halb soviel, als Sie sich einbilden, verzeihen Sie mir meine Dreistigkeit. Alles, alles beruht bloß auf Ihre Einwilligung. Ihre Fräulein Tochter ist Ihr Conterfait, alles was ich von Ihnen erhalten kann, ist mir auch von ihr gewiß. Ein Kuß auf Ihre schönen Wangen, auf denen die Sonne in ihrem Mittage erscheint, *(küßt sie)* gilt mir eben das, was ein Kuß auf die Morgenröte von Wilhelminens –

FRAU V. BIEDERLING. Sie sind sehr galant, Sie werden nicht erwarten, daß ich Ihnen das beantworte. In Naumburg ist der Umgang auf keinen so hohen Ton gestimmt.

GRAF. Aber, gnädige Frau! was geben Sie mir denn für Antwort? soll ich leben oder sterben, verzweifeln oder hoffen?

FRAU V. BIEDERLING. Die Antwort müßten Sie von meiner
Tochter, meinem Mann –

GRAF. Sie sind Ihre Tochter, Sie sind Ihr Mann. Ich hab
Vermögen, gnädige Frau! aber es ist mir zur Last, wenn
ich's nicht mit einer Person teilen kann, in deren Gesellschaft ich erst anfangen werde zu leben. Bisher bin ich nur
eine Maschine gewesen, Sie haben die Welt in Wilhelminen mit einer Gottheit beschenkt, die allein im Stande
ist mich zu beseelen. *(Kniet.)* O sehen Sie mich zu Ihren
Füßen, sehen Sie mich flehen, schmachten, weinen, verzweifeln.

FRAU V. BIEDERLING. Sie sind gar zu schmeichelhaft – – aber
bedenken Sie doch, was Sie verlangen! eine Heirat in der
Stille, ohne Zeugen, ohne Proklamation, verzeihen Sie,
ich weiß, was Sie mir einwenden werden, das ist klein-
städtisch gesprochen, nicht nach der großen Welt – – aber
wer einmal so unglücklich gewesen ist, sich die Finger zu
verbrennen, mein Mann und ich haben uns genug vorzuwerfen, daß wir so leichtsinnig mit unsern Kindern – mein
ältester Sohn ist das Opfer davon geworden – verzeihen
Sie bei der Erinnerung – ich kann's nicht unterdrücken
*(weint)* er ist nicht mehr.

GRAF *(küßt ihr das Knie)*. Sie werden doch kein Mißtrauen in
mich setzen *(nochmals)* meine englische gnädige Frau!
Wenn Sie das tun, so bin ich das unglücklichste Geschöpf
unter der Sonnen, so ist kein Rat für mich übrig, als die
erste beste Kugel durch den Kopf. Ich müßte ja der
schwärzeste Bösewicht, der nichtswürdigste verworfenste
elendeste Betrüger –

FRAU V. BIEDERLING. O Herr Graf! ich beschwöre Sie, legen
Sie mir's nicht dahin aus, ich habe nichts weniger als
Mißtrauen in die Rechtschaffenheit Ihrer Absichten. Aber
da Sie selbst flüchtig sind, da Sie verborgen bleiben müssen und hernach aus dem Lande zu gehen – ach es ist mir
mit meinem Sohne ebenso gegangen, wir konnten ihn
keinen sicherern Händen anvertrauen.

GRAF. Madam! Sie erleben ein Unglück, wenn Sie mich nicht erhören. Ich bin zu allem fähig, ein elendes Leben kann nur für Schurken einen Reiz haben.

FRAU V. BIEDERLING. O Himmel, was werd ich noch mit Ihnen anfangen? Ich will's meinem Mann sagen, ich will's meiner Tochter vortragen.

GRAF. Ich hab alle Ursache zu glauben, daß sie mich liebt.

FRAU V. BIEDERLING. Sie könnten sich auch irren.

GRAF. Irren – – Sie töten mich.

FRAU V. BIEDERLING. Ich kann Ihnen nichts voraus versprechen, ich muß erst mit beiden geredt haben.

GRAF. Mein ganzes Vermögen ist Ihre.

FRAU V. BIEDERLING. Das verlang ich nicht – können Sie auch nicht weggeben. Sie haben einen Vater, Sie haben Geschwister.

GRAF. Ich habe keinen Vater als Ihren Gemahl, kein Geschwister als Sie. Alles mach ich zu Gelde und wenn ich nach Holland komme, in die Bank damit, so vermach ich es, wem ich will.

FRAU V. BIEDERLING. Das wär eine Ungerechtigkeit, in die ich niemals willigen würde: die ich nur Ihrer Leidenschaft zugut halten kann.

GRAF. O wenn Sie mein Herz sehen könnten *(küßt ihr Hand und Mund)* o meine englische Mutter! haben Sie Mitleiden mit mir! Wenn Sie mein Herz sehen könnten! Wilhelminen – oder ich werde rasend.

## Sechste Szene

### Des Prinzen Zimmer

DER BAKKALAUREUS. DER MAGISTER BEZA. PRINZ TANDI.

ZIERAU. Hier hab ich die Ehre, Eurer Hoheit einen Gelehrten zu präsentieren, mit dem Sie vermutlich besser zufrieden sein werden, Herr Magister Beza, der den Thomas a

Kempis ins Arabische übersetzt hat und in der Philosophie und Sprachen der Morgenländer so bewandert, als ob er für Cumba geboren wäre, nicht für Sachsen.

PRINZ *(nötigt sie aufs Kanapee)*. So werden wir sympathisieren.

MAGISTER BEZA *(steht auf)*. O ergebener Diener!

ZIERAU. Der Magister ist wenigstens mit unsern Sitten noch weniger zufrieden als Eure Hoheit. Er behauptet, es könne mit uns nicht lange währen, wir müßten im Feuer und Schwefel untergehen, wie Sodom.

PRINZ. Spotten Sie nicht: dazu gehört wenig Witz.

BEZA. Ach!

PRINZ. Worüber seufzten Sie?

BEZA. Über nichts.

ZIERAU. Sie dürfen sich nicht verhelen, Herr Magister, der Prinz ist gewiß Ihrer Meinung.

BEZA. Die Welt liegt im argen – ist ihrem Untergange nahe.

PRINZ. Das wäre betrübt. Der Herr wollt es vorhin anders wissen. Ich denke, die Welt ist um nichts schlimmer, als sie zu allen Zeiten gewesen.

BEZA. Um nichts schlimmer? wie? um nichts schlimmer? Wo hat man vormals von dergleichen Abscheu gehört, das nicht allein jetzt zur Mode geworden ist, sondern zur Notwendigkeit. Das ist wohl dura necessitas, durissima necessitas. Das Saufen, Tanzen, Springen und alle Wollüste des Lebens haben so überhand genommen, daß wer nicht mitmacht und Gott fürchtet, in Gefahr steht, alle Tage zu verhungern.

PRINZ. Warum führen Sie gerad das an?

ZIERAU. Ich muß Ihnen nur das Verständnis öffnen, der Magister ist ein erklärter Feind aller Freuden des Lebens.

PRINZ. Vielleicht nicht ganz unrecht. Das bloß genießen scheint mir recht die Krankheit, an der die Europäer arbeiten.

ZIERAU. Was ist Leben ohne Glückseligkeit?

PRINZ. Handeln macht glücklicher als genießen. Das Tier genießt auch.

ZIERAU. Wir handeln auch, uns Genuß zu erwerben, zu sichern.

PRINZ. Brav! wenn das geschicht! – und wir dabei auch für andere sorgen.

BEZA. Ja das ist die Freigeisterphilosophie, die Weltphilosophie, aber zu der schüttelt jeder den Kopf, dem es ein Ernst mit seiner Seele ist. Es ist alles eitel. O Eitelkeit, Eitelkeit, wie doch das die armen Menschen so fesseln kann, darüber den Himmel zu vergessen und ist doch alles Kot, Staub, Nichts!

PRINZ. Aber wir haben einen Geist, der aus diesem Nichts etwas machen kann.

ZIERAU. Sie werden ihn nicht auf andere Gedanken bringen, ich kenne ihn, er hat den Fehler aller Deutschen, er baut sich ein System und was dahinein nicht paßt, gehört in die Hölle.

BEZA. Und ihr Herren Kleinmeister und ihr Herren Franzosen lebt immerfort ohne System, ohne Ziel und Zweck, bis euch, mit Respekt zu sagen, der Teufel holt, und dann seid ihr verloren, hier zeitlich und dort ewig.

PRINZ. Weniger Strenge, Herr! eins ist freilich so schlimm als das andere, wer ohne Zweck lebt, wird sich bald zu Tode leben und wer auf der Studierstube ein System zimmert, ohne es der Welt anzupassen, der lebt entweder seinem System all Augenblick schnurstracks zuwider, oder er lebt gar nicht.

ZIERAU. Mich deucht, vernünftig leben, ist das beste System.

BEZA. Ja, das ist die rechte Höhe.

PRINZ. Wohl die rechte – wird aber nie ganz erreicht. Vernunft ohne Glauben ist kurzsichtig und ohnmächtig, und ich kenne vernünftige Tiere so gut als unvernünftige. Der echten Vernunft ist der Glaube das einzige Gewicht, das ihre Triebräder in Bewegung setzen kann, sonst stehen sie still, und rosten ein, und wehe denn der Maschine!

ZIERAU. Die echte Vernunft lehrt uns glücklich sein, unsern Pfad mit Blumen bestreuen.

PRINZ. Aber die Blumen welken und sterben.

BEZA. Ja wohl, ja wohl.

ZIERAU. So pflückt man neue.

PRINZ. Wenn aber der Boden keine mehr hervortreibt. Es wird doch wohl alles auf den ankommen.

ZIERAU. Wir verlieren uns in Allegorien.

PRINZ. Die leicht zu entziffern sind. Geist und Herz zu erweitern, Herr –

ZIERAU. Also nicht lieben, nicht genießen.

PRINZ. Genuß und Liebe sind das einzige Glück der Welt, nur unser innerer Zustand muß ihm den Ton geben.

BEZA. Ei was Liebe, Liebe, das ist eine saubere Religion, die uns die Bordelle noch voller stopft.

ZIERAU. Ich wünschte, wir könnten die Jugend erst lieben lehren, die Bordelle würden bald leer werden.

PRINZ. Aber es würde vielleicht um desto schlimmer mit der Welt stehn. Liebe ist Feuer und besser ist's, man legt es zu Stroh, als an ein Ährenfeld. Solang da nicht andere Anstalten vorgekehrt werden –

ZIERAU. Wenn die goldenen Zeiten wiederkommen.

PRINZ. Die stecken nur im Hirn der Dichter und Gott sei Dank. Ich kann nicht sagen, wie mir dabei zu Mute sein würde. Wir säßen da, wie Midas vielleicht, würden alles anstarren und nichts genießen können. Solang wir selbst nicht Gold sind, nützen uns die goldenen Zeiten zu nichts und wenn wir das sind, können wir uns auch mit ehernen und bleiernen Zeiten aussöhnen.

## Siebente Szene

HERR VON BIEDERLING. FRAU VON BIEDERLING.

HERR V. BIEDERLING. Ich find nichts Unräsonables drin, Frau, setz den Fall, daß das Mädchen ihn will und ich habe sie schon oft ertappt, daß sie furchtsame Blicke auf ihn warf, und denn haben ihr seine Augen geantwortet, daß ich dacht, er würd sie in Brand stecken, also wenn der Himmel es so beschlossen hat und wer weiß, was in fünf Jahren sich noch ändern kann.

FRAU V. BIEDERLING. Du hast immer einen Glauben, Berge zu versetzen, es ist die nämliche Historie, wie mit deinem Sohn, die nämliche Historie.

HERR V. BIEDERLING. Red mir nicht davon, ich bitte dich. Wir werden noch Ehr und Freude an unserm Sohne erleben, wenn er nicht schon tot ist. Wenn nur der Zopf bald kommen wollte, du solltest mir andere Saiten aufziehn.

FRAU V. BIEDERLING. Wenn ich ihn wieder sehe den infamen Kerl – ich kratz ihm die Augen aus, ich sag es dir.

HERR V. BIEDERLING. Zopf ist ein ehrlicher Kerl, was willt du? Unsertwegen eine Reise nach Rom getan, wer tut ihm das nach? Und ich bin versichert, er bleibt nur deswegen so lang aus, weil er die Antwort vom Pater General erwartet, der an den Pater Mons nach Smyrna schrieben hat, was willst du denn? Wofür Teufel gibt sich der Mann all die Mühe, all die Sorge und Reisen, du solltest dich schämen, daß du sogleich Fickel Fackel mit ihrem bösen Leumund fertig, und der Mann tut mehr für ihr Kind, als sie selber.

FRAU V. BIEDERLING. Du hast recht, hast immer recht, mach mit Tochter und Sohn, was dir gefällt, verkauf sie auf die Galeeren, ich will deine Strümpfe flicken und Bußlieder singen, wie's einer Frau vom Hause zukommt.

HERR V. BIEDERLING. Nu nu, wenn sie spürt, daß sie unrecht hat, wird sie böse. Wer kann dir helfen?

FRAU V. BIEDERLING. Der Tod. Ich will die Tochter zu dir schicken, mach mit ihr was dir gefällt, gnädiger Herr, ich will ganz geruhig das Ende absehen.

(PRINZ TANDI *kommt dazu.*)

PRINZ. Was haben Sie? Ich würde untröstlich sein, wenn ich Gelegenheit zu Ihrem Mißverständnis –

(*Frau von Biederling geht ab.*)

HERR V. BIEDERLING. Nichts, nichts, Prinz, es ist nur ein

klein bißchen Zank, eine kleine Bedenklichkeit, wollt ich sagen, eine gar zu große Bedenklichkeit von meiner Frau – sie meint nur, unser Kind einem fremden Herrn in die andere Welt mitzugeben – das ist, als ob sie eine Reise in die selige Ewigkeit –

PRINZ. Sagt Wilhelmine auch so?

HERR V. BIEDERLING. Je nun, Sie wissen, wie die Weibsen sind, wir wollen sie hören, die Mutter wird sie herbringen. Und je länger ich dem Ding nachdenke, je enger wird mir's um das Herz auch, Vater und Mutter und allen auf ewig so den Rücken zu kehren, als ob es ein Traum gewesen wäre und gute Nacht auf ewig. *(Er weint.)*

PRINZ. Sie soll alles in mir wiederfinden.

HERR V. BIEDERLING. Aber wir nicht, Prinz, wir nicht. O du weißt nicht, was du uns all mit ihr raubst, Calmucke! Ich willige von ganzem Herzen drein, aber was ich dabei ausstehe, das weiß Gott im Himmel allein.

PRINZ *(umarmt ihn)*. Mein Vater – ich will sieben Jahr in Europa bleiben.

HERR V. BIEDERLING. So recht – vielleicht bin ich tot in der Zeit, vielleicht sind wir alle beide tot. – Junge! alles kommt auf mein Mädchen an. Wenn sie sich entschließen kann – und sollt es mir das Leben kosten.

PRINZ. Wenn Sie ein Kirschenreis einem Schlehstamm einimpfen wollen, müssen Sie ihn da nicht vom alten Stamm abschneiden? Er hätte dort keine einzige Kirsche vielleicht hervorgetrieben, gebt ihm einen neuen Stamm, den er befruchten und beseligen kann, auf dem vorigen war er tot und unfruchtbar.

HERR V. BIEDERLING *(springt auf)*. Scharmant, scharmant – eh! sagen Sie mir das noch einmal, sagen Sie das meiner Frau und Tochter auch. Je es ist ja auch wahr, laß ich doch Maulbeerbäume aus Smyrna kommen und setz sie hier ein, und bespinne hier das ganze Land mit, so wird meine Tochter ganz Cumba glücklich machen. – Sie müssen ihr das sagen.

PRINZ. Ich werb jetzt bei Ihnen um Ihr Kind. – – Hernach
muß Wilhelminens Herz alleine sprechen, frei, unabhängig, wie die Gottheit, die Leben oder Tod austeilt. Kein
Zureden, keine väterliche Autorität, kein Rat, oder ich
spring auf der Stell in den Wagen und fort.

(FRAU VON BIEDERLING *mit* WILHELMINEN *kommen*.)

WILHELMINE. Was befehlen Sie von mir?

HERR V. BIEDERLING. Mädchen! – *(Hustet und wischt sich die
Augen. Es herrscht eine minutenlange Stille.)*

PRINZ. Fräulein! es ist Zeit, ein Stillschweigen – ein Geständnis, das meine Zunge nicht machen kann – sehen Sie in
meinem Aug, in dieser Träne, die ich nicht mehr hemmen
kann, all meine Wünsche, all meine schimmernden Entwürfe für die Zukunft. – Wollen Sie mich glücklich
machen? – Wenn dieses schnelle Erblassen und Erröten,
dieses wundervolle Spiel Ihrer sanften Gesichtswellen,
dieses Weinen und Lachen Ihrer Augen mir Erhörung
weissagt – o mein Herz macht den untreuen Dolmetscher
stumm *(drückt ihr die Hand an sein Herz)* hier müssen Sie es
sprechen hören – Dies Entzücken tötet mich.

HERR V. BIEDERLING. Antworte! was sagt dein Herz?

FRAU V. BIEDERLING. Wir haben dem Prinzen unser Wort
gegeben, dir weder zuzureden noch abzuraten, das mußt
du aber doch vorher wissen, daß der Herr Graf hier
förmlich um dich angehalten hat und dich zur Erbin aller
seiner Güter machen will.

HERR V. BIEDERLING. Und das sollst du auch vorher wissen,
daß der Prinz dir ein ganzes Königreich anbietet, und mir
zu Gefallen noch sieben Jahr mit dir bei uns im Lande
bleiben will.

WILHELMINE. Befehlen Sie über mich.

HERR V. BIEDERLING. Na das ist hier der Fall nicht, mein
Kind! Still doch Frau! hast du was gesagt? Ich sage, hier
mein Tochter! schlagen wir dich los von allem Gehorsam
gegen uns, hier bist du selbst Vater und Mutter: was sagt
dein Herz? Das ist die Frage. Beide Herren sind reich,

beide haben sich schönerös gegen mich aufgeführt, beide
können dein Glück machen, es kommt hier einienig auf
dich an.

FRAU V. BIEDERLING. Frag dein Herz! Du weißt itzt die
Bedingungen auf beiden Seiten.

HERR V. BIEDERLING. Aber das mußt du auch noch wissen,
daß der Graf nicht beständig bei uns in Naumburg nisten
kann, er muß ebenso wohl fort und dich von uns trennen.

FRAU V. BIEDERLING. Aber er führt dich nicht weiter als Amsterdam und kommt alle Jahre herüber, uns zu besuchen.

HERR V. BIEDERLING. Ja so entschließ dich kurz, es kommt
alles auf dich an. – Prinz! was sehen Sie denn so trostlos
aus? Wenn's der Himmel nun so beschlossen hat, und ihr
ihr Herz nichts für Sie sagt – es ist mit dem allen doch
keine Kleinigkeit, bedenken Sie selber, wenn Sie billig
sein wollen, ein junges unerzogenes Kind über die zwei-
tausend Meilen – o meine Tochter, ich kann nicht – das
Herz bricht mir. *(Fällt ihr um den Hals.)*

WILHELMINE *(an seinem Halse)*. Ich will ledig bleiben.

HERR V. BIEDERLING *(reißt sich los)*. Sackerment nein *(stampft
mit dem Fuß)* das will ich nicht. Wenn ich in der Welt zu
nichts nutz bin, als dein Glück zu hindern – lieber herunter mit dem alten unfruchtbaren Baume! nicht wahr,
Prinz! was sagen Sie dazu?

PRINZ. Sie sind grausam, daß Sie mich zum Reden zwingen.
Ein solcher Schmerz kann durch nichts gelindert werden,
als Schweigen *(mit schwacher Stimme)* Schweigen, Verstum-
men auf ewig. *(Will gehen.)*

WILHELMINE *(hält ihn hastig zurück)*. Ich liebe Sie.

PRINZ. Sie lieben mich. *(Ihr ohnmächtig zu Füßen.)*

WILHELMINE *(fällt auf ihn)*. O ich fühl's, daß ich ohne ihn
nicht leben kann.

HERR V. BIEDERLING. Holla! Gib ihm eins auf den Mund,
daß er wach wird.

*(Man trägt den Prinzen aufs Kanapee, wo Wilhelmine sich neben
ihn setzt und ihn mit Schlagwasser bestreicht.)*

PRINZ *(die Augen aufschlagend).* O von einer solchen Hand ...

HERR V. BIEDERLING. Nicht wahr, das ist's. Ja, Mine! dieser Blick, den du ihm gabst. Nicht wahr, er hat's Jawort? Nun so segne euch der allmächtige Gott *(legt seine Hände beiden auf die Stirn)* Prinz! es geht mir wie Ihnen, der Henker holt mir die Sprache und es wird nicht lang währen, so kommt die verzweifelte Ohnmacht auch ... *(Mit schwacher Stimme.)* Frau wirst du mich wecken? *(Fällt hin.)*

FRAU V. BIEDERLING. Gott was ist ... *(Hinzu.)*

HERR V. BIEDERLING *(springt auf).* Nichts, ich wollte nur Spaß machen. Ha ha ha, euch Weibern kann man doch umspringen wie man will. Sei nun auch hübsch lustig, mein Frauchen *(ihr unters Kinn greifend)* und schlag dir deinen Grafen aus dem Sinne, ich will ihn schon aus dem Hause schaffen, laß mich nur machen, ich hab ihn mit alledem doch nie recht leiden können.

PRINZ *(zu Wilhelminen).* So bin ich denn – – *(stammelnd)* kann ich hoffen, daß ich –

WILHELMINE. Hat's Ihnen der Baum nicht schon gesagt?

PRINZ. Das einzige, was mir Mut machte, um Sie zu werben. O als der Mond mir die Züge Ihrer Hand versilberte, als ich las, was mein Herz in seinen kühnsten Ausschweifungen nicht so kühn gewesen war zu hoffen ... ach ich dachte, der Himmel sei auf die Erde herabgeleitet und ergieße sich in wonnevollen Träumen um mich herum.

HERR V. BIEDERLING. Nun Frau! was stehst? ist dir's nicht lieb, die jungen Leute so schwätzeln und mieneln und liebäugeln ... was ziehst du denn die Stirn wie ein altes Handschuhleder, geschwind, gib ihnen deinen Segen, wünsch ihnen alles, was wir genossen haben, so wird ihnen wohl sein, nicht wahr, Prinz?

FRAU V. BIEDERLING. Das Ende muß es ausweisen. *(Geht ab.)*

HERR V. BIEDERLING *(sieht ihr nach).* Närrin! – – ist verliebt in den Grafen, das ist die ganze Sache – aber laß mich nur mit ihm reden ... wart du nur.

# Dritter Akt

## Erste Szene

### Im Gartenhäuschen

DER GRAF *im Schlafrock trinkt Tee.* HERR VON BIEDERLING, *einen großen Beutel unterm Arm.*

HERR V. BIEDERLING. Herr Graf, Sie nehmen mir nicht übel, daß ich Sie so früh überfalle. Ich habe nachgedacht, Ihr Pachtgut ist mir gar zu gut gelegen, Sie haben meiner Frau gesagt, Sie wollen Ihre Güter verkaufen und nach Amsterdam gehen, wieviel wollen Sie davor?

GRAF. Ich? – von Ihnen? nichts – ich schenke Ihnen das Gut, aber unter einer Bedingung.

HERR V. BIEDERLING. Nein, nein, da wird nichts von, so können wir sein Tag nicht zusammenkommen. Ich will's Ihn nach Kronstaxe bezahlen.

GRAF. Ich nehm aber nichts.

HERR V. BIEDERLING. Sie sollen nehmen, Herr Graf, ich sag's Ihnen einmal für allemal, ich bin kein Bettler.

GRAF. So zahlen Sie, was Sie wollen.

HERR V. BIEDERLING. Nein, ich will bezahlen, was Sie wollen. Das ist nun wieder nichts. Wofür sehen Sie mich an zum Kuckuck?

GRAF. Zehntausend Taler.

HERR V. BIEDERLING. So hier sind *(zieht einen Beutel heraus)* zehntausend Taler an Bankzeddeln und hier sind *(stellt einige Säcke im Winkel)* fünftausend Taler an Golde und Albertusgeld ... und nun profitiere ich doch dabei. Habe die Ehre mich zu empfehlen.

GRAF. Noch ein Wort *(ihn an der Hand fassend).*

HERR V. BIEDERLING. Es ist doch so richtig? ist's nicht?

GRAF. Sie können mich zum glücklichsten Sterblichen machen.

HERR V. BIEDERLING. Wieso?

GRAF. Sie haben eine Tochter.

HERR V. BIEDERLING. Was wollen Sie damit sagen?

GRAF. Ich heirate sie.

HERR V. BIEDERLING. Da sei Gott vor. Sie ist schon seit drei Tagen Frau.

GRAF. Frau!

HERR V. BIEDERLING. Wissen Sie nichts davon? He he he, nun 's is wahr, wir haben unsere Sachen in der Stille gemacht. Der Prinz Tandi, mein ehrlicher Reisekamerad, hat sie geheiratet, es ist komisch genug das, keine Mutterseele hat's gemerkt und doch sind sie von unserm Herrn Pfarrer Straube priesterlich getraut worden und gestern ist noch oben ein groß Festin gewesen. – Wie ist Ihnen, Graf! Sie wälzen ja die Augen im Kopfe herum, daß –

GRAF. Scherzen Sie mich?

HERR V. BIEDERLING. Nein gewiß, Herr – es ist mir indessen gleichviel, wofür Sie es nehmen wollen. Und so leben Sie denn wohl.

GRAF *(faßt ihm die Gurgel)*. Stirb Elender, bevor –

HERR V. BIEDERLING *(ringt mit ihm)*. Sackerment ... ich will dich ... *(wirft ihn zu Boden und tritt ihn mit Füßen)* du Racker!

GRAF *(bleibt liegen)*. Besser! besser, Herr von Biederling.

HERR V. BIEDERLING *(hebt ihn wieder auf)*. Was wollst du denn mit mir?

GRAF *(sein Knie umarmend)*. Können Sie mir verzeihen?

HERR V. BIEDERLING. Nun so steh nur wieder auf! Der Teufel leide das, wenn man einem die Gurgel zudrückt – und Herr, itzt reis Er mir aus dem Hause je eher je lieber, ich leid Ihn nicht länger.

GRAF. Sagen Sie mir's noch einmal, sind sie verheiratet? wie? wo? wenn?

HERR V. BIEDERLING. Wie? Das kann ich Ihm nicht sagen, aber sie sind in Rosenheim getraut worden und gestern hat der Prinz ein Bankett gegeben, wo alles, was fressen

konnte, teil daran nahm; die Tafel war von morgens bis in
die sinkende Nacht gedeckt, die Türen offen, und wer
wollte, kam herein, ließ sich traktieren und war lustig. Ich
hab sowas in meinem Leben noch nicht gesehen, die Leut
waren alle wie im Himmel und das Zeugs durcheinander,
Bettler und Studenten und alte Weiber und Juden und
ehrliche Bürgersleut auch genug, ich habe gelacht zuweilen, daß ich aufspringen wollte. Sehen Sie, das ist der
Gebrauch in Cumba, von all den übrigen Alfanzereien bei
unsern Hochzeiten wissen sie nichts, sie sagen, es braucht
niemand Zeuge von unsrer Hochzeit zu sein, als unsre
nächsten Anverwandte und ein Priester, der Gott um
seinen Segen bittet.

GRAF. Keine Proklamation! ich sehe schon, Ihr wollt mir
Flor über die Augen werfen, aber ich sehe durch. Ich
sollte diese Vermählung nicht hindern? Wie aber, wenn
der Prinz schon eine Gemahlin hätte?

HERR V. BIEDERLING. Ja Herr Graf! so müssen Sie mir nicht
kommen. Das Mißtrauen findet nur bei uns Europäern
statt. Ich habe darüber mit dem Prinzen lang ausgeredt.

GRAF. Haben die Cumbaner keine Leidenschaften?

HERR V. BIEDERLING. Nein.

GRAF. Das sagen Sie.

HERR V. BIEDERLING. Nein, sag ich Ihnen. Das macht, was
weiß ich, die Erziehung macht's, die Cumbaner haben
Gottesfurcht, das macht es, sie finden ihr Vergnügen an
der Arbeit, mit Kopf oder Faust, das ist all eins und nach
der Arbeit kommen sie zueinander, sich zu erlustigen, Alt
und Jung, Vornehm und Gering, alles durcheinander und
wer den andern das meiste Gaudium machen kann, der
wird am höchsten gehalten, das macht es, sehen Sie, dabei
haben sie nicht nötig den Phantaseien nachzuhängen,
denn die Phantasei, sehen Sie, das ist so ein Ding ...
warten Sie, wie hat er mir doch gesagt? ... in Gesellschaft
ist es ganz vortrefflich, aber zu Hause taugt's ganz und
gar nicht, es ist, wie so ein glänzender Nebel, ein Firnis,

den wir über alle Dinge streichen, die uns in Weg kommen und wodurch wir sie reizend und angenehm machen.

GRAF *(schlägt sich an die Stirn)*. Oh!

HERR V. BIEDERLING. Warten Sie doch, hören Sie mich doch aus! Aber wenn wir diesen Firnis nach Haus mitnehmen, sehen Sie, da kleben wir dran und da wird denn des Teufels seine Schmieralie draus.

GRAF. Lassen Sie sich nur vorschwatzen ... geht's denn bei uns nicht ebenso? müssen wir nicht arbeiten? kommen wir nicht zusammen, uns zu amüsieren?

HERR V. BIEDERLING. Ja aber nein, wir wollen nichts, als uns immer amüsieren, und da schmeckt uns am Ende kein einzig Vergnügen mehr, und unser Vergnügen selber wird uns zur Pein, das ist der Unterschied. Und weil wir nicht mit Verstand arbeiten, so arbeiten wir mit der Phantasei und was weiß ich, er hat mir das alles expliziert, reden Sie selber mit ihm, Sie werden Ihre Freud an ihm haben.

GRAF. Machen Sie, daß wir gute Freunde werden, Herr von Biederling. Ich bin in der Tat begierig, ihn näher zu kennen.

HERR V. BIEDERLING. Ja, aber vor der Hand, dächt ich, Sie reisten doch immer nur in Gottes Namen nach Amsterdam. – Sie können doch bei mir lange so recht sicher nicht sein.

GRAF. Und wo soll ich hin? Alle meine Güter dem Fiskus zufallen lassen?

HERR V. BIEDERLING. Ja so ... aber hören Sie, wenn mir nur der Kurfürst nicht hernach Ansprüche gar auf mein Rosenheim macht? Was haben Sie für Nachricht von Ihrem Advokaten?

GRAF. Eben darum, nehmen Sie Ihr Geld nur wieder zurück, bis ich sichere Nachricht von meinem Advokaten habe, wie die Sache am Hofe geht. Mittlerweile können Sie die Pacht immer antreten.

HERR V. BIEDERLING. Ja, aber so muß ich Ihnen doch den Pachtzins zahlen.

GRAF. Wenn Sie mich auf meiner empfindlichsten Seite angreifen wollen.

HERR V. BIEDERLING. Je nun – so hab ich die Ehre, mich recht schön zu bedanken, wenn Sie's denn durchaus so haben wollen. Ich will auch sehen, daß ich Sie mit dem Prinzen näher bekannt mache, es ist ein gar galanter Mann, ohne Ruhm zu melden, weil er itzt mein Schwiegersohn ist und das, was vor acht Tagen zwischen Ihnen beiden vorgefallen, hat er längst vergessen, versichert! Es war auch so ein klein etwas cumbanisch das, denn sehen Sie, es passiert dort in der Tat für ein Laster, wenn man einem jungen Mädchen in Abwesenheit seiner Eltern was von Liebe und was weiß ich, vorsagt, das wird dort ebenso für Hurerei bestraft, als wenn ich einem die Gurgel zudrücke und er bleibt glücklicher Weise am Leben. Habe die Ehre mich zu empfehlen.

GRAF. O vorher – – – verzeihen Sie mir?

HERR V. BIEDERLING. Nu nu, il n'y a pas du mal, sagt der Franzos. – Speisen Sie heut zu Mittag mit uns? mit meinem neuen Schwiegersohne, da sollen Sie ihn kennen lernen.

## Zweite Szene

### In Immenhof

#### DONNA DIANA. BABET.

BABET *(einen Brief in der Hand)*. Ihre Eltern sind beide noch am Leben. Meine gute Freundin schreibt mir's, sie hat's itzt erst erfahren, ein gewisser Edelmann aus Triest hat sich mit ihr eingelassen, der soll mit Ihrem Vater in Briefwechsel stehen.

DONNA. Die Polonoise?

BABET. Eben die.

DONNA. Ei was kümmern mich meine Eltern? Schreibt sie nichts vom Grafen? besucht er sie noch?

BABET. Er ist unvermutet aus Dresden verschwunden.

DONNA. Mich in Immenhof sitzen zu lassen! Hast du Geld?

BABET. Das Restchen, das Sie mir aufzuheben gaben, eh wir zum Karneval herabreisten.

DONNA. Gib's her, wir wollen ihm nachreisen und wenn er in den innersten Höhlen der Erde steckte. Ich hol ihn heraus und wehe der Io, die ich bei ihm betreffe!

BABET. Wohin aber zuerst?

DONNA. Laß mich nur machen, ich kann dir's nicht sagen, bis wir unterwegens sind. Mein Herz wird mich schon führen, es ist wie ein Kompaß, es fehlt nicht.

BABET. In Dresden erfahren wir's gewiß, wo er steckt.

DONNA. Ich will ihn – red mir nichts! komm! Die Stelle brennt unter mir – ich wünscht, ich hätte nie Mannspersonen gesehen, oder ich könnt ihnen allen die Hälse umdrehen.


## Dritte Szene

### In Naumburg

PRINZ TANDI, WILHELMINE, *sitzend beieinander auf dem Kanapee.*

PRINZ. Wollen Sie mir's denn nicht sagen, für wen Sie sich heut so geputzt haben?

WILHELMINE. Ich sag Ihnen ja, für meinen Vater.

PRINZ. Schelm! Du weißt ja, dein Vater wirft kein Auge drauf. Ja wenn du ein Seidenwürmchen wärst.

WILHELMINE. Denk doch! halten Sie's der Mühe nicht wert, ein Auge auf mich zu werfen?

PRINZ. Nein.

WILHELMINE. Ich bedanke mich.

PRINZ. Man muß sein ganzes Ich auf dich werfen.

WILHELMINE (*hält ihm den Mund*). Wo du mir noch einmal so redst, so sag ich – Du bist verliebt in mich und du hast mir so oft gesagt, die Verliebten sein nicht gescheit.

PRINZ. Ich bin aber gescheit. Ich hab's Ihnen doch noch nie gesagt, daß ich verliebt in Sie bin.

WILHELMINE. Nie gesagt? – – – Ha ha ha! armer unglücklicher Mann! nie gesagt? als nur ein halb wenig gestorben überm Sagen? o du gewaltiger Ritter.

PRINZ. Nie gesagt, mein klein Minchen! es müßte denn heute nacht gewesen sein.

WILHELMINE *(hastig)*. Wenn Sie mir noch einmal so reden – so werd ich böse.

PRINZ. Und was denn? haben die Müh, wieder gut zu werden.

WILHELMINE. Lasse mich scheiden.

PRINZ. Warum nicht? Du dich scheiden – kleine Närrin! da wärst du tot.

WILHELMINE. Was Sie doch nicht für eine wundergroße Meinung von sich haben? Und Sie hingen sich auf, wenn ich's täte.

PRINZ. O pfui pfui! nichts mehr von solchen Sachen. Lieber will ich doch gestehen, daß ich verliebt in dich bin.

WILHELMINE. Närrchen, der kleine glänzende Tropfen da an deinem Augenlid hat mir's lang gestanden.

PRINZ. So sei es denn gesagt. *(Drückt ihre Hand an seine Augen.)*

WILHELMINE. So sei es denn beantwortet. *(Küßt ihn.)*

*(HERR VON ZOPF tritt herein. Sie stehen auf.)*

HERR V. ZOPF *(im Reisekleid)*. Gehorsamer Diener, Fräulein Minchen! ei wie so hübsch groß geworden sint der Zeit ich Sie zum letztenmal gesehen. Sie kennen mich gewiß nicht, ich heiße Zopf.

WILHELMINE *(macht einen tiefen Knicks)*. Es ist uns sehr angenehm – meine Eltern haben mir oft gesagt –

HERR V. ZOPF. Der Herr Vater nicht zu Hause? Ihre Eltern werden nicht sehr zufrieden mit mir sein, aber sie haben's nicht mehr Ursache. Ich bring Ihnen und Ihren Eltern eine angenehme Nachricht. *(Zu Tandi.)* Nicht wahr, Sie sind der Prinz Tandi aus Cumba? man hat mir's wenigstens in Dresden gesagt, daß Sie mit Herr von Biederling

die Reise hieher gemacht. Es hätte sich nicht wunderlicher
fügen können, freuen Sie sich mit uns allen, Sie sind in
Ihres Vaters Hause.

PRINZ. Was?

WILHELMINE. Was?

HERR V. ZOPF. Umarmen Sie sich. Sie sind Bruder und
Schwester.

*(Wilhelmine fällt auf den Sofa zurück. Tandi bleibt bleich mit
niederhangendem Haupte stehen.)*

HERR V. ZOPF. Nun wie ist's? haben Sie mir keinen Dank?
macht's Ihnen keine Freude? Sie können sich drauf verlassen, ich sag Ihnen, ich hab eben den Brief vom General
der Jesuiten erhalten und mich gleich aufgesetzt, Ihnen
die fröhliche Zeitung zu bringen. Sie sind Geschwister,
das ist sicher.

*(Tandi will gehen. Wilhelmine springt auf und ihm um den Hals.)*

WILHELMINE. Wo willst du hin?

TANDI. Laß mich!

WILHELMINE. Nein, nimmer, bis in den Tod.

*(Tandi macht sich los von ihr. Sie fällt ihn Ohnmacht.)*

HERR V. ZOPF *(nachdem er sie ermuntert hat)*. Ich sehe wohl,
Fräulein! hier muß etwas vorgefallen sein –

WILHELMINE *(erwacht)*. Wo ist er, ich will mit ihm sterben –

HERR V. ZOPF. Haben Sie sich etwa liebgewonnen? Es ist ja
nur ein Tausch. Lieben Sie ihn jetzt als Ihren Bruder.

WILHELMINE *(stößt ihn mit dem Fuß)*. Fort Scheusal! fort! Wir
sind Mann und Frau miteinander. Du sollst mir den Tod
geben oder ihn.

HERR V. ZOPF. Gott im Himmel, was höre ich!

WILHELMINE *(reißt ihm den Dolch von der Seite und setzt ihn ihm
auf die Brust)*. Schaff mir meinen Mann wieder. *(Schmeißt
den Dolch weg.)* Behalt deinen verfluchten Tausch für dich
– *(Nimmt ihn wieder auf.)* Ach oder durchstoße mich! Du
hast mir das Herz schon durchbohrt, unmenschlicher
Mann! es wird dir nicht schwer werden.

HERR V. ZOPF. Unter welchem unglücklichen Planeten muß

ich geboren sein, daß alle meine Dienstleistungen zu nichts als Jammer ausschlagen! Ich möcht es verreden und verwünschen, meinem Nächsten zu dienen; noch in meinem ganzen Leben ist mir's nicht gelungen, einem guten Freunde was zugut zu tun, allemal wenn mir etwas einschlug und ich glaubte ihn glücklich zu machen, so ward mir der Ausgang vergiftet und ich hatte ihn unglücklich gemacht. Es tut mir von Herzen leid, Gott weiß es –

## Vierte Szene

### In Dresden

#### DONNA DIANA. BABET.

DONNA. Hast du's gehört? Gustav mit ihm nach Naumburg gefahren.

BABET. Ich kann noch nicht zu mir selber kommen.

DONNA. Was ist da zu erstaunen, Närrin! was kannst du Bessers von Mannspersonen erwarten? Giftmischer Meuchelmörder alle –

BABET. Er Sie vergiften lassen? Gütiger Gott! warum?

DONNA. Warum? närrisch gefragt! darum, daß ich ihn liebte, ist's nicht Ursach genug? ––– ach halt mir den Kopf! schnüre mich auf! es wird mir bunt vor den Augen – so – wart – keinen Spiritus *(schreit)* keinen Spiritus!

BABET. Gott im Himmel! Sie werden ja ohnmächtig.

DONNA *(mit schwacher Stimme)*. Was geht's dich an, wenn ich ohnmächtig werde. *(Richtet sich auf.)* So! nun ist's vorbei. *(Geht herum.)* Nun bin ich wieder Diana. *(Schlägt in die Hände.)* Wir wollen dich wieder kriegen, wart nur! wart nur! Das, liebe Babet! das kannst du dir nimmer einbilden, was er angewandt hat, mich zu verführen. Da waren Schwüre, daß der Himmel sich drüber bewegte, da waren Seufzer, Heulen, Verzweiflung. *(Fällt ihr um den Hals.)* Babet, ich halt es nicht aus! hab Mitleiden mit mir. Wenn der Teufel in Menschengestalt umherginge, er könnte nichts Listigers ausdenken, ein Mädchenherz einzunehmen. Und nun will er mich vergiften lassen, weil ich meinen Vater ihm zu Gefallen vergiftet, meine Mutter bestohlen, entehrt bin, geflüchtet bin, von der Gerechtigkeit verfolgt, o! – vielleicht hat meine Mutter schon an Hof geschrieben, mich als eine Delinquentin aufheben zu lassen.

BABET. Beruhigen Sie sich, teure gnädige Frau! das hat sie nicht getan, nein gewiß, das wird sie nicht tun, sie weiß wohl, daß sie selber mit schuld an diesem Unglück ist, sie hat Sie Ihren Eltern gestohlen.

DONNA *(steht auf)*. Still davon! ich hab dir's ein für allemal verboten. Lieber meinen Vater umgebracht haben, als die Tochter eines alten abgedankten Offiziers heißen, der Pachter von meinem Gemahl ist. Wie sieht sie aus, die Wilhelmine? Der Himmel hat sie versehn, wenn er sie zu einer Velas machte, ich verdient es zu sein und du tatst recht, daß du das Ding in Ordnung brachtest.

BABET. O mein Gewissen!

DONNA. Wie sieht sie aus, geschwind! ein schön Pachtermädchen.

BABET. Schön genug, ein Herz zu fesseln, ein paar Augen, als ob der Himmel sich auftät.

DONNA. Das ist recht: wenn er mich für einen häßlichen Affen tauschte, wär's ihm gar nicht zu vergeben. Aber hat sie Adel im Gesicht, hat sie Donna Velas in den Augen?

BABET. Würden die Eltern sie dann vertauscht haben? Eine Stumpfnase – der selige Herr rührte drei Tage keinen Bissen an. Aber als ich Sie von meiner Freundin bekam, das ist ein Velas-Gesicht, schrie er, die Adlernase soll mir den Weg zu einem Thron bahnen und mit den zwei Augen erschlag ich den König von Portugall.

DONNA. Nur still, daß ich adoptiert bin, oder es kostet dein Leben. Das Herz will ich dir mit der Zunge zum Mund herausziehn, wo du redst. Ich muß den Grafen zurückbringen und dann nach Madrid zurück. Ich will deine Prophezeiung wahr machen, armer vergifteter Papa! so hast du doch Freud im Grab über mich. Meiner Mutter die Juwelen zurück, damit sie still schweigt und denn – – ist hier noch Feuer genug? *(Sieht sie an.)*

BABET. Die Welt in Brand zu stecken. Aber werden sie den Grafen zurückbringen?

DONNA. Den Grafen? Elende! O pfui doch! zurückwinken will ich ihn, den Schmetterling, und will er nicht, so hasch ich und zerdrück ihn in meiner Hand. Seine Güter sind doch mein, er ist mir rechtmäßig angetraut, ich kann Kontrakt und Siegel aufweisen.

BABET. Schonen Sie die arme Wilhelmine.

DONNA. Ei was *(schlägt sie)* Hexe! was träumst du? werd ich meine Gewalt an Pachtermädchen auslassen? Kot von Weib! wofür hältst du mich?

BABET. Aber wenn der Graf –

DONNA. Was? wenn der Graf – red aus, wenn der Graf – wenn er sie liebt, wenn er sie heiratet – ich will ihn verwirren, verzweifeln, zerscheitern durch meine Gegenwart. Wie ein Gott will ich erscheinen, meine Blicke sollen Blitz sein, mein Othem Donner – laß uns unterwegens davon reden, es ist mir Wonne, wenn ich davon reden kann. Er soll in seinem Leben vor keinem Menschen, vor Gott dem Allmächtigen nicht so gezittert haben – die verächtliche Bestie! Wenn ich nur in Madrid wäre, ich ließ' ihn in meinem Tiergarten anschließen!

## Fünfte Szene

In Rosenheim: ein Garten

HERR VON BIEDERLING *im leinen Kittel,*
*eine Schaufel in der Hand.* HERR VON ZOPF.

HERR V. BIEDERLING *(sieht auf).* Bist du's, Zopf? – Hier setz
ich eben einen von deinen Bäumen. Nun wie steht's
Leben? *(Reicht ihm die Hand.)* Du kommst von Dresden?

HERR V. ZOPF. Ich komme – ja ich komme von Dresden. Es
ist mir lieb, daß ich dich hier allein treffe. Der Freuden-
dahl, du weißt wohl, ist mit mir, ich hab ihn in Naumburg
gelassen.

HERR V. BIEDERLING. Was hat der Laffe sich in unsere
Händel zu mischen? Weißt du was, ich hab hier Pulver
und Blei, wir können hier unsere Sachen ausmachen.

HERR V. ZOPF. Verzeih mir! er ist Zeuge davon gewesen, daß
du mir meine Ehre nahmst.

HERR V. BIEDERLING. Denk doch, und du kannst dem Fik-
kelfackel Leipziger Studentchen nur wiedersagen, daß ich
sie dir wiedergeben habe und wenn er's nicht glauben
will, so heiß ihn einen Schurken von meinetwegen. Denk
doch, ich werde um des Narren willen wohl zurückkreiten?
warum kam der Flegel nicht mit? – Wie gefällt dir meine
Baumschule?

HERR V. ZOPF. Recht gut, Gott geb dir Gedeihen. – Aber
was käm's dir denn auch darauf an, mir in Gegenwart
Freudendahls eine Ehrenerklärung – mit ein paar Worten
ist die ganze Sache getan.

HERR V. BIEDERLING. Dir abbitten? – Nein, Bruder! das
geschieht nicht *(fährt fort zu graben)* ich zieh mein Wort
nicht zurück, tu was du willt.

HERR V. ZOPF. Hast du mich denn nicht beleidigt? In einem
öffentlichen Gasthofe beim ersten Kompliment gleich mit
Schimpf und Stockschlägen –

HERR V. BIEDERLING. Du hattst mich auch beleidigt.

HERR V. ZOPF. Wenn ich alles in der Welt tue, dir Dienste zu leisten? Das ist himmelschreiend.

HERR V. BIEDERLING. Wenn ich nüchternen Muts gewesen, wär's vielleicht nicht so weit kommen, aber – wärm mir den alten Kohl nicht wieder auf, kurz und gut. Und deine Dienste, was Sackerment helfen mir die Dienste, mein Kind verwahrlost, da ich mich auf dich verließ.

HERR V. ZOPF. Das einzige, was ich mir vorzuwerfen habe, daß ich ihn nach Smyrna mitnahm.

HERR V. BIEDERLING. Nicht das, Bruder Monsieur! wo du warst, mußte mein Sohn immer auch gut aufgehoben sein, aber daß du ihn den Jesuiten mitgabst, um seiner loszuwerden, eh! du Jesuit selber, da steckt's *(wirft die Schaufel weg)* komm, komm heraus itzt, ich bin jetzt eben in der rechten Laune, ein paar Kugeln mit dir zu wechseln.

HERR V. ZOPF. Hier hab ich Seidenwürmereier mitgebracht.

HERR V. BIEDERLING. Zeig *(wischt sich die Hand an den Hosen)* zeig her! *(Macht sie auf.)* Das ist gut Dings, das ist ganz artig, jetzt soll's mit meinem Seidenbau losgehn daß es wettert; allein – aber wo tausend noch einmal sie sind doch nicht feucht geworden? à propos! hast du denn – weißt du nicht, hör einmal! mit dem Ofen, der dazu muß gebauet werden, wie macht man das? ich denk, ich muß nach Leipzig an einen Gelehrten schreiben.

HERR V. ZOPF. Ich dächte, du tätest lieber eine Reise hin.

HERR V. BIEDERLING. Oder ich will den jungen Zierau in Naumburg, das will doch auch ein Ökonom sonst sein – was es doch für wunderbare Geschöpfe Gottes in der Welt gibt, so ein klein schwarz Eichen! wer sollte das meinen, daß da ein Ding herauskommt, das so erstaunende Gewebe spinnt? A propos! hast du keine Nachricht von Rom?

HERR V. ZOPF. Ja freilich und recht erwünschte.

HERR V. BIEDERLING. O mein allerliebster Zopf *(ihm um den Hals fallend)* bald hätt ich Ei und alles verschüttet – was

ist's, was gibt's? ist er noch am Leben? ist eine Spur von
Hoffnung da?

HERR V. ZOPF. Er lebt nicht allein, er ist wiederfunden
worden, du wirst ihn sehen.

HERR V. BIEDERLING. O du bist ein Engel, so schießen wir
uns nicht, so ist alles vergeben und vergessen. Verzeih du
mir nur, ich will dich in Dresden auf dem öffentlichen
Rathaus um Verzeihung bitten.

HERR V. ZOPF. Komm nur mit zurück nach Naumburg, da
will ich dir meinen Brief vorlesen, aber nicht eher, als bis
du mich in Gegenwart Freudendahls um Verzeihung bit-
test. Hernach wollen wir zusammen in dein Haus gehn,
da werden dir die Deinigen das übrige erzählen.

## Sechste Szene

### In Naumburg

WILHELMINE *auf einem Bette liegend.* FRAU VON BIEDERLING
*und* GRAF CAMÄLEON *stehen vor ihr.*

WILHELMINE. Ich will von keinem Troste wissen, laßt mich,
laßt mich, ich will sterben.

FRAU V. BIEDERLING. Deiner Mutter zu Lieb, deinem Vater –
nur ein klein klein Schälchen warme Suppe – – Du tötest
uns mit deinem verzweifelten Gram.

WILHELMINE. Wie soll ich essen, er ist nicht mehr da, wie
kann ich essen? Ohne Abschied von mir zu nehmen. Er
ist erschossen; er ist ertrunken! o liebe Mama! warum
wollen Sie grausamer gegen Ihr Kind sein, als alles, was
grausam ist? warum wollen Sie mich nicht sterben lassen?

FRAU V. BIEDERLING. Der Unmensch! ohne seine Mutter zu
sehen.

GRAF. Wenn man nur erraten könnte, wo er wäre. Und sollt
ich bis an den Hof reisen.

FRAU V. BIEDERLING. O Herr Graf! womit haben wir die
Güte verdient, die Sie für unser Haus haben?

GRAF. Ich will gleich meinen Gustav nach Dresden abferti-
gen, vielleicht frägt er ihn dort aus. Ich weiß schon, zu
wem ich ihn schicke.

FRAU V. BIEDERLING. Ich möchte den Schlag kriegen, wenn
ich der Sache nachdenke. Mein einziger Sohn – ich hab
ihn vor den Augen und – fort –

WILHELMINE. O weh! o weh!

FRAU V. BIEDERLING. Soll man den Doktor holen? Unbarm-
herziges Kind!

WILHELMINE. Ja wenn er töten kann, holen Sie ihn.

GRAF. Um Ihrer unschätzbaren Gesundheit willen. –

FRAU V. BIEDERLING. Da hilft kein Zureden, Herr Graf! Der
liebe Gott hat beschlossen, es aus mit uns zu machen. O
ich unglücklich Weib! *(Weint.)*

HERR V. BIEDERLING *(kommt)*. Hopsa, Viktoria, Vivat! Was
gibt's, Weib! Mädchen! wo steckt ihr? wo ist unser Sohn?
geschwind, heraus mit ihm, wo ist er? – Na was soll das
bedeuten?

FRAU V. BIEDERLING. Nach wem fragst du?

HERR V. BIEDERLING. Ist das Freud oder Leid? – – Ha ha, ich
merk, ihr wollt mich überrumpeln. Nur heraus mit ihm,
ich weiß alles, Zopf hat mir alles gesagt – –

FRAU V. BIEDERLING. Du weißt alles und kannst lustig sein?
Nun so sei doch die Stunde verflucht – –

HERR V. BIEDERLING. Nun was ist's, Golt Herr – –! fängst du
schon wieder an zu weissagen? – wo ist er?

FRAU V. BIEDERLING. Reis ihm nach, Unmensch! es ist dein
Ebenbild.

GRAF. Der Prinz ist verschwunden.

HERR V. BIEDERLING. Tausend Sackerment, was geht mich
der Prinz an? nach meinem Sohn frage ich.

FRAU V. BIEDERLING. Ist der Mann rasend worden?

HERR V. BIEDERLING. Meinen Sohn! heraus damit, oder ich
werd rasend werden, was sollen die Narrenspossen, ich

will ihn sehen. Mine, wo ist dein Bruder, ich befehle dir, daß du mir's sagen sollt.

WILHELMINE *(schluchzend).* Der Prinz?

HERR V. BIEDERLING. Der Prinz dein – *(sinkt auf einen Stuhl)* Gott allmächtiger Vater –

FRAU V. BIEDERLING. Hat's dir Zopf nicht gesagt?

HERR V. BIEDERLING *(starr an die Erde sehend).* Nichts – nichts –

GRAF. Er ist verschwunden, kein Mensch kann ihn erfragen, ich will aber sogleich *(geht ab).*

FRAU V. BIEDERLING. Er hat ein englisches Gemüt, der Graf.

HERR V. BIEDERLING. Das – das – *(steht auf und geht herum)* Gott du Allmächtiger! womit hab ich deinen Zorn verdient!

MAGISTER BEZA *(kommt).* Ich komme, Ihnen meinen herzlichen Glückwunsch und zugleich meine aufrichtige Kondolenz –

HERR V. BIEDERLING. Hier, Herr Magister! reden Sie mit meiner Frau, ich kann Ihnen nicht antworten. Hier ist lauter Jammer im Hause *(setzt sich aufs Bett)* Mine! Mine! was werden wir anfangen?

MAGISTER. Erlauben Sie mir, Ihnen zu sagen – mir ist alles bekannt, es hat sich das Gerücht von dieser wunderseltsamen Begebenheit schon in ganz Naumburg ausgebreitet, aber erlauben Sie mir, Ihnen zu Ihrem Trost aus Gottes Wort zu zeigen, daß bei der ganzen Sache Gott Lob und Dank nicht die geringste Gefahr ist.

HERR V. BIEDERLING. Wie das? Herr Magister! wie das?

MAGISTER. Ja das ist zu weitläufig Ihnen hier zu explizieren, aber soviel kann ich Ihnen sagen, daß die größten Gottesgelehrten schon über diesen Punkt einig –

HERR V. BIEDERLING. So will ich eine Reise nach Leipzig, vielleicht können sie mir die Heirat gültig machen. Herr Magister, Sie begleiten mich – Mine, beruhige dich.

WILHELMINE. Nimmer und in Ewigkeit.

MAGISTER. Ja, wenn ich nur von meiner Schule mich losma-

chen – ich wollte Ihnen sonst aus den arabischen Sitten
und Gebräuchen klar und deutlich beweisen –

HERR V. BIEDERLING. Ei was, mit der Schule, das will ich
verantworten, kommen Sie nur mit mir, Sie können vielleicht den Leipziger Gelehrten noch manches Licht über
die Sachen geben, das bin ich versichert, Herr Magister,
Sie sind ein gelehrter Mann, das ist der ganzen Welt bekannt.

MAGISTER. O! – ach! –

HERR V. BIEDERLING. Mine! liebe Mine, so beruhige dich
doch! Wir wollen gleich einsteigen, Herr! er wird noch
nicht abgespannt haben, und vor allen Dingen, zuerst den
Prinzen aufsuchen. – Mine, gutes Muts, ich bitt dich um
Gottes willen. *(Ab.)*


## Siebente Szene

### Auf der Landstraße von Dresden

DONNA DIANA, BABET *fahren in der Kutsche.* GUSTAV *begegnet*
*ihnen reitend.*

DONNA *(aus der Kutsche).* Halt, wo willt du hin?

GUSTAV *(fällt vom Pferde).* Gnädige Frau!

DONNA. Nun bin ich gerochen. Der Junge hat Gewissen.
*(Springt aus dem Wagen.)* Wohin? *(faßt ihn an)* den Augenblick gesteh mir's.

GUSTAV *(zitternd).* Nach Dresden.

DONNA. Hinein in die Kutsch mit dir und dein Pferd mag
nach Dresden laufen. Was hast du dort zu bestellen
gehabt?

GUSTAV. Ich weiß nicht mehr.

DONNA. Gesteh!

GUSTAV. Zusehen, ob der Prinz Tandi dort sei.

DONNA. Mag dein Pferd zusehn. *(Faßt ihn untern Arm.)* In die
Kutsche mit dir! sei getrost Junge! es soll dir nichts Leids

widerfahren. Du bist zu elend, Kreatur! als daß ich mich
an dir rächen könnte. Aber hier gesteh mir nur, hat dein
Herr Anteil an meiner Ermordung gehabt?

GUSTAV. Gnädige Frau!

DONNA. Wurm, krümme dich nicht, oder ich zertret dich,
hat dein Herr Anteil an meiner Ermordung gehabt?

GUSTAV. Ich will Ihnen alles erzählen.

DONNA. So auf denn, in die Kutsche, du sollst das Vergnügen haben mit mir zu fahren. Sei ohne Furcht, wir wollen
die besten Freunde von der Welt werden, denn was der
Graf dir gibt, kann ich dir auch geben. *(Steigen in die
Kutsche.)* Fahrt zu!

## Achte Szene

### Naumburg

FRAU VON BIEDERLING, WILHELMINE, *jede einen Brief
in der Hand.*

FRAU V. BIEDERLING. Doch in Leipzig – *(liest).*

WILHELMINE. Erst nach fünf Jahren – Unmenschlicher!
*(Liest.)*

FRAU V. BIEDERLING. Ich bin fertig.

WILHELMINE *(küßt ihren Brief).* Doch! *(Reicht ihn der Mutter.)*
Mein Todesurteil. – Er will, ich soll ihn erst hassen
lernen, bevor ich ihn sehen darf. –

FRAU V. BIEDERLING. Da kannst du sehn, wie er gegen dich
gedacht hat. Ich wünschte nicht, daß der Vater ihn zu-
rückbrächte, er hat kein Gemüt für dich, er hat dich nie
geliebt.

WILHELMINE. Wenn Sie ihn kennten.

FRAU V. BIEDERLING. Ist das Zärtlichkeit? So müßt es wunderlich zugehn in einem zärtlichen Herzen. Der Graf ist
ein Fremder und fühlt mehr dabei. Ich bin versichert, er
hat gestern nachts kein Auge zugemacht, er fällt ja ganz
ab, der arme Mensch.

WILHELMINE. Mama, – Sie tun ihm unrecht, Gott weiß, Sie tun ihm unrecht.

FRAU V. BIEDERLING. Ich verbiete dir, mir jemals wieder von ihm zu reden.

WILHELMINE. Er ist aber Ihr Sohn.

FRAU V. BIEDERLING. Mit drei Worten bittet er mich ganz kalt, nach Leipzig zu kommen, dir aber nichts davon zu sagen. – Du mußt ihn vergessen.

WILHELMINE. Vergessen?

FRAU V. BIEDERLING. Was denn? dich zu Tod um ihn grämen? – Um ihn zu vergessen, mußt du dich zerstreuen, dein Herz an andere Gegenstände gewöhnen, bis du Meister drüber bist. Du warst ja wie blind, solang er um dich war. Ich werd nicht nach Leipzig reisen, du liegst mir zu sehr am Herzen.

WILHELMINE. Ach meine gütige Mutter!

FRAU V. BIEDERLING. Wenn du ihr nur folgen wolltest.

WILHELMINE. Erst nach fünf Jahren?

FRAU V. BIEDERLING. Vergiß ihn.

WILHELMINE. Er hält es für Sünde, mich eher zu sehen?

FRAU V. BIEDERLING. Er hat dich nie geliebt. Vergiß ihn.

WILHELMINE. Wenn ich nur könnte.

FRAU V. BIEDERLING. Du mußt – oder du machst uns alle unglücklich.

WILHELMINE. Ja ich will ihn hassen, damit ich ihn vergessen kann.

## Neunte Szene

### Ein Kaffeehaus in Leipzig

HERR VON BIEDERLING *und* MAGISTER *rauchen Tabak,*
*der* KAFFEEWIRT *steht vor ihnen, schenkt ihnen ein.*

KAFFEEWIRT. Ja es ist ein eigener Hecht, wir haben hier viel gehabt, aber von der Espece nicht. Da war einer, der hunderttausend Gulden hier jährlich verzehrt hat und lag den ganzen Tag bei Keinerts, aber er machte nichts, behüte Gott! er hatte sein Buch in der Hand und studierte dort, der selige Professor Gellert selber hat ihm das Zeugnis gegeben, er sei der geschickteste Mann unter allen seinen Zuhörern gewesen.

HERR V. BIEDERLING. Und wissen nicht, wo er itzt logiert?

KAFFEEWIRT. Der Prinz aus Arabien? ei nun, das wollen wir bald wissen. Sie dürften nur im Vorbeigehn im Blauen Engel nachfragen, da werden Sie Wunderdinge von ihm hören. Alle Tage, sag ich Ihnen, ist Assemblee bei ihm von Bucklichten, Lahmen, Blinden, fressen und saufen auf seine Rechnung, als ob sie in einem Feenschloß wären, denn ihn kriegt man nie zu sehen. Ich sagte neulich zum Herrn Gevatter im Engel, weiß Er denn nicht, daß in Arabien viel Braminen, oder wie heißen die Mönche da, die tun oft dergleichen Gelübde und ziehn in der Welt herum.

MAGISTER. O der Einfalt!

KAFFEEWIRT. He he he, Herr Magister! Sie müssen mich derhalben nicht auslachen, ich rede von den Sachen, wie ich's verstehe. Andere wollen sagen, er hab ein Duell gehabt, und um sich das Gewissen etwas leichter zu machen – das ist wahr, daß er was auf dem Herzen haben muß, denn ich hab ihn einmal gesehen, da sah er aus, Gott verzeih mir, wie – – – – – – –

HERR V. BIEDERLING *(eben im Trinken begriffen, läßt die Tasse aus der Hand fallen)*. Herr! warum erzählt Er mir das?

KAFFEEWIRT. Ja so – ich wußte nicht, daß Sie den Herrn kennten, ich bitt um Verzeihung. – Marqueur, lauft gleich in Engel, fragt nach, wo der fremde Prinz logiert, der vorige Woche ankommen ist.

# Zehnte Szene

## Ein Saal

*Gedeckte Tafel. Bediente. Eine Gesellschaft Bettler und Pöbel um den Tisch herum schmausend.*

EIN BUCKLICHTER. Des Prinzen Gesundheit, Ihr Herren!

LAHMER. Ein braver Herr! Gott tröst ihn!

BLINDER. Wenn mir Gott nur die Gnade verleihen wollt, ihn von Angesicht zu sehen.

EIN ANDERER BLINDER. Ich wünscht ihn nicht zu sehen, er soll ja immer so traurig aussehn und das würd mir das Herz brechen.

LAHMER. Er soll ein wunderschön Weib verloren haben. Ja ja, der Tod will auch was Saubers haben, die lahmen Hunde läßt er leben. *(Schenkt sich ein.)* Ihre Gesundheit Leut, trinkt ihre Gesundheit. *(Stoßen an.)*

BLINDER. Wo seid ihr, ich will auch anstoßen?

LAHMER. Ihr nicht, sonst begießt Ihr uns die Hosen.

PRINZ TANDI *(kommt herein)*. Was macht ihr? wen gilt's?

LAHMER *(steht auf)*. Herr, Ihr kommt zu rechter Zeit *(schenkt sich ein)* ich muß Euch was ins Ohr sagen, gnädiger Herr. *(Hinkt auf der Krücke zu ihm.)*

PRINZ *(geht ihm entgegen)*. So bleibt doch, ich kann ja zu Euch kommen. *(Beide bleiben mitten in der Stube stehen.)*

LAHMER *(hebt das Glas in die Höhe)*. Herr Prinz! Gott wird mich erhören, ich trink eine Gesundheit, die sich nicht sagen läßt, aber sie geht mir von Herzen, Gott weiß!

PRINZ. Wessen denn? heraus damit.

LAHMER. Ja verstellt Euch nur, Ihr wißt wohl, wen ich meine. Es lebe – haben Sie die werten Eltern noch am Leben? nun so gehen die voran *(trinkt das Glas aus)* aber das war noch nicht das rechte. *(Wieder zum Tisch und schenkt sich ein.)*

PRINZ. Ich wollt, ich könnte dir die Füße wiedergeben.

LAHMER. Braucht sie nicht – *(Hinkt aber zum Prinzen, das Glas*

*hoch.*) Es lebe – es lebe – es lebe *(bei ihm)* Euer allerdurch-
lauchtigster Schatz. *(Trinkt. Prinz schleunig ab.)*

ALLE. Des Prinzen Schatz. *(Werfen die Gläser aus dem Fenster.)*
(HERR V. BIEDERLING *und der* MAGISTER *treten herein.*)

HERR V. BIEDERLING. Ei, der Hagel! was ist das? bald möcht
ich lachen.

MAGISTER. Orientalisch! orientalisch!

LAHMER. Kommt ihr, müßt mit uns trinken. *(Bringt Biederling ein Glas.)* Geschwind, kein Zerimoniums! und Ihr
Herr Schwarzrock, du Buckel! hol 's Glas her, hurtig.

HERR V. BIEDERLING. Aber Ihr seid mir ein schlechter Kredenzer, Ihr habt mir das Glas halb ausgeschüttet.

LAHMER. Und Ihr jagt das Glas so in Hals, ohn einmal dabei
zu sagen auf des Prinzen Wohlsein? Wollt Ihr den Augenblick sagen oder *(hebt den Stock und fällt überlang).*

HERR V. BIEDERLING. Ha ha ha, auf des Prinzen Wohlsein.
*(Zum Magister.)* Hören Sie, das Ding geht mir durchs Herz,
ich könnte weinen darüber.

MAGISTER *(trinkt).* Auf des Prinzen Wohlsein.

HERR V. BIEDERLING *(zu einem Bedienten).* Geht sagt meinem
Sohne, ich möcht ihn sprechen.

LAHMER. Was denn? Euer Sohn? nu so *(wirft die Krücke in die
Höh und fällt wieder zu Boden)* nu so – ist's wahr, daß Ihr
sein Papa seid? Das wird ihm Freude machen, das wird
ihm Freude machen, ich hab Eure Gesundheit trunken,
Gott hat mein Gebet erhört. – Sauft Brüder, sauft! wenn
mir einer hundert Taler geschenkt hätte, so vergnügt hätte
es mich nicht gemacht.

## Eilfte Szene

### Ein Gärtchen am Gasthofe

PRINZ TANDI. MAGISTER BEZA. BEDIENTER.

PRINZ. Ich kann ihn nicht sehen, ich kann noch nicht. Fühlt ihr das nicht, warum? Und wollt trösten, mit solch einem Herzen trösten? Leidige Tröster, laßt mich!

BEZA. Aber womit hab ich denn verdient, daß Sie mir Ungerechtigkeiten sagen? Da ich in der besten Absicht und sozusagen von Amts und Gewissens wegen –

PRINZ. Ich hasse die Freunde in der Not, sie sind grausamer als die ärgsten Feinde, weit grausamer. Ihr kommt, Höllenstein in meine offne Wunde zu streuen, fort von mir.

BEZA. Ich kann und darf Sie nicht verlassen. Die christliche Liebe –

PRINZ. Ha die christliche Liebe! entehrt das Wort nicht! wenn ihr mit mir fühltet, so würdet ihr begreifen, daß das, was ihr dem Unglücklichen nehmen wollt, sein Schmerz, sein einziges höchstes Gut ist, das letzte, das ihm übrig bleibt, entreißt ihr ihm, Barbaren!

BEZA. Was das nun wieder geredt ist.

PRINZ. Es ist wahr geredt! Ihr habt noch nie alles verloren, alles, alles, was Ruhe der Seelen und Wonne nach der Arbeit geben kann, jetzt muß ich meine Wonne in Tränen und Seufzern suchen, und wenn ihr mir die nehmt, was bleibt mir übrig, als kalte Verzweiflung.

BEZA. Wenn ich Ihnen nun aber begreiflich mache, daß all Ihre Bedenklichkeiten nichts sind, daß Gott die nahen Heiraten nicht verboten hat –

PRINZ. Nicht verboten?

BEZA. Daß das in der besonderen Staatsverfassung der Juden seinen Grund gehabt, in den Sitten, in den Gebräuchen, daß weil sie ihre nächsten Anverwandte ohne Schleier sehen durften, um der frühzeitigen Hurerei vorzubeugen. –

PRINZ. Wer erzählt euch das? Weil die Ehen mit Verwandten verboten waren, durften sie sie ohne Schleier sehen, wie die Römer sie küssen durften. Wenn Gott keine andere Ursach zu dem Verbot gehabt, dürfte er nur das Entschleiern verboten haben.

BEZA. Sie sollten nur den Michaelis lesen. Es war eine bloß politische Einrichtung Gottes, die uns nichts anging, wenn's ein allgemein Naturgesetz gewesen wäre, würde Gott die Ursache des Verbots dazu gesetzt haben.

PRINZ. Steht sie nicht da? steht sie nicht mit großen Buchstaben da? soll ich euch den Star stechen?

BEZA. Ja was? was? du sollt deine Schwester nicht heiraten, denn sie ist deine Schwester.

PRINZ. Versteht ihr das nicht? Weh euch, daß ihr's nicht versteht. Auf eurem Antlitz danken solltet ihr, daß der Gesetzgeber anders sah als durch eure Brille. Er hat die ewigen Verhältnisse geordnet, die euch allein Freud und Glückseligkeit im Leben geben können und ihr wollt sie zerstören? O ihr Giganten, hütet euch, daß nicht der Berg über euch kommt, wenn ihr gegen den Donnerer stürmen wollt. Was macht das Glück der Welt, wenn es nicht das harmonische, gottgefällige Spiel der Empfindungen, die von der elendesten Kreatur bis zu Gott hinauf in ewigem Verhältnis zueinander stimmen? Wollt ihr den Unterscheid aufheben, der zwischen den Namen Vater, Sohn, Schwester, Braut, Mutter, Blutsfreundin obwaltet? wollt ihr bei einem nichts anders denken, keine andere Regung fühlen als beim andern? nun wohl, so hebt euch denn nicht übers Vieh, das neben euch ohne Unterschied und Ordnung bespringt was ihm zu nahe kommt und laßt die ganze weite Welt meinethalben zum Schweinstall werden.

BEZA. Das ist betrübt. Sie sind hartnäckig darauf, Ihr Gewissen unnötiger Weise zu beschweren, sich und Ihre Schwester unglücklich zu machen –

PRINZ. Das war ein Folterstoß. Solltest du dies Gemälde nicht lieber aus meiner Phantasei weggewischt haben? Ich

sehe sie da liegen, mit sich selbst uneins, voll Haß und
Liebe den edlen Kampf kämpfen, die Götter anklagen und
vor Gott sich stumm hinwinden – *(Fällt auf eine Grasbank.)*
Ach Grausamer!

BEZA *(nähert sich ihm).* Alles das können Sie ihr ersparen.

PRINZ. Und das Gewissen vergiften? Fort, Verräter! das
Bewußtsein recht getan zu haben, kann nie unglücklich
machen. Gram und Schmerz ist noch kein Unglück, sie
gelten ein zweideutig Glück, dessen unterste Grundlage
Gewissensangst ist. Wilhelmine wird nicht ewig elend
sein: unverwahrloste Schönheit hat Beistand im Himmel
und braucht keines verräterischen Trostes.

BEZA. Soll ich Ihren Vater rufen?

PRINZ. Um ihr Bild mir zu erneuern? – Hinter mich, Satan!
*(Stößt ihn zum Garten naus.)*

## Zwölfte Szene

### Eine Straße in Leipzig

HERR VON BIEDERLING. MAGISTER BEZA.

HERR V. BIEDERLING. Nichts. Ich will an Hof reisen und
wenn das Konsistorium die Heirat gut heißt, soll er mir
sein Weib wiedernehmen und sollt ich ihn mit Wasser und
Brot dazu zwingen. Wenn der Bengel nicht mit gutem
will – meinethalben, er soll mich nicht zu sehen kriegen,
aber er soll mich fühlen. Und Sie bleiben hier incognito,
Herr Magister! und wenden kein Auge von ihm, ich
denke, er wird so bald nicht aus Leipzig und im Fall der
Not dürfen Sie nur von meinetwegen Arrest auf seine
Sachen legen, er kann nicht fortreisen, wenn er eine Sache
hat, die noch anhängig beim Gerichte des Landes ist.

## Dreizehnte Szene

### In Naumburg

GRAF CAMÄLEON. ZIERAU.

GRAF. Ich möchte das artige junge Weib gern aus ihrer Melancholei heraustanzen. Ihr Vater soll ein artiges Landhaus hier in der Nähe haben, könnten wir wohl da Platz für ein zwanzig, dreißig Personen –

ZIERAU. Lassen Sie mich nur dafür sorgen. Obschon mein Vater nicht zu Hause ist – ich werd es bei ihm zu verantworten wissen.

GRAF. Was könnte der Spaß kosten?

ZIERAU. Geben Sie mir vor der Hand ein zwanzig, dreißig Dukaten in die Hand, ich will sehen, wie weit ich mit komme. Es kommt oft viel darauf an, wie man die erste Einrichtung macht. –

GRAF. Es kommt hier hauptsächlich auf Geschmack an und ich weiß, den haben Sie. An den Kosten brauchen Sie mir nichts zu sparen. Wie weit ist's von hier?

ZIERAU. Eine gute Stunde.

GRAF. Desto besser, ich säh gern, daß wir einige Tage drauß blieben. Hätten Sie Betten im Notfall?

ZIERAU. Ich kann schon welche bereit halten lassen.

GRAF. Ich möcht überhaupt die Gelegenheit besehen. Wollen wir eine Spazierfahrt hinaus tun? Gustav! – Johann! wollt ich sagen, ist Gustav noch nicht zurück? Spannt mir das Cabriolet an, ich will ausfahren mit dem Herrn da.

ZIERAU. Ich will gleich vorher gehn und Anstalten machen, daß die gehörige Provisionen an feinen Weinen und an Punsch, Arrak, Zitronen – die Dames lieben das, wenn sie getanzt haben.

GRAF. Können Sie guten Punsch machen? und stark, sonst lohnt's nicht.

ZIERAU. Ich weiß nichts Reizenders, als eine Dame mit

einem kleinen Räuschchen. Sollen auch Masken ausgeteilt werden?

GRAF. O ja, wer will – das war ein guter Einfall – ich will selbst en Masque erscheinen – recht so, es soll niemand ohne Maske heraufgelassen werden – und ein bequem Zimmer zum Umkleiden haben Sie doch? wir wollen alles besehen.

## Vierter Akt

### Erste Szene

#### In Naumburg

FRAU VON BIEDERLING *legt zwei Domino übern Stuhl.*
WILHELMINE *am Rahmen nähend.*

WILHELMINE. Aufrichtig zu sein –

FRAU V. BIEDERLING. Na was ist?

WILHELMINE. Wenn ich Ihnen die Wahrheit sagen soll, Mama –

FRAU V. BIEDERLING. Sag ich nicht? So oft sie am Rahmen sitzt, ist's, als ob ein böser Geist in sie – weißt du denn nicht, daß es Sünde ist, an ihn zu denken? wozu soll die Narrenteiding, wahrhaftig eh du dich versiehst, schneid ich's heraus und ins Feuer damit.

WILHELMINE. Sie würden damit nur Übel ärger machen.

FRAU V. BIEDERLING. Willst du dich anziehn oder nicht? Ganz gewiß wird die Gesellschaft schon einige Stunden auf uns gewartet haben.

WILHELMINE *(seufzt).* Sie werden böse werden.

FRAU V. BIEDERLING. Was denn? Hast du schon wieder deinen Kopf geändert? Alberne Kreatur. Nein, Gott weiß, das ist nicht auszustehen. Gestern verspricht sie dem Grafen feierlich –

WILHELMINE. Ihnen zu gefallen.

FRAU V. BIEDERLING. Mir? willt du ewig zu Hause hucken und dir den Narren weinen? was soll da herauskommen? Geschwind tu dich an, es soll dich nicht gereuen, du bist ja unter der Maske, kannst tanzen oder zusehn, wie dir's gefällt, wenn du dich nur zerstreust.

WILHELMINE. Ach in solcher Gesellschaft! Lustige Gesellschaft ist eine Folterbank für Unglückliche.

FRAU V. BIEDERLING. Was denn? zu Hause sitzen und Verse machen? – Da kommt wahrhaftig schon Botschaft nach uns.

ZIERAU *(ganz geputzt)*. Verzeihen Sie, gnädige Frau! ... gnädige! daß ich Sie vielleicht zu früh überfalle. Ich bin mit der Kutsche hereingefahren, Sie abzuholen. *(Zu Wilhelminen.)* Es ist ein klein Divertissement, so Sie Ihrem Schmerz geben.

WILHELMINE. Hier ist mein Divertissement.

ZIERAU. Wie? was? Ach Sie machen's wie Penelope, um die Anbeter Ihrer Reizungen aufzuhalten – nicht wahr, bis Sie die Stickerei fertig haben, dann – was ist das Dessein, mit Ihrer gnädigen Erlaubnis *(stellt sich vor den Rahmen)* wie, das ist ja vortrefflich, vortrefflich – aber zu betrübt, gnädige Frau, viel zu ernsthaft, zu schwarz – bei allen Liebesgöttern und Grazien! das ist ja wohl gar Hymen, der seine Fackel auslöscht. Aus welchem alten Leichensermon haben Sie denn die Idee entlehnt? Vortrefflich gezeichnet, das ist wahr, die Stickerei ist bewundernswürdig! wie sein trostloses Auge durch die Hand blickt, mit der er die Stirn hält! das bringt all mein Blut in Bewegung.

WILHELMINE. Es ist aus einer Vignette, über Hallers Ode auf seine Mariane.

ZIERAU. Ei so lassen Sie Haller Haller sein, hat er doch auch wieder geheiratet.

WILHELMINE. Ich wünscht, ich hätt eine Leiche zu beweinen. Aber itzt, da Hymen unsere Fackel auslöscht, eh sie

ausgebrannt ist, itzt – *(Weint.)* Sprechen Sie mich los, Herr
Bakkalaureus, der Graf wird mir's nicht übel nehmen.

ZIERAU. Aber mir. Das ganze Fest verliert seinen Glanz,
wenn Sie nicht drauf erscheinen. Sie dürfen sich nur
zeigen, Sie dürfen nicht tanzen: Bedenken Sie, daß sie den
Himmel von Grazie der Welt schuldig sind.

WILHELMINE. Ich kann Ihre Schmeicheleien jetzt mit nichts
beantworten als Verachtung. Nehmen Sie mir's nicht
übel. Was würde dort geschehen, wenn ein Fremder mir
anfinge mit seinen Schellen unter die Ohren zu klingen.

FRAU V. BIEDERLING. Sie ist auf dem Wege, sag ich Ihnen,
den Verstand zu verlieren.

*(DONNA DIANA tritt mit BABET herein.)*

DONNA. Ich komme unangemeldet, gnädige Frau! Der Graf
Camäleon, der in Ihrem Hause logieren soll, gibt, wie ich
höre, ein Festin. Ich bin eine gute Bekannte von ihm, die
er wiederzusehn sich nicht vermuten wird.

FRAU V. BIEDERLING. Doch wohl nicht die spanische Gräfin,
seine Brudersfrau.

DONNA. Seine Brudersfrau? Ja seine Brudersfrau. Ich möcht
ihm gern bei dieser Gelegenheit eine unvermutete Freude
machen.

FRAU V. BIEDERLING. Der Herr Gemahl vielleicht angekommen? Es ist mir ein unerwartetes Glück –

DONNA. Keine Komplimenten, Frau Hauptmann! Hab ich
Raum in Ihrer Kutsche? Meine würd er wiedererkennen.

WILHELMINE. O wenn Euer Gnaden meinen Platz einnehmen wollten –

DONNA. Ihren Platz, mein Kind! O Sie sind sehr gütig. Ha
ha ha, verzeihen Sie, es zog mir ein wunderlicher Gedanke
durch den Kopf! Es würde mir aber leid tun, mein artiges
Kind! wenn ich Sie um Ihren Platz bringen sollte.

ZIERAU *(zu Wilhelminen, leise).* Was wird aber der Graf sagen,
gnädige Frau, wenn Sie –

WILHELMINE. Euer Gnaden erzeigen mir einen unschätz-
barn Gefallen. Ich habe fast dem dringenden Anhalten

des Herrn Grafen und seines Abgesandten nicht widerstehen können.

DONNA. In der Tat? ist der Abgesandte so dringend? ich kenne meinen Schwager, er ist sehr galant, aber nicht sehr dringend, vermutlich wird sein Abgeordneter seinen Fehler haben ersetzen wollen. Sie bleiben also gern zu Hause, Fräulein? und leihen mir Ihre Maske, das ist vortrefflich, ha ha ha, der Einfall kommt wie gerufen, ich hätt ihn nicht schöner ausdenken können *(legt das Domino an)* und damit sind wir fertig, kommen Sie, Frau Hauptmann, wir haben hier keine Zeit zu verlieren. Und Sie, mein Herr, sehn aus wie ein Schachkönig, dem die Königin genommen wird. Geben Sie sich nur zufrieden, wir spielen nicht auf Sie. – Ihre Hand, wenn ich bitten darf. Adieu, Fräulein, wenn ich Ihnen wieder einen Gefallen tun kann – meine Dame d'honneur bleibt bei Ihnen.

## Zweite Szene

Vor dem Landhause des Bakkalaureus.
Eine Allee von Bäumen

*Es ist Dämmerung.*
DER GRAF *in der Maske spaziert auf und ab.*

Der verdammte Kerl, wo er bleibt! wo er bleibt, wo er bleibt! Gleich wollt er zurück sein, wollt fliegen wie Phäton mit den Sonnenpferden – poetischer Schurke! Wenn ich sie nur zum Tanzen bringe! Die Musik, die schwärmende Freude überall, der Tumult ihrer Lebensgeister, der Punsch, mein Pülverchen – o verdammt! *(sich an die Stirn schlagend)* wie tut es mir im Kopf so weh! Wenn er nur käme, wenn er nur käme, aller Welt Teufel! wenn er nur käme! *(Stampft mit dem Fuß.)* Wo bleibt er denn? Ich werde noch rasend werden, eh alles vorbei ist und denn ist mein ganzes Spiel verdorben. Vielleicht amüsiert er sich

. selbst mit ihr – höllischer Satan! ich habe nie was von der
Hölle geglaubt und alle dem Kram *(schlägt sich an den Kopf
und an die Brust)* aber hier – und hier – ich muß selbst nach
der Stadt laufen – sie wird ihre Meinung geändert haben,
sie kommt nicht – vielleicht ist der Prinz zurückgekommen – vielleicht – ich muß selbst nach der Stadt laufen und
wenn der Teufel mich zu ihren Füßen holen sollte. –


## Dritte Szene

### In Naumburg

WILHELMINE *und* BABET *spazieren im Garten.*

WILHELMINE. O gehn Sie noch nicht weg, meine liebe, liebe
Frau Wändeln! Wenn Sie wüßten, wieviel Trost Ihre
Gegenwart über mich ausbreitet! ich weiß nicht, ich fühl
einen unbekannten Zug – ich kann's Ihnen nicht bergen,
die unbekannten Mächte der Sympathie spielen bisweilen
so wunderbar, so wunderbar. *(Küßt sie.)*

BABET *(fällt ihr weinend um den Hals).* Ach mein unvergleich-
liches Minchen.

WILHELMINE. Was haben Sie?

BABET. Ich kann es nicht länger zurückhalten, und sollte die
Donna mit gezücktem Dolche hinter mir stehen. Es ist
Lebensgefahr dabei, Minchen! aber Sie länger leiden zu
sehen, das ist mir unmöglich, Sie sind des Prinzen Tandi
Schwester nicht.

WILHELMINE. Wie das? meine Teure! wie das? Ich umfasse
dein Knie!

BABET. Die Donna ist seine Schwester, ich war Ihre Amme,
ich habe Sie vertauscht.

WILHELMINE. O meine Amme! *(sie umhalsend)* o du mehr als
meine Mutter! o du gibst mir tausend Leben. Komm,
komm, sag mir, erzähl mir, ich kann die Wunder nicht
begreifen, ich kann sie nur glauben und selig dabei sein.

Nimm mir den letzen Zweifel, wenn diese Freude vergeblich wäre, das wäre mehr als grausam.

BABET *(schluchzend)*. Freuen Sie sich – sie ist nicht vergeblich. Ihr Vater ist der spanische Graf Aranda Velas, der zu eben der Zeit am Dresdner Hofe stand, als der Hauptmann in den Schlesischen Krieg mußte. Seine Frau folgte ihm und ließ ihr neugebornes Kind einer Polin, bis sie wiederkäme, welcher ich Sie gleichfalls auf einige Tage anvertrauen mußte, weil mir die Milch ausgegangen war. Da besuchte Sie Ihre Mutter einst und weil Sie obenein einen Ansatz von der englischen Krankheit zu bekommen schienen, so beredete ich Ihre Eltern selber mit zu diesem gottlosen Tausch. Ich habe dafür genug von dieser Donna ausstehen müssen, aber Sie, meine Teure, *(kniend)* Sie, die Sie Ihr ganzes Unglück mir allein zuzuschreiben haben, Sie haben mich noch nicht dafür gestraft.

WILHELMINE. Mit tausend Küssen will ich dich strafen. Unaussprechlich glücklich machst du mich jetzt. Auf, meine Teure, in den Wagen laß uns werfen und ihn aufsuchen, ihn, der mir alles war, ihn, der mir jetzt wieder alles sein darf, meinen einzigen ihn. O! o! was liegt doch in Worten für Kraft, was für ein Himmel! mit drei Worten hast du mich aus der Hölle in den Himmel erhoben. Fort nun! fliegen laß uns wie ein paar Seraphims, bis wir ihn finden, bis wir – fort! fort! *(Läuft mit ausgebreiteten Armen ab.)*

## Vierte Szene

Vor dem Landhause des Bakkalaureus, welches
mit vielen Lichtern illuminiert erscheint

*Es ist stockdunkel.* GUSTAV *tritt auf.*

Das ist wie der höllische Schwefelpfuhl. Sie ist da, ja sie ist da, ich habe sie ganz deutlich in der Kutsche erkannt. Weiß, daß er sie hat vergiften lassen und wenn er der

Teufel selber wäre und mit lebendigem Leibe sie holte, sie liebt ihn. *(Schlägt sich an den Kopf.)* Du allmächtiger Gott und alle Elemente! Ach du vom Himmel gestiegene Groß- mut, du lebendiger Engel. *(Fällt.)* Ich kann nicht mehr auf den Füßen stehn, das ist ärger als ein Rausch, ärger als Gift – Ich will herein und sehen, ob er sie für Wilhelminen hält und rührt er sie an – sein Eingeweid will ich ihm aus dem Leibe reißen, dem seelenmörderischen Hunde –

## Fünfte Szene

GUSTAV *kommt wieder heraus unter der Larve.*

Das ist die Hölle – tanzen herum drin wie die Furien. Er hat ihr Punsch angeboten, ich glaub, es war ein Liebes- tränkchen. Das Glas stand fertig eingeschenkt, sie wollt die Larve nicht abziehn. Wenn du gewußt hättest, wer sie war, dummer Satan, läßt sie die Larve vorbehalten. Ich will hinein und ihm mein Taschenmesser durch den Leib stoßen, daß er lernt klüger sein. – Ach Donna! Donna! Donna! wenn ich mit dir verdammt werden könnte, die Hölle würde mir süß sein. *(Geht hinein.)*

## Sechste Szene

### Der Tanzsaal

*Große Gesellschaft. Da der Tanz pausiert, führt* ZIERAU FRAU VON BIEDERLING *an den Punschtisch.*

FRAU V. BIEDERLING. Sie ist verschwunden mit ihm.

ZIERAU. Befehlen Euer Gnaden nicht Biscuit dazu! – Er hat sie vermutlich erkannt – ich versichere Sie, er hat sie erkannt, sobald sie in die Stube trat.

FRAU V. BIEDERLING. So hätt er nicht so verliebt in sie getan.

Glauben Sie mir, es war mir ärgerlich. Die Gesellschaft steht doch in der Meinung, es sei meine Tochter, sie hat vollkommen ihren Gang, ihre Taille – und er hat sich recht albern aufgeführt.

ZIERAU. Er hat sie wahrhaftig erkannt. Mit Ihrer Tochter hätt er sich die Freiheiten nimmer erlaubt.

FRAU V. BIEDERLING. Ich hätte nicht gewünscht, daß sein Bruder dazu gekommen wäre. Herr Bakkalaureus, wenn das so fort geht. –

ZIERAU. Es tut mir nur leid, daß ich meine Absicht nicht habe erreichen können, Ihrer Fräulein Tochter eine kleine unschuldige Zerstreuung zu geben. Sie wird jetzt zu Hause über ihrem Schmerz brüten und um einen so krausen kauderwelschen Ritter Don Quischotte lohnt es doch wahrhaftig der Mühe nicht.

*(Es wird Lärmen. Die ganze Gesellschaft springt auf.)*

EINE DAME. In der Kammer hier bei.

EIN CHAPEAU. Die Tür ist verschlossen.

DONNA DIANA *(schreit hinter der Szene)*. Zu Hülfe! er erwürgt mich.

EINE DAME. Man muß den Schlösser kommen lassen.

EIN DICKER KERL. Ich will sie ufrennen.

ZIERAU. Was ist's, was gibt's?

EINE MASKE. Ein erschröcklich Getös hier in der Kammer.

EINE ANDERE MASKE. Hört, welch ein Gekreisch!

ZIERAU. Tausend ist denn da kein Mittel? – Axt her, Bediente.

DER DICKE MANN *(rennt die Tür ein. Ein stockdunkles Zimmer erscheint)*. Licht her! Licht her! sie liegen beide auf der Erde.

*(Es werden Lichter gebracht. Donna Diana rafft sich auf.)*

GRAF *(zieht sich ein Messer aus der Wunde)*. Ich bin ermordet.

*(Man verbindt ihn.)*

DONNA *(mit zerstreutem Haar, das sie in Ordnung zu bringen sucht)*. Der Hund hat mich erwürgen wollen. – Was steht ihr? was gafft ihr, was seid ihr erstaunt? Daß ich einen

Hund übern Haufen steche, der mich an die Gurgel packt
und das, weil er mich notzüchtigen will und merkt, daß
ich nicht die Rechte bin.

ZIERAU. Ums Himmels willen.

DONNA. Was, du Kuppler – wo ist mein Federmesser blieben
*(faßt ihn an Schopf und wirft ihn zum Grafen auf den Boden)* laß
dir deinen Lohn vom Grafen geben. Er ist ein Hurenwirt,
daß ihr's wißt, daß ihr's an allen Ecken der Stadt anschla-
gen laßt, daß ihr's in alle europäische Zeitungen setzt. Ich
will gleich gehn und das Drachennest hier zerstören, wart
nur, es wird hier doch irgendwo ein Häscher in der Nähe
sein. *(Ab.)*

ZIERAU. Das ist eine Furie.

GRAF. Sie hat mir ins Herz gestoßen – Helft mir zu Bette.
*(Wendt den Kopf voll Schmerz auf die Seite.)* O! – *(starrt)* ihr
Götter, was seh ich? löscht die Lichter aus! der Anblick
ist zu schröcklich.
*(Einer aus der Gesellschaft hebt das Licht empor. Gustav erscheint
in einem Winkel, hat sich erhenkt.)*
Mein Bedienter oh! *(Fällt in Ohnmacht.)*

# Fünfter Aufzug

## Erste Szene

Auf der Landstraße von Leipzig nach Dresden ein Posthaus

HERR VON BIEDERLING, PRINZ TANDI, *beide aufeinander
zueilend, sich umhalsend.*

PRINZ. Mein Vater!

HERR V. BIEDERLING. Mein Sohn! Woher kommst du?
wohin gehst du? Hat dich der verdammte Schulkollege
doch laufen lassen? Sag ich nicht? ob man eine Null dahin

stellt, oder einen Mann mit dem schwarzen Rock, die Leute sind doch, Gott weiß, als ob sie keinen Kopf auf den Schultern hätten.

PRINZ. Ich gehe nach Dresden.

HERR V. BIEDERLING. Ja ich will dir – du sollst mir schnurstracks nach Naumburg zurück, deine arme Schwester wird ja fast den Tod haben über deinem Außenbleiben. Es ist alles gültig und richtig, das Konsistorium hat kein Wort wider die Heiraten einzuwenden.

PRINZ *(die Augen gen Himmel kehrend)*. O nun unterstütze mich!

HERR V. BIEDERLING. Geschwind umgekehrt! für wen ist das Pferd gesattelt? ha ha, deine Equipage wirst du wohl in Leipzig haben lassen müssen? Nun, nun, ich hab ihm doch Unrecht getan, dem Magister Beza. – Hurtig, ich befehl's dir! den Reiserock angezogen. Warum hast du mich denn nicht sehen wollen, Monsieur! da ich deinetwegen acht Stunden gefahren war? Du hast Grillen im Kopf wie die Alchymisten, und darüber muß Vater und Schwester und Mutter und alles zu Grunde gehn.

PRINZ *(umarmt seine Knie)*. Mein Vater! Diese Grillen sind mir heilig, heiliger als alles.

HERR V. BIEDERLING. Sie stirbt, hol mich der Teufel, sie muß des Todes sein für Chagrin, das Mädchen läßt sich nicht trösten. Hast du denn deinen Verstand verloren, oder willst du klüger sein als die ganze theologische Fakultät? Ich befehle dir als Vater, daß du dich anziehst und zurück mit mir, oder es geht nimmermehr gut.

PRINZ. Ich will Ihnen gehorchen.

HERR V. BIEDERLING. So? das ist brav. So komm, daß ich dich noch einmal umarme und an mein Herz drücke *(ihn umarmend)* verlorner Sohn! Das hab ich gleich gedacht, wenn man ihm nur vernünftig zuredt, du bist hier nicht in Cumba, mein Sohn, wir sind hier in Sachsen und was andern Leuten gilt, das muß uns auch gelten. Geh, mach dich fertig, du gibst deiner Schwester das Leben wieder –

ich will derweil ein Frühstück essen, ich bin hol mich
Gott noch nüchtern von heut morgen um viere. *(Ab.)*

PRINZ. Das war der Augenblick, den ich fürchtete. Ich hab
ihn gesehen, Wilhelmine, deinen Vater gesehen, ich bin
zu schwach zu widerstehen. Wenn du Engel des Himmels
mich noch liebst – o daß du mich hassetest! o daß du mich
hassetest! – Wie, wenn ich itzt mich aufs Pferd schwünge
und heimlich fortjagte. – Aber sie ist mein Fleisch! Gott!
sie ist mein Fleisch. Laß los, teures Weib, heiliger Schatten! der Himmel fordert es, deine Ruhe fordert es –
Triumph – *(Will aus der Tür. Wilhelmine und Babet stürzen ihm
entgegen.)*

WILHELMINE. Hier!

PRINZ *(ihr zu Füßen)*. Deinen elenden Mann!

WILHELMINE. Ist es ein Traum? *(Umarmt ihn.)* Hab ich dich
wirklich?

PRINZ. Schone meiner! Schone deiner! O Sünde! wer kann
dir widerstehen, wenn du Wilhelminens Gestalt an-
nimmst?

WILHELMINE. Ich bin deine Schwester nicht.

BABET. Ich beteur' es Ihnen mit dem heiligsten Eide, sie ist
Ihre Schwester nicht. Ich war ihre Amme, ich habe sie
vertauscht.

PRINZ. O mehr Balsam! mehr Balsam! göttliche Linderung!

WILHELMINE *(wirft sich nochmals in seine Arme)*. Ich bin deine
Schwester nicht.

PRINZ. Das hat mein Schmerz nie gehoffet, nie gewünscht!
Vom Tode bin ich erweckt. Wiederholt es mir hundertmal.

WILHELMINE. Ich wünscht in deinen Armen zu zerfließen,
mein Mann! nicht mehr Bruder! mein Mann! Ich bin ganz
Entzücken, ich bin ganz dein.

PRINZ. Mein auf ewig. Mein wiedergefundenes Leben.

WILHELMINE. Meine wiedergefundene Seele!

HERR V. BIEDERLING *(mit der Serviette)*. Was gibt's hier? – Nu
Gotts Wunder! wo kommst du her? Sag ich doch, wenn

man ihm vernünftig zuredt, da sind sie wie Mann und Frau miteinander und den Augenblick vor einer halben Stunde wollt er sich noch kastrieren um deinetwillen.

BABET. O wir haben Ihnen Wunderdinge zu erzählen, gnädiger Herr.

HERR V. BIEDERLING. So kommt herein, kommt herein, schämt euch doch, vor den Augen der ganzen Welt mit seinem Weibe Rebekka zu scherzen, das geht in Cumba wohl an, lieber Mann! aber in Sachsen nicht, in Sachsen nicht.

*(Gehen hinein.)*

## Zweite Szene

### In Naumburg

ZIERAU *sitzt und streicht die Geige. Sein Vater, der* BÜRGERMEISTER *tritt herein im Roquelaure, den Hut auf.*

BÜRGERMEISTER. Schöne Historien! schöne Historien! ich will dich lehren Bäll anstellen – – He! Komm mit mir, es ist so schlecht Wetter, ich brauch heut abend eine Rekreation.

ZIERAU. Wo wollen Sie denn hin, Papa? Ich bin schon halb ausgezogen.

BÜRGERMEISTER. Die Fiddel weg! Ins Püppelspiel. Ich hab mich heut lahm und blind geschrieben, ich muß eins wieder lachen.

ZIERAU. O pfui doch, Papa! Abend für Abend! Sie prostituieren sich.

BÜRGERMEISTER. Sieh doch, was gibt's da wieder, was hast du wider das Püppelspiel? Ist's nicht so gut als eure da in Leipzig, wie heißen sie? Wenn ich nur von Herzen auslachen kann dabei, ich hab den Kerl den Hannswurst so lieb, ich will ihn wahrhaftig diesen Neujahr beschicken.

ZIERAU. Vergnügen ohne Geschmack ist kein Vergnügen.

BÜRGERMEISTER. Ich kann doch wahrhaftig nicht begreifen,

was er immer mit seinem Geschmack will. Bist du närrisch im Kopf? Bube! warum soll denn das Püppelspiel
kein Vergnügen für den Geschmack sein?

ZIERAU. Was die schöne Natur nicht nachahmt, Papa! das
kann unmöglich gefallen.

BÜRGERMEISTER. Aber das Püppelspiel gefällt mir, Kerl! was
geht mich deine schöne Natur an? Ist dir's nicht gut genug
wie's da ist, Hannshasenfuß? willst unsern Herrngott
lehren besser machen? Ich weiß nicht, es tut mir immer
weh in den Ohren, wenn ich den Fratzen so räsonieren
höre.

ZIERAU. Aber in aller Welt, was für Vergnügen können Sie
an einer Vorstellung finden, in der nicht die geringste
Illusion ist.

BÜRGERMEISTER. Illusion? was ist das wieder für ein Ding?

ZIERAU. Es ist die Täuschung.

BÜRGERMEISTER. Tausch willst du sagen.

ZIERAU. Ei Papa! Sie sehen das Ding immer als Kaufmann
an, darum mag ich mich mit Ihnen darüber nicht einlassen. Es gibt gewisse Regeln für die Täuschung, das ist, für
den sinnlichen Betrug, da ich glaube das wirklich zu
sehen, was mir doch nur vorgestellt wird.

BÜRGERMEISTER. So? und was sind denn das für Regeln? Das
ist wahr, ich denke immer dabei, das wird nur so vorgestellt.

ZIERAU. Ja, aber das müssen Sie nicht mehr denken, wenn
das Stück nur mittelmäßig sein soll. Zu dem Ende sind
gewisse Regeln festgesetzt worden, außer welchen dieser
sinnliche Betrug nicht stattfindet, dahin gehören vor-
nehmlich die so sehr bestrittenen drei Einheiten, wenn
nämlich die ganze Handlung nicht in Zeit von vierundzwanzig Stunden aufs höchste, an einem bestimmten Orte
geschieht, so kann ich sie mir nicht wohl denken und da
geht denn das ganze Vergnügen des Stücks verloren.

BÜRGERMEISTER. Wart! hm! das will ich doch heut examinie-
ren, ich begreif, ich fang an zu begreifen, drei Einheiten,

das ist soviel als dreimal eins. Und zweimal vierundzwanzig Stunden darf das ganze Ding nur währen? wie aber, was? es hat ja sein Tag noch nicht so lang gewährt.

ZIERAU. Ja Vater! das ist nun wieder ein ganz ander Ding, ich muß mir einbilden, daß es nur vierundzwanzig Stunden gewährt hat.

BÜRGERMEISTER. Na gut, gut, so will ich mir's einbilden – willst du nicht mitkommen? ich will doch das Ding heut einmal untersuchen, und verstehn sie mir ihre Sachen nicht, so sollen die Kerls gleich aus der Stadt. (*Ab.*)

## Dritte Szene

ZIERAU *im Schlafrock, wirft die Violine auf den Tisch.*

Langeweile! Langeweile! – O Naumburg, was für ein Ort bist du? Kann man sich doch auf keine gescheite Art amüsieren, es ist unmöglich, purplatt unmöglich. Wenn ich Tobak rauchen könnte und Bier trinken – pfui Teufel! und bei den Mädchens find ich auch nichts mehr – ich habe zu viel gelebt – was hab ich? ich habe zu wenig – ich bin nichts mehr. Wenn ich nur mein Buch zu Ende hätte, meine Goldwelt, wahrhaftig, ich macht's wie der Engelländer und schöß mich vorn Kopf. Das hieß' doch auf eine eklatante Art beschlossen – und würd auch meinem Buche mehr Ansehn geben – hm! wenn ich nur – ich habe noch nie eine losgeschossen – und wenn ich zitterte und verfehlte wie der junge Brandrecht – o wenn's lange währt, Desperation! so hast du mich. (*Wirft sich aufs Bette.*)

DER BÜRGERMEISTER (*tritt herein mit aufgehobenem Stock*). Lüderst du noch hier? Wart, ich will dir die drei Einheiten und die vierunddreißig Stunden zurückgeben, (*schlägt ihn*) den Teufel auf deinen Kopf. Ich glaube, du ennuyierst dich, ich will dir die Zeit vertreiben. (*Tanzt mit ihm um die Stube herum.*)

ZIERAU. Papa, was fehlt Ihnen, Papa?

BÜRGERMEISTER. Du Hund! willst du ehrlichen Leuten ihr
Pläsier verderben? Meinen ganzen Abend mir zu Gift
gemacht und ich hatte mich krumm geschrieben im
Comptoir, da kommt so ein h–föttischer Tagdieb und sagt
mir von dreimaleins und schöne Natur, daß ich den
ganzen Abend da gesessen bin wie ein Narr, der nicht
weiß, wozu ihn Gott geschaffen hat. Gezählt und gerech-
net und nach der Uhr gesehen *(schlägt ihn)* ich will dich
lehren mir Regeln vorschreiben, wie ich mich amüsieren
soll.

ZIERAU. Papa, was kann ich denn dafür?

BÜRGERMEISTER. Ja freilich kannst du dafür, räsoniere nicht.
Ich seh, der Junge wird faul, daß er stinkt, sonst las er
doch noch, sonst tat er, aber itzt – die Stell an der Pforte
wollt er auch nicht annehmen, da war der Herr zu kommod zu, oder zu vornehm, was weiß ich? oder vielleicht,
weil da die dreimal drei nicht beobachtet, wart, ich will
dich bedreimaldreien. Du sollst mir in mein Comptoir
hinein, Geschmackshöker! Dich krumm und lahm schreiben, da soll dir das Püppelspiel schon drauf schmecken.
Hab ich in meinem Leben das gehört, ich glaube, die
junge Welt stellt sich noch zuletzt auf den Kopf für lauter
schöner Natur. Ich will euch kuranzen, ich will euch 's
Collegia über die schöne Natur lesen, wart nur!

Ende.

# Die Soldaten

## Eine Komödie

---

## Personen

WESENER, ein Galanteriehändler in Lille
FRAU WESENER, seine Frau
MARIE,
CHARLOTTE, } ihre Töchter
STOLZIUS, Tuchhändler in Armentieres
SEINE MUTTER
DESPORTES, ein Edelmann aus dem französischen
    Hennegau, in französischen Diensten
DER GRAF VON SPANNHEIM, sein Obrister
PIRZEL, ein Hauptmann
EISENHARDT, Feldprediger
HAUDY,
RAMMLER, } Offiziers
MARY,
DIE GRÄFIN DE LA ROCHE
IHR SOHN
FRAU BISCHOF
IHRE COUSINE und andere

Der Schauplatz ist im französischen Flandern.

# Erster Akt

## Erste Szene

### In Lille

MARIE. CHARLOTTE.

MARIE *(mit untergestütztem Kopf einen Brief schreibend)*. Schwester, weißt du nicht, wie schreibt man Madam, M a ma, t a m m tamm, m e me,

CHARLOTTE *(sitzt und spinnt)*. So 'st recht.

MARIE. Hör, ich will dir vorlesen, ob's so angeht, wie ich schreibe: »Meine liebe Matamm! Wir sein gottlob glücklich in Lille arriviert«, ist's so recht arriviert, a r ar, r i e w wiert?

CHARLOTTE. So 'st recht.

MARIE. »Wir wissen nicht, womit die Gütigkeit nur verdient haben, womit uns überschüttet, wünschte nur imstand zu sein« – ist so recht?

CHARLOTTE. So lies doch, bis der Verstand aus ist.

MARIE. »Ihro alle die Politessen und Höflichkeit wiederzuerstatten. Weil aber es noch nicht in unsern Kräften steht, als bitten um fernere Continuation.«

CHARLOTTE. Bitten wir um fernere.

MARIE. Laß doch sein, was fällst du mir in die Rede.

CHARLOTTE. Wir bitten um fernere Continuation.

MARIE. Ei, was redst du doch, der Papa schreibt ja auch so. *(Macht alles geschwind wieder zu, und will den Brief versiegeln.)*

CHARLOTTE. Nu, so les Sie doch aus.

MARIE. Das übrige geht dich nichts an. Sie will allesfort klüger sein, als der Papa; letzthin sagte der Papa auch, es wäre nicht höflich, wenn man immer wir schriebe, und ich und so dergleichen. *(Siegelt zu.)* Da Steffen *(gibt ihm Geld)* tragt den Brief auf die Post.

CHARLOTTE. Sie wollt mir den Schluß nicht vorlesen, gewiß hat Sie da was Schönes vor den Herrn Stolzius.

MARIE. Das geht dich nichts an.

CHARLOTTE. Nu seht doch, bin ich denn schon schalu darüber gewesen? Ich hätt ja ebenso gut schreiben können, als du, aber ich habe dir das Vergnügen nicht berauben wollen, deine Hand zur Schau zu stellen.

MARIE. Hör, Lotte, laß mich zufrieden mit dem Stolzius, ich sag dir's, oder ich geh gleich herunter, und klag's dem Papa.

CHARLOTTE. Denk doch, was mach ich mir daraus, er weiß ja doch, daß du verliebt in ihn bist, und daß du's nur nicht leiden kannst, wenn ein andrer ihn nur mit Namen nennt.

MARIE. Lotte. (*Fängt an zu weinen und läuft herunter.*)

## Zweite Szene

### In Armentieres

STOLZIUS *und seine* MUTTER.

STOLZIUS (*mit verbundenem Kopf*). Mir ist nicht wohl, Mutter!

MUTTER (*steht eine Weile und sieht ihn an*). Nu, ich glaube, Ihm steckt das verzweifelte Mädel im Kopf, darum tut er Ihm so weh. Seit sie weggereist ist, hat Er keine vergnügte Stunde mehr.

STOLZIUS. Aus Ernst, Mutter, mir ist nicht recht.

MUTTER. Nu, wenn du mir gute Worte gibst, so will ich dir das Herz wohl leichter machen. (*Zieht einen Brief heraus.*)

STOLZIUS (*springt auf*). Sie hat Euch geschrieben?

MUTTER. Da, kannst du's lesen.

(*Stolzius reißt ihn ihr aus der Hand, und verschlingt den Brief mit den Augen.*)

Aber hör, der Obriste will das Tuch ausgemessen haben für die Regimenter.

STOLZIUS. Laßt mich den Brief beantworten, Mutter.

MUTTER. Hanns Narr, ich rede vom Tuch, das der Obrist bestellt hat für die Regimenter. Kommt denn –

## Dritte Szene

### In Lille

MARIE. DESPORTES.

DESPORTES. Was machen Sie denn da, meine göttliche Mademoiselle?

MARIE *(die ein Buch weiß Papier vor sich liegen hat, auf dem sie krützelte, steckt schnell die Feder hinters Ohr).* O nichts, nichts, gnädiger Herr – *(Lächelnd.)* Ich schreib gar zu gern.

DESPORTES. Wenn ich nur so glücklich wäre, einen von Ihren Briefen, nur eine Zeile von Ihrer schönen Hand zu sehen.

MARIE. O verzeihen Sie mir, ich schreibe gar nicht schön, ich schäme mich von meiner Schrift zu weisen.

DESPORTES. Alles, was von einer solchen Hand kommt, muß schön sein.

MARIE. O Herr Baron, hören Sie auf, ich weiß doch, daß das alles nur Komplimenten sein.

DESPORTES *(kniend).* Ich schwöre Ihnen, daß ich noch in meinem Leben nichts Vollkommeners gesehen habe, als Sie sind.

MARIE *(strickt, die Augen auf ihre Arbeit niedergeschlagen).* Meine Mutter hat mir doch gesagt – sehen Sie, wie falsch Sie sind.

DESPORTES. Ich falsch? Können Sie das von mir glauben, göttliche Mademoiselle? Ist das falsch, wenn ich mich vom Regiment wegstehle, da ich mein Semester doch verkauft habe, und jetzt riskiere, daß, wenn man erfährt, daß ich nicht bei meinen Eltern bin, wie ich vorgab, man mich in Prison wirft, wenn ich wiederkomme, ist das falsch, nur um das Glück zu haben, Sie zu sehen, Vollkommenste?

MARIE *(wieder auf ihre Arbeit sehend).* Meine Mutter hat mir doch oft gesagt, ich sei noch nicht vollkommen ausgewachsen, ich sei in den Jahren, wo man weder schön noch häßlich ist.

(WESENER *tritt herein.*)

WESENER. Ei, sieh doch! gehorsamer Diener, Herr Baron, wie kommt's denn, daß wir wieder einmal die Ehre haben. (*Umarmt ihn.*)

DESPORTES. Ich bin nur auf einige Wochen hier, einen meiner Verwandten zu besuchen, der von Brüssel angekommen ist.

WESENER. Ich bin nicht zu Hause gewesen, werden verzeihen, mein Mariel wird Sie ennuyiert haben; wie befinden sich denn die werten Eltern, werden die Tabatieren doch erhalten haben –

DESPORTES. Ohne Zweifel, ich bin nicht bei ihnen gewesen, wir werden auch noch eine Rechnung miteinander haben, Vaterchen.

WESENER. O das hat gute Wege, es ist ja nicht das erstemal. Die gnädige Frau sind letzten Winter nicht zu unserm Karneval herabgekommen.

DESPORTES. Sie befindet sich etwas unpaß – Waren viel Bälle?

WESENER. So, so, es ließ sich noch halten – Sie wissen, ich komme auf keinen, und meine Töchter noch weniger.

DESPORTES. Aber ist denn das auch erlaubt, Herr Wesener, daß Sie Ihren Töchtern alles Vergnügen so versagen, wie können sie dabei gesund bleiben?

WESENER. O wenn sie arbeiten, werden sie schon gesund bleiben. Meinem Mariel fehlt doch, Gott sei Dank, nichts, und sie hat immer rote Backen.

MARIE. Ja, das läßt sich der Papa nicht ausreden, und ich krieg doch so bisweilen so eng um das Herz, daß ich nicht weiß, wo ich vor Angst in der Stube bleiben soll.

DESPORTES. Sehn Sie, Sie gönnen Ihrer Mademoiselle Tochter kein Vergnügen, und das wird kein einmal Ursach sein, daß sie melancholisch werden wird.

WESENER. Ei was, sie hat Vergnügen genug mit ihren Kame-

rädinnen, wenn sie zusammen sind, hört man sein eigen
Wort nicht.

DESPORTES. Erlauben Sie mir, daß ich die Ehre haben kann,
Ihre Mademoiselle Tochter einmal in die Komödie zu
führen. Man gibt heut ein ganz neues Stück.

MARIE. Ach Papa!

WESENER. Nein – Nein, durchaus nicht, Herr Baron! Nehmen Sie mir's nicht ungnädig, davon kein Wort mehr.
Meine Tochter ist nicht gewohnt, in die Komödie zu
gehen, das würde nur Gerede bei den Nachbarn geben,
und mit einem jungen Herrn von den Milizen dazu.

DESPORTES. Sie sehen, ich bin im Bürgerskleide, wer kennt
mich.

WESENER. Tant pis! ein für allemal, es schickt sich mit keinem jungen Herren; und denn ist es auch noch nicht einmal zum Tisch des Herrn gewesen, und soll schon in die
Komödie und die Staatsdame machen. Kurz und gut, ich
erlaube es nicht, Herr Baron.

MARIE. Aber Papa, wenn den Herrn Baron nun niemand
kennt?

WESENER *(etwas leise)*. Willstu 's Maul halten? Niemand
kennt, tant pis wenn ihn niemand kennt. Werden pardonieren, Herr Baron! so gern als Ihnen den Gefallen tun
wollte, in allen andern Stücken haben zu befehlen.

DESPORTES. A propos, lieber Wesener! wollten Sie mir doch
nicht einige von Ihren Zitternadeln weisen?

WESENER. Sogleich. *(Geht heraus.)*

DESPORTES. Wissen Sie was, mein englisches, mein göttliches
Mariel, wir wollen Ihrem Vater einen Streich spielen.
Heut geht es nicht mehr an, aber übermorgen geben sie
ein fürtreffliches Stück, La chercheuse d'esprit, und die
erste Piece ist der Deserteur – haben Sie hier nicht eine
gute Bekannte?

MARIE. Frau Weyher.

DESPORTES. Wo wohnt sie?

MARIE. Gleich hier, an der Ecke beim Brunnen.

DESPORTES. Da komm ich hin, und da kommen Sie auch hin, so gehn wir miteinander in die Komödie.

(WESENER *kommt mit einer großen Schachtel Zitternadeln. Marie winkt Desportes lächelnd zu.*)

WESENER. Sehen Sie, da sind zu allen Preisen – Diese zu hundert Talern, diese zu funfzig, diese zu hundertfunfzig, wie es befehlen.

DESPORTES (*besieht eine nach der andern, und weist die Schachtel Marien*). Zu welcher rieten Sie mir?

(*Marie lächelt, und sobald der Vater beschäftigt ist, eine herauszunehmen, winkt sie ihm zu.*)

WESENER. Sehen Sie, die spielt gut, auf meine Ehr.

DESPORTES. Das ist wahr. (*Hält sie Marien an den Kopf.*) Sehen Sie auf so schönem Braun, was das für eine Wirkung tut. O hören Sie, Herr Wesener, sie steht Ihrer Tochter gar zu schön, wollen Sie mir die Gnade tun, und sie behalten.

WESENER (*gibt sie ihm lächelnd zurück*). Ich bitte Sie, Herr Baron, das geht nicht an – meine Tochter hat noch in ihrem Leben keine Präsente von den Herren angenommen.

MARIE (*die Augen fest auf ihre Arbeit geheftet*). Ich würde sie auch zudem nicht haben tragen können, sie ist zu groß für meine Frisur.

DESPORTES. So will ich sie meiner Mutter schicken. (*Wickelt sie sorgfältig ein.*)

WESENER (*indem er die andern einschachtelt, brummt etwas heimlich zu Marien*). Zitternadel du selber, sollst in deinem Leben keine auf den Kopf bekommen, das ist kein Tragen für dich.

(*Sie schweigt still und arbeitet fort.*)

DESPORTES. So empfehle ich mich denn, Herr Wesener! Eh ich wegreise, machen wir richtig.

WESENER. Das hat gute Wege, Herr Baron, das hat gute Wege, sein Sie so gütig, und tun uns einmal wieder die Ehre an.

DESPORTES. Wenn Sie mir's erlauben wollen – Adieu Jungfer Marie! (*Geht ab.*)

MARIE. Aber sag Er mir doch, Papa, wie ist Er denn auch?

WESENER. Na, hab ich dir schon wieder nicht recht gemacht. Was verstehst du doch von der Welt, dummes Keuchel.

MARIE. Er hat doch gewiß ein gutes Gemüt, der Herr Baron.

WESENER. Weil er dir ein paar Schmeicheleien und so und so – Einer ist so gut wie der andere, lehr du mich die jungen Milizen nit kennen. Da laufen sie in alle Aubergen und in alle Kaffeehäuser, und erzählen sich, und eh man sich's versieht, wips ist ein armes Mädel in der Leute Mäuler. Ja, und mit der und der Jungfer ist's auch nicht zum besten bestellt, und die und die kenne ich auch, und die hätt ihn auch gern –

MARIE. Papa. *(Fängt an zu weinen.)* Er ist auch immer so grob.

WESENER *(klopft sie auf die Backen).* Du mußt mir das so übel nicht nehmen, du bist meine einzige Freude, Narr, darum trag ich auch Sorge für dich.

MARIE. Wenn Er mich doch nur wollte für mich selber sorgen lassen. Ich bin doch kein klein Kind mehr.


Vierte Szene

In Armentieres

*Der* OBRISTE GRAF SPANNHEIM *am Tisch mit seinem* FELDPREDI-GER, *einem* JUNGEN GRAFEN, *seinem Vetter, und dessen* HOFMEI-STER, HAUDY, *Untermajor,* MARY *und andern Offiziers.*

DER JUNGE GRAF. Ob wir nicht bald wieder eine gute Truppe werden herbekommen?

HAUDY. Das wäre zu wünschen, besonders für unsere junge Herren. Man sagt, Godeau hat herkommen wollen.

HOFMEISTER. Es ist doch in der Tat nicht zu leugnen, daß die Schaubühne eine fast unentbehrliche Sache für eine Garnison ist, c'est à dire eine Schaubühne, wo Geschmack herrscht, wie zum Exempel auf der französischen.

EISENHARDT. Ich sehe nicht ab, wo der Nutzen stecken sollte.

OBRISTER. Das sagen Sie wohl nur so, Herr Pastor, weil Sie
die beiden weißen Läppchen unterm Kinn haben, ich
weiß, im Herzen denken Sie anders.

EISENHARDT. Verzeihen Sie, Herr Obriste! ich bin nie
Heuchler gewesen, und wenn das ein notwendiges Laster
für unsern Stand wäre, so dächt ich, wären doch die
Feldprediger davon wohl ausgenommen, da sie mit vernünftigern Leuten zu tun haben. Ich liebe das Theater
selber, und gehe gern hinein, ein gutes Stück zu sehen,
aber deswegen glaube ich noch nicht, daß es ein so
heilsames Institut für das Corps Officiers sei.

HAUDY. Aber um Gottes willen, Herr Pfaff oder Herr Pfarr,
wie Sie da heißen, sagen Sie mir einmal, was für Unordnungen werden nicht vorgebeugt oder abgehalten durch
die Komödie. Die Offiziers müssen doch einen Zeitvertreib haben?

EISENHARDT. Mit aller Mäßigung, Herr Major! Sagen Sie
lieber, was für Unordnungen werden nicht eingeführt
unter den Offiziers durch die Komödie.

HAUDY. Das ist nun wieder so in den Tag hinein räsoniert.
Kurz und gut, Herr, *(lehnt sich mit beiden Ellenbogen auf den
Tisch)* ich behaupte Ihnen hier, daß eine einzige Komödie,
und wenn's die ärgste Farce wäre, zehnmal mehr Nutzen,
ich sage nicht unter den Offiziers allein, sondern im
ganzen Staat, angerichtet hat, als alle Predigten zusammengenommen, die Sie und Ihresgleichen in Ihrem ganzen Leben gehalten haben und halten werden.

OBRISTER *(winkt Haudy unwillig)*. Major!

EISENHARDT. Wenn ich mit Vorurteilen für mein Amt einge-
nommen wäre, Herr Major, so würde ich böse werden.
So aber wollen wir alles das beiseite setzen, weil ich weder
Sie noch viele von den Herren für fähig halte, den eigentlichen Nutzen unsers Amts in Ihrem ganzen Leben beurteilen zu können, und wollen nur bei der Komödie
bleiben, und den erstaunenden Nutzen betrachten, den
sie für die Herren vom Corps haben soll. Ich bitte Sie, be-

antworten Sie mir eine einzige Frage, was lernen die Herren dort?

MARY. Ei was, muß man denn immer lernen, wir amüsieren uns, ist das nicht genug.

EISENHARDT. Wollte Gott, daß Sie sich bloß amüsierten, daß Sie nicht lernten! So aber ahmen Sie nach, was Ihnen dort vorgestellt wird, und bringen Unglück und Fluch in die Familien.

OBRISTER. Lieber Herr Pastor, Ihr Enthusiasmus ist löblich, aber er schmeckt nach dem schwarzen Rock, nehmen Sie mir's nicht übel. Welche Familie ist noch je durch einen Offizier unglücklich geworden? Daß ein Mädchen einmal ein Kind kriegt, das es nicht besser haben will.

HAUDY. Eine Hure wird immer eine Hure, sie gerate unter welche Hände sie will; wird's keine Soldatenhure, so wird's eine Pfaffenhure.

EISENHARDT. Herr Major, es verdrießt mich, daß Sie immer die Pfaffen mit ins Spiel mengen, weil Sie mich dadurch verhindern, Ihnen freimütig zu antworten. Sie könnten denken, es mische sich persönliche Bitterkeit in meine Reden, und wenn ich in Feuer gerate, so schwöre ich Ihnen doch, daß es bloß die Sache ist, von der wir sprechen, nicht Ihre Spöttereien und Anzüglichkeiten über mein Amt. Das kann durch alle dergleichen witzige Einfälle weder verlieren noch gewinnen.

HAUDY. Na, so reden Sie, reden Sie, schwatzen Sie, dafür sind wir ja da, wer verbietet es Ihnen?

EISENHARDT. Was Sie vorhin gesagt haben, war ein Gedanke, der eines Nero oder Oglei Oglu Seele würdig gewesen wäre, und auch da bei seiner ersten Erscheinung vielleicht Grausen würde verursacht haben. Eine Hure wird immer eine Hure. Kennen Sie das andere Geschlecht so genau?

HAUDY. Herr, Sie werden es mich nicht kennen lehren.

EISENHARDT. Sie kennen es von den Meisterstücken Ihrer Kunst vielleicht; aber erlauben Sie mir, Ihnen zu sagen, eine Hure wird niemals eine Hure, wenn sie nicht dazu gemacht wird. Der Trieb ist in allen Menschen, aber jedes Frauenzimmer weiß, daß sie dem Triebe ihre ganze künftige Glückseligkeit zu danken hat, und wird sie die aufopfern, wenn man sie nicht drum betrügt?

HAUDY. Red ich denn von honetten Mädchen?

EISENHARDT. Eben die honetten Mädchen müssen zittern vor Ihren Komödien, da lernen Sie die Kunst, sie malhonett zu machen.

MARY. Wer wird so schlecht denken.

HAUDY. Der Herr hat auch ein verfluchtes Maul über die Officiers. Element, wenn mir ein anderer das sagte. Meint Er Herr denn, wir hören auf Honettehommes zu sein, sobald wir in Dienste treten.

EISENHARDT. Ich wünsche Ihnen viel Glück zu diesen Gesinnungen. Solang ich aber noch entretenierte Mätressen und unglückliche Bürgerstöchter sehen werde, kann ich meine Meinung nicht zurücknehmen.

HAUDY. Das verdiente einen Nasenstüber.

EISENHARDT *(steht auf).* Herr, ich trag nur einen Degen.

OBRISTER. Major, ich bitt Euch – Herr Eisenhardt hat nicht unrecht, was wollt Ihr von ihm. Und der erste, der ihm zu nahe kommt – setzen Sie sich, Herr Pastor, er soll Ihnen Genugtuung geben.

*(Haudy geht hinaus.)*

Aber Sie gehen auch zu weit, Herr Eisenhardt, mit alledem. Es ist kein Offizier, der nicht wissen sollte, was die Ehre von ihm fodert.

EISENHARDT. Wenn er Zeit genug hat, dran zu denken. Aber werden ihm nicht in den neuesten Komödien die gröbsten Verbrechen gegen die heiligsten Rechte der Väter und Familien unter so reizenden Farben vorgestellt, den giftigsten Handlungen so der Stachel genommen, daß ein Bösewicht dasteht, als ob er ganz neulich vom Himmel gefallen wäre. Sollte das nicht aufmuntern, sollte das nicht alles ersticken, was das Gewissen aus der Eltern Hause mitgebracht haben kann. Einen wachsamen Vater zu betrügen, oder ein unschuldig Mädchen in Lastern zu unterrichten, das sind die Preisaufgaben, die dort aufgelöst werden.

HAUDY *(im Vorhause mit andern Offiziers: da die Tür aufgeht).* Der verfluchte Schwarzrock –

OBRISTER. Laßt uns ins Kaffeehaus gehn, Pfarrer, Sie sind mir die Revanche im Schach schuldig – und Adjutant! wollten Sie doch den Major Haudy für heut bitten, nicht aus seiner Stube zu gehen. Sagen Sie ihm, ich werde ihm morgen früh seinen Degen selber wiederbringen.

## Fünfte Szene

### In Lille

WESENER *sitzt und speist zu Nacht mit seiner Frau und ältesten Tochter.* MARIE *tritt ganz geputzt herein.*

MARIE *(fällt ihn um den Hals).* Ach Papa! Papa!

WESENER *(mit vollem Munde).* Was is's, was fehlt dir?

MARIE. Ich kann's Ihm nicht verhehlen, ich bin in der Komödie gewesen. Was das für Dings ist.
*(Wesener rückt seinen Stuhl vom Tisch weg, und kehrt das Gesicht ab.)*

MARIE. Wenn Er gesehen hätte, was ich gesehen habe, Er würde wahrhaftig nicht böse sein, Papa. *(Setzt sich ihm auf den Schoß.)* Lieber Papa, was das für Dings alles durcheinander ist, ich werde die Nacht nicht schlafen können für lauter Vergnügen. Der gute Herr Baron!

WESENER. Was, der Baron hat dich in die Komödie geführt?

MARIE *(etwas furchtsam).* Ja, Papa – lieber Papa!

WESENER *(stößt sie von seinem Schoß).* Fort von mir, du Luder, – willst die Mätresse vom Baron werden?

MARIE *(mit dem Gesicht halb abgekehrt, halb weinend).* Ich war bei der Weyhern – und da stunden wir an der Tür – *(stotternd)* und da redt' er uns an.

WESENER. Ja, lüg nur, lüg nur dem Teufel ein Ohr ab – geh mir aus den Augen, du gottlose Seele.

CHARLOTTE. Das hätt ich dem Papa wollen voraussagen, daß es so gehen würde. Sie haben immer Heimlichkeiten miteinander gehabt, sie und der Baron.

MARIE *(weinend)*. Willst du das Maul halten.

CHARLOTTE. Denk doch, vor dir gewiß nicht; will noch kommandieren dazu, und führt sich so auf.

MARIE. Nimm dich nur selber in acht mit deinem jungen Herrn Heidevogel. Wenn ich mich so schlecht aufführte, als du.

WESENER. Wollt ihr schweigen? *(Zu Mariel.)* Fort in deine Kammer, den Augenblick, du sollst heut nicht zu Nacht essen – schlechte Seele!

*(Marie geht fort.)*

Und schweig du auch nur, du wirst auch nicht engelrein sein. Meinst du, kein Mensch sieht's, warum der Herr Heidevogel so oft ins Haus kommt?

CHARLOTTE. Das ist alles das Mariel schuld. *(Weint.)* Die gottsvergeßne Alleweltshure will honette Mädels in Blame bringen, weil sie so denkt.

WESENER *(sehr laut)*. Halt's Maul! Marie hat ein viel zu edles Gemüt, als daß sie von dir reden sollte, aber du schalusierst auf deine eigene Schwester; weil du nicht so schön bist als sie, sollst du zum wenigsten besser denken. Schäm dich – *(Zur Magd.)* Nehmt ab, ich esse nichts mehr.

*(Schiebt Teller und Serviette fort, wirft sich in einen Lehnstuhl, und bleibt in tiefen Gedanken sitzen.)*

## Sechste Szene

Mariens Zimmer

*Sie sitzt auf ihrem Bette, hat die Zitternadel in der Hand, und spiegelt damit, in den tiefsten Träumereien. Der Vater tritt herein, sie fährt auf und sucht die Zitternadel zu verbergen.*

MARIE. Ach Herr Jesus – –

WESENER. Na, so mach Sie doch das Kind nicht. *(Geht einigemal auf und ab, dann setzt er sich zu ihr.)* Hör, Mariel! du weißt, ich bin dir gut, sei du nur recht aufrichtig gegen mich, es wird dein Schade nicht sein. Sag mir, hat dir der Baron was von der Liebe vorgesagt?

MARIE *(sehr geheimnisvoll)*. Papa! – er ist verliebt in mich, das ist wahr. Sieht Er einmal, diese Zitternadel hat er mir auch geschickt.

WESENER. Was tausend Hagelwetter – Potz Mord noch einmal, *(nimmt ihr die Zitternadel weg)* hab ich dir nicht verboten –

MARIE. Aber, Papa, ich kann doch so grob nicht sein, und es ihm abschlagen. Ich sag Ihm, er hat getan, wie wütend, als ich's nicht annehmen wollte, *(läuft nach dem Schrank)* hier sind auch Verse, die er auf mich gemacht hat. *(Reicht ihm ein Papier.)*

WESENER *(liest laut)*.

Du höchster Gegenstand von meinen reinen Trieben.
Ich bet dich an, ich will dich ewig lieben.
Weil die Versicherung von meiner Lieb und Treu,
Du allerschönstes Licht, mit jedem Morgen neu.
Du allerschönstes Licht, ha, ha, ha.

MARIE. Wart Er, ich will Ihm noch was weisen, er hat mir auch ein Herzchen geschenkt mit kleinen Steinen besetzt in einem Ring. *(Wieder zum Schrank. Der Vater besieht es gleichgültig.)*

WESENER *(liest noch einmal)*. Du höchster Gegenstand von

meinen reinen Trieben. *(Steckt die Verse in die Tasche.)* Er
denkt doch honett, seh ich. Hör aber, Mariel, was ich dir
sage, du mußt kein Präsent mehr von ihm annehmen. Das
gefällt mir nicht, daß er dir so viele Präsente macht.

MARIE. Das ist sein gutes Herz, Papa.

WESENER. Und die Zitternadel gib mir her, die will ich ihm
zurückgeben. Laß mich nur machen, ich weiß schon, was
zu deinem Glück dient, ich hab länger in der Welt gelebt,
als du, mein' Tochter, und du kannst nur immer allesfort
mit ihm in die Komödie gehn, nur nimm jedesmal die
Madam Weyher mit, und laß dir nur immer nichts davon
merken, als ob ich davon wüßte, sondern sag nur, daß er's
recht geheim hält, und daß ich sehr böse werden würde,
wenn ich's erführe. Nur keine Präsente von ihm angenommen, Mädel, um Gottes willen!

MARIE. Ich weiß wohl, daß der Papa mir nicht übel raten
wird. *(Küßt ihm die Hand.)* Er soll sehn, daß ich Seinem Rat
in allen Stücken folgen werde. Und ich werde Ihm alles
wiedererzählen, darauf kann Er sich verlassen.

WESENER. Na, so denn. *(Küßt sie.)* Kannst noch einmal gnädige Frau werden, närrisches Kind. Man kann nicht wissen, was einem manchmal für ein Glück aufgehoben
ist.

MARIE. Aber, Papa, *(etwas leise)* was wird der arme Stolzius
sagen?

WESENER. Du mußt darum den Stolzius nicht so gleich
abschrecken, hör einmal. – Nu, ich will dir schon sagen,
wie du den Brief an ihn einzurichten hast. Unterdessen
schlaf Sie gesund, Meerkatze.

MARIE *(küßt ihm die Hand).* Gute Nacht, Pappuschka! – *(Da er
fort ist, tut sie einen tiefen Seufzer, und tritt ans Fenster, indem sie
sich aufschnürt.)* Das Herz ist mir so schwer. Ich glaube, es
wird gewittern die Nacht. Wenn es einschlüge – *(Sieht in
die Höhe, die Hände über ihre offene Brust schlagend.)* Gott!
was hab ich denn Böses getan? – – Stolzius – ich lieb dich
ja noch – aber wenn ich nun mein Glück besser machen

kann – und Papa selber mir den Rat gibt, *(zieht die Gardine vor)* trifft mich's, so trifft mich's, ich sterb nicht anders als gerne. *(Löscht ihr Licht aus.)*


# Zweiter Akt


## Erste Szene

### In Armentieres

HAUDY *und* STOLZIUS *spazieren an der Lys.*

HAUDY. Er muß sich dadurch nicht gleich ins Bockshorn jagen lassen, guter Freund! ich kenne den Desportes, er ist ein Spitzbube, der nichts sucht, als sich zu amüsieren, er wird Ihm darum seine Braut nicht gleich abspenstig machen wollen.

STOLZIUS. Aber das Gerede, Herr Major! Stadt und Land ist voll davon. Ich könnte mich den Augenblick ins Wasser stürzen, wenn ich dem Ding nachdenke.

HAUDY *(faßt ihn unterm Arm).* Er muß sich das nicht so zu Herzen gehn lassen, zum Teufel! Man muß viel über sich reden lassen in der Welt. Ich bin Sein bester Freund, das kann Er versichert sein, und ich würd es Ihm gewiß sagen, wenn Gefahr dabei wäre. Aber es ist nichts, Er bildt sich das nur so ein, mach Er nur, daß die Hochzeit noch diesen Winter sein kann, solange wir noch hier in Garnison liegen, und macht Ihm der Desportes alsdenn die geringste Unruhe, so bin ich Sein Mann, es soll Blut kosten, das versichere ich Ihn. Unterdessen kehr Er sich ans Gerede nicht, Er weiß wohl, die Jungfern, die am bravsten sind, von denen wird das meiste dumme Zeug räsoniert, das ist ganz natürlich, daß sich die jungen Fats zu rächen suchen, die nicht haben ankommen können.

## Zweite Szene

### Das Kaffeehaus

EISENHARDT *und* PIRZEL *im Vordergrunde, auf einem Sofa und trinken Kaffee. Im Hintergrunde eine Gruppe Offiziers schwatzend und lachend.*

EISENHARDT *(zu Pirzel)*. Es ist lächerlich, wie die Leute alle um den armen Stolzius herschwärmen, wie Fliegen um einen Honigkuchen. Der zupft ihn da, der stößt ihn hier, der geht mit ihm spazieren, der nimmt ihn mit ins Cabriolet, der spielt Billard mit ihm, wie Jagdhunde die Witterung haben. Und wie augenscheinlich sein Tuchhandel zugenommen hat, seitdem man weiß, daß er die schöne Jungfer heuraten wird, die neulich hier durchgegangen.

PIRZEL *(faßt ihn an die Hand mit viel Energie)*. Woher kommt's, Herr Pfarrer? Daß die Leute nicht denken. *(Steht auf in einer sehr malerischen Stellung, halb nach der Gruppe zugekehrt.)* Es ist ein vollkommenstes Wesen. Dieses vollkommenste Wesen kann ich entweder beleidigen, oder nicht beleidigen.

EINER AUS DER GESELLSCHAFT *(kehrt sich um)*. Nun fängt er schon wieder an?

PIRZEL *(sehr eifrig)*. Kann ich es beleidigen, *(kehrt sich ganz gegen die Gesellschaft)* so würde es aufhören, das Vollkommenste zu sein.

EIN ANDRER AUS DER GESELLSCHAFT. Ja, ja, Pirzel, du hast recht, du hast ganz recht.

PIRZEL *(kehrt sich geschwind zum Feldprediger)*. Kann ich es nicht beleidigen – *(Faßt ihn an die Hand, und bleibt stockstill in tiefen Gedanken.)*

ZWEI, DREI AUS DEM HAUFEN. Pirzel, zum Teufel! redst du mit uns?

PIRZEL *(kehrt sich sehr ernsthaft zu ihnen)*. Meine liebe Kameraden, ihr seid verehrungswürdige Geschöpfe Gottes, also kann ich euch nicht anders als respektieren und hochach-

ten, ich bin auch ein Geschöpf Gottes, also müßt ihr mich
gleichfalls in Ehren halten.

EINER. Das wollten wir dir auch raten.

PIRZEL *(kehrt sich wieder zum Pfarrer).* Nun –

EISENHARDT. Herr Hauptmann, ich bin in allen Stücken
Ihrer Meinung. Nur war die Frage, wie es den Leuten in
den Kopf gebracht werden könnte, vom armen Stolzius
abzulassen, und nicht Eifersucht und Argwohn in zwei
Herzen zu werfen, die vielleicht auf ewig einander glücklich gemacht haben würden.

PIRZEL *(der sich mittlerweile gesetzt hatte, steht wieder sehr hastig
auf).* Wie ich Ihnen die Ehre und das Vergnügen hatte zu
sagen, Herr Pfarrer! das macht, weil die Leute nicht
denken. Denken, denken, was der Mensch ist, das ist ja
meine Rede. *(Faßt ihn an die Hand.)* Sehen Sie, das ist Ihre
Hand, aber was ist das, Haut, Knochen, Erde, *(klopft ihm
auf den Puls)* da, da steckt es, das ist nur die Scheide, da
steckt der Degen drein, im Blut, im Blut – *(Sieht sich
plötzlich herum, weil Lärm wird.)*

*(*HAUDY *tritt herein mit großem Geschrei.)*

HAUDY. Leute, nun hab ich ihn, es ist der frömmste Herrgott
von der Welt. *(Brüllt entsetzlich.)* Madam Roux! gleich
lassen Sie Gläser schwenken, und machen uns guten
Punsch zurecht. Er wird gleich hier sein, ich bitte euch,
geht mir artig mit dem Menschen um.

EISENHARDT *(bückt sich vor).* Wer, Herr Major, wenn's erlaubt ist –

HAUDY *(ohne ihn anzusehen).* Nichts, ein guter Freund von
mir.

*(Die ganze Gesellschaft drängt sich um Haudy.)*

EINER. Hast du ihn ausgefragt, wird die Hochzeit bald sein?

HAUDY. Leute, ihr müßt mich schaffen lassen, sonst verderbt
ihr mir den ganzen Handel. Er hat ein Zutrauen zu mir,
sag ich euch, wie zum Propheten Daniel, und wenn einer
von euch sich darein mengt, so ist alles verschissen. Er
ist ohnedem eifersüchtig genug, das arme Herz; der Des-

portes macht ihm grausam zu schaffen, und ich hab ihn
mit genauer Not gehalten, daß er nicht ins Wasser sprang.
Mein Pfiff ist, ihm Zutrauen zu seinem Weibe beizubringen, er muß sie wohl kennen, daß sie keine von den
sturmfesten ist. Das sei euch also zur Nachricht, daß ihr
mir den Menschen nicht verderbt.

RAMMLER. Was willst du doch reden, ich kenn ihn besser als
du, er hat eine feine Nase, das glaub du mir nur.

HAUDY. Und du eine noch feinere, merk ich.

RAMMLER. Du meinst, das sei das Mittel, sich bei ihm
einzuschmeicheln, wenn man ihm Gutes von seiner Braut
sagt. Du irrst dich, ich kenn ihn besser, grad das Gegenteil. Er stellt sich, als ob er dir's glaubte, und schreibt es
sich hinter die Ohren. Aber wenn man ihm seine Frau
verdächtig macht, so glaubt er, daß wir's aufrichtig mit
ihm meinen –

HAUDY. Mit deiner erhabenen Politik, Rotnase! Willst du
dem Kerl den Kopf toll machen, meinst du, er hat nicht
Grillen genug drin. Und wenn er sie sitzen läßt, oder sich
aufhängt – so hast du's darnach. Nicht wahr, Herr Pfarrer, eines Menschen Leben ist doch kein Pfifferling?

EISENHARDT. Ich menge mich in Ihren Kriegsrat nicht.

HAUDY. Sie müssen mir aber doch recht geben?

PIRZEL. Meine werten Brüder und Kameraden, tut niemand
Unrecht. Eines Menschen Leben ist ein Gut, das er sich
nicht selber gegeben hat. Nun aber hat niemand ein Recht
auf ein Gut, das ihm von einem andern ist gegeben
worden. Unser Leben ist ein solches Gut –

HAUDY (*faßt ihn an die Hand*). Ja, Pirzel, du bist der bravste
Mann, den ich kenne, (*setzt sich zwischen ihn und den Pfarrer*)
aber der Jesuit (*den Pfarr umarmend*) der gern selber möchte
Hahn im Korbe sein.

RAMMLER (*setzt sich auf die andere Seite zum Pfarrer, und zischelt
ihm in die Ohren*). Herr Pfarrer, Sie sollen nur sehen, was
ich dem Haudy für einen Streich spielen werde.

(STOLZIUS *tritt herein. Haudy springt auf.*)

HAUDY. Ach, mein Bester! kommen Sie, ich habe ein gut
Glas Punsch für uns bestellen lassen, der Wind hat uns
vorhin so durchgeweht. *(Führt ihn an einen Tisch.)*

STOLZIUS *(den Hut abziehend zu den übrigen)*. Meine Herren,
Sie werden mir vergeben, daß ich so dreist bin, auf Ihr
Kaffeehaus zu kommen, es ist auf Befehl des Herrn Major
geschehen.
*(Alle ziehen die Hüte ab, sehr höflich, und schneiden Komplimen-
ten. Rammler steht auf, und geht näher.)*

RAMMLER. O gehorsamer Diener, es ist uns eine besondere
Ehre.

STOLZIUS *(rückt noch einmal den Hut, etwas kaltsinnig, und setzt
sich zu Haudy)*. Es geht ein so scharfer Wind draußen, ich
meine, wir werden Schnee bekommen.

HAUDY *(eine Pfeife stopfend)*. Ich glaub es auch. – Sie rauchen
doch, Herr Stolzius?

STOLZIUS. Ein wenig.

RAMMLER. Ich weiß nicht, wo denn unser Punsch bleibt,
Haudy, *(steht auf)* was die verdammte Roux so lange
macht.

HAUDY. Bekümmere dich um deine Sachen. *(Brüllt mit einer
erschrecklichen Stimme.)* Madam Roux! Licht her – und
unser Punsch, wo bleibt er?

STOLZIUS. O mein Herr Major, als ich Ihnen Ungelegenheit
machen sollte, würd es mir sehr von Herzen leid tun.

HAUDY. Ganz und gar nicht, lieber Freund, *(präsentiert ihm
die Pfeife)* die Lysluft kann doch wahrhaftig der Gesundheit nicht gar zu zuträglich sein.

RAMMLER *(setzt sich zu ihnen an den Tisch)*. Haben Sie neulich
Nachrichten aus Lille gehabt. Wie befindet sich Ihre
Jungfer Braut.
*(Haudy macht ihm ein Paar fürchterliche Augen, er bleibt lä-
chelnd sitzen.)*

STOLZIUS *(verlegen)*. Zu Ihren Diensten, mein Herr – aber ich
bitte gehorsamst um Verzeihung, ich weiß noch von
keiner Braut, ich habe keine.

RAMMLER. Die Jungfer Wesener aus Lille, ist sie nicht Ihre Braut? Der Desportes hat es mir doch geschrieben, daß Sie verlobt wären.

STOLZIUS. Der Herr Desportes müßte es denn besser wissen, als ich.

HAUDY *(rauchend)*. Der Rammler schwatzt immer in die Welt hinein, ohne zu wissen, was er redt und was er will.

EINER AUS DEM HAUFEN. Ich versichere Ihnen, Herr Stolzius, Desportes ist ein ehrlicher Mann.

STOLZIUS. Daran habe ich ja gar nicht gezweifelt.

HAUDY. Ihr Leute wißt viel vom Desportes. Wenn ihn ein Mensch kennen kann, so muß ich es doch wohl sein, er ist mir von seiner Mutter rekommandiert worden, als er ans Regiment kam, und hat nichts getan, ohne mich zu Rat zu ziehen. Aber ich versichere Ihnen, Herr Stolzius, daß Desportes ein Mensch ist, der Sentiment und Religion hat.

RAMMLER. Und wir sind Schulkameraden miteinander gewesen. Keinen blödern Menschen mit dem Frauenzimmer habe ich noch in meinem Leben gesehen.

HAUDY. Das ist wahr, darin hat er recht. Er ist nicht im Stande, ein Wort hervorzubringen, sobald ihn ein Frauenzimmer freundlich ansieht.

RAMMLER *(mit einer pedantisch plumpen Verstellung)*. Ich glaube in der Tat – wo mir recht ist – ja es ist wahr, er korrespondiert noch mit ihr, ich habe den Tag seiner Abreise einen Brief gelesen, den er an eine Mademoiselle in Brüssel schrieb, in die er ganz zum Erstaunen verliebt war. Er wird sie wohl nun bald heuraten, denke ich.

EINER AUS DER GESELLSCHAFT. Ich kann nur nicht begreifen, was er so lang in Lille macht.

HAUDY. Wetter Element, wo bleibt unser Punsch denn – Madam Roux!!!

RAMMLER. In Lille? O das kann euch niemand erklären, als ich. Denn ich weiß um alle seine Geheimnisse. Aber es läßt sich nicht öffentlich sagen.

HAUDY *(verdrüßlich)*. So sag heraus, Narre! was hältst du hinter dem Berge.

RAMMLER *(lächelnd)*. Ich kann euch nur so viel sagen, daß er eine Person dort erwartet, mit der er in der Stille fortreisen will.

STOLZIUS *(steht auf und legt die Pfeife weg)*. Meine Herren, ich habe die Ehre mich Ihnen zu empfehlen.

HAUDY *(erschrocken)*. Was ist – wohin liebster Freund – wir werden den Augenblick bekommen.

STOLZIUS. Sie nehmen mir's nicht übel – mir ist der Moment etwas zugestoßen.

HAUDY. Was denn? – Der Punsch wird Ihnen gut tun, ich versichere Sie.

STOLZIUS. Daß ich mich nicht wohl befinde, lieber Herr Major. Sie werden mir verzeihen – erlauben Sie – aber ich kann keinen Augenblick länger hier bleiben, oder ich falle um –

HAUDY. Das ist die Rheinluft – oder war der Tabak zu stark?

STOLZIUS. Leben Sie wohl. *(Geht wankend ab.)*

HAUDY. Da haben wir's. Mit euch verfluchten Arschgesichtern!

RAMMLER. Ha, ha, ha, ha – *(Besinnt sich eine Weile, herumgehend.)* Ihr dummen Teufels, seht ihr denn nicht, daß ich das alles mit Fleiß angestellt habe – Herr Pfarrer, hab ich's Ihnen nicht gesagt?

EISENHARDT. Lassen Sie mich aus dem Spiel, ich bitte Sie.

HAUDY. Du bist eine politische Gans, ich werde dir das Genick umdrehen.

RAMMLER. Und ich brech dir Arm und Bein entzwei, und werf sie zum Fenster hinaus. *(Spaziert throsonisch umher.)* Ihr kennt meine Finten noch nicht.

HAUDY. Ja du steckst voll Finten, wie ein alter Pelz voll Läuse. Du bist ein Kerl zum Speien mit deiner Politik.

RAMMLER. Und ich pariere, daß ich dich und all euch Leute hier beim Stolzius in Sack stecke, wenn ich's darauf ansetze.

HAUDY. Hör, Rammler! es ist nur schade, daß du ein bißchen zu viel Verstand bekommen hast, denn er macht sich
selber zunicht, es geht dir, wie einer allzuvollen Bouteille,
die man umkehrt, und doch kein Tropfen herausläuft,
weil einer dem andern im Wege steht. Geh, geh, wenn ich
eine Frau habe, geb ich dir die Erlaubnis, bei ihr zu
schlafen, wenn du sie dahin bringen kannst.

RAMMLER *(sehr schnell auf und ab gehend).* Ihr sollt nur sehen,
was ich aus dem Stolzius noch machen will. *(Ab.)*

HAUDY. Der Kerl macht einem das Gallenfieber mit seiner
Dummheit. Er kann nichts als andern Leuten das Konzept
verderben.

EINER. Das ist wahr, er mischt sich in alles.

MARY. Er hat den Kopf immer voll Intrigen und Ränken,
und meint, andere Leute können ebenso wenig darohne
leben, als er. Letzt sagt ich dem Reitz ins Ohr, er möcht
mir doch auf morgen seine Sporen leihen, ist er mir nicht
den ganzen Tag nachgegangen, und hat mich um Gottes
willen gebeten, ich möcht ihm sagen, was wir vorhätten.
Ich glaub, es ist ein Staatsmann an ihm verdorben.

EIN ANDRER. Neulich stellt ich mich an ein Haus, einen
Brief im Schatten zu lesen, er meinte gleich, es wär ein
Liebesbrief, der mir aus dem Hause wär herabgeworfen
worden, und ist die ganze Nacht bis um zwölf Uhr um
das Haus herumgeschlichen. Ich dachte, ich sollte auf-
bersten für Lachen, es wohnt ein alter Jude von sechzig
Jahren in dem Hause, und er hatte überall an die Straße
Schildwachten ausgestellt, die mir auflauren sollten, und
ihm ein Zeichen geben, wenn ich hereinginge. Ich habe
einem von den Kerls mit drei Livres das ganze Geheimnis
abgekauft; ich dacht, ich sollte rasend werden.

ALLE. Ha, ha, ha, und er meint', es sei ein hübsch Mädchen
drin.

MARY. Hört einmal, wollt ihr einen Spaß haben, der echt ist,
so wollen wir den Juden avertieren, es sei einer da, der
Absichten auf sein Geld habe.

HAUDY. Recht, recht, daß euch die Schwerenot, wollen wir gleich zu ihm gehen. Das soll uns eine Komödie geben, die ihresgleichen nicht hat. Und du, Mary, bring ihn nur immer mehr auf die Gedanken, daß da die schönste Frau in ganz Armentieres wohnt, und daß Gilbert dir anvertraut hat, er werde diese Nacht zu ihr gehn.

## Dritte Szene

### In Lille

MARIE *weinend auf einem Lehnstuhl, einen Brief in der Hand.* DESPORTES *tritt herein.*

DESPORTES. Was fehlt Ihnen, mein goldnes Mariel, was haben Sie?

MARIE *(will den Brief in die Tasche stecken).* Ach –

DESPORTES. Ums Himmels willen, was ist das für ein Brief, der Ihnen Tränen verursachen kann?

MARIE *(etwas leiser).* Sehen Sie nur, was mir der Mensch, der Stolzius, schreibt, recht als ob er ein Recht hätte, mich auszuschelten. *(Weint wieder.)*

DESPORTES *(liest stille).* Das ist ein impertinenter Esel. Aber sagen Sie mir, warum wechseln Sie Briefe mit solch einem Hundejungen?

MARIE *(trocknet sich die Augen).* Ich will Ihnen nur sagen, Herr Baron, es ist, weil er angehalten hat um mich, und ich ihm schon so gut als halb versprochen bin.

DESPORTES. Er um Sie angehalten? Wie darf sich der Esel das unterstehen? Warten Sie, ich will ihm den Brief beantworten.

MARIE. Ja, mein lieber Herr Baron! Und Sie können nicht glauben, was ich mit meinem Vater auszustehen habe, er liegt mir immer in den Ohren, ich soll mir mein Glück nicht verderben.

DESPORTES. Ihr Glück – mit solch einem Lümmel. Was

denken Sie doch, liebstes Mariel, und was denkt Ihr
Vater? Ich kenne ja des Menschen seine Umstände. Und
kurz und gut, Sie sind für keinen Bürger gemacht.

MARIE. Nein, Herr Baron, davon wird nichts, das sind nur
leere Hoffnungen, mit denen Sie mich hintergehen. Ihre
Familie wird das nimmermehr zugeben.

DESPORTES. Das ist meine Sorge. Haben Sie Feder und
Dinte, ich will dem Lumpenhund seinen Brief beantworten, warten Sie einmal.

MARIE. Nein, ich will selber schreiben. *(Setzt sich an den Tisch,
und macht das Schreibzeug zurecht, er stellt sich ihr hinter die
Schulter.)*

DESPORTES. So will ich Ihnen diktieren.

MARIE. Das sollen Sie auch nicht. *(Schreibt.)*

DESPORTES *(liest ihr über die Schulter)*. Monsieur – Flegel setzen
Sie dazu. *(Tunkt eine Feder ein und will dazu schreiben.)*

MARIE *(beide Arme über den Brief ausbreitend)*. Herr Baron –
*(Sie fangen an zu scheckern, sobald sie den Arm rückt, macht er
Miene zu schreiben, nach vielem Lachen gibt sie ihm mit der
nassen Feder eine große Schmarre übers Gesicht. Er läuft zum
Spiegel, sich abzuwischen, sie schreibt fort.)*

DESPORTES. Ich belaure Sie doch.
*(Er kommt näher, sie droht ihm mit der Feder, endlich steckt sie
das Blatt in die Tasche, er will sie daran verhindern, sie ringen
zusammen, Marie kützelt ihn, er macht ein erbärmliches Geschrei,
bis er endlich halb atemlos auf den Lehnstuhl fällt.)*

WESENER *(tritt herein)*. Na, was gibt's – die Leute von der
Straße werden bald hereinkommen.

MARIE *(erholt sich)*. Papa, denkt doch, was der grobe Flegel,
der Stolzius, mir für einen Brief schreibt, er nennt mich
Ungetreue! denk doch, als ob ich die Säue mit ihm gehütet
hätte; aber ich will ihm antworten darauf, daß er sich
nicht vermuten soll, der Grobian.

WESENER. Zeig mir her den Brief – ei sieh doch die Jungfer
Zipfersaat – ich will ihn unten im Laden lesen. *(Ab.)*
*(JUNGFER ZIPFERSAAT tritt herein.)*

MARIE *(hier und da launigt herumknicksend)*. Jungfer Zipfersaat,
hier hab ich die Ehre, dir einen Baron zu präsentieren, der
sterblich verliebt in dich ist. Hier, Herr Baron, ist die
Jungfer, von der wir so viel gesprochen haben, und in die
Sie sich neulich in der Komödie so sterblich verschameriert haben.

JUNGFER ZIPFERSAAT *(beschämt)*. Ich weiß nicht, wie du bist,
Mariel.

MARIE *(einen tiefen Knicks)*. Jetzt können Sie Ihre Liebesdeklaration machen.

*(Läuft ab, die Kammertür hinter sich zuschlagend. Jungfer Zipfer-
saat ganz verlegen tritt ans Fenster. Desportes, der sie verächtlich
angesehen, paßt auf Marien, die von Zeit zu Zeit die Kammertür
ein wenig eröffnet. Endlich steckt sie den Kopf heraus: höhnisch.)*
Na, seid ihr bald fertig?

*(Desportes sucht sich zwischen die Tür einzuklemmen, Marie
sticht ihn mit einer großen Stecknadel fort, er schreit und läuft
plötzlich heraus, um durch eine andere Tür in jenes Zimmer zu
kommen. Jungfer Zipfersaat geht ganz verdrüßlich fort, derweil
das Geschrei und Gejauchz im Nebenzimmer fortwährt.*
*Weseners* ALTE MUTTER *kriecht durch die Stube, die Brille auf
der Nase, setzt sich in eine Ecke des Fensters, und strickt und singt,
und krächzt vielmehr mit ihrer alten rauhen Stimme:)*

> Ein Mädele jung ein Würfel ist,
> Wohl auf den Tisch gelegen:
> Das kleine Rösel aus Hennegau
> Wird bald zu Gottes Tisch gehen.

> *(Zählt die Maschen ab.)*

> Was lächelst so froh mein liebes Kind,
> Dein Kreuz wird dir'n schon kommen.
> Wenn's heißt, das Rösel aus Hennegau
> Hab nun einen Mann genommen.

> O Kindlein mein, wie tut's mir so weh,
> Wie dir dein Äugelein lachen,

Und wenn ich die tausend Tränelein seh,
Die werden dein Bäckelein waschen.

*(Indessen dauert das Geschecker im Nebenzimmer fort. Die alte
Frau geht hinein, sie zu berufen.)*

# Dritter Akt

## Erste Szene

### In Armentieres

### Des Juden Haus

RAMMLER *(mit einigen verkleideten Leuten, die er stellt. Zum
letzten)*. Wenn jemand hineingeht, so huste – ich will mich
unter die Treppe verstecken, daß ich ihm gleich nach-
schleichen kann. *(Verkriecht sich unter die Treppe.)*

AARON *(sieht aus dem Fenster)*. Gad, was ein gewaltiger Camplat ist das unter meinem eignen Hause.

*(MARY im Rocklor eingewickelt kommt die Gasse heran, bleibt
unter des Juden Fenster stehen, und läßt ein subtiles Pfeifchen
hören.)*

AARON *(leise herab)*. Sein Sie's, gnädiger Herr?

*(Jener winkt.)*

Ich werde soglach aufmachen.

*(MARY geht die Treppe hinauf. Einer hustet leise. Rammler
schleicht ihm auf den Zehen nach, ohne daß der sich umsieht. Der
Jude macht die Türe auf, beide gehen hinein.)*

*(Der Schauplatz verwandelt sich in das Zimmer des Juden. Es ist
stockdunkel. Mary und Aaron flüstern sich in die Ohren. Rammler schleicht immer von weitem herum, weicht aber gleich zurück,
sobald jene eine Bewegung machen.)*

MARY. Er ist hier drinne.

AARON. O wai mer!

MARY. Still nur, er soll Euch kein Leides tun, laßt mit Euch
machen, was er will, und wenn er Euch auch knebelte, in
einer Minute bin ich wieder bei Euch mit der Wache, es
soll ihm übel genug bekommen. Legt Euch nur zu Bette.

AARON. Wenn er mich aber ams Leben bringt, he?

MARY. Seid nur ohne Sorgen, ich bin im Augenblick wieder
da. Er kann sonst nicht überführt werden. Die Wache
steht hier unten schon parat, ich will sie nur hereinrufen.
Legt Euch – *(Geht hinaus. Der Jude legt sich zu Bette. Rammler
schleicht näher hinan.)*

AARON *(klappt mit den Zähnen)*. Adonai! Adonai!

RAMMLER *(vor sich)*. Ich glaube gar, es ist eine Jüdin. *(Laut,
indem er Marys Stimme nachzuahmen sucht.)* Ach, mein
Schätzchen, wie kalt ist es draußen.

AARON *(immer leiser)*. Adonai!

RAMMLER. Du kennst mich doch, ich bin dein Mann nicht,
ich bin Mary. *(Zieht sich Stiefel und Rock aus.)* Ich glaube,
wir werden noch Schnee bekommen, so kalt ist es.
*(Mary mit einem großen Gefolge Offizieren mit Laternen stürzen
herein, und schlagen ein abscheulich Gelächter auf. Der Jude
richtet sich erschrocken auf.)*

HAUDY. Bist du toll geworden, Rammler, willst du mit dem
Juden Unzucht treiben?

RAMMLER *(steht wie versteinert da. Endlich zieht er seinen Degen)*.
Ich will euch in Kreuzmillionen Stücken zerhauen alle
miteinander. *(Läuft verwirrt heraus. Die andern lachen nur
noch rasender.)*

AARON. Ich bin wäs Gad halb tot gewesen. *(Steht auf. Die
andern laufen alle Rammler nach, der Jude folgt ihnen.)*

## Zweite Szene

Stolzius' Wohnung

*Er sitzt mit verbundenem Kopf an einem Tisch, auf dem eine Lampe brennt, einen Brief in der Hand, seine Mutter neben ihm.*

MUTTER *(die auf einmal sich ereifert)*. Willst du denn nicht schlafen gehen, du gottloser Mensch! So red doch, so sag, was dir fehlt, das Luder ist deiner nicht wert gewesen. Was grämst du dich, was wimmerst du um eine solche – Soldatenhure.

STOLZIUS *(mit dem äußersten Unwillen vom Tisch sich aufrichtend)*. Mutter –

MUTTER. Was ist sie denn anders – du – und du auch, daß du dich an solche Menscher hängst.

STOLZIUS *(faßt ihr beide Hände)*. Liebe Mutter, schimpft nicht auf sie, sie ist unschuldig, der Offizier hat ihr den Kopf verrückt. Seht einmal, wie sie mir sonst geschrieben hat. Ich muß den Verstand verlieren darüber. Solch ein gutes Herz!

MUTTER *(steht auf und stampft mit dem Fuß)*. Solch ein Luder – Gleich zu Bett mit dir, ich befehl es dir. Was soll daraus werden, was soll da herauskommen. Ich will dir weisen, junger Herr, daß ich deine Mutter bin.

STOLZIUS *(an seine Brust schlagend)*. Mariel – nein, sie ist es nicht mehr, sie ist nicht dieselbige mehr – *(Springt auf.)* Laßt mich –

MUTTER *(weint)*. Wohin, du Gottsvergessener?

STOLZIUS. Ich will dem Teufel, der sie verkehrt hat – *(Fällt kraftlos auf die Bank, beide Hände in die Höhe.)* O du sollst mir's bezahlen, du sollst mir's bezahlen. *(Kalt.)* Ein Tag ist wie der andere, was nicht heut kommt, kommt morgen, und was langsam kommt, kommt gut. Wie heißt's in dem Liede, Mutter, wenn ein Vögelein von einem Berge alle Jahr ein Körnlein wegtrüge, endlich würde es ihm doch gelingen.

MUTTER. Ich glaube, du phantasierst schon, *(greift ihm an den Puls)* leg dich zu Bett, Carl, ich bitte dich um Gottes willen. Ich will dich warm zudecken, was wird da herauskommen, du großer Gott, das ist ein hitziges Fieber – um solch eine Metze –

STOLZIUS. Endlich – endlich – – alle Tage ein Sandkorn, ein Jahr hat zehn zwanzig dreißig hundert. *(Die Mutter will ihn fortleiten.)* Laßt mich, Mutter, ich bin gesund.

MUTTER. Komm nur, komm, *(ihn mit Gewalt fortschleppend)* Narre! – Ich werd dich nicht loslassen, das glaub mir nur. *(Ab.)*

## Dritte Szene

### In Lille

JUNGFER ZIPFERSAAT. *Eine* MAGD *aus Weseners Hause.*

JUNGFER ZIPFERSAAT. Sie ist zu Hause, aber sie läßt sich nicht sprechen? Denk doch, ist sie so vornehm geworden?

MAGD. Sie sagt, sie hat zu tun, sie liest in einem Buch.

JUNGFER ZIPFERSAAT. Sag Sie ihr nur, ich hätt ihr etwas zu sagen, woran ihr alles in der Welt gelegen ist.

*(MARIE kommt, ein Buch in der Hand. Mit nachlässigem Ton.)*

MARIE. Guten Morgen, Jungfer Zipfersaat. Warum hat Sie sich nicht gesetzt?

JUNGFER ZIPFERSAAT. Ich kam, Ihr nur zu sagen, daß der Baron Desportes diesen Morgen weggelaufen ist.

MARIE. Was redst du da? *(Ganz außer sich.)*

JUNGFER ZIPFERSAAT. Sie kann es mir glauben, er ist meinem Vetter über die siebenhundert Taler schuldig geblieben, und als sie auf sein Zimmer kamen, fanden sie alles ausgeräumt, und einen Zettel auf dem Tisch, wo er ihnen schrieb, sie sollten sich keine vergebliche Mühe geben, ihm nachzusetzen, er hab seinen Abschied genommen, und wolle in österreichische Dienste gehen.

MARIE *(schluchzend läuft heraus und ruft).* Papa! Papa!

WESENER *(hinter der Szene).* Na, was ist?

MARIE. Komm Er doch geschwind herauf, lieber Papa!

JUNGFER ZIPFERSAAT. Da sieht Sie, wie die Herren Offiziers sind. Das hätt ich Ihr wollen zum voraus sagen.

WESENER *(kommt herein).* Na, was ist – Ihr Diener, Jungfer Zipfersaat.

MARIE. Papa, was sollen wir anfangen? Der Desportes ist weggelaufen.

WESENER. Ei sieh doch, wer erzählt dir denn so artige Histörchen.

MARIE. Er ist dem jungen Herrn Seidenhändler Zipfersaat siebenhundert Taler schuldig geblieben, und hat einen Zettel auf dem Tisch gelassen, daß er in seinem Leben nicht nach Flandern wiederkommen will.

WESENER *(sehr böse).* Was das ein gottloses verdammtes Gered – *(Sich auf die Brust schlagend.)* Ich sag gut für die siebenhundert Taler, versteht Sie mich, Jungfer Zipfersaat? Und für noch einmal soviel, wenn Sie's haben will. Ich hab mit dem Hause über die dreißig Jahr verkehrt, aber das sind die gottvergessenen Neider –

JUNGFER ZIPFERSAAT. Das wird meinem Vetter eine große Freude machen, Herr Wesener, wenn Sie es auf sich nehmen wollen, den guten Namen vom Herrn Baron zu retten.

WESENER. Ich geh mit Ihr, den Augenblick. *(Sucht seinen Hut.)* Ich will den Leuten das Maul stopfen, die sich unterstehen wollen, mir das Haus in übeln Ruf zu bringen, versteht Sie mich.

MARIE. Aber, Papa – *(Ungeduldig.)* O, ich wünschte, daß ich ihn nie gesehen hätte.

*(Wesener und Jungfer Zipfersaat gehen ab. Marie wirft sich in den Sorgstuhl, und nachdem sie eine Weile in tiefen Gedanken gesessen, ruft sie ängstlich.)*

Lotte! – – Lotte!

*(CHARLOTTE kommt.)*

CHARLOTTE. Na, was willst du denn, daß du mich so rufst?

MARIE *(geht ihr entgegen).* Lottchen – mein liebes Lottchen.
*(Ihr unter dem Kinn streichelnd.)*

CHARLOTTE. Na, Gott behüt, wo kommt das Wunder?

MARIE. Du bist auch mein allerbestes Scharlottel, du.

CHARLOTTE. Gewiß will sie wieder Geld von mir leihen.

MARIE. Ich will dir auch alles zu Gefallen tun.

CHARLOTTE. Ei was, ich habe nicht Zeit. *(Will gehen.)*

MARIE *(hält sie).* So hör doch – nur für einen Augenblick –
kannst du mir nicht helfen einen Brief schreiben?

CHARLOTTE. Ich habe nicht Zeit.

MARIE. Nur ein paar Zeilen – ich laß dir auch die Perlen vor
sechs Livres.

CHARLOTTE. An wem denn?

MARIE *(beschämt).* An den Stolzius.

CHARLOTTE *(fängt an zu lachen).* Schlägt Ihr das Gewissen?

MARIE *(halb weinend).* So laß doch –

CHARLOTTE *(setzt sich an den Tisch).* Na, was willst ihm denn
schreiben – Sie weiß, wie ungern ich schreib.

MARIE. Ich hab so ein Zittern in den Händen – schreib so
oben oder in einer Reihe, wie du willst – »Mein liebwertester Freund.«

CHARLOTTE. Mein liebwertester Freund.

MARIE. »Dero haben in Ihrem letzten Schreiben mir billige
Gelegenheit gegeben, da meine Ehre angegriffen.«

CHARLOTTE. Angegriffen.

MARIE. »Indessen müssen nicht alle Ausdrücke auf der
Waagschale legen, sondern auf das Herz ansehen, das
Ihnen« – wart wie ich nun schreiben.

CHARLOTTE. Was weiß ich?

MARIE. So sag doch, wie heißt das Wort nun?

CHARLOTTE. Weiß ich denn, was du ihm schreiben willst.

MARIE. »Daß mein Herz und« – *(Fängt an zu weinen, und wirft
sich in den Lehnstuhl. Charlotte sieht sie an und lacht.)*

CHARLOTTE. Na, was soll ich ihm denn schreiben?

MARIE *(schluchzend).* Schreib was du willst.

CHARLOTTE *(schreibt und liest).* »Daß mein Herz nicht so wankelmütig ist, als Sie es sich vorstellen« – ist's so recht?

MARIE *(springt auf, und sieht ihr über die Schulter).* Ja, so ist's recht, so ist's recht. *(Sie umhalsend.)* Mein altes Scharlottel, du.

CHARLOTTE. Na, so laß Sie mich doch ausschreiben. *(Marie spaziert ein paarmal auf und ab, dann springt sie plötzlich zu ihr, reißt ihr das Papier unter dem Arm weg, und zerreißt's in tausend Stücken.)*

CHARLOTTE *(in Wut).* Na, seht doch – ist das nicht ein Luder – eben da ich den besten Gedanken hatte – aber so eine Canaille ist sie.

MARIE. Canaille vous même.

CHARLOTTE *(droht ihr mit dem Dintenfaß).* Du –

MARIE. Sie sucht einen noch mehr zu kränken, wenn man schon im Unglück ist.

CHARLOTTE. Luder! warum zerreißt du denn, da ich eben im besten Schreiben bin.

MARIE *(ganz hitzig).* Schimpf nicht!

CHARLOTTE *(auch halb weinend).* Warum zerreißt du denn?

MARIE. Soll ich ihm denn vorlügen? *(Fängt äußerst heftig an zu weinen, und wirft sich mit dem Gesicht auf einen Stuhl.)*
*(WESENER tritt herein. Marie sieht auf und fliegt ihm an den Hals.)*

MARIE *(zitternd).* Papa, lieber Papa, wie steht's – um Gottes willen, red Er doch.

WESENER. So sei doch nicht so närrisch, er ist ja nicht aus der Welt, Sie tut ja wie abgeschmackt –

MARIE. Wenn er aber fort ist –

WESENER. Wenn er fort ist, so muß er wiederkommen, ich glaube, Sie hat den Verstand verloren, und will mich auch wunderlich machen. Ich kenne das Haus seit länger als gestern, sie werden doch das nicht wollen auf sich sitzen lassen. Kurz und gut, schick herauf zu unserm Notarius droben, ob er zu Hause ist, ich will den Wechsel, den ich für ihn unterschrieben habe, vidimieren lassen, zugleich

die Kopei von dem Promesse de Mariage und alles den
Eltern schicken.

MARIE. Ach, Papa, lieber Papa! ich will gleich selber laufen,
und ihn holen. *(Läuft über Hals und Kopf ab.)*

WESENER. Das Mädel kann, Gott verzeih mir, einem Louis
quatorze selber das Herz machen in die Hosen fallen.
Aber schlecht ist das auch von Monsieur le Baron, ich will
es bei seinem Herrn Vater schon für ihn kochen, wart du
nur. – Wo bleibt sie denn? *(Geht Marien nach.)*

### Vierte Szene

#### In Armentieres

*Ein Spaziergang auf dem eingegangenen Stadtgraben.* EISENHARDT
*und* PIRZEL *spazieren.*

EISENHARDT. Herr von Mary will das Semester in Lille zu-
bringen, was mag das zu bedeuten haben? Er hat doch
dort keine Verwandte, soviel ich weiß.

PIRZEL. Er ist auch keiner von denen, die es weghaben.
Flüchtig, flüchtig – Aber der Obristlieutenant, das ist ein
Mann.

EISENHARDT *(beiseite).* Weh mir, wie bring ich den Menschen
aus seiner Metaphysik zurück – *(Laut.)* Um den Menschen
zu kennen, müßte man meines Erachtens bei dem Frauenzimmer anfangen.

PIRZEL *(schüttelt mit dem Kopf).*

EISENHARDT *(beiseite).* Was die andern zu viel sind, ist der zu
wenig. O Soldatenstand, furchtbare Ehlosigkeit, was für
Karikaturen machst du aus den Menschen!

PIRZEL. Sie meinen, beim Frauenzimmer – das wär grad, als
ob man bei den Schafen anfinge. Nein, was der Mensch
ist – *(Den Finger an die Nase.)*

EISENHARDT *(beiseite).* Der philosophiert mich zu Tode.
*(Laut.)* Ich habe die Anmerkung gemacht, daß man in

diesem Monat keinen Schritt vors Tor tun kann, wo man nicht einen Soldaten mit einem Mädchen karessieren sieht.

PIRZEL. Das macht, weil die Leute nicht denken.

EISENHARDT. Aber hindert Sie das Denken nicht zuweilen im Exerzieren?

PIRZEL. Ganz und gar nicht, das geht so mechanisch. Haben doch die andern auch nicht die Gedanken beisammen, sondern schweben ihnen alleweile die schönen Mädchens vor den Augen.

EISENHARDT. Das muß seltsame Bataillen geben. Ein ganzes Regiment mit verrückten Köpfen muß Wundertaten tun.

PIRZEL. Das geht alles mechanisch.

EISENHARDT. Ja, aber Sie laufen auch mechanisch. Die preußischen Kugeln müssen Sie bisweilen sehr unsanft aus Ihren süßen Träumen geweckt haben.

*(Gehen weiter.)*


Fünfte Szene

In Lille

Marys Wohnung

MARY. STOLZIUS *als Soldat.*

MARY *(zeichnet, sieht auf).* Wer da, *(sieht ihn lang an und steht auf)* Stolzius?

STOLZIUS. Ja, Herr.

MARY. Wo zum Element kommt Ihr denn her? und in diesem Rock? *(Kehrt ihn um.)* Wie verändert, wie abgefallen, wie blaß? Ihr könntet mir's hundertmal sagen, ihr wärt Stolzius, ich glaubt' es Euch nicht.

STOLZIUS. Das macht der Schnurrbart, gnädiger Herr. Ich hörte, daß Ew. Gnaden einen Bedienten brauchten, und weil ich dem Herrn Obristen sicher bin, so hat er mir die Erlaubnis gegeben, hierherzukommen, um allenfalls

Ihnen einige Rekruten anwerben zu helfen, und Sie zu
bedienen.

MARY. Bravo! Ihr seid ein braver Kerl! und das gefällt mir,
daß Ihr dem König dient. Was kommt auch heraus bei
dem Philisterleben. Und Ihr habt was zuzusetzen, Ihr
könnt honett leben, und es noch einmal weit bringen, ich
will für Euch sorgen, das könnt Ihr versichert sein.
Kommt nur, ich will gleich ein Zimmer für Euch bespre-
chen, Ihr sollt diesen ganzen Winter bei mir bleiben, ich
will es schon gut machen beim Obristen.

STOLZIUS. Solange ich meine Schildwachten bezahle, kann
mir niemand was anhaben.

*(Gehen ab.)*

### Sechste Szene

FRAU WESENERN. MARIE. CHARLOTTE.

FRAU WESENERN. Es ist eine Schande, wie sie mit ihm
umgeht. Ich seh keinen Unterscheid, wie du dem Desportes begegnet bist, so begegnest du ihm auch.

MARIE. Was soll ich denn machen, Mama? Wenn er nun sein
bester Freund ist, und er uns allein noch Nachrichten von
ihm verschaffen kann.

CHARLOTTE. Wenn er dir nicht so viele Präsente machte,
würdest du auch anders mit ihm sein.

MARIE. Soll ich ihm denn die Präsente ins Gesicht zurück-
werfen? Ich muß doch wohl höflich mit ihm sein, da er
noch der einzige ist, der mit ihm korrespondiert. Wenn
ich ihn abschrecke, da wird schön Dings herauskommen,
er fängt ja alle Briefe auf, die der Papa an seinen Vater
schreibt, das hört Sie ja.

FRAU WESENERN. Kurz und gut, du sollt nun nicht ausfahren
mit diesem, ich leid es nicht.

MARIE. So kommen Sie denn mit, Mama! Er hat Pferd und
Cabriolet bestellt, sollen die wieder zurückfahren?

FRAU WESENERN. Was geht's mich an.

MARIE. So komm du denn mit, Lotte – Was fang ich nun an? Mama, Sie weiß nicht, was ich alles aussteh um Ihrentwillen.

CHARLOTTE. Sie ist frech obenein.

MARIE. Schweig du nur still.

CHARLOTTE *(etwas leise für sich).* Soldatenmensch!

MARIE *(tut als ob sie's nicht hörte, und fährt fort, sich vor dem Spiegel zu putzen).* Wenn wir den Mary beleidigen, so haben wir alles uns selber vorzuwerfen.

CHARLOTTE *(laut, indem sie schnell zur Stube hinausgeht).* Soldatenmensch!

MARIE *(kehrt sich um).* Seh Sie nur, Mama! *(Die Hände faltend.)*

FRAU WESENER. Wer kann dir helfen, du machst es darnach. *(*MARY *tritt herein.)*

MARIE *(heitert schnell ihr Gesicht auf. Mit der größten Munterkeit und Freundlichkeit ihm entgegengehend).* Ihre Dienerin, Herr von Mary! Haben Sie wohl geschlafen?

MARY. Unvergleichlich, meine gnädige Mademoiselle! ich habe das ganze gestrige Feuerwerk im Traum zum andernmal gesehen.

MARIE. Es war doch recht schön.

MARY. Es muß wohl schön gewesen sein, weil es Ihre Approbation hat.

MARIE. O ich bin keine Connoisseuse von den Sachen, ich sage nur wieder, wie ich es von Ihnen gehört habe. *(Er küßt ihr die Hand, sie macht einen tiefen Knicks.)* Sie sehen uns hier noch ganz in Rumor; meine Mutter wird gleich fertig sein.

MARY. Madam Wesener kommen also mit?

FRAU WESENER *(trocken).* Wieso? Ist kein Platz für mich da?

MARY. O ja, ich steh hinten auf, und mein Kasper kann zu Fuß vorangehen.

MARIE. Hören Sie, Ihr Soldat gleicht sehr viel einem gewissen Menschen, den ich ehemals gekannt habe, und der auch um mich angehalten hat.

MARY. Und Sie gaben ihm ein Körbchen. Daran ist auch der
Desportes wohl schuld gewesen?

MARIE. Er hat mir's eingetränkt.

MARY. Wollen wir? *(Er bietet ihr die Hand, sie macht ihm einen
Knicks, und winkt auf ihre Mutter, er gibt Frau Wesenern die
Hand, und sie folgt ihnen.)*


## Siebente Szene

### In Philippeville

DESPORTES *allein, ausgezogen, in einem grünen Zimmer, einen
Brief schreibend, ein brennend Licht vor ihm. Brummt indem er
schreibt.*

Ich muß ihr doch das Maul ein wenig schmieren, sonst
nimmt das Briefschreiben kein Ende, und mein Vater
fängt noch wohl gar einmal einen auf. *(Liest den Brief.)* »Ihr
bester Vater ist böse auf mich, daß ich ihn so lange aufs
Geld warten lasse, ich bitte Sie, besänftigen Sie ihn, bis ich
eine bequeme Gelegenheit finde, meinem Vater alles zu
entdecken, und ihn zu der Einwilligung zu bewegen, Sie,
meine Geliebte, auf ewig zu besitzen. Denken Sie, ich bin
in der größten Angst, daß er nicht schon einige von Ihren
Briefen aufgefangen hat, denn ich sehe aus Ihrem letzten,
daß Sie viele an mich müssen geschrieben haben, die ich
nicht erhalten habe. Und das könnte uns alles verderben.
Darf ich bitten, so schreiben Sie nicht eher an mich, als bis
ich Ihnen eine neue Adresse geschickt habe, unter der ich
die Briefe sicher erhalten kann.« *(Siegelt zu.)* Wenn ich den
Mary recht verliebt in sie machen könnte, daß sie mich
vielleicht vergißt. Ich will ihm schreiben, er soll nicht von
meiner Seite kommen, wenn ich meine anbetungswürdige
Marie werde glücklich gemacht haben, er soll ihr Cicisbeo
sein, wart nur. *(Spaziert einigemal tiefsinnig auf und nieder,
dann geht er heraus.)*

## Achte Szene

### In Lille

### Der Gräfin La Roche Wohnung

DIE GRÄFIN. EIN BEDIENTER.

GRÄFIN *(sieht nach ihrer Uhr)*. Ist der junge Herr noch nicht zurückgekommen?

BEDIENTER. Nein, gnädige Frau.

GRÄFIN. Gebt mir den Hauptschlüssel, und legt Euch schlafen. Ich werde dem jungen Herrn selber aufmachen. Was macht Jungfer Kathrinchen?

BEDIENTER. Sie hat den Abend große Hitze gehabt.

GRÄFIN. Geht nur noch einmal hinein, und seht, ob die Mademoiselle auch noch munter ist. Sagt ihr nur, ich gehe nicht zu Bett, um ein Uhr werde ich kommen, und sie ablösen. *(Bedienter ab.)*

GRÄFIN *(allein)*. Muß denn ein Kind seiner Mutter bis ins Grab Schmerzen schaffen? Wenn du nicht mein Einziger wärst, und ich dir kein so empfindliches Herz gegeben hätte.

*(Man pocht. Sie geht heraus, und kommt wieder herein mit ihm.)*

JUNGE GRAF. Aber, gnädige Mutter, wo ist denn der Bediente, die verfluchten Leute, wenn es nicht so spät wäre, ich ließ den Augenblick nach der Wache gehen, und ihm alle Knochen im Leibe entzwei schlagen.

GRÄFIN. Sachte, sachte, mein Sohn. Wie, wenn ich mich nun gegen dich so übereilte, wie du gegen den unschuldigen Menschen.

JUNGE GRAF. Aber es ist doch nicht auszuhalten.

GRÄFIN. Ich selbst habe ihn zu Bette geschickt. Ist's nicht genug, daß der Kerl den ganzen Tag auf dich passen muß, soll er sich auch die Nachtruhe entziehen um deinetwillen. Ich glaube, du willst mich lehren die Bedienten anzusehen wie die Bestien.

JUNGE GRAF *(küßt ihr die Hand)*. Gnädige Mutter!

GRÄFIN. Ich muß ernsthaft mit dir reden, junger Mensch!
Du fängst an mir trübe Tage zu machen. Du weißt, ich
habe dich nie eingeschränkt, mich in alle deine Sachen
gemischt, als deine Freundin, nie als Mutter. Warum
fängst du mir denn jetzt an, ein Geheimnis aus deinen
Herzensangelegenheiten zu machen, da du doch sonst
keine deiner jugendlichen Torheiten vor mir geheim hiel-
test, und ich, weil ich selbst ein Frauenzimmer bin, dir
allezeit den besten Rat zu geben wußte. *(Sieht ihn steif an.)*
Du fängst an lüderlich zu werden, mein Sohn.

JUNGE GRAF *(ihr die Hand mit Tränen küssend)*. Gnädige Mutter, ich schwöre Ihnen, ich habe kein Geheimnis für Sie.
Sie haben mir nach dem Nachtessen mit Jungfer Wesenern
begegnet, Sie haben aus der Zeit und aus der Art, mit der
wir sprachen, Schlüsse gemacht – es ist ein artig Mädchen,
und das ist alles.

GRÄFIN. Ich will nichts mehr wissen. Sobald du Ursache zu
haben glaubst, mir was zu verhehlen – aber bedenk auch,
daß du hernach die Folgen deiner Handlungen nur dir
selber zuzuschreiben hast. Fräulein Anklam hat hier Verwandte, und ich weiß, daß Jungfer Wesenern nicht in dem
besten Ruf steht, ich glaube, nicht aus ihrer Schuld, das
arme Kind soll hintergangen worden sein –

JUNGE GRAF *(kniend)*. Eben das, gnädige Mutter! eben ihr
Unglück – wenn Sie die Umstände wüßten, ja ich muß
Ihnen alles sagen, ich fühle, daß ich einen Anteil an dem
Schicksal des Mädchens nehme – und doch – wie leicht ist
sie zu hintergehen gewesen, ein so leichtes, offenes, unschuldiges Herz – es quält mich, Mama! daß sie nicht in
bessere Hände gefallen ist.

GRÄFIN. Mein Sohn, überlaß das Mitleiden mir. Glaube mir,
*(umarmt ihn)* glaube mir, ich habe kein härteres Herz als
du. Aber mir kann das Mitleiden nicht so gefährlich
werden. Höre meinen Rat, folge mir. Um deiner Ruhe
willen, geh nicht mehr hin, reis aus der Stadt, reis zu

Fräulein Anklam – und sei versichert, daß es Jungfer
Wesenern hier nicht übel werden soll. Du hast ihr in mir
ihre zärtlichste Freundin zurückgelassen – versprichst du
mir das?

JUNGE GRAF *(sieht sie lange zärtlich an).* Gut, Mama, ich ver-
spreche Ihnen alles – Nur noch ein Wort, eh ich reise. Es
ist ein unglückliches Mädchen, das ist gewiß.

GRÄFIN. Beruhige dich nur. *(Ihm auf die Backen klopfend.)* Ich
glaube dir's mehr, als du mir es sagen kannst.

JUNGE GRAF *(steht auf und küßt ihr die Hand).* Ich kenne Sie –
*(Beide gehen ab.)*


## Neunte Szene

### FRAU WESENERN. MARIE.

MARIE. Laß Sie nur sein, Mama! ich will ihn recht quälen.

FRAU WESENER. Ach geh doch, was? er hat dich vergessen, er
ist in drei Tagen nicht hier gewesen, und die ganze Welt
sagt, er hab sich verliebt in die kleine Madam Düval, da in
der Brüssler Straße.

MARIE. Sie kann nicht glauben, wie kompläsant der Graf
gegen mich ist.

FRAU WESENER. Ei was, der soll ja auch schon versprochen
sein.

MARIE. So quäl ich doch den Mary damit. Er kommt den
Abend nach dem Nachtessen wieder her. Wenn uns doch
der Mary nur einmal begegnen wollte mit seiner Madam
Düval!

*(EIN BEDIENTER tritt herein.)*

BEDIENTER. Die Gräfin La Roche läßt fragen, ob Sie zu
Hause sind?

MARIE *(in der äußersten Verwirrung).* Ach Himmel, die Mutter
vom Herrn Grafen – Sag Er nur – Mama, so sag Sie doch,
was soll er sagen.

*(Frau Wesener will gehen.)*

MARIE. Sag Er nur, es wird uns eine hohe Ehre – Mama! Mama! so red Sie doch.

FRAU WESENER. Kannst du denn das Maul nicht auftun? Sag Er, es wird uns eine hohe Ehre sein – wir sind zwar in der größten Unordnung hier.

MARIE. Nein, nein, wart Er nur, ich will selber an den Wagen herabkommen. *(Geht herunter mit dem Bedienten. Die alte Wesenern geht fort.)*


## Zehnte Szene

*Die* GRÄFIN LA ROCHE *und* MARIE, *die wieder hereinkommen.*

MARIE. Sie werden verzeihen, gnädige Frau, es ist hier alles in der größten Rappuse.

GRÄFIN. Mein liebes Kind, Sie brauchen mit mir nicht die allergeringsten Umstände zu machen. *(Faßt sie an der Hand, und setzt sich mit ihr aufs Kanapee.)* Sehen Sie mich als Ihre beste Freundin an, *(sie küssend)* ich versichere Sie, daß ich den aufrichtigsten Anteil nehme an allem, was Ihnen begegnen kann.

MARIE *(sich die Augen wischend).* Ich weiß nicht, womit ich die besondere Gnade verdient habe, die Sie für mich tragen.

GRÄFIN. Nichts von Gnade, ich bitte Sie. Es ist mir lieb, daß wir allein sind, ich habe Ihnen viel, vieles zu sagen, das mir auf dem Herzen liegt, und Sie auch manches zu fragen.

*(Marie sehr aufmerksam, die Freude in ihrem Gesicht.)*

Ich liebe Sie, mein Engel! ich kann mich nicht enthalten, es Ihnen zu zeigen.

*(Marie küßt ihr inbrunstvoll die Hand.)*

Ihr ganzes Betragen hat so etwas Offenes, so etwas Einnehmendes, daß mir Ihr Unglück dadurch doppelt schmerzhaft wird. Wissen Sie denn auch, meine neue liebe Freundin, daß man viel, viel in der Stadt von Ihnen spricht?

MARIE. Ich weiß wohl, daß es allenthalben böse Zungen gibt.

GRÄFIN. Nicht lauter böse, auch gute sprechen von Ihnen. Sie sind unglücklich; aber Sie können sich damit trösten, daß Sie sich Ihr Unglück durch kein Laster zugezogen. Ihr einziger Fehler war, daß Sie die Welt nicht kannten, daß Sie den Unterschied nicht kannten, der unter den verschiedenen Ständen herrscht, daß Sie die Pamela gelesen haben, das gefährlichste Buch, das eine Person aus Ihrem Stande lesen kann.

MARIE. Ich kenne das Buch ganz und gar nicht.

GRÄFIN. So haben Sie den Reden der jungen Leute zuviel getraut.

MARIE. Ich habe nur einem zuviel getraut, und es ist noch nicht ausgemacht, ob er falsch gegen mich denkt.

GRÄFIN. Gut, liebe Freundin! aber sagen Sie mir, ich bitte Sie, wie kamen Sie doch dazu, über Ihren Stand heraus sich nach einem Mann umzusehen. Ihre Gestalt, dachten Sie, könnte Sie schon weiter führen, als Ihre Gespielinnen; ach liebe Freundin, eben das hätte Sie sollen vorsichtiger machen. Schönheit ist niemals ein Mittel, eine gute Heurat zu stiften, und niemand hat mehr Ursache zu zittern, als ein schön Gesicht. Tausend Gefahren mit Blumen überstreut, tausend Anbeter und keinen Freund, tausend unbarmherzige Verräter.

MARIE. Ach, gnädige Frau, ich weiß wohl, daß ich häßlich bin.

GRÄFIN. Keine falsche Bescheidenheit. Sie sind schön, der Himmel hat Sie damit gestraft. Es fanden sich Leute über Ihren Stand, die Ihnen Versprechungen taten. Sie sahen gar keine Schwürigkeit, eine Stufe höher zu rücken, Sie verachteten Ihre Gespielinnen, Sie glaubten nicht nötig zu haben, sich andre liebenswürdige Eigenschaften zu erwerben, Sie scheuten die Arbeit, Sie begegneten jungen Mannsleuten Ihres Standes verächtlich. Sie wurden gehaßt. Armes Kind! wie glücklich hätten Sie einen recht-

schaffenen Bürger machen können, wenn Sie diese fürtreffliche Gesichtszüge, dieses einnehmende bezaubernde
Wesen, mit einem demütigen menschenfreundlichen Geist
beseelt hätten, wie wären Sie von allen Ihresgleichen
angebetet, von allen Vornehmen nahgeahmt und bewun-
dert worden. Aber Sie wollten von Ihresgleichen beneidet
werden. Armes Kind, wo dachten Sie hin, und gegen
welch ein elendes Glück wollten Sie alle diese Vorzüge
eintauschen? Die Frau eines Mannes zu werden, der um
Ihrentwillen von seiner ganzen Familie gehaßt und verachtet würde. Und einem so unglücklichen Hazardspiel
zu Gefallen Ihr ganzes Glück, Ihre ganze Ehre, Ihr Leben
selber auf die Karte zu setzen. Wo dachten Sie hinaus? wo
dachten Ihre Eltern hinaus? Armes betrogenes durch die
Eitelkeit gemißhandeltes Kind! *(Drückt sie an ihre Brust.)* Ich
wollte mein Blut hergeben, daß das nicht geschehen wäre.
MARIE *(weint auf ihre Hand).* Er liebte mich aber.
GRÄFIN. Die Liebe eines Offiziers, Marie – eines Menschen,
der an jede Art von Ausschweifung, von Veränderung
gewöhnt ist, der ein braver Soldat zu sein aufhört, sobald
er ein treuer Liebhaber wird, der dem König schwört, es
nicht zu sein, und sich dafür von ihm bezahlen läßt. Und
Sie glaubten, die einzige Person auf der Welt zu sein, die
ihn, trotz des Zorns seiner Eltern, trotz des Hochmuts
seiner Familie, trotz seines Schwurs, trotz seines Charakters, trotz der ganzen Welt, treu erhalten wollten? Das
heißt, Sie wollten die Welt umkehren. – – Und da Sie
nun sehen, daß es fehlgeschlagen hat, so glauben sie, bei
andern Ihren Plan auszuführen, und sehen nicht, daß das,
was Sie für Liebe bei den Leuten halten, nichts als Mitleiden mit Ihrer Geschichte, oder gar was Schlimmers ist.
*(Marie fällt vor ihr auf die Knie, verbirgt ihr Gesicht in ihren
Schoß, und schluchzt.)*
Entschließ dich, bestes Kind! unglückliches Mädchen,
noch ist es Zeit, noch ist der Abgrund zu vermeiden, ich
will sterben, wenn ich dich nicht herausziehe. Lassen Sie

sich alle Anschläge auf meinen Sohn vergehen, er ist versprochen, die Fräulein Anklam hat seine Hand und sein Herz. Aber kommen Sie mit in mein Haus, Ihre Ehre hat einen großen Stoß gelitten, das ist der einzige Weg, sie wiederherzustellen. Werden Sie meine Gesellschafterin, und machen Sie sich gefaßt, in einem Jahr keine Mannsperson zu sehen. Sie sollen mir meine Tochter erziehen helfen – kommen Sie, wir wollen gleich zu Ihrer Mutter gehen, und sie um Erlaubnis bitten, daß Sie mit mir fahren dürfen.

MARIE *(hebt den Kopf rührend aus ihrem Schoß auf)*. Gnädige Frau – es ist zu spät.

GRÄFIN *(hastig)*. Es ist nie zu spät, vernünftig zu werden. Ich setze Ihnen tausend Taler zur Aussteuer aus, ich weiß, daß Ihre Eltern Schulden haben.

MARIE *(noch immer auf den Knien halb rückwärts fallend, mit gefalteten Händen)*. Ach, gnädige Frau, erlauben Sie mir, daß ich mich drüber bedenke – daß ich alles das meiner Mutter vorstelle.

GRÄFIN. Gut, liebes Kind, tun Sie Ihr Bestes – Sie sollen Zeitvertreib genug bei mir haben, ich will Sie im Zeichnen, Tanzen und Singen unterrichten lassen.

MARIE *(fällt auf ihr Gesicht)*. O gar zu, gar zu gnädige Frau!

GRÄFIN. Ich muß fort – Ihre Mutter würde mich in einem wunderlichen Zustand antreffen. *(Geht schnell ab, sieht noch durch die Tür hinein nach Marien, die noch immer wie im Gebet liegt.)* Adieu, Kind! *(Ab.)*

# Vierter Akt

## Erste Szene

MARY. STOLZIUS.

MARY. Soll ich dir aufrichtig sagen, Stolzius, wenn der
Desportes das Mädchen nicht heuratet, so heurate ich's.
Ich bin zum Rasendwerden verliebt in sie. Ich habe schon
versucht, mir die Gedanken zu zerstreuen, du weißt
wohl, mit der Düval, und denn gefällt mir die Wirtschaft
mit dem Grafen gar nicht, und daß die Gräfin sie nun gar
ins Haus genommen hat, aber alles das – verschlägt doch
nichts, ich kann mir die Narrheit nicht aus dem Kopf
bringen.

STOLZIUS. Schreibt denn der Desportes gar nicht mehr?

MARY. Ei freilich schreibt er. Sein Vater hat ihn neulich
wollen zu einer Heurat zwingen, und ihn vierzehn Tage
bei Wasser und Brot eingesperrt – – *(Sich an den Kopf
schlagend.)* Und wenn ich noch so denke, wie sie neulich
im Mondschein mit mir spazieren ging, und mir ihre Not
klagte, wie sie manchmal mitten in der Nacht aufspränge,
wenn ihr die schwermütigen Gedanken einkämen, und
nach einem Messer suchte.

*(Stolzius zittert.)*

MARY. Ich fragte, ob sie mich auch liebte. Sie sagte, sie liebte
mich zärtlicher, als alle ihre Freunde und Verwandten,
und drückte meine Hand gegen ihre Brust.

*(Stolzius wendet sein Gesicht gegen die Wand.)*

MARY. Und als ich sie um ein Schmätzchen bat, so sagte sie,
wenn es in ihrer Gewalt stünde, mich glücklich zu machen, so täte sie es gewiß. So aber müßte ich erst die
Erlaubnis vom Desportes haben. – *(Faßt Stolzius hastig an.)*
Kerl, der Teufel soll mich holen, wenn ich sie nicht
heurate, wenn der Desportes sie sitzen läßt.

STOLZIUS *(sehr kalt).* Sie soll doch recht gut mit der Gräfin sein.

MARY. Wenn ich nur wüßte, wie man sie zu sprechen bekommen könnte. Erkundige dich doch.


## Zweite Szene

### In Armentieres

DESPORTES *in der Prison.* HAUDY *bei ihm.*

DESPORTES. Es ist mir recht lieb, daß ich in Prison itzt bin, so erfährt kein Mensch, daß ich hier sei.

HAUDY. Ich will den Kameraden allen verbieten, es zu sagen.

DESPORTES. Vor allen Dingen, daß es nur der Mary nicht erfährt.

HAUDY. Und der Rammler. Der ohnedem so ein großer Freund von dir sein will, und sagt, er ist mit Fleiß darum ein paar Wochen später zum Regiment gekommen, um dir die Anciennität zu lassen.

DESPORTES. Der Narr!

HAUDY. O hör, neulich ist wieder ein Streich mit ihm gewesen, der zum Fressen ist. Du weißt, der Gilbert logiert bei einer alten krummen schielenden Witwe, bloß um ihrer schönen Cousine willen, nun gibt er alle Wochen der zu Gefallen ein Konzert im Hause, einmal besäuft sich mein Rammler, und weil er meint, die Cousine schläft dort, so schleicht er sich vom Nachtessen weg, und nach seiner gewöhnlichen Politik oben auf in der Witwe Schlafzimmer, zieht sich aus, und legt sich zu Bette. Die Witwe, die sich auch den Kopf etwas warm gemacht hat, bringt noch erst ihre Cousine, die auf der Nachbarschaft wohnt, mit der Laterne nach Hause, wir meinen, unser Rammler ist nach Hause gegangen, sie steigt hernach in ihr Zimmer herauf, will sich zu Bett legen, und findet meinen Monsieur da, der in der äußersten Konfusion ist. Er entschuldigt sich, er habe die Gelegenheit vom Hause nicht gewußt, sie transportiert ihn ohne viele Mühe wieder herunter, und wir lachen uns über den Mißverstand die Bäuche fast entzwei. Er bittet sie und uns alle um Gottes willen, doch keinem Menschen was von der Historie zu sagen. Du weißt nun aber, wie der Gilbert ist, der hat's nun alles dem Mädel wiedererzählt, und die hat dem alten Weibe steif und fest in den Kopf gesetzt, Rammler wäre verliebt in sie. In der Tat hat er auch ein Zimmer in dem Hause gemietet, vielleicht um sie zu bewegen, nicht Lärm davon zu machen. Nun solltest du aber dein Himmelsgaudium haben, ihn und das alte Mensch in Gesellschaft beisammen zu sehen. Sie minaudiert und liebäugelt, und verzerrt ihr schiefes runzlichtes Gesicht gegen ihn, daß man sterben möchte, und er mit seiner roten Habichtsnase und den stieren erschrocknen Augen – siehst du, es ist ein Anblick, an den man nicht denken kann, ohne zu zerspringen.

DESPORTES. Wenn ich wieder frei werde, soll doch mein erster Gang zu Gilbert sein. Meine Mutter wird nächstens an den Obristen schreiben, das Regiment soll für meine Schulden gut sagen.

## Dritte Szene

### In Lille

### Ein Gärtchen an der Gräfin La Roche Hause

DIE GRÄFIN *(in einer Allee)*. Was das Mädchen haben mag, daß es so spät in den Garten hinausgegangen ist. Ich fürchte, ich fürchte, es ist etwas Abgeredetes. Sie zeichnet zerstreut, spielt die Harfe zerstreut, ist immer abwesend, wenn ihr der Sprachmeister was vorsagt – still, hör ich nicht jemand – ja, sie ist oben im Lusthause, und von der

Straße antwortet ihr jemand. *(Lehnt ihr Ohr an die grüne
Wand des Gartens.)*

*(Hinter der Szene.)*

MARYS STIMME. Ist das erlaubt, alle Freunde, alles, was Ihnen
lieb war, so zu vergessen?

MARIENS STIMME. Ach lieber Herr Mary, es tut mir leid
genug, aber es muß schon so sein. Ich versichere Ihnen,
die Frau Gräfin ist die scharmanteste Frau, die auf Gottes
Erdboden ist.

MARY. Sie sind ja aber wie in einem Kloster da, wollen Sie
denn gar nicht mehr in die Welt? Wissen Sie, daß Desportes geschrieben hat, er ist untröstlich, er will wissen,
wo Sie sind, und warum Sie ihm nicht antworten?

MARIE. So? – Ach ich muß ihn vergessen, sagen Sie ihm das,
er soll mich nur auch vergessen.

MARY. Warum denn? – Grausame Mademoiselle! ist das
erlaubt, Freunden so zu begegnen.

MARIE. Es kann nun schon nicht anders sein – Ach Herr
Gott, ich höre jemand im Garten unten. Adieu, Adieu –
Flattieren Sie sich nur nicht – *(Kommt herunter.)*

GRÄFIN. So, Marie! ihr gebt euch Rendezvous?

MARIE *(äußerst erschrocken)*. Ach, gnädige Frau – es war ein
Verwandter von mir – mein Vetter, und der hat nun erst
erfahren, wo ich bin –

GRÄFIN *(sehr ernsthaft)*. Ich habe alles gehört.

MARIE *(halb auf den Knien)*. Ach Gott! so verzeihen Sie mir
nur diesmal.

GRÄFIN. Mädchen, du bist wie das Bäumchen hier im
Abendwinde, jeder Hauch verändert dich. Was denkst du
denn, daß du hier unter meinen Augen den Faden mit
dem Desportes wieder anzuspinnen denkst, dir Rendezvous mit seinen guten Freunden gibst. Hätt ich das gewußt, ich hätte mich deiner nicht angenommen.

MARIE. Verzeihen Sie mir nur diesmal!

GRÄFIN. Ich verzeih es dir niemals, wenn du wider dein
eigen Glück handelst. Geh.

*(Marie geht ganz verzweiflungsvoll ab.)*

GRÄFIN *(allein)*. Ich weiß nicht, ob ich dem Mädchen ihren
Roman fast mit gutem Gewissen nehmen darf. Was behält
das Leben für Reiz übrig, wenn unsre Imagination nicht
welchen hineinträgt, Essen, Trinken, Beschäftigungen
ohne Aussicht, ohne sich selbst gebildetem Vergnügen
sind nur ein gefristeter Tod. Das fühlt sie auch wohl, und
stellt sich nur vergnügt. Wenn ich etwas ausfindig machen
könnte, ihre Phantasei mit meiner Klugheit zu vereinigen,
ihr Herz, nicht ihren Verstand zu zwingen, mir zu folgen.

## Vierte Szene

### In Armentieres

DESPORTES *im Prison, hastig auf und ab gehend, einen Brief in der
Hand.*

Wenn Sie mir hierher kommt, ist mein ganzes Glück
verdorben – zu Schand und Spott bei allen Kameraden.
*(Setzt sich und schreibt.)* – – Mein Vater darf sie auch nicht
sehen –

## Fünfte Szene

### In Lille

#### Weseners Haus

*Der alte* WESENER. *Ein* BEDIENTER *der Gräfin.*

WESENER. Marie fortgelaufen –! Ich bin des Todes. *(Läuft
heraus. Der Bediente folgt ihm.)*

## Sechste Szene

### Marys Wohnung

MARY. STOLZIUS, *der ganz bleich und verwildert dasteht.*

MARY. So laßt uns ihr nachsetzen zum tausend Element. Ich bin schuld an allem. Gleich lauf hin und bring Pferde her.

STOLZIUS. Wenn man nur wissen könnte, wohin –

MARY. Nach Armentieres. Wo kann sie anders hin sein.
*(Beide ab.)*

## Siebente Szene

### Weseners Haus

FRAU WESENER *und* CHARLOTTE *in Kappen.* WESENER *kommt wieder.*

WESENER. Es ist alles umsonst. Sie ist nirgends ausfindig zu machen. *(Schlägt in die Hände.)* Gott! – wer weiß, wo sie sich ertränkt hat!

CHARLOTTE. Wer weiß aber noch, Papa –

WESENER. Nichts. Die Boten der Frau Gräfin sind wiedergekommen, und es ist noch keine halbe Stunde, daß man sie vermißt hat. Zu jedem Tor ist einer herausgeritten, und sie kann doch nicht aus der Welt sein in so kurzer Zeit.

## Achte Szene

### In Philippeville

DESPORTES' JÄGER *einen Brief von seinem Herrn in der Hand.*

Oh! da kommt mir ja ein schönes Stück Wildpret recht ins Garn hereingelaufen. Sie hat meinem Herrn geschrieben, sie würde grad nach Philippeville zu ihm kommen, *(sieht in den Brief)* zu Fuß – o das arme Kind – ich will dich erfrischen.

## Neunte Szene

### In Armentieres
### Ein Konzert im Hause der Frau Bischof

*Verschiedene Damen im Kreise um das Orchester, unter denen auch* FRAU BISCHOF *und ihre* COUSINE. *Verschiedene Offiziere, unter denen auch* HAUDY, RAMMLER, MARY, DESPORTES, GILBERT, *stehen vor ihnen und unterhalten die Damen.*

MADEMOISELLE BISCHOF *(zu Rammler).* Und Sie sind auch hier eingezogen, Herr Baron?
*(Rammler verbeugt sich stillschweigend, und wird rot über und über.)*

HAUDY. Er hat sein Logis im zweiten Stock genommen, grad gegenüber Ihrer Frau Base Schlafkammer.

MADEMOISELLE BISCHOF. Das hab ich gehört. Ich wünsche meiner Base viel Glück.

MADAME BISCHOF *(schielt und lächelt auf eine kokette Art).* He, he, he, der Herr Baron wäre wohl nicht eingezogen, wenn ihm nicht der Herr von Gilbert mein Haus so rekommandiert hätte. Und zum andern begegne ich allen meinen Herren auf eine solche Art, daß sie sich nicht über mich werden zu beklagen haben.

MADEMOISELLE BISCHOF. Das glaub ich, Sie werden sich gut miteinander vertragen.

GILBERT. Es ist mit alledem so ein kleiner Haken unter den beiden, sonst wäre Rammler nicht hier eingezogen.

MADAME BISCHOF. So? *(Hält den Fächer vorm Gesicht.)* He he he, seiter wenn denn, meinten Sie Herr von Gilbert, seiter wenn denn?

HAUDY. Seit dem letzten Konzertabend, wissen Sie wohl, Madame.

RAMMLER *(zupft Haudy).* Haudy!

MADAME BISCHOF *(schlägt ihn mit dem Fächer).* Unartiger Herr Major! müssen Sie denn auch alles gleich herausplappern.

RAMMLER. Madame! ich weiß gar nicht, wie wir so familiär miteinander sollten geworden sein, ich bitte mir's aus –

MADAME BISCHOF *(sehr böse)*. So, Herr? und Sie wollen sich noch mausig machen, und zum andern müßten Sie sich das noch für eine große Ehre halten, wenn eine Frau von meinem Alter und von meinem Charakter sich familiär mit Ihnen gemacht hätte, und denk doch einmal, was er sich nicht einbildt, der junge Herr.

ALLE OFFIZIERS. Ach Rammler – Pfui Rammler – das ist doch nicht recht, wie du der Madam begegnest.

RAMMLER. Madame, halten Sie das Maul, oder ich brech Ihnen Arm und Bein entzwei, und werf Sie zum Fenster hinaus.

MADAME BISCHOF *(steht wütend auf)*. Herr, komm Er – *(faßt ihn an Arm)* den Augenblick komm Er, probier Er, mir was Leids zu tun.

ALLE. In die Schlafkammer, Rammler, sie fodert dich heraus.

MADAME BISCHOF. Wenn Er sich noch breit macht, so werf ich Ihn zum Hause heraus, weiß Er das. Und der Weg zum Kommendanten ist nicht weit. *(Fängt an zu weinen.)* Denk doch, mir in meinem eigenen Hause Impertinenzien zu sagen, der impertinente Flegel –

MADEMOISELLE BISCHOF. Nun still doch, Bäslein, der Herr Baron hat es ja so übel nicht gemeint. Er hat ja nur gespaßt, so sei Sie doch ruhig.

GILBERT. Rammler, sei vernünftig, ich bitte dich. Was für Ehre hast du davon, ein alt Weib zu beleidigen.

RAMMLER. Ihr könnt mir alle – *(Läuft heraus.)*

MARY. Ist das nicht lustig, Desportes? Was fehlt dir? Du lachst ja nicht.

DESPORTES. Ich hab erstaunende Stiche auf der Brust. Der Katarrh wird mich noch umbringen.

MARY. Ist das aber nicht zum Zerspringen mit dem Original? Sahst du, wie er braun und blau um die Nase ward für

Ärgernis. Ein andrer würde sich lustig gemacht haben mit
der alten Vettel.

(STOLZIUS *kommt herein und zupft Mary.*)

MARY. Was ist?

STOLZIUS. Nehmen Sie doch nicht ungnädig, Herr Lieute-
nant! wollen Sie nicht auf einen Augenblick in die Kammer kommen?

MARY. Was gibt's denn? Habt Ihr wo was erfahren?

(*Stolzius schüttelt mit dem Kopf.*)

MARY. Nun denn – (*geht etwas weiter vorwärts*) so sagt nur
hier.

STOLZIUS. Die Ratten haben die vorige Nacht Ihr bestes
Antolagenhemd zerfressen, eben als ich den Wäsch-
schrank aufmachte, sprangen mir zwei, drei entgegen.

MARY. Was ist daran gelegen? – Laßt Gift aussetzen.

STOLZIUS. Da muß ich ein versiegeltes Zettelchen von Ihnen
haben.

MARY (*unwillig*). Warum kommt Ihr mir denn just jetzt?

STOLZIUS. Auf den Abend hab ich nicht Zeit, Herr Lieute-
nant – ich muß heute noch bei der Lieferung von den
Montierungsstücken sein.

MARY. Da habt Ihr meine Uhr, Ihr könnt ja mit meinem
Petschaft zusiegeln.

(*Stolzius geht ab – Mary tritt wieder zur Gesellschaft.*)

(*Eine Symphonie hebt an.*)

DESPORTES (*der sich in einen Winkel gestellt hat, für sich*). Ihr Bild
steht unaufhörlich vor mir – Pfui Teufel! fort mit den
Gedanken. Kann ich dafür, daß sie so eine wird. Sie hat's
ja nicht besser haben wollen. (*Tritt wieder zur andern Gesellschaft, und hustet erbärmlich.*)

(*Mary steckt ihm ein Stück Lakritz in den Mund. Er erschrickt.
Mary lacht.*)

## Zehnte Szene

### In Lille

#### Weseners Haus

FRAU WESENER. *Ein* BEDIENTER *der Gräfin.*

FRAU WESENER. Wie? Die Frau Gräfin haben sich zu Bett gelegt vor Alteration? Vermeld Er unsern untertänigsten Respekt der Frau Gräfin und der Fräulein, mein Mann ist nach Armentieres gereist, weil ihm die Leute alles im Hause haben versiegeln wollen wegen der Kaution, und er gehört hat, daß der Herr von Desportes beim Regiment sein soll. Und es tut uns herzlich leid, daß die Frau Gräfin sich unser Unglück so zu Herzen nimmt.

## Eilfte Szene

### In Armentieres

STOLZIUS *geht vor einer Apothek herum. Es regnet.*

Was zitterst du? – Meine Zunge ist so schwach, daß ich fürchte, ich werde kein einziges Wort hervorbringen können. Er wird mir's ansehen – Und müssen denn die zittern, die Unrecht leiden, und die allein fröhlich sein, die Unrecht tun! – – Wer weiß, zwischen welchem Zaun sie jetzt verhungert. Herein, Stolzius. Wenn's nicht für ihn ist, so ist's doch für dich. Und das ist ja alles, was du wünschest – – *(Geht hinein.)*

# Fünfter Akt

## Erste Szene

### Auf dem Wege nach Armentieres

WESENER *der ausruht.*

Nein, keine Post nehm ich nicht, und sollt ich hier liegen bleiben. Mein armes Kind hat mich genug gekostet, eh sie zu der Gräfin kam, das mußte immer die Staatsdame gemacht sein, und Bruder und Schwester sollen's ihr nicht vorzuwerfen haben. Mein Handel hat auch nun schon zwei Jahr gelegen – wer weiß, was Desportes mit ihr tut, was er mit uns allen tut – denn bei ihm ist sie doch gewiß. Man muß Gott vertrauen – *(Bleibt in tiefen Gedanken.)*

## Zweite Szene

MARIE *auf einem andern Wege nach Armentieres unter einem Baum ruhend, zieht ein Stück trockenes Brot aus der Tasche.*

Ich habe immer geglaubt, daß man von Brot und Wasser allein leben könnte. *(Nagt daran.)* O hätt ich nur einen Tropfen von dem Wein, den ich so oft aus dem Fenster geworfen – womit ich mir in der Hitze die Hände wusch – *(Kontorsionen.)* O das quält – – nun ein Bettelmensch – *(Sieht das Stück Brot an.)* Ich kann's nicht essen, Gott weiß es. Besser verhungern. *(Wirft das Stück Brot hin, und rafft sich auf.)* Ich will kriechen, so weit ich komme, und fall ich um, desto besser.

## Dritte Szene

### In Armentieres

### Marys Wohnung

MARY *und* DESPORTES *sitzen beide ausgekleidet an einem kleinen gedeckten Tisch.* STOLZIUS *nimmt Servietten aus.*

DESPORTES. Wie ich dir sage, es ist eine Hure vom Anfang an gewesen, und sie ist mir nur darum gut gewesen, weil ich ihr Präsente machte. Ich bin ja durch sie in Schulden gekommen, daß es erstaunend war, sie hätte mich um Haus und Hof gebracht, hätt ich das Spiel länger getrieben. Kurzum, Herr Bruder, eh ich's mich versehe, krieg ich einen Brief von dem Mädel, sie will zu mir kommen nach Philippeville. Nun stell dir das Spektakel vor, wenn mein Vater die hätte zu sehen gekriegt.

*(Stolzius wechselt einmal ums andere die Servietten um, um Gelegenheit zu haben, länger im Zimmer zu bleiben.)*

Was zu tun, ich schreib meinem Jäger, er soll sie empfangen, und ihr so lange Stubenarrest auf meinem Zimmer ankündigen, bis ich selber wieder nach Philippeville zurückkäme, und sie heimlich zum Regiment abholte. Denn sobald mein Vater sie zu sehen kriegte, wäre sie des Todes. Nun mein Jäger ist ein starker robuster Kerl, die Zeit wird ihnen schon lang werden auf einer Stube allein. Was der nun aus ihr macht, will ich abwarten, *(lacht höhnisch)* ich hab ihm unter der Hand zu verstehen gegeben, daß es mir nicht zuwider sein würde.

MARY. Hör, Desportes, das ist doch malhonett.

DESPORTES. Was malhonett, was willst du – Ist sie nicht versorgt genug, wenn mein Jäger sie heuratet? Und für so eine –

MARY. Sie war doch sehr gut angeschrieben bei der Gräfin. Und hol mich der Teufel, Bruder, ich hätte sie geheuratet, wenn mir nicht der junge Graf in die Quer gekommen

wäre, denn der war auch verflucht gut bei ihr angeschrieben.

DESPORTES. Da hättest du ein schön Sauleder an den Hals
bekommen.

*(Stolzius geht heraus.)*

MARY *(ruft ihm nach).* Macht, daß der Herr seine Weinsuppe
bald bekommt – Ich weiß nicht, wie es kam, daß der
Mensch mit ihr bekannt ward, ich glaube gar, sie wollte
mich eifersüchtig machen, denn ich hatte eben ein paar
Tage her mit ihr gemault. Das hätt alles noch nichts zu
sagen gehabt, aber einmal kam ich hin, es war in den
heißesten Hundstagen, und sie hatte eben wegen der
Hitze nur ein dünnes, dünnes Röckchen von Nesseltuch
an, durch das ihre schönen Beine durchschienen. So oft
sie durchs Zimmer ging, und das Röckchen ihr so nach-
flatterte – hör, ich hätte die Seligkeit drum geben mögen,
die Nacht bei ihr zu schlafen. Nun stell dir vor, zu allem
Unglück muß den Tag der Graf hinkommen, nun kennst
du des Mädels Eitelkeit. Sie tat wie unsinnig mit ihm, ob
nun mich zu schagrinieren, oder weil solche Mädchens
gleich nicht wissen, woran sie sind, wenn ein Herr von
hohem Stande sich herabläßt, Ihnen ein freundlich Gesicht zu weisen.

*(Stolzius kommt herein, trägt vor Desportes auf, und stellt sich
totenbleich hinter seinen Stuhl.)*

Mir ging's wie dem überglühenden Eisen, das auf einmal
kalt wie Eis wird.

*(Desportes schlingt die Suppe begierig in sich.)*

Aller Appetit zu ihr verging mir. Von der Zeit an hab ich
ihr nie wieder recht gut werden können. Zwar wie ich
hörte, daß sie von der Gräfin weggelaufen sei.

DESPORTES *(im Essen).* Was reden wir weiter von dem Knochen? Ich will dir sagen, Herr Bruder, du tust mir einen
Gefallen, wenn du mir ihrer nicht mehr erwähnst. Es
ennuyiert mich, wenn ich an sie denken soll. *(Schiebt die
Schale weg.)*

STOLZIUS *(hinter dem Stuhl, mit verzerrtem Gesicht).* Wirklich?
*(Beide sehen ihn an voll Verwunderung.)*

DESPORTES *(hält sich die Brust).* Ich kriege Stiche – Aye! –
*(Mary steif den Blick auf Stolzius geheftet, ohne ein Wort zu sagen.)*

DESPORTES *(wirft sich in einen Lehnstuhl).* – Aye! – *(Mit Kontorsionen.)* Mary! –

STOLZIUS *(springt hinzu, faßt ihn an die Ohren, und heftet sein Gesicht auf das seinige. Mit fürchterlicher Stimme).* Marie! – Marie! – Marie!
*(Mary zieht den Degen, und will ihn durchbohren.)*

STOLZIUS *(kehrt sich kaltblütig um, und faßt ihm in den Degen).* Geben Sie sich keine Mühe, es ist schon geschehen. Ich sterbe vergnügt, da ich den mitnehmen kann.

MARY *(läßt ihm den Degen in der Hand, und läuft heraus).* Hülfe! – Hülfe! –

DESPORTES. Ich bin vergiftet.

STOLZIUS. Ja, Verräter, das bist du – und ich bin Stolzius, dessen Braut du zur Hure machtest. Sie war meine Braut. Wenn ihr nicht leben könnt, ohne Frauenzimmer unglücklich zu machen, warum wendet ihr euch an die, die euch nicht widerstehen können, die euch aufs erste Wort glauben. – Du bist gerochen, meine Marie! Gott kann mich nicht verdammen. *(Sinkt nieder.)*

DESPORTES. Hülfe! *(Nach einigen Verzuckungen stirbt er gleichfalls.)*


## Vierte Szene


WESENER *spaziert an der Lys in tiefen Gedanken. Es ist Dämmerung. Eine verhüllte* WEIBSPERSON *zupft ihn am Rock.*

WESENER. Laß Sie mich – ich bin kein Liebhaber von solchen Sachen.

DIE WEIBSPERSON *(mit halb unvernehmlicher Stimme).* Um Gottes willen, ein klein Almosen, gnädiger Herr!

WESENER. Ins Arbeitshaus mit Euch. Es sind hier der lüderlichen Bälge die Menge, wenn man allen Almosen geben
sollte, hätte man viel zu tun.

WEIBSPERSON. Gnädiger Herr, ich bin drei Tage gewesen,
ohne einen Bissen Brot in Mund zu stecken, haben Sie
doch die Gnade, und führen mich in ein Wirtshaus, wo
ich einen Schluck Wein tun kann.

WESENER. Ihr lüderliche Seele! schämt Ihr Euch nicht, einem
honetten Mann das zuzumuten? Geht, lauft Euern Soldaten nach.

*(Weibsperson geht fort, ohne zu antworten.)*

WESENER. Mich deucht, sie seufzte so tief. Das Herz wird
mir so schwer. *(Zieht den Beutel hervor.)* Wer weiß, wo
meine Tochter itzt Almosen heischt. *(Läuft ihr nach, und
reicht ihr zitternd ein Stück Geld.)* Da hat Sie einen Gulden –
aber bessere Sie sich.

WEIBSPERSON *(fängt an zu weinen)*. O Gott! *(Nimmt das Geld
und fällt halb ohnmächtig nieder.)* Was kann mir das helfen?

WESENER *(kehrt sich ab und wischt sich die Augen. Zu ihr ganz
außer sich)*. Wo ist Sie her?

WEIBSPERSON. Das darf ich nicht sagen – Aber ich bin eines
honetten Mannes Tochter.

WESENER. War Ihr Vater ein Galanteriehändler?

*(Weibsperson schweigt stille.)*

WESENER. Ihr Vater war ein honetter Mann? – Steh Sie auf,
ich will Sie in mein Haus führen. *(Sucht ihr aufzuhelfen.)*

WESENER. Wohnt Ihr Vater nicht etwan in Lille –

*(Beim letzten Wort fällt sie ihm um den Hals.)*

WESENER *(schreit laut)*. Ach meine Tochter!

MARIE. Mein Vater!

*(Beide wälzen sich halbtot auf der Erde. Eine Menge Leute
versammeln sich um sie, und tragen sie fort.)*

## Fünfte und letzte Szene

### Des Obristen Wohnung

DER OBRISTE GRAF VON SPANNHEIM. DIE GRÄFIN LA ROCHE.

GRÄFIN. Haben Sie die beiden Unglücklichen gesehen? Ich habe das Herz noch nicht. Der Anblick tötete mich.

OBRISTER. Er hat mich zehn Jahre älter gemacht. Und daß das bei meinem Corps – ich will dem Mann alle seine Schulden bezahlen, und noch tausend Taler zu seiner Schadloshaltung obenein. Hernach will ich sehen, was ich bei dem Vater des Bösewichts für diese durch ihn verwüstete Familie auswirken kann.

GRÄFIN. Würdiger Mann! nehmen Sie meinen heißesten Dank in dieser Träne – das beste liebenswürdigste Geschöpf! was für Hoffnungen fing ich nicht schon an von ihr zu schöpfen. *(Sie weint.)*

OBRISTER. Diese Tränen machen Ihnen Ehre. Sie erweichen auch mich. Und warum sollte ich nicht weinen, ich, der fürs Vaterland streiten und sterben soll; einen Bürger desselben durch einen meiner Untergebenen mit seinem ganzen Hause in den unwiederbringlichsten Untergang gestürzt zu sehen.

GRÄFIN. Das sind die Folgen des ehlosen Standes der Herren Soldaten.

OBRISTER *(zuckt die Schultern).* Wie ist dem abzuhelfen? Schon Homer hat, deucht mich, gesagt, ein guter Ehmann sei ein schlechter Soldat. Und die Erfahrung bestätigt's. – Ich habe allezeit eine besondere Idee gehabt, wenn ich die Geschichte der Andromeda gelesen. Ich sehe die Soldaten an wie das Ungeheuer, dem schon von Zeit zu Zeit ein unglückliches Frauenzimmer freiwillig aufgeopfert werden muß, damit die übrigen Gattinnen und Töchter verschont bleiben.

GRÄFIN. Wie verstehen Sie das?

OBRISTER. Wenn der König eine Pflanzschule von Soldatenweibern anlegte; die müßten sich aber freilich denn schon
dazu verstehen, den hohen Begriffen, die sich ein junges
Frauenzimmer von ewigen Verbindungen macht, zu entsagen.

GRÄFIN. Ich zweifle, daß sich ein Frauenzimmer von Ehre
dazu entschließen könnte.

OBRISTER. Amazonen müßten es sein. Eine edle Empfin-
dung, deucht mich, hält hier der andern die Waage. Die
Delikatesse der weiblichen Ehre dem Gedanken, eine
Märtyrerin für den Staat zu sein.

GRÄFIN. Wie wenig kennt ihr Männer doch das Herz und die
Wünsche eines Frauenzimmers.

OBRISTER. Freilich müßte der König das Beste tun, diesen
Stand glänzend und rühmlich zu machen. Dafür ersparte
er die Werbegelder, und die Kinder gehörten ihm. O ich
wünschte, daß sich nur einer fände, diese Gedanken bei
Hofe durchzutreiben, ich wollte ihm schon Quellen entdecken. Die Beschützer des Staats würden sodann auch
sein Glück sein, die äußere Sicherheit desselben, nicht die
innere aufheben, und in der bisher durch uns zerrütteten
Gesellschaft Fried und Wohlfahrt aller und Freude sich
untereinander küssen.

# Die Schlußszene in der ersten Fassung

## Fünfte und letzte Szene

### Des Obristen Wohnung

DER OBRISTE GRAF VON SPANNHEIM. DIE GRÄFIN LA ROCHE.

GRÄFIN. Haben Sie die beiden Unglücklichen gesehen? Ich habe das Herz noch nicht. Der Anblick tötete mich.

OBRISTER. Er hat mich zehn Jahre älter gemacht. Und daß das bei meinem Corps soll geschehen sein. – Aber gnädige Frau! was kann man da machen. Es ist das Schicksal des Himmels über gewisse Personen – Ich will dem Mann alle seine Schulden bezahlen und noch tausend Taler zur Schadloshaltung obenein. Hernach will ich sehen, was ich bei dem Vater des Bösewichts für diese durch ihn verwüstete und verheerte Familie auswirken kann.

GRÄFIN. Würdiger Mann! Nehmen Sie meinen heißesten Dank in diesen Tränen. Ich habe alles getan, das unglückliche Schlachtopfer zu retten – sie wollte nicht.

OBRISTER. Ich wüßt ihr keinen anderen Rat, als daß sie Begine würde. Ihre Ehre ist hin, kein Mensch darf sich, ohne zu erröten, ihrer annehmen. Obschon sie versichert, sie sei den Gewalttätigkeiten des verwünschten Jägers noch entkommen. O, gnädige Frau, wenn ich Gouverneur wäre, der Mensch müßte mir hängen –

GRÄFIN. Das beste liebenswürdigste Geschöpf – ich versichere Ihnen, daß ich anfing, die größten Hoffnungen von ihr zu schöpfen. *(Sie weint.)*

OBRISTER. Diese Tränen machen Ihnen Ehre, gnädige Frau! Sie erweichen auch mich. Und warum sollte ich nicht weinen, ich, der fürs Vaterland streiten und sterben soll, einen Bürger desselben durch einen meiner Untergebenen mit seinem ganzen Hause in den unvermeidlichsten Untergang gestürzt zu sehen.

GRÄFIN. Das sind die Folgen des ehlosen Standes der Herren
   Soldaten.

OBRISTER *(zuckt die Achseln.)* Wie ist dem abzuhelfen? Wissen
   Sie denn nicht, gnädige Frau, daß schon Homer gesagt
   hat, ein guter Ehmann sei immer auch ein schlechter
   Soldat.

GRÄFIN. Ich habe allezeit eine besondere Idee gehabt, wenn
   ich die Geschichte der Andromeda gelesen. Ich sehe die
   Soldaten an wie das Ungeheuer, dem schon von Zeit zu
   Zeit ein unglückliches Frauenzimmer freiwillig aufgeopfert werden muß, damit die übrigen Gattinnen und Töchter verschont bleiben.

OBRISTER. Ihre Idee ist lange die meinige gewesen, nur habe
   ich sie nicht so schön gedacht. Der König müßte dergleichen Personen besolden, die sich auf die Art dem äußersten Bedürfnis seiner Diener aufopferten, denn kurzum,
   den Trieb haben doch alle Menschen, dieses wären keine
   Weiber, die die Herzen der Soldaten feig machen könnten, es wären Konkubinen, die allenthalben in den Krieg
   mitzögen und allenfalls wie jene medischen Weiber unter
   dem Cyrus die Soldaten zur Tapferkeit aufmuntern würden.

GRÄFIN. O, daß sich einer fände, diese Gedanken bei Hofe
   durchzutreiben! Dem ganzen Staat würde geholfen sein.

OBRISTER. Und Millionen Unglückliche weniger. Die durch
   unsere Unordnungen zerrüttete Gesellschaft würde wieder aufblühen und Fried und Wohlfahrt aller und Ruhe
   und Freude sich untereinander küssen.

# Pandämonium Germanikum

## Eine Skizze

Difficile est satyram non scribere.

———

Der deutschen Wändekritzler Heer,
Unzählbar wie der Sand am Meer,
Ist meiner Seel beim Lichten besehn
Nicht einmal wert, am Pranger zu stehn.
Ein Dunsiadisch Spottgedicht
Lohnt da Gott weiß der Mühe nicht
Und ihre Namen nur aufzuschreiben,
Das ließ' der Teufel selbst fein bleiben.

# Erster Akt

## Der steil Berg

### Erste Szene

GOETHE. LENZ *im Reisekleid.*

GOETHE. Was ist das für ein steil Gebürg mit so vielen
Zugängen?

LENZ. Ich weiß nicht, Goethe! ich komm erst hier an.

GOETHE. Ist's doch so herrlich dort von oben zuzusehn, wie
die Leutlein ansetzen und immer wieder zurückrutschen.
Ich will hinauf. *(Geht um den Berg herum und verschwindt.)*

LENZ. Wenn er heraufkommt, werd ich ihn schon zu sehen
kriegen. Hätt ihn gern kennen lernen, er war mir wie eine
Erscheinung. Unterdessen will ich den Regen von meinem
Reiserock schütteln und selbst zusehen wo heraufzukommen.

*Erscheint eine andre Seite des Berges, ganz mit Busch überwachsen.*
*LENZ kriecht auf allen vieren.*

LENZ *(sich umkehrend und ausruhend).* Das ist böse Arbeit. Seh
ich doch niemand hier, mit dem ich reden könnte. Goethe! Goethe! wenn wir zusammen blieben wären. Ich
fühl's, mit dir wär ich gesprungen, wo ich itzt klettern
muß. Wenn mich einer der Kunstrichter sähe, wie würd
er die Nase rümpfen? Was gehn sie mich an, kommen sie
mir hier doch nicht nach. Aber weh, es fängt wieder an zu
regnen. Himmel, bist du so erbost über einen handhohen
Sterblichen, der nichts als sich umsehen will – Fort! das
Nachdenken macht Kopfweh. *(Klettert weiter.)*

*Wieder eine andre Seite des Berges, aus dem ein kahler Fels hervor-*
*sticht.* GOETHE *springt herauf. Sich umsehend.*

GOETHE. Lenz! Lenz! welch herrliche Aussicht. – – Da, o da
steht Klopstock. Wie, daß ich ihn von unten nicht wahr-

nahm? Ich will zu ihm. Er deucht mich auszuruhen auf
dem Ellbogen gestützt. Edler Mann, wie wird's dich
freuen, jemand Lebendiges hier zu sehn!

*Wieder eine andere Seite des Berges.* LENZ *versucht zu stehen.*

LENZ. Gottlob daß ich einmal wieder auf meine Füße kommen darf, mir ist das Blut vom Klettern so in den Kopf
geschossen. O so allein! daß ich stürbe. Hier seh ich wohl
Fußtapfen, aber alle hinunter, keinen herauf. Gütiger
Gott, so allein!

*In einiger Entfernung* GOETHE *auf einem Felsen, der ihn gewahr
wird. Mit einem Sprung ist er bei ihm.*

GOETHE. Lenz, was Teutscher machst du denn hier?

LENZ *(ihm entgegen).* Bruder Goethe! *(Drückt ihn ans Herz.)*

GOETHE. Wo Henker bist du mir nachgekommen?

LENZ. Ich weiß nicht, wo du gegangen bist, aber ich hab
einen beschwerlichen Weg gemacht.

GOETHE. Bleiben wir zusammen.

*(Gehn beide einer andern Anhöhe zu.)*

## Zweite Szene

### Die Nachahmer

GOETHE *(steht auf einem Felsen und ruft herunter zu einem ganzen
Haufen Gaffer).* Meine werte Herren, wollt ihr's eben so
gut haben, dürft nur da herumkommen – denn da – denn
da – 's ist gar nit hoch, ich versichere euch, und die
Aussicht ist herrlich. Lenz, nun sollst du deinen Spaß
haben.

*Geht ein jämmerlich Gepurzel an. Bleiben ihrer etliche am Fuß des
Berges auf Feldsteinen stehen und rufen den andern zu:*

Meine werte Herren, wollt ihr's auch so gut haben etc.

ANDERE AUS DEM HAUFEN. Sollst gleich herunter sein, Pik-
kelhäring, bist ja nur eine Hand hoch höher als wir und

machst solchen Lärm da. *(Stoßen sie herunter, jene wehren sich mit den Steinen auf welchen sie standen.)*

DIE VORIGEN. Wollen doch sehen, ob wir die von oben nicht auch so herunterkriegen können.

EINER. Hast du nicht eine Lorgnette bei dir, ich kann sie nicht recht unterscheiden. Ich möchte gern an den, der zuerst herunterrief.

ZWEITER. Mensch, wo denkst du hin? Wo willt du an ihn kommen?

EINER. Ich will schleudern. Wie, wenn ich mich auf jenen Stein stelle dort gegenüber, sag mir, wo ich hinwerfen soll. *(Schwingt die Schleuder, ruft:)* Hör, dritter, rück mir doch den Arm ein, er ist mir aus dem Gelenk gegangen.

ZWEITER *(durch die Lorgnette guckend).* Da, da wo ich mit dem Finger hindeute, da steht der Goethe, ich seh ihn eigentlich mit seinen großen schwarzen Augen.

EINER *(schleudert aus aller seiner Macht).* Da mag er's denn darnach haben. *(Der Stein fällt wieder zurück und ihm auf den Fuß. Hinkt herum.)* Aye! aye! was hab ich doch gemacht?

ZWEITER. Weis mir her, alte Hure! *(Faßt den Stein wütend und wirft blindlings über die Schulter seinem Nachbar ins Gesicht, daß der tot zur Erde fällt.)* Der Teufel, ich dacht ihn doch recht gezielt zu haben. Wird doch heutzutage kein vernünftig Glas mehr geschliffen.

GOETHE. Wollen uns doch die Lust machen und was herunterwerfen. Hast du einen Bogen Papier bei dir?

LENZ. Da ist.

GOETHE. Sie werden meinen, es sei ein Felsstück. Du sollst dich zu Tode lachen. *(Läßt den Bogen herabfallen.)*

*Sie laufen alle mit erbärmlichem Geschrei:*

Er zermalmt uns die Gebeine.
Er wird einen zweiten Aetna auf uns werfen.
Schone, schone, weitwerfender Apoll!

*Einige springen ins Wasser, andre kehren alle vier in die Höhe als ob der Berg schon auf ihnen läge.*

GOETHE *(kehrt sich lachend um zu Lenz).* Die Narren!

LENZ. Ich möchte fast herunter und sie bedeuten.

GOETHE. Laß sie doch. Wenn keine Narren auf der Welt wären, was wäre die Welt?

*Der ganze Haufe kommt den Berg hinangekrochen wie Ameisen. Rutschen alle Augenblick wieder herunter und machen die possierlichsten Kapriolen.*

UNTEN. Das ist ein Berg,
Der Henker hol den Berg,
Ist ein Schwernotsberg.

*Kommt ein Haufen* FREMDE *zu ihnen, sie komplimentieren sie:*

Kennen Sie Hn. Goethe? Und seinen Nachahmer, den Lenz? Wir sind eben bei ihnen gewesen, die Narren wollten nicht mit herunterkommen, sie sagten, es gefiel' ihnen so wohl oben in der dünnen Luft.

FREMDER. Wo geht man hinauf, meine Herren! ich möchte sie gerne besuchen.

EINER. Ich rat es Ihnen nicht. Wenn Sie zum Schwindel geneigt sind —

FREMDER. Ich bin nicht schwindlich.

EINER. Sie werden's schon werden. Und denn sind die Wege verflucht verworren durcheinander. Wir wollen ihnen lieber winken, sie werden schon herunterkommen.

*(Winken mit Schnupftüchern, jene gehen fort.)*

EINER. Sie werden gleich da sein.

ZWEITER. Ja, wart du bis morgen früh, da sind sie schon anderswo, eine halbe Stunde höher.

EINER. Das ist doch impertinent. Der Lenz ist doch einer von meinen vertrautesten Freunden, er schreibt kein Blatt das er mir nicht weist. Ein junges aufkeimendes Genie aus Kurland, der nun bald nach Hause reisen wird.

FREMDER. So?

## Dritte Szene

### Die Philister

LENZ *an einem einsamen Ort, spricht mit einigen Bürgern*
*aus dem Tal.*

ERSTER. Es freut uns, daß wir einen Ort ausgefunden haben,
von dem wir Sie näher kennen lernen konnten.

ZWEITER. Es verdrießt mich aber doch, daß Ihre Stücke
meist unter einem andern Namen herumwandern.

LENZ. Und mich freut's. Sollt ein Vater sich kränken, daß
sein Sohn seinen Namen verändert, wenn er so ein ge-
schwinderes Glück macht?

ERSTER. Wenn man aber zu zweifeln anfinge?

LENZ. Laß sie zweifeln. Was würd ich durch ihren Glauben
gewinnen? Das Gefühl, an diesem Herzen ist er warm
geworden, aus diesem Herzen hat er alle gutartige Mienen
bekommen, die andern an seinem Gesicht Vergnügen
machen, ist stärker und göttlicher als alles Schmettern der
Trompete der Fama in seinem Busen eins aufschütteln
kann. Dies Gefühl ist mein Lohn und der angenehme
Taumel, in den ich beim Anblick eines solchen Sohns
bisweilen wieder versetzt werde und der fast der Entzük-
kung gleicht, mit welcher er geboren ward.

GOETHE, *über ein Tal herabhängend, aus welchem eine Menge*
*Bürger und Gelehrte hervorgucken, die Hände in die Höhe als ob sie*
*sich für einem Felsstück beschützen wollten.*

EINER. Traut ihm nicht!

DER ANDERE. Gewiß in der andern Hand, die er auf dem
Rücken hat, hält er nichts Guts.

EIN GELEHRTER. Es scheint, der Mann will gar nicht rezensiert sein.

EIN BÜRGER. Ihr Narren, wenn er euch auch freien Willen
ließ', er würde bald unter die Füße kommen. Und er
streitet nicht für sich allein, sondern auch für seine Freunde. Ich bin nur ein Philister, aber weil mich der Himmel

mit dem Gelehrtenneide verschont hat, der der schlimmste unter allen ist, so kann ich gesunder davon urteilen als
ihr.

EINE MENGE KUNSTRICHTERLEIN. Wir wollen uns unter seinen Schutz begeben.


## Vierte Szene

### Die Journalisten

EINER. Es fängt dort oben an bald zu wölken, bald zu tagen.
Hört, Kinder, es ist euch kein andrer Rat, wir müssen
hinauf, sehen wie die Leute das machen.

ZWEITER. Ganz gut, wie kommen wir aber hinauf?

ALLE. Wir wollen ein Luftschiff machen wie die bösen Geister im Noah, das uns in die Höhe hebt.

ERSTER. Ein fürtrefflicher Einfall! Es kommt auch so ein
Wind von oben herab, der uns schon heben wird.

ZWEITER. Ich habe auch eben nichts Bessers zu tun.

DRITTER. Mir wird die Zeit auch verflucht lang hier unten.

VIERTER. Und ich will meine Akten in Ofen werfen. Was
nützen einem die Brotstudia?

FÜNFTER. Und so können wir mit leichter Mühe berühmt
werden.

VIERTER. Und Geld machen obenein. Ich will eine Theater-
zeitung schreiben.

FÜNFTER. Ich eine Theaterchronik.

SECHSTER. Ich einen Theateralmanach.

SIEBENTER. Ich einen Geist des Theaters.

ACHTER. Ich einen Geist des Geists. Das geneigte Publikum
wird doch gescheut sein und pränumerieren.

ALLE. Fort, laßt uns keine Zeit verlieren. Wer zuerst kommt,
der mahlt erst. *(Heben sich alle auf ihrem Luftschiff mit Goe-
thens Wind und machen ihm ihre Komplimente.)*

GOETHE. Landt an! landt an! *(Zu Lenz.)* Wollen den Spaß mit
den Kerlen haben. *(Wirft ihnen ein Seil zu, die Journalisten*

*verwandeln sich in Schmeißfliegen und besetzen ihn von oben bis unten.)* Nun zum Sackerment! *(Schüttelt sie ab.)*

*Sie bekommen die Gestalt kleiner Jungen und laufen auf dem hohen Berg herum, Hügelein auf Hügelein ab.* GOETHE *steigt eine neue Erhöhung hinan. Eine Menge von ihnen läuft hinzu und umklammert ihm die Füße:*

Nimm mich mit, nimm mich mit.

GOETHE. Liebe Jungen, laßt mich los, ich kann sonst nicht weiter kommen.

EINER. Womit soll ich dich vergleichen? Alexander, Cäsar, Friedrich, das waren alles Pygmäen gegen dich.

ZWEITER. Was sind die großen Genies unserer Nachbarn, die Shakespeare, die Voltaire, die Rousseau?

DRITTER. Was sind die so sehr gerühmten Alten selber, der Schwätzer Ovid, der elende Virgil und dein Homer? Du, du bist der Dichter der Nation und soviel Vorzüge die Deutschen vor den alten Griechen –

LENZ *(sein Haupt verhüllend).* O weh, sie verderben ihn.

GOETHE. Daß euch die schwere Not! *(Schüttelt sie von den Beinen kopflängs den Berg hinunter.)* Ihr Schurken, daß ihr euch immer mit fremder Größe beschäftigt und nie eure eigene ausstudiert. Wie seid ihr im Stande zu fühlen was Cäsar war oder was Friedrich ist, wie seid ihr im Stande zu fühlen was ich bin? Wie unendlich anders die Größe eines Helden, eines Staatsmanns, eines Gelehrten und eines Künstlers! Ich bin Künstler, dumme Bestien, und verlangte nie mehr zu sein. Sagt mir, wo mir's in meiner Kunst geglückt ist, wo ich einen Strich wider die Natur gemacht habe, und denn sollt ihr mir willkommen sein. Übrigens haltet's Maul mit euren wahnwitzigen Ausrufungen ohne Sinn und merkt euch die Antwort, die der König von Preußen einem gab, der ihn zum Halbgott machen wollte, und der König von Preußen war doch ein ganz andrer Mann, als ich bin.

DIE JOURNALISTEN *(im Fallen).* Wir wollen alle Künstler werden.

GOETHE. In Gottes Namen. Ich will euch dazu behülflich sein.

EINER. Wir brauchen deiner Hülfe nicht. Ich bin schon ein zehnmal größerer Mann als du bist.

LENZ *(sieht wieder hervor)*. Also auch als alle die, die er vorhin unter dich gesetzt hat.

GOETHE *(lachend)*. So aber gefällt mir der Kerl.

LENZ. Lieber Bruder, ich möchte mein Dasein verwünschen, wenn's lauter Leute so da unten gäbe.

GOETHE. Haben sie's andern Nationen besser gemacht? Woher der Verfall der Künste, wenn sie zu einer gewissen Höhe gestiegen sind?

LENZ. Ich wünschte denn doch lieber mit Rousseau, wir hätten gar keine und kröchen auf allen vieren herum.

GOETHE. Wer kann davor?

LENZ. Ach, ich nahm mir vor hinunterzugehn, ein Maler der menschlichen Gesellschaft zu werden, aber wer mag da malen, wenn's lauter solche Fratzengesichter da gibt? Glücklicher Aristophanes, glücklicher Plautus, der noch Leser und Zuschauer fand. Wir finden, weh uns, nichts als Rezensenten und könnten ebenso gut in die Tollhäuser gehen um menschliche Natur zu malen.

## Zweiter Akt

### Der Tempel des Ruhms

### Erste Szene

HAGEDORN *(spaziert einsam herum und pfeift zum Zeitvertreib einige Lieder)*. Wie wird mir die Zeit so lang Gesellschaft zu finden. *(Setzt sich an eine schwarze Tafel und malt einige Tiere hin.)*

LAFONTAINE *(mit einigen andern Franzosen auf einem Chor hinter*
*einem Gegitter bückt sich über dasselbe hervor, ruft und patscht in*
*die Hände, indem er ihm zusieht).* Bon! bon! cela passe!

*Tritt herein ein schmächtiger* PHILOSOPH, *ducknackigt, mit hage-*
*rem Gesicht, großer Nase, eingefallenen hellblauen Augen, die*
*Hände auf die Brust gefaltet. Als er hereinkommt, bleibt er verwun-*
*drungsvoll* HAGEDORN *gegenüber stehen ohne aus seiner Stellung*
*zu kommen. Auf einmal erblickt er* LAFONTAINEN *und schleicht in*
*den Winkel um nicht gesehen zu werden. Nach einer Weile kommt er*
*mit einigen Papieren voll Zeichnungen hervor, die er sich vor die*
*Stirne hält.* HAGEDORN *läßt die Kreide fallen, eine Menge Men-*
*schen umringen und bewundern ihn, er verzieht seine sauertöpfi-*
*schen Mienen und sagt mit hohler Stimme und hypochondrischem*
*Lachen:*

Was seht ihr da? – Wenn ihr mir gute Worte gebt, will ich
euch Menschen malen.

*Gleich drängen sich verschiedene, die sein frommes Ansehen dreist*
*macht, zu ihm, unter denen ein großer Haufe alter Weiber und*
*zutätiger Mütterchen. Eh sie sich's versehen, steht eine von ihnen auf*
*seinem Papier, da denn ein überlautes Gelächter von einer und ein*
*Geschimpf von der andern Seite angeht.*

EIN ALT WEIB. Der böse Mensch, der gottsvergessene
Mensch, er hat keine Religion, er hat keine Frömmigkeit,
sonst würd er des ehrwürdigen Alters nicht spotten, er ist
ein Atheist.

*Bei diesen Worten fällt* GELLERT *auf die Knie und bittet um Gottes*
*willen, man sollte ihm sein Bild zurückgeben, das man ihm schon aus*
*den Händen gewunden, er wolle es verbrennen.*

EINIGE FRANZOSEN *(hinterm Gitter).* Oh l'original!

MOLIERE *(streicht sich den Stutzbart).* Je ne puis pas concevoir
ces Allemands là. Il se fait un crime d'avoir si bien reussi.
Il n'auroit qu'à venir à Paris, il se corrigeroit bientôt de
cette maudite timidité.

*Herr* WEISSE, *einer aus dem Haufen sehr weiß gepudert und mit*
*Steinschnallen in den Schuhen, läuft schnell heraus um sich ein Billet*
*auf den Postwagen nach Paris auszunehmen.*

GELLERT *unterdessen drängt sich zu seinem Winkel, kniet nieder, weint bittere Tränen, fängt auf einmal geistliche Lieder an zu singen, dann verfällt er in ein gänzlich trübsinniges Stillschweigen als ob er ein schwer Verbrechen auf dem Gewissen hätte. Ein Engel fliegt vorbei und küßt ihm die Augen zu.*

EINE STIMME. Redliche Seele! auch in deinen Ausschweifungen zeigtest du, daß eine deutsche Seele keiner unedlen Narrheit fähig sei.

*(Als er stirbt:)*

EINIGE FRANZOSEN. Il est fou cet homme.

ROUSSEAU *(am äußersten Eck des Gitters auf seine beiden Ellbogen gestützt).* C'est un ange.

## Zweite Szene

RABENER *(tritt herein, den Haufen um* GELLERT *zerstreuend).* Platz – Platz für meinen Bauch *(mit der Hand)* und nun für meine Laune, daß sie bequemlich auslachen kann! Was in aller Welt sind das für Gesichter hier?

*Zieht einen zylindrischen Spiegel hervor, sie halten sich die Köpfe und laufen alle wie eine Herde gescheuchter Schafe. Einige ermannen sich und treten sehr gravitätisch näher den Spiegel zu besehen. Als sie nah kommen, können sie sich doch nicht enthalten mit dem Kopf zurückzufahren, so erschröcken sie über ihre Gestalt. Als vernünftige Leute aber lachen sie selber über die Grimassen, die sie machen.*

RABENER. Seid ihr's bald müde? *(Gibt ihnen den Spiegel herum, sie erschröcken einander damit.)*

RABELAIS und SCARRON *(von oben).* Au lieu du miroir, s'il s'etoit oté la culotte, il auroit mieux fait.

LISKOV *horcht herauf und da eben ein paar Waisenhäuserstudenten neben ihm stehen, zieht er sich die Hosen ab, die schlagen ein Kreuz, und er jägt sie so rücklings zur Kirche hinaus. Ein ganzer Wisch junger Studenten bereden sich bei erster Gelegenheit ein gleiches zu tun.*

KLOTZ *bittet sie nur so lange zu warten, bis er sich zu jenen drei Stufen emporgedrängt, auf die er steigen und sodann zu allgemeiner Niederlassung der Hosen das Signal geben will.*

KLOTZ. Das wird einen Teufels-Jokus geben. Keine einzige honette Dame bleibt in der Kirche.

EINER. Desto besser, wenn nur die Komödiantinnen bleiben.

ZWEITER. Und die H*ren. Wir wollen Oden auf sie machen.

*Anakreons Leier wird hervorgesucht und gestimmt. Die honetten Damen, die was merken, entfernen sich in eine Ecke der Kirche. Die andern treten näher.* ROST *spielt auf. Zu gleicher Zeit zieht* KLOTZ *die Hosen ab. Eine Menge folgen ihm. Das Gelächter, Gekreisch und Geschimpf wird allgemein. Die honetten Damen und die Herren von gutem Ton machen einen Zirkel um Rabner, der den Spiegel eingesteckt hat.*

DIE FRANZOSEN *(von oben)*. Voilà qui est plaisant. Ils commencent à avoir du bon sens, ces drôles d'Allemands là.

CHAULIEU und CHAPELLE. Voilà un qui ne dit pas mot, mais qui sourit à tout. Il semble bon enfant, il faut le reveiller un peu. *(Stoßen ihn von oben mit dem Stock an und winken ihm heraufzukommen, er tut's.)*

GLEIM *tritt herein mit Lorbeern ums Haupt, ganz erhitzt, in Waffen. Als er den neckischen tollen Haufen sieht, wirft er Rüstung und Lorbeer von sich, setzt sich zur Leier und spielt. Der ernsthafte Zirkel wird aufmerksam,* UTZ *tritt aus demselben hervor, und löst* GLEIMEN *ab. Der ernsthafte Zirkel tritt näher.* EIN JUNGER MENSCH *folgt* UTZEN, *mit verdrehten Augen, die Hände über dem Haupt zusammengeschlagen:*

Ω πω ποι, was für ein Unterfangen, was für eine zahmlose und schamlose Frechheit ist dies? Habt ihr so wenig Achtung für diese würdige Personen, ihre Augen und Ohren mit solchen Unflätereien zu verwunden? Errötet und erblaßt, ihr sollt diese Stelle nicht länger mehr schänden, die ihr usurpiert habt, heraus mit euch Bänkelsängern, Wollustsängern, Bordellsängern, heraus aus dem Tempel des Ruhms!

*Ein paar Priester folgen dicht hinter ihm drein, trommeln mit den*

*Fäusten auf die Bänke, zerschlagen die Leier und jagen sie alle zum Tempel hinaus.* WIELAND *bleibt allein stehen, die Herren und Damen beweisen ihm viel Höflichkeiten, für die Achtung die er ihnen bewiesen.*

WIELAND. Womit kann ich den Damen itzt aufwarten, ich weiß in der Geschwindigkeit wahrhaftig nicht – sind Ihnen Sympathieen gefällig – oder Briefe der Verstorbnen an die Lebendigen – oder ein Heldengedicht, eine Tragödie?

*Kramt alle seine Taschen aus. Die Herrn und Damen besehen die Bücher und loben sie höchlich. Endlich weht sich die eine mit dem Fächer, die andere gähnend:*

Haben Sie nicht noch mehr Sympathieen?

WIELAND. Einen Augenblick Geduld, wir wollen gleich was anders finden – nur einen Augenblick, gnädige Frau! lassen Sie sich doch die Zeit nur nicht lang werden. *(Geht herum und findt die zerbrochene Leier, die er zu stimmen anfängt.)* Wir wollen sehn, ob wir nicht darauf was herausbringen können.

*Spielt. Alle Damen halten sich die Fächer vor den Gesichtern. Hin und wieder ein Gekreisch:*

Um Gottes willen, hören Sie auf!

*Er läßt sich nicht stören, sondern spielt immer feuriger.*

DIE FRANZOSEN. Oh le gaillard! Les autres s'amusoient avec des grisettes, cela debauche les honnetes femmes. Il a bien pris son parti au moins.

CHAULIEU und CHAPELLE. Ah ça, descendons notre petit *(lassen* JAKOBI *auf einer Wolke von Nesseltuch nieder, wie einen Amor gekleidt),* cela changera bien la machine.

JAKOBI *spielt in der Wolke auf einer kleinen Sackvioline. Die ganze Gesellschaft fängt an zu danzen. Auf einmal läßt er eine ungeheure Menge Papillons fliegen.*

DIE DAMEN *(haschen).* Liebesgötterchen! Liebesgötterchen!

JAKOBI *(steigt aus der Wolke in einer schmachtenden Stellung).* Ach mit welcher Grazie! –

WIELAND. Von Grazie hab ich auch noch ein Wort zu sagen.

*Spielt ein anderes Stück. Die Dames minaudieren entsetzlich. Die
Herren setzen sich einer nach dem andern in des* JAKOBI *Wolke und
schaukeln damit. Viele setzen die Papillons unters Vergrößerungsglas
und einige legen den Finger an die Nase, die Unsterblichkeit der
Seele daraus zu beweisen. Eine Menge Offiziers machen sich Kokarden von Papillonsflügeln, andere kratzen mit dem Degen an*
WIELANDS *Leier, sobald er zu spielen aufhört. Endlich gähnen
sie alle.*

*Eine* DAME, *die, um nicht gesehen zu werden, hinter* WIELANDS
*Rücken gezeichnet hatte, unaufmerksam auf alles was vorging, gibt
ihm das Bild zum Sehen. Er zuckt die Schultern, lächelt bis an die
Ohren hinauf, reicht aber doch das Bild großmütig herum. Jedermann macht ihm Komplimente darüber, er bedankt sich schönstens,
steckt das Bild wie halb zerstreut in die Tasche und fängt ein ander
Stück zu spielen an. Die Dame errötet. Er spielt. Die Palatine der
Damen kommen in Unordnung, weil die Herrchen zu ungezogen
werden. Er winkt ihnen lächelnd zu und* JAKOBI *hüpft wie unsinnig
von einer zur andern umher. Alle klatschen wollüstig gähnend:*

Bravo, bravo, bravo! le moyen d'entendre quelque chose
de plus ravissant.

GOETHE *(stürzt herein in den Tempel, glühend, einen Knochen in
der Hand).* Ihr Deutsche? – Hier ist eine Reliquie eurer
Vorfahren. Zu Boden mit euch und angebetet, was ihr
nicht werden könnt.

WIELAND *macht ein höhnisches Gesicht und spielt fort.* JAKOBI
*bleibt mit offenem Mund und niederhangenden Händen stehen.*

GOETHE *(auf Wieland zu).* Ha daß du Hecktor wärst und ich
dich so um die Mauren von Troja schleppen könnte! *(Zieht
ihn an den Haaren herum.)*

DIE FRAUENZIMMER. Um Gotteswilln, Herr Goethe, was
machen Sie?

GOETHE. Ich will euch spielen, obschon's ein verstimmtes
Instrument ist. *(Setzt sich, stimmt ein wenig und spielt. Alles
weint.)*

WIELAND *(auf den Knieen).* Das ist göttlich!

JAKOBI *(hinter ihm, gleichfalls auf Knieen).* Das ist eine Grazie,
eine Wonneglut!

EINE GANZE MENGE DAMEN *(Goethen umarmend).* O Herr
Goethe!

*Die Chapeaux werden ernsthaft, einige laufen heraus, andere setzen*
*sich die Pistolen an die Köpfe, setzen aber gleich wieder ab. Der*
KÜSTER, *der das sieht, läuft und stolpert aus der Kirche.*

## Dritte Szene

### KÜSTER. PFARRER.

KÜSTER. O Herr Pfarrer, um Gottes willen, es geschieht
Mord und Totschlag in der Kirche, wenn Sie nicht zu
Hülfe kommen. Da ist der Antichrist hereingetreten, der
hat ihnen allen die Köpfe umgedreht, daß sie sich das
Leben nehmen wollen. Sie haben alle Schießgewehr bei
sich, meine arme Frau, meine arme Kinder, wer weiß wie
leicht ein Fehlschuß sie treffen kann!

PFARRER *(zitternd und bebend).* Meine Frau ist auch drin.
Kann er sie nicht herausrufen?

KÜSTER. Nein, Herr Pfarrer, Sie müssen selber kommen, das
ganze Ministerium muß kommen. Das Skandalum ist zu
groß.

PFARRER *(sich trostlos umsehend).* Wenn meine Frau nur kommen wollte! *(Die Hände ringend.)* Hab ich das in meinem
Leben gehört, sie wollen sich das Leben nehmen, und
warum denn?

KÜSTER. Um unsrer Weiber willen, allerliebster Herr Pfarrer. Das ist Gott zu klagen, der Schwarzkünstler hat sie
alle aufgebracht. Vorhin saßen sie da in aller Eintracht
hübsch artig und spielten mit Papillons, da führt ihn der
Satan herein und sagt: wenn's doch gespielt sein soll, so
spielt mit Pistolen.

PFARRER. Ob sie aber auch geladen sind?

KÜSTER. Das weiß ich nun freilich nicht. Aber auch mit
ungeladenen ist's doch sündlich. – Und die Weiber sind
alle wie bestürzt darauf, sie sagen, sie haben sowas in

ihrem Leben noch nicht gehört. In Böhmen ist neulich der Baurenkrieg angebrochen, geben Sie nur acht, das wird hier einen Weiberkrieg geben, wo am Ende keine lebendige Mannsseele am Leben bleibt als ich und der Herr Pfarrer. Wir wollten endlich das menschliche Geschlecht auch nicht ausgehen lassen.

PFARRER. Seid unbesorgt – Wo meine Frau bleibt – Wenn ich mich durch die Hintertür in die Kirche schleichen und dem Unwesen zusehen könnte. Ich wollte sodann ganz in aller Stille die Kanzel heraufkriechen und auf einmal zu donnern anfangen. Das muß gewiß gute Wirkung tun.

KÜSTER. Ja ich mein es auch wohl. Und ich will den Glauben zu gleicher Zeit zu singen anfangen.

PFARRER. Hernach, hernach wenn ich fertig bin. Da könnt Ihr das Te Deum laudamus singen.

### Vierte Szene

GOETHE *zieht* WIELAND *das Bild aus der Tasche, das er vorhin von der Dame eingesteckt.*

GOETHE. Seht dieses Blatt an – und hier ist die Hand, die es zeichnete.

EINE PRÜDE *(weht sich mit dem Fächer).* O das wäre sie nimmer im Stande gewesen allein zu machen.

EINE KOKETTE. Wenn man ein so großes Genie zum Beistand hat, wird es nicht schwer einen Roman zu schreiben.

GOETHE. Errötest du nicht, Wieland? verstummst du nicht? Kannst du ein Lob ruhig anhören, das soviel Schande über dich zusammenhäuft?

WIELAND. Ich mußt ihr meinen Namen leihen, sonst hätte sie keine Gnade bei den Kunstrichtern gefunden.

GOETHE. Du warst der Kunstrichter. Du glaubtest, sie würde deinen Danaen Schaden tun. Wie, daß du nicht deine Leier in den Winkel warfst, demütig vor ihr hinknietest und gestandst, du seist ein Pfuscher? Das allein hätte dir Gnade bei dem Publikum erworben. *(Stellt das Bild auf eine Höhe, alle Männer fallen auf ihr Antlitz.)* Seht Platons Tugend in menschlicher Gestalt. Sternheim! wenn du einen Werther hättest, tausend Leben müßten ihm nicht zu kostbar sein.

PFARRER *(von der Kanzel herunter mit Händen und Füßen schlagend).* Unholde, Bösewichter, Ungeheuer! von wem habt ihr das Leben? Habt ihr das Recht darüber zu schalten und zu walten?

EINER AUS DER GESELLSCHAFT. Herr Pfarr, halten Sie das Maul!

KÜSTER *(mischt sich unter sie).* Ja, erlauben Sie, meine großgünstige Herren, es ist ein Unterschied unter einer s c h ö n e n Liebe und unter einer so wilden gottsvergessenen, satanischen Leidenschaft, nehmen Sie mir nicht übel, und der Herr Pfarrer hat auch so unrecht nicht, denn sehen Sie, meine Nachtruhe ist mir lieb und ich wollte nicht gern, daß meine Frau eines armen Menschen Leben auf ihr Gewissen lüde, der hernach käme und mir vorspückte, sehen Sie wohl.

EINER. Kerl, ihr habt nichts zu besorgen.

KÜSTER. Ja und ich habe meine Frau für mich geheuratet und also mit Ihrer gütigen Erlaubnis, meine Herren, dächt ich meines Bedünkens nach wir gingen nach Hause und schlössen die Kirchtür zu. Wer Lust hat den Werther zu machen, kann immer drinne bleiben, ich mein, er wird doch in der Einsamkeit schon zur Vernunft kommen, wir vernünftige Leute aber gehen heim nach dem Sprüchlein Lutheri

> Ein jeder lern sein' Lektion,
> So wird es wohl im Hause stohn.

GOETHE. Geht in Gottes Namen, ich bleibe allein hier.

*Einige bleiben bei ihm. Der Küster schließt die Kirchtür zu.*

KÜSTER. So! Du sollst mir auch nicht mehr herauskommen.

PFARRER. Nur die Schlüssel der Frau nicht gegeben.

FRAU PFARREN. Mannchen! der arme Werther.

PFARR und KÜSTER *(fahren zusammen)*. Da haben wir's. Ich
wünscht, er läg auf unserm Kirchhof oder der verach-
tungswürdige Prometheus oder Proteus, wie er da heißt,
an seiner Stelle. Wir wollten die Knochen herausgraben,
andern zur Warnung, verbrennen und die Asche aufs
Meer streuen.

KÜSTER. Ich wollt einen Mühlstein an die Asche hängen und
sie ersäufen lassen. Er hat mich und meine Frau geärgert –
Es ist wohl gut, daß in Deutschland keine Inquisition
eingeführt ist, aber es ist doch nicht gar zu gut. Solche
Rebellen gegen alle göttliche und menschliche Gesetze
sollten exemplarisch gestraft werden.

KÜSTERS FRAU. Er wär ein Rebell?

KÜSTER. Bist du auch schon angesteckt? Sag ich nicht –
Weib, um Gottes willen, bedenk nur was für schnöde
Worte er im Munde führt, wenn man das alles auseinan-
dersetzen wollte was der Werther sagt – Gotteslästerung,
Blasphemien, Injurien.

KÜSTERS FRAU. Er sagt es ja aber in der Raserei, da er nicht
recht bei sich war.

KÜSTER. Er soll aber bei sich bleiben, der Hund. Red mir
nichts von ihm – kurz und gut, ich will ein Buch schreiben, da ihr euch alle schämen sollt ihn gelobt zu haben.
Ich will – und kurz und gut, lieber einen Schwager als
einen Werther, kurz und gut, da hast du meine Meinung.

## Fünfte Szene

### Die Komödienschreiber

WEISSE *und* KÜSTERS FRAU *vor der Kirchentür.*

WEISSE. Da bin ich wieder aus Welschland angekommen, ich hab alle Taschen voll, mach sie mir nur auf, liebe Frau, ihr Mann wird nichts dawider haben. Ich werd drinnen keinen Unfug anrichten, das sei sie versichert.

*Geht herein in die Kirche. Da sitzen auf einer langen Bank französische Dramenschreiber im Grunde des Theaters, und zeichnen nach griechischen Originalen. Hinter ihnen auf einem kleinen Bänkchen deutsche Übersetzer und Nachahmer, die ihnen oft über die Schulter gucken und Zug für Zug nachkritzeln.*

WEISSE *(tritt mit einer edlen Freimütigkeit mitten in die Kirche, aber doch sehr höflich. Er hat einen französischen Galarock mit einer Drap d'ornen Weste, und dazu eine kurze englische Perücke. Nach vielen Scharfüßen fängt er an).* Meine werte Gesellschaft! möchten Sie lieber lachen oder möchten Sie weinen? Beides sollen Sie in kurzer Zeit an sich erfahren. *(Murmelt abgekehrt vor sich die Ausdrücke, als ob er sie repetierte:)* hell! destruction! damnation! *(Dann deklamiert er sie auf Deutsch mit erschröcklichen Kontorsionen.)*

HERR SCHMIDT *(ein Kunstrichter, stellt sich neben ihn, beide Finger auf den Mund gelegt).* Es ist mir als ob ich in London wäre. Ich wünschte Gärriken hier.

DER SELIGE MICHAELIS. Es ist unser deutsche Shakespear.
*(Überall tönt:)*
Shakespear! Deutscher Shakespear!

SCHMIDT. Sehn Sie nur, welch eine wunderbare Vereinigung aller Vollkommenheiten, die das englische sowohl als das französische Theater auszeichnen. Das griechische mit eingeschlossen.

WEISSE *(sehr höflich und freundlich).* Soviel es meiner Bescheidenheit kostet mich in diesen Streit zu mischen, so muß

ich doch gestehen daß ich glaube, Herr Schmidt habe
mich am richtigsten beurteilt.

MICHAELIS. Herr Schmidt ist unser deutsche Aristarch, er
hört nicht auf das was andere sagen, sondern fällt sein
eigenes Urteil mit einer Festigkeit und Gründlichkeit, die
eines Skaligers würdig ist.

SCHMIDT. O ich bitte um Verzeihung, ich richte mich mit
meinem Urteil immer nach der allgemeinen Stimme von
Deutschland. Zu dem Ende korrespondiere ich mit den
Pedellen aller deutschen Akademien und bleibt mir nicht
viel Zeit übrig im Skaliger zu lesen und seine Manier
anzunehmen. Ich bin der Mund der Nation.

WEISSE. Belieben Sie nur noch ein Pröbchen einer andern
Art. *(Nimmt den Hut untern Arm und trippelt auf den Zehen.)*
Mais mon Dieu – ah ah ah – *(Im Soubrettenton.)* Vous êtes
un sot animal, Monseigneur, voyez mes larmes.

SCHMIDT. Ist mir's doch als ob ich in Paris wäre. Es ist wahr,
alle die Züge sind nachgeahmt, aber mit solcher Delikatesse, als man die blaue Haut einer Pflaume anfaßt ohne sie
abzustreifen.

MICHAELIS. O wunderbarer Ausspruch eines wahren kritischen Genies – – Ich habe solche Kopfschmerzen – Herr
Schmidt, wollen Sie mich denn nicht auch beurteilen vor
meinem Tode? Hier ist auch eine Operette.

SCHMIDT. Mir sind die letzten Briefe ausgeblieben.

MICHAELIS. Ei was, Sie sind ja wohl Manns genug selber ein
Urteil zu fällen.

SCHMIDT. Nein, nein, erlauben Sie mir, das wag ich nicht.
Seit der selige Klotz vor mir die Hosen abgezogen hat, bin
ich ein wenig geschröckt worden. Herr Lessing hat mir
auch einmal einen Faustschlag unter die Rippen gegeben,
von dem ich zehn Tage lang engen Othem behielt. Ihn
wieder zu besänftigen hab ich hernach wohl zwanzig
Nächte nacheinander aufgesessen, um nach seiner Idee
zehn Stücke in eins zu bringen und der erhabne Plan hat
mir eine solche Migräne gemacht, daß ich fürchte, er hat

sich auf die Art noch schlimmer an mir gerochen als auf die erstere.

MICHAELIS. So muß ich denn wohl unbeurteilt sterben. Deinen Segen, deutscher Shakespear!

WEISSE *(mit feiner Stimme wie unter der Maske)*. Bon voyage, mon cher ami, je vous suis bien obligé pour toutes vos politesses.

SCHMIDT *(der derweile geschwind in den Literaturbriefen aufgeschlagen)*. Der Mann hat eine wunderbare Gabe, sich in alle Formen zu passen.


## Sechste Szene

LESSING, KLOPSTOCK, HERDER *treten herein umarmt, Klopstock in der Mitte, in sehr tiefsinnigen Gesprächen, ohne* WEISSEN *gewahr zu werden.*

LESSING *(sieht auf einmal auf)*. Was ist das, was haben die Leute?

WEISSE *macht seine Kunststücke fort.*

Soll das Nachahmung der Franzosen sein oder der Griechen?

WEISSE *(sich bückend)*. Beides.

LESSING. Wißt Ihr, was die Franzosen für Leute sind? Laßt uns einmal ihre Bilderchen besehen. *(Geht zu der langen Bank und rollt ihre Gemälde auf.)* Da zu hoch, da zu breit, da zu schmal, nirgends Zusammenhang, nirgends Ordnung, nirgends Wahrheit, und das sind eure Muster? – – Nehmt doch lieber die Alten vor, da findt ihr was. *(Crayonniert flüchtig etwas nach Plautus und wirft's unter sie hin, sie fangen's begierig auf, setzen sich auf den Boden hin und anstatt nach den Alten zu zeichnen, zeichnen sie seine Kopei nach und vervielfältigen, verändern und verstellen sie auf hundert Arten. Er ruft:)* So gebt doch auf die menschliche Gesellschaft acht, mischt euch unter sie, lernt ab was ihr schildern wollt und denn lernt den Alten ihre Manier ab. *(Wirft Minna von*

*Barnhelm unter sie: da geht das Gekritzel noch ärger an. Er geht unmutig zu* KLOPSTOCK *zurück.)*

HERDER. Ich hörte einen unter euch von Shakespear murmeln – kennt ihr den Mann? – – Tritt unter uns, Shakespear, seliger Geist! steig herab von deinen Himmelshöhen.

SHAKESPEAR *(einen Arm um Herder geschlungen).* Da bin ich.

WEISSE *schleicht zum Tempel heraus. Sein ganzer Anhang folgt ihm. Jedermann drängt zu Shakespearn zu sehen, einige fallen auf ihr Angesicht. Die Franzosen gucken einer nach dem andern nach ihm herüber, setzen sich aber gleich wieder mit einer verachtungsvollen Miene. Die deutschen Jungens machen's ihnen nach.*

KLOPSTOCK *(vor Shakespear).* Ich kenne dies Gesicht.

SHAKESPEAR *(den andern Arm um Klopstock schlingend).* Wir wollen Freunde sein.

KLOPSTOCK *(umarmt ihn brünstig, zuckt auf einmal).* Ach meine Griechen, verlaßt mich nicht!

SHAKESPEAR *verschwindt.* HERDER, *in sanfter Melancholei, tritt vorwärts, und sieht der französischen Ruderbank zu. Auf einmal fällt sein Blick auf einen Jungen, der im Winkel sitzt und denen Franzosen Gesichter schneidt. Zu* LENZEN:

Was machst du da?

LENZ *erschrocken steht auf und antwortet nicht.*

HERDER. Was schneidst du für Gesichter da?

LENZ. Es macht mich lachen und ärgern beides zusammen.

HERDER. Was?

LENZ. Die Primaner, die uns weismachen wollen, sie wären wunder was, und der große hagre Primus in ihrer Mitte, und sind Schulknaben wie ich und andere. Kritzeln da ängstig und emsig nach Bildern, die vor ihnen liegen, und sagen, das soll unsern Leuten ähnlich sehen. Und die Leut sind solche Narren und glauben's ihnen.

WIELAND. Das ist Rotwelsch!

HERDER *(ohn auf ihn zu hören).* Was verlangst du denn?

LENZ. Ich will nicht nachzeichnen – oder gar nichts. Wenn Ihr wollt, Herr, so stell ich Euch ein paar Menschen hin

wie Ihr sie da so vor Euch seht. Was den Alten galt mit
ihren Leuten, soll uns doch auch wohl gelten mit unseren.

HERDER. Probier's einmal.

LENZ *(kratzt sich in den Kopf)*. Ja da müßt ich einen Augenblick
allein sein.

HERDER. So geh in deinen Winkel und wenn du fertig hast,
bring mir's.

LENZ *geht fort.*

WIELAND *(stößt Herdern an, verächtlich)*. Ei, was kann da Klu-
ges herauskommen?

LENZ *bringt einen Menschen nach dem andern keichend und stellt sie
vor Herdern hin.*

HERDER. Mensch, die sind zu groß für unsere Zeit.

LENZ. So sind sie für die kommende. Sie sehn doch wenigstens ähnlich. Und Herr! Die Welt sollte doch itzt größere
Leute haben als ehmals. Ist doch so lang gelebt worden.

LESSING. Sie sind eher für ein bürgerlich Trauerspiel.

LENZ. Was ehmals auf dem Kothurn ging, Herr! sollte doch
itzt an unsere im Sokkus reichen. Soviel Trauerspiele sind
doch nicht umsonst gespielt worden, was ehmals Helden
grausen machte, sollt itzt Bürger lächeln machen.

LESSING. Und unser heutiges Trauerspiel?

LENZ. O da darf ich nicht einmal hinaufsehn nach. Wenn's
ging', wie es gehen sollte. Das hohe tragische von heut –
ahndet ihr's nicht? Geht in die Geschichte, seht einen
emporsteigenden Halbgott auf der letzten Staffel seiner
Größe gleiten oder einen wohltätigen Gott schimpflich
sterben. Die Leiden der griechischen Helden sind für uns
bürgerlich, die Leiden unserer sollten sich einer verkann-
ten und duldenden Gottheit nähern. Oder maltet ihr
Leiden der Alten, so wären es biblische, wie dieser tat
*(KLOPSTOCK ansehend)*, Leiden wie die der Götter, wenn eine
höhere Macht ihnen entgegen wirkt. Gebt ihnen alle tiefe,
voraussehende, Raum und Zeit durchdringende Weisheit der Bibel, gebt ihnen alle Wirksamkeit, Feuer und

Leidenschaften von Homers Halbgöttern – und mit Geist
und Leib stehn eure Helden da. Möcht ich die Zeiten
erleben!

KLOPSTOCK. Gott segne dich!

GOETHE *(springt hinzu und umarmt ihn)*. Mein Bruder!

LENZ. Wär ich alles dessen würdig! Laßt mich in meinen
Winkel! *(Auf dem halben Wege steht er still und betet.)* Zeit du
große Vollenderin aller geheimen Ratschlüsse des Himmels, Zeit ewig wie Gott, allmächtig wie er, immer fort-
wirkend, immer verzehrend, immer umschaffend, erhö-
hend, vollendend, laß mich – laß mich's erleben! *(Ab.)*

WIELAND. Rotwelsch! *(Für sich.)*

KLOPSTOCK, HERDER, LESSING. Der brave Junge! Leistet er
nichts, so hat er doch groß geahndet.

GOETHE. Ich will's leisten. –

*Eine* MENGE *junger Leute stürmen herein mit verstörten Haaren:*
Wir wollen's alle leisten.

*Bringen mit Ungestüm Papier herbei, Farben herbei, schmieren und
malen zusammen, was sie gesehn und gehört haben, heben die
                      Papiere hoch empor:*
Da sind sie.

GOETHE *(sehr sanftmütig)*. Hört zu, Kinder, ich will euch eine
Fabel erzählen. Als Gott der Herr Adam erschuf, macht'
er ihn aus Erde und Wasser sehr sorgfältig, bildete alle
seine Gliedmaßen, seine Eingeweid, seine Adern, seine
Nerven, blies ihm einen lebendigen Odem in die Nase, da
ging der Mensch herum und wandelte und freute sich und
alle Tiere hatten Respekt vor ihm.

Kam der Teufel, sagte, ei sieh was eine große Kunst ist
denn das solche Figuren zu machen, darf nur ein bissel
Mörtel zusammenpacken und drauf blasen, wird's gleich
herumgehen und leben und die Tiere in Respekt erhalten.
Tät er dem auch also, schmiert eine gewaltige Menge Leim
zusammen, rollt's in seinen Händen, behaucht' und begei-
ferte es, blies sich den Othem aus fu fu fu – aber geskizzen
wor nit gemolen.

# Dritter und letzter Akt

## Gericht

*Nacht.* GEISTER. STIMMEN.

EINE STIMME. Ist Tugend der Müh wert?

ZWEITE STIMME. Machen Künst und Wissenschaften glücklich?

EINE MENGE GEISTER *(rufen).* Tugend ist der Müh nicht wert.

EINE MENGE GEISTER *(rufen).* Künst und Wissenschaften machen elend.

WELTGEIST. Eßt, liebt und streitet, euer Lohn ist sicher.

EWIGER GEIST. Euer Lohn ist klein. – Schaut an Klopstock, der auf jene steinigten Pfade Rosen warf. Der muß tugendhaft gewesen sein, der von gegenwärtigem Genuß auf seine Brust hinverweisen kann, auf sein Auge gen Himmel gewandt. Schaut an Herdern, der jene Labyrinthe mit einem breiten Wege durchschnitt, die nur immer um Künste herum, nie zur Kunst selber führten. Tausend Unglücklichen, Verirrten ein Retter, die sonst nicht wußten wo sie hinauswollten und in dieser tödlichen Ungewißheit an Felsenwänden kratzten. – Wer von euch schweigt, bekennt, er sei nicht fähig euch zu loben. – Schweig, Säkulum!

LENZ *(aus dem Traum erwachend, noch ganz erhitzt).* Soll ich dem kommenden rufen? –

## Ende der Skizze.

Prosa

# Moralische Bekehrung eines Poeten

von ihm selbst aufgeschrieben

## Vorrede

Auszug einer Stelle der allgemeinen Einleitung
von Banks' und Solanders Reisen

Insbesondere wurde es für nötig erachtet mit einer sorgfältigen Genauigkeit anzuzeigen, wo sich das Schiff an verschiednen Stunden des Tages befunden und wie diese oder jene Gegend des Landes zu dieser oder jener Zeit zu sehen war und wo solche damals eigentlich gelegen sei; denn da der größte Teil dieser Reisen auf Meeren und an Küsten unternommen wurde, die bis dahin fast gänzlich unbekannt waren, so mußte der Lauf aller dieser Schiffe mit weit umständlicher Sorgfalt bestimmt und angezeigt werden damit der künftige Seefahrer durch diesen Bericht in Stand gesetzt würde jede hier angezeigte Gegend der See und des Landes leicht finden und ganz sicher besuchen zu können. Man wird nunmehro von selbst einsehen, daß es zu Erreichung dieses Endzwecks ebenso notwendig war, die Bayen Landspitzen und andere Unregelmäßigkeiten der Küste die Aussichten des Landes seine Berge Täler Gebirge und Wälder nebst der Tiefe des Wassers und jeden andern Umstand mit der pünktlichsten Sorgfalt anzuzeigen.

## Erste Selbstunterhaltung

Da es heutzutage mehr Leute gibt die Bücher schreiben, als die welche lesen und die letzteren gemeiniglich weiser und verständiger sind als die ersten, so will ich um mich auch zu diesen rechnen zu können, mein Buch mir selber schreiben, das heißt mir selber von meinen Empfindungen, ihrem

Wechsel, Veränderung und Fortgang Rechenschaft zu geben suchen. Ich folge darin Deinem Exempel liebenswürdiger L. – dessen Jugend manchem weißbärtigen Philosophen nützlich werden könnte, da Du das Tagebuch Deiner Kindheit und jugendlichen Torheiten Dir selber dediziertest, wenn Du in ein reiferes Alter gekommen sein würdest, um Dich daraus zu unterrichten.

Meine letzte Reise soll durchaus Epoche in meinen Empfindungen machen. Es gibt gewisse Zufälle in unserm Leben zu denen wir so ganz blindlings gekommen scheinen, und die gemeiniglich wenn wir uns die Mühe nehmen sie näher zu betrachten, für die ganze Einrichtung unsres Lebens bestimmend sind. Der Träge schlendert seinen Weg fort ohne einmal die hingestreuten Edelgesteine wahrzunehmen, der Weise bückt sich und hebt sie auf.

Ich hatte bis zu dieser Reise immer geliebt, das heißt, ich hatte mein Herz womit beschäftigt. Die hoch- und dürrbeinigten Philosophen nennen dies Bedürfnis Gärung und versichern daß es am Ende auf nichts anders hinausgehe als Geschlechtervereinigung. Ich ließ sie behaupten und ging meinen Gang fort. Gottlob es hat mich nicht gereut und ich bin von meinen romantischen Kreuzzügen gescheuter zurückgekommen als Amadis und Idris.

Das aber muß ich mir gestehen daß meine Imagination mir schlimme Streiche gespielt hat, meine Vernunft aber vielleicht noch schlimmere. Während der Zeit daß die Imagination angeklebt ist und daß ich so sagen mag an der Vollendung des Gemäldes arbeitet sieht man an seiner Schönen nichts als einen Umriß von allen erdenklichen Vollkommenheiten des Verstandes und Herzens. Ich erinnere mich der Zeit noch wohl da ich Tiefen des Genies in meiner geliebten C. zu entdecken glaubte – wie wohl war mir dabei – alle meine Kräfte arbeiteten, wie Shakespear sagt, meiner Narrheit das Ansehen der Vernunft zu geben, und zu jeder ihrer unbedeutendsten Handlungen einen Schlüssel aufzusuchen. Nach vielem Abarbeiten und ohnmächtig werden meines dahinsterbenden Genies bin ich endlich zu der kalten und freudenleeren Betrachtung zurückgekommen, die Schönheiten die Vollkommenheiten die ich ihrem Geist und Herzen lieh, haben bloß in meiner Imagination gesteckt, ich sah allen Zauber um Armiden verschwinden und ein gemeines und weh daß ich's sagen muß, häßliches Porträt stand da wo mein betörter Kopf vor einem Augenblick Ideale gesehen hatte. Ich wäre aber zu dieser Betrachtung nie gekommen, wenn diese Reise mich nicht aus meinen Zauberzirkeln herausgehoben, das heißt mich von diesem Gegenstande entfernt und einen andern in der Nähe gewiesen hätte.

Das war die Frau eines meiner besten Freunde und des würdigsten Menschen in dieser ganzen Gegend. Er selbst führte sie hieher um mich kennen zu lernen, weil vielleicht der allgemeine Ruf von mir ihre Neugier mochte erregt haben. Ich fühlte mich außerordentlich wohl disponiert als ich ein Paar so würdige Leute vor mir sah, beide aufmerksam auf jedes meiner Worte und Handlungen. So aufgemuntert mußte ich meine Rolle gut spielen und ich glaube der erste Eindruck den ich ihr machte wird in ihrem schönen unglücklichen Herzen nie auslöschen. Wir hatten Gelegenheit allein zu sein. Das zärteste Gefühl der Freundschaft und ich möchte sagen der Erkenntlichkeit für ihren Bruder machte mich äußerst empfindlich gegen ihre Abreise. Ich küßte ihre Hand halb mit Tränen und bezeugte ihr meinen Schmerz. Sie drückte mir die Hand und mit einer Feierlichkeit die mich noch ins Innerste der Seelen rührt mußte ich ihr die Hand worauf geben. Ich tat es mit Effronterie. Sie versprach mir zu schreiben, ich mußte ihr gegenteils versprechen, die Briefe zu verbrennen – aber ich habe mein Versprechen nicht gehalten. Indessen habe ich und werde sie dennoch niemanden weisen, auch nicht meinem geheimsten Busenfreunde.

Was für Briefe! Gütiger Gott! Mit alledem hatte sie mein C. um kein Haarbreit aus meiner Imagination zurückstoßen können. Ich – Wunderns würdig! – hatte mit vollem Anteil

des Herzens in ihrer Gegenwart auf alles hiesige Frauenzimmer losgezogen und was das seltsamste ist, Züge zu meiner
Karikatur von C. selber entlehnt – dennoch machte etwas
Geheimes in mir immer von ihr eine Ausnahme und dachte,
du wirst die Züge von ihr schon dereinst zurecht legen
können.

Als eine wahre Kokette hatte sie mir immer glauben zu
machen gewußt, sie liebte mich und im nächsten Augenblick
darüber doch in völligem Zweifel gelassen. In der Tat, was
soll ich mir's verhehlen, liebte sie mich, aber nur als einen
Menschen der sich alles von ihr müßte gefallen lassen, und
bei allen Hexentänzen die sie mit ihm hielt, dennoch fortfuhr ihr durch beständig neue Proben, durch Übernehmung
der äußersten Gefahr und Aufopferung aller Vorteile um
ihre ausschweifenden Ideen auszuführen, zu beweisen, daß
seine Neigung zu ihr unerschütterlich wäre. Ich suchte einen
Ruhm darin, sie auf Kosten meiner Vernunft, meiner Ruhe
und meiner Tugend davon zu überführen und sie suchte
einen Ruhm drin, meine Treue durch alle Proben zu führen.
Hier ist eine Klippe edle Jünglinge, die ich euch zu vermeiden bitte, ach je edler euer Herz ist, desto näher steuert ihr
ihr entgegen und desto mehr lauft ihr Gefahr. Seht ihr eine
Schöne die es über ihr Herz bringen kann euch in alle
mögliche Gefahren zu verwickeln, unter dem Vorwand eure
Treue zu probieren – ach liebe Jünglinge betrügt euch nicht!
glaubt nur sicher sie liebt euch nicht – sie liebt bloß sich
selber, sie ist nicht zärtlich sie ist nur eitel und wehe euch,
je edler, je großmütiger ihr seid. Es ist unnützer Aufwand.
Nach vielen sauren Proben und halsbrechenden Gefahren
wird sie euch gut werden – ich rede aus Erfahrung – aber
bloß als dem Instrument ihrer Eitelkeit. Und itzt da ich die
Früchte meiner Leiden einernten könnte, jetzt da ich ihr
Herz in Händen habe weil vielleicht niemand mehr da ist,
der dergleichen Traktaten mit ihr eingehen mag, jetzt anato-
miere ich dieses Herz und werf es in mein Raritäten-
kabinettchen, ohne mich weiterst jemals damit abgeben zu

wollen und wenn es in dem Busen einer Venus von Florenz schlüge.

Laßt euch diese Erfahrung nützen, die nicht als Roman sondern als Wahrheit hingeschrieben wird, und hütet euch eure edelsten Kräfte und Entschließungen in dem Schoß einer Delila einschlummern zu lassen, die nur ihr Gespötte damit treibt. Was hätt ich unter der Zeit tun was für edlere und schönere Erfahrungen machen können, an einer mir gleich gestimmten Brust. O zehn Jahre von meinem Leben hat das eine oder die anderthalb weggenommen zerstört und zernichtet, da ich in dem Dienste dieser Zauberin schmachtete. Ganz Freude war sie ganz Fröhlichkeit, ganz Zärtlichkeit zuweilen, doch das nur Augenblicke. Wenn sie mich mit voller Empfindung meines Werts, meiner Bereitwilligkeit ihr zu dienen, für sie zu sterben, glühend ans Kinn faßte o wie verging die ganze Welt um mich herum, aber im nächsten Augenblick war ich das Ziel ihres Mutwillens, ihres Gespötts, ihrer Grobheit und ihres Zorns selber. Wie kann da Liebe sein, wo keine Hochachtung ist! Gewiß sie liebte mich nicht, sie liebte nur ihre Eitelkeit, die Gottheit ihrer Schönheit und mich als den hundischen Anbeter derselben.

Ach zärtliche Erinnerungen kommt nicht zurück, mein Herz ist noch zu schwach euch Stand zu halten. Freilich hatte die Vorsicht in den grimmigsten Augenblicken der Gefahr und der Leiden, gewisse Freuden mir zubereitet die meine sinkende Existenz noch aufrecht erhalten sollten. Wenn ich in Gegenwart meines ärgsten Todfeindes und Nebenbuhlers gewisse Mienen, gewisse Blicke, Bewegungen und zweideutige Worte von ihr aufhaschen konnte, wie völlig war ich da entschädigt! Wie lebhaft wird meiner Imagination immer gegenwärtig bleiben, was mich damals Tage und Wochen lang beschäftigte und was ihr selbst vielleicht nie einen ernsthaften Gedanken gekostet hat, sondern nur das Spiel eines Augenblicks war. Es war meine Situation in die ich verliebt war, nicht ihre Reize, meine

Situation die mir sie so göttlich abmalte, da ich sonst nichts als das leichtfertige leichtsinnige Mädchen in ihr gesehen haben würde. Ein Seitenblick in den Augenblicken der Gefahr, ach wie saugt man gleich der Biene Honig da heraus und verarbeitet ihn für lange Jahre. Und am Ende war nichts drin, sondern alles hatten wir hineingetragen. Ich war so bezaubert, daß ich mir die Stellungen die den meisten Eindruck auf meine kranke Imagination gemacht hatten alle zu Hause abmalte (obschon ich nicht zu zeichnen verstund) und Wunderdinge darin suchte, die nicht darin waren. Je mehr Mühe es mich kostete mich dessen zu überreden desto teurer wurde mir dieser freiwillige Betrug meiner Vernunft, desto wütender strebte ich neue Erfahrungen zur Bestätigung meiner Grillen zu machen, die mir doch nicht gelingen wollten.

Alle das Gewebe habe ich auf- und abgewunden und mich doch keinen Tag besser dabei befunden. Immer blieb eine gewisse Leere in meinem Herzen, die ich mit Bildern der Imagination auszufüllen suchte. Vielleicht waren diese Augenblicke meiner Muse günstig, ich leugne es nicht, aber mag die Begeisterung noch so göttlich gewesen sein, so war die Veranlassung derselben doch immer meiner unwürdig. Wie die edleren Metalle immer eine unedle Mutter haben müssen, an die sie sich ansetzen. Und nichts nichts habe ich von der edlen Übereinstimmung zweier Herzen empfunden, die es sich mit Gefühl der Wahrheit zuseufzen können, Du wardst für mich geschaffen. Immer gesucht, erraten, gehofft, nie gefunden. Kommt nicht wieder gefährliche Erinnerungen, des Morgens da sie mir ein Buch wiedergab, in dem ich eine Stelle gezeichnet hatte wo meine Liebe ausgedrückt war und in dem ich das Zeichen an einem andern Ort fand, wo ihre Liebe geschildert schien. Vielleicht war es das Werk eines Zufalls – und das wirkliche Geständnis, das sie mir aus dem Magnifique nachmachte vielleicht weil sie es den Tag vorher von einer berühmten Schauspielerin hatte spielen sehen und sehen wollte, wie ihr die Rolle ließe. Kommt nicht wieder zärtliche Erinnerungen, als sie auf eine geschickte Art mir ein Blatt in meine Stube praktisierte, auf dem sie mit halb unleserlichen Zügen geschrieben hatte, sie hätte sich bisher immer gefreut daß ich eine gute Meinung von ihr habe, so aber sähe sie sich jetzt betrogen. Grausames C. nur die beste Meinung hatte ich von Dir und habe sie noch – aber es ist zu spät. Du bist zu verschmitzt, spielst zu fein um einen treuen Liebhaber zu machen. Du sahst den Grund meiner Seele, dachtest mich in Deinen Tiergarten anzuschließen Circe, um wenn Du von andern Expeditionen zurückkämst, zu mir zurückzukehren und mit mir zu spielen. Und doch könnte alles das wohl seinen Grund in der fatalen Notwendigkeit, in der Du Dich gesetzt siehst –

Wo bin ich? S. ich sollte Dich aufgeben, gegen ein intrigantes Mädchen. Deinen Wert verkennen, ihn seitwärts im Schatten stehen lassen und nie einen Strahl von der himmlischen Flamme drauf werfen, die mir in meine Brust gegeben ward. Nein S. – ich kehre zu Dir zurück, Hände und Augen zu Dir erhaben, würdiges zärtliches Weib! Retterin! Engel des Himmels meine verirrte Seele auf die rechte Bahn zu leiten. Deine stille Tugend, Deine Entfernung von allem was den Anschein von Pomp und Prahlerei hat, Deine Eingeschränktheit in Dich selbst und Genügsamkeit mit dem großen Herzen das Dir der Himmel verlieh – ach Du dachtest ich sollte Deinen Wert schätzen, mein Auge wäre fein genug das zu entdecken was im Verborgnen schimmerte – mein Auge hatte den Star. Wie Du mir entgegen kamst, mit welcher Offenherzigkeit, mit welcher Herablassung zu einem unempfindlichen ohnbärtigen Buben, der sich nur das Ansehen von Empfindbarkeit zu geben wußte und damit Dein edles Herz hinterging. Wie muß doch die Tugend immer die ersten Schritte tun um das Laster herumzubringen. Ich war so töricht offenherzig, daß ich ihr gestund eine andere habe meine Herz gefesselt und ich wollte Trost bei ihr suchen. Ihr Herz war so groß, daß sie sich dadurch für nicht beleidigt hielt, sondern fortfuhr meine verirrte Vernunft, alle höhere Fähigkeiten meiner Seele durch die edelsten Freundschaftsbezeigungen anzureizen. Da saß ich durchlöcherter Kahn von zwei verschiedenen Winden angestoßen und kam nicht aus der Stelle, da glaubte ich, schmeichelte ich mir, in Unempfindlichkeit zu versinken. Ich wollte nach Lothringen reisen um allen meinen Ideen eine andere Wendung zu geben, ich befand mich wohl bei diesem Gedanken. Aber unwiderstehlich zog mich eine geheime mir unbekannte magnetische Kraft nach der anderen Seite des Rheins, wo meine mir ewig unvergeßliche Freundin in den Umarmungen eines Mannes der ihrer wert ist, sich vielleicht bemühte mich Unwürdigen zu vergessen. Ich verliere zuviel dabei hatte sie mir einmal geschrieben, aber es muß, es muß gesagt sein. Dieses Geständnis schmeichelte meiner Eitelkeit, aber es rührte mein Herz nicht. Elendes Herz, das den Wert einer solchen Glückseligkeit verkennen konnte. Ganz freudig reiste ich nach E. herab, wie ein Eroberer der in einer überwundenen Stadt den Einzug hält. Alles dachte ich sollte sich nach meinen Wünschen biegen. Aber wie edel wie fürtrefflich betrogen fand ich mich. Niemand hatte mich vermutet, sie lag krank zu Bette. Als ich die Nachricht zum erstenmal hörte, war es mir wie ein Ungewitter das in einer gewissen Entfernung mit dumpfen Geräusch heranzieht. Vielleicht hatte mein unsinniger Brief mit etwas dazu beigetragen. Ich schrieb nämlich ich würde nach Lothringen gehen und nahm förmlich Abschied von ihnen beiden. Ach sie hatte einen andern angetroffen als sie sich an mir vorgestellt. Siehe meine Reue Cornelia! siehe die Tränen meiner Buße. Laß mich Vergebung erhalten Gottheit die ich beleidigte, deren ausgestreckten Arm ich zurückstieß. O wie wüteten ihre Schmerzen die man mir beschrieb in meinen Adern. Ihr Mann führte mich in ihr Zimmer, sie hatte das Herz nicht, mich anzusehen. Einmal richtete sie ihre Blicke auf mich und sah – was? den leichtsinnigen eiteln, seines Triumphs sich bewußten Knaben, statt des entzückten leidenschaftlichen Anbeters – mit Verachtung wandte sie ihr Auge von mir und nachher hat es mich nie wieder beschienen. O wie edler gerechter Stolz war in dieser Verachtung, wie fühlte ich meine Kleinheit! Und doch war alles das bei mir nur Leichtsinn, nicht böses Herz. Ja Cornelia zitternd ergreife ich in Gedanken diese Deine matte kranke Hand und schwöre es Dir auf mein Herz, ich habe Deinen Wert nie verkannt, aber nur nicht stark genug empfunden. Wie konnte ich auch, da andere Gegenstände mein Herz teilten. O ·daß ich diesem Papier Flügel geben und es vor Deine Augen bringen könnte. Aber es ist unmöglich. Die glatte Gelegenheit ist meinen Händen entschlüpft, der kostbare Augenblick den ich hätte fassen sollen, der Augenblick da ich mit Dir allein war ist auf ewig dahin, ach alle meine Tränen können ihn nicht zurückbringen. Eine lächerliche Gewissenhaftigkeit band mir zu gleicher Zeit die Zunge. Nur Bösewichter können so gewissenhaft sein. Eine verheuratete Frau dachte ich – wie wäre der Gedanke mir eingefallen, wenn ich reine Flammen für Dich gefühlt hätte.

Nachher vereitelte sie mir alle Gelegenheit sie zu sehen, so sehr ich auch mir Mühe gab, meinen Endzweck zu erreichen. Ich mußte abwesend die Nachrichten von ihrer immer zunehmenden Krankheit in mich fressen, mich tausend grausamen Ahndungen insgeheim überlassen, und doch äußerlich die Miene des Gleichgültigen und Frohen annehmen. Dieser Zwang kostete mir, die Einsamkeit war der einzige Balsam auf meine Wunde. Da wachten alle Regungen meines bösen Gewissens auf, und ich ergötzte mich an meiner Qual. Ach S.! – lasse mich los, ich bin nicht würdig Dich zu lieben, ich werde Dich nie lieben können wie Du es verdienst. Aber Dein Porträt, Dein Porträt, mit welchem Neide habe ich's da hängen sehen. Wenn ich nur Dein Bild hätte, aber auch dessen findet mich der Himmel unwert. Ich will es auf ewig in mein Herz ätzen, und auch von Dir gehaßt und verachtet, nie aufhören Dich zu lieben und zu verehren.

Ihr Mann sagte mir, sie arbeitete vergeblich ihre Seele zum vertrauten Umgang mit Gott zu gewöhnen. Ach wenn ich Dir eine Hinderung wäre S. – diese Hand sollte mich strafen. Aber wie kannst Du Gott lieben, solang Du Dein Herz an Gegenstände gewöhnt hast wie ich bin. Ach Dein Fall ist derselbe, den ich mit C. hatte. Ich liebte und desto unglücklicher, desto eigensinniger, je unwürdiger sie meiner Liebe war. Hasse mich heiliger Engel! und Du wirst der Gottheit näher kommen, Du wirst ihre Gunst erhalten und sie wird Dir Mittel an die Hand geben mich auf ewig zu strafen.

Nein liebe mich, Cornelia! ich bin so verderbt noch nicht. Liebe mich Cornelia, ich habe Deinem Hause gegenüber auf dem Berg unter der Eiche gesessen und mit sehnender Ungeduld den Tod gewünscht. Ich habe auf dem zerfallnen Schloß mit Deinem Mann gestanden und einen fast unwiderstehlich süßen Reiz in dem Gedanken gefunden, mich hier herabzustürzen. Da dacht ich was würdest Du sagen wenn Du es erführest und das hielt mich zurück. Ich habe jeden Bach verfolgt, jeden Busch durchirrt, die Stelle aufzusuchen die Du in einem Briefe an Deine Freundin abmaltest und Deinen Lieblingsspaziergang nanntest. Ich habe keine so gefunden, ähnliche wohl, aber die Sonne war mir da zu heiter, die Vögel zu geschwätzig, auf der Stelle bildete ich mir ein müßte die ganze Natur trauren weil Du nicht zugegen warst.

Liebe mich Cornelia! ich will Dir mein ganzes Leben heiligen. Von meiner kopfzerbrechenden Arbeit will ich nicht ausruhen, mir keine Erholung gönnen, als in dem Gedanken an Dich. O was für Briefe habe ich für Dich fertig liegen und darf doch keinen Dir zuschicken. Verdammtes Etikette! Du kehrtest Dich nicht dran, aber ich muß! Ich könnte Dir den edelsten Schatz die Freundschaft die Ehrerbietung Deines Gemahls entziehen, und was würde ich Dir wiedergeben? Die Liebe eines Wahnwitzigen. So muß ich denn ewig alles bei mir behalten was ich für Dich fühle und darf es kaum den Winden fortzuführen geben. Ach in E. welch eine Wollust war es mir wenn ich frei seufzen, frei und laut für mich klagen konnte. Wald Wald! bester aller meiner Freunde Du allein hast es gehört und Dich drüber bewegt, wie glücklich daß Du nichts wiedersagen kannst. Ach wenn ich ein Medium wüßte, es ihr begreifbar, es ihr fühlbar zu machen. Aber sie kennt mich nicht wird mich nie kennen lernen. Und hat mir sogar verboten ihr zu schreiben, ich könnte wenigstens manchmal ein bedeutendes Wort hineinmischen, wenn ich gleich nicht alles schreiben dürfte.

Ja S. – rechne auf mich, nie wird die Empfindung versiegen, deren Schleusen Du nun aufgezogen hast, aber sie wird noch oft mich unglücklich machen. Du bist meine erste, beste, heiligste Freundin und wenn alle mögliche weibliche Vollkommenheiten sich in mein Herz eindrängten und Dir seinen Besitz stritig machten, und wenn es möglich wäre daß es einer gelänge meine Phantasei von neuem zu fesseln, so sollst Du wenigstens in meinem Herzen den ersten Platz behalten und in den Augenblicken der Überlegung den besten meines Lebens, seine unumschränkte Beherrscherin sein.

Zwar ich muß es Dir gestehen, ich kenne ein Frauenzimmer das Dir gefährlich werden könnte, es hat was Du hast und ist frei: aber wäre es möglich (wie es denn in mehr als einem Betracht unmöglich ist) daß ich selbst bei und mit diesem Frauenzimmer vollkommen glücklich werden könnte, so sollst Du dennoch den ersten und ältern, sie nur den zweiten Platz in diesem Herzen haben, sie soll meine Liebe, Du aber meine erste Freundin sein, Engel, Trost, Beglückung meines Lebens, Kleinod das der Himmel meinem Herzen zuwarf und das es nie nie verwahrlosen soll, oder ich wollte aufhören es für das meinige zu erkennen und mich selbst einen Schurken schimpfen. Cornelia! Abgott meiner Vernunft und meines Herzens zusammen, Beruhigung und Ziel aller meiner Wünsche, Cornelia! Cornelia!!!

## Zweite Selbstunterhaltung

Es ist was Besonders mit den Nachtsünden, gütige Gottheit die Du mich umwölbest welchen Anteil habe ich daran? Sieh in mein Herz hinab, es ist keine seiner Regungen verborgen vor Dir. Eben diese Bilder deren Dienst ich jetzo verlassen, verfolgen mich im Schlaf unter andern Gestalten, nicht mehr mit dem Heiligenschein, aber eben darum desto gefährlicher. Ich wälze mich mit ihnen in Wollüsten. Cornelia rette mich! So war es denn Bedürfnis sie zu lieben, meine Imagination und moralisches Gefühl bei ihnen aufzuhängen, oder der Umgang mit ihnen ward Laster. Siehe meine himmlische Freundin wie mich das entschuldigt. Ich weiß, also förderhin keinen andern Ausweg, als entweder allen Umgang mit ihnen abzubrechen, oder mein Herz an eine oder andere gute Seite die ich an ihnen wahrzunehmen glaube, anhängen zu lassen. Was rätst Du mir?

Fürchte nicht daß ich mich wieder verirre. Dein geliebtes Bild steht zu hoch in meinem Herzen aufgestellt, als daß ich ihm jemals abtrünnig werden oder mich unter die Idee von Deinem Wert mit meinen Wünschen erniedrigen könnte. Du hast mich bekehrt. Aber denke Dir die Wonne, den Triumph, wenn ich mit tausend moralischen Erfahrungen von diesen bisweilen stinkenden Blumen zurückkehre und sie wie die Bienen ihre süße Beute in meine Zelle zu Deinen Füßen hintrage, ja zu Deinen Füßen hin meine Hausgöttin zu der meine ausgetretene Imagination und verzerrtes Herz alle Abend wieder zurückkehrt und sich durch das Andenken an Dich und daß es von Dir geliebt wird wieder in die Harmonie stimmen läßt ohne die seine Ruhe sein Glück für immer verloren wäre. Jetzt hat's keine Gefahr, daß ich irgend eine wahnwitzige große Passion unterhalte die am Ende mit aller meiner Anstrengung mich ins Verderben hinabführt. Du Du – ach der große Gedanke, sie liebt mich schenkt allen meinen dissonierenden Kräften Ordnung und Ruhe wieder, die Ruhe des Weisen, die ewig nur harmoni-

sche Bewegung ist. Wieviel bin ich Dir schuldig. O daß ich
Dein Bild hätte aufzustellen und mit einem Kranz von
Palmen und Lorbeern zu umwinden. O Du mehr als meine
Muse, moralische Freundin, Lenkerin meines Herzens,
Werkzeug der Gottheit meine Jugend für Ausgleitungen zu
bewahren – entzieh mir Deine Freundschaft nicht oder ich
bin der verlorenste unter den Sterblichen.

Welch ein schnelles Hülfsmittel gegen allen Betrug der
angesteckten Phantasei, wenn ich den Gegenstand der mich
zu bezaubern anfangen wollte an Dir messe, mit Dir verglei-
che. Welche Übereinstimmung in dem ganzen Ton Deines
Lebens, welcher große volle Akkord, welche Entfernung
von alledem was Deiner edlen Empfindbarkeit nicht vollkommen würdig sein könnte. So entfernest Du Dich auch
von mir – Dank Dank habe dafür, Urania! ich werde suchen
nach Dir hinaufzustreben. Ich kann sie nicht leiden, sie
affektiert so was Besonders – sagte mir ein Stutzer von Dir,
indem wir einen Abend am Münster vorbeigingen. Ich sah
unverwandt empor – mit eben der Sehnsucht wünschte ich
D i c h kennen zu lernen. Ich kannte Dich und verkannte
Dich zu gleicher Zeit. Dein ganzer Umgang hatte für mich
etwas von dem höhern Reize, womit wir uns Gottheiten
nähern. Aber wie es auch Gottheiten geht, die Seele muß in
einer besonders edlen Stimmung sein, um mit Vergnügen an
sie zu denken. Glücklich die fürtrefflichen Seelen, die sich
diese Stimmung oft geben, aber weh auch den Tyrannen, die
uns dieselbe aufzwingen wollen. Gott ist ein unendliches
Wesen, er will von endlichen Geschöpfen nicht anders als
in gewissen wollüstigen Augenblicken angebetet sein, in
der die Seele ihre ganze g l ü c k l i c h e Existenz fühlt und
im Taumel dieser seligen Empfindung an dem Busen ihres
Urhebers ausruht. Ach der dankbare Blick hinauf zu ihm –
So blick ich hinauf zu Dir Cornelia, wenn Du mir den
nächsten Brief schicken wirst.

Auf die vorige Idee zurückzukommen, die Gottheit ist zu
sehr über uns erhaben, der Abstand von ihr zu uns zu groß,

als daß unsere innige Verehrung derselben allemal in Flammen der Liebe ausbrechen könnte. Nur wenn sie uns wohltut wird es Erkenntlichkeit, aber auch die läßt ein trauriges Gefühl unsers Unvermögens zurücke. Aber die Gottheit hat das Mittel gewußt sich auch lieben zu machen. Sie erscheinet uns in Menschen. Seit Jesu Christo dem Urbild und Vorbild dieser Idee, hat sie immer in Menschen unsere Liebe aufgefodert, in Menschen die was von der Gesinnung Jesu Christi haben.

So Cornelia lieb ich Dich. Ach Du entferntest Dich von mir, weil Du mich Deiner nicht wert fandst. Ihr einsamer Selbstgenuß – ihre Freundschaft für ihren großen Bruder hab ich immer gesagt – ihre mehr als pflichtvolle, ihre freiwillige unerkünstelte und ungezwungene Zärtlichkeit für ihren Mann, da sie ihm mit wahrer Engelsgeduld die Lasten des Lebens tragen hilft – alles das hab ich nun Gelegenheit gehabt in der Nähe zu sehen und – bin ausgeschlossen, ach ich Unglücklicher, Unwürdiger, bin ausgeschlossen hast Du denn nur einen Segen? hat Dein Herz keinen Raum mehr für mich übrig? Stelle mich bei Deinem Bruder, oder stelle mich zu Deinen Gespielinnen – oder zu Deinem Hunde, ich werde ihm wenigstens an Treue nicht nachgeben.

Mein Alles, meine Cornelia! sei glücklich in Deiner Sphäre. Wenn Du mich auch nicht hochachten kannst – gönne mir das Vergnügen, Dich ganz glücklich zu wissen, von lauter Personen umgeben, die Deinen Wert kennen und fühlen. So will ich mich wieder mit der Welt aussöhnen und sagen daß sie gewisser Personen wohl wert sei.

## Dritte Selbstunterhaltung

Alles will ich Dir gestehen, von jeder kleinen Aufwallung meines Herzens Rechenschaft geben. Es ist ein gewisses Gefühl der Eitelkeit in uns, das ich dem ohnerachtet moralisch nennen möchte, und das die meisten jungen Leute zwingt, ihre kleine Existenz in ebenso kleine Frauenzimmergesellschaften zu Markte zu tragen. Wir fühlen zu gewissen Zeiten eine Leichtigkeit, eine Behaglichkeit, etwas Göttliches in all unsern Gliedern, das uns den Gebrauch derselben so nah ans Herz legt, daß wir ohnmöglich umhinkönnen, diese wunderbare Spannung aller unsrer Fibern und Muskeln andern Menschen nicht zu weisen. Daher finde ich bei Leuten die sonst nichts zu tun haben die unmäßige Neigung zum Spazierengehen, oder wenn sie ja in ihrer Jugend noch was lernten, das Herumreiten und Fahren vor andrer Leute Augen. Bei Frauenzimmern das ekelhafte Tanzen (ich rede von solchen die alle Augenblicke tanzen). Siehst Du solcher Augenblicke habe ich oft und wenn ich sie vorbeischlüpfen lasse werde ich hypochondrisch. Auch ist der Mensch ein geselliges Tier, er will auch seinen Witz gern sehen lassen, sein gutes Herzchen andern zu laxieren eingeben und dergleichen. Mit alledem finde ich nun mehr Reiz, einen edlern und höhern Reiz, wenn ich allein bleibe und mich mit Dir unterhalte. Was helfen mir die Gesellschaften in denen ich zu schimmern suche, sind doch ebenso viel andere da die Anspruch darauf machen und gibt doch jeder auf sich selber nur acht. Ja wenn ich etwas fände das mein Herz anzöge, das ich lieben könnte. Das würdest auch Du mir nicht verbieten, wenn ich nur immer wieder zu Dir zurückkäme. Denn ein Herz ohne alle Bewegung wird zuletzt stumpf und ich würde Dich nicht so lebhaft fühlen, wenn ich nichts mit Dir vergleichen könnte. Aber so finde ich nichts. Ich habe mir vorgenommen selten sehr selten in meine kleinen Gesellschaften (so nenne ich sie) zu gehen, damit der Reiz der Neuheit mir die Gegenstände in ein gewisses Licht stellen möge, daß ich sie lieben kann. Nur in einem geringen Grad lieben, versteht sich, in dem Grad als sie's verdienen. Zu dem Ende habe ich mir zwei Tage in der Woche zu Visitentagen bestimmt, da ich mich ganz nett anziehe und noch dazu mit meinen Besuchen abwechsele. Gestern hätt ich mich gern angespien daß ich 4 Stunden lang auf einer Stelle ausgehalten in Gesellschaft eines ganz guten Mädchens dem ich doch auf ihre Art viel Leidenschaft bezeugt und das völlig mit mir zufrieden war. Jegliches Tier nach seiner Art. Aber Du bist ein Engel. Wie ich lachen muß wenn ich denke daß die guten Dinger mich an ihrer Kette zu halten glauben und ich gehe Dir ohne Kette nach.

## Vierte Selbstunterhaltung

Liebe Cornelia, ich stehe zuweilen an ob ich nicht alle Deine und meine Briefe verbrennen soll, denn ich kann für meine Vernunft nicht stehen wenn mein Herz das Übergewicht bekommt. Ich wär im Stande Dir einen von meinen Briefen zuzuschicken und er könnt in unrechte Hände fallen und Dir tausend Kummer zuziehen. Wenn ich auch so bedenke, daß Du das was ich hier schreibe einst könntest zu sehen bekommen und daß es Dir trübe unmutige Stunden oder ein unbefriedigtes nie zu befriedigendes Verlangen verursachen könnte, so wird mir alles schwarz vor den Augen. Nein Du wirst weise sein, mit Dir selbst zufrieden, gegen mein Schicksal empfindlich aber nur soweit als es die Ruhe Deiner schönen Seele nicht unterbrechen kann und glauben daß Dein Bild das ich ewig in meinem Herzen herumtrage, mich überall glücklich machen werde, meine Begebenheiten mögen so bunt und verworren aussehen als sie wollen.

Ich schreibe mir das hier auf, damit ich mich daran halten könne wenn mich der Sturmwind der Leidenschaft außer den Grenzen der Klugheit treiben wollte, wie es mir so oft schon bei andern geschehen ist. O Du erste die mich vernünftig lieben lehrt, Du erste –

### Fünfte Selbstunterhaltung

Es ist mir immer nur bange, teure Cornelia! daß ich bei meiner Vereinzelung nicht in Stolz gerate, das heißt mich zu weit über die andern Menschen hinaussetze, daß ich am Ende keinen mehr recht ertragen kann. O der Weg zum Guten ist so schwer zu finden, so steil zwischen sich krümmenden Felsgebürgen empor und unsere menschliche Natur so schwankend, unser Kopf so schwindlicht. Mir war so wohl dabei mit den andern Menschenkindern mich nivellieren zu können und die Fluten des Lebens über uns alle gleichmäßig wegrauschen zu lassen. Für nichts ist mir so bange als Hochmut und Sauertöpfigkeit, denn was bin ich besser als die andern Menschen, jeder in seiner Art. Von jedem Tier können wir was ablernen und so auch von jedem Menschen. Und doch kann ich nicht süß dazu sehen, solche elende läppische Kreaturen um mich zu haben und keinen Busen zu wissen wo ich ausruhen kann. Die gesellschaftlichen Freuden sind mir eine Festungsarbeit, sobald ich niemand habe der mich anzieht, sondern mich erst zu jedem selbst hinbewegen muß. Herablassen wollt ich sagen, wenn es nicht zu stolz klänge! – Ich habe den Trost in meiner Seele, daß Gott mich für Hochmut bewahren wird. Wie wollt ich auch sonst alle meine Leiden aushalten. Hochmut ist die wahre Folterbank aller Sterblichen. Und doch kann ohne ihn unsere Natur nie fürtrefflich werden. Er ist die vis centrifuga der menschlichen Seele, ohne die sie nie aus dem Flecken kommt. Cornelia laß uns beide uns zu den Menschen herabhalten.

### Sechste Selbstunterhaltung

Cornelia! wenn ich alles um mich her so recht überschaue, wäre nicht meine Situation so eng zugeschnitten, die Umstände alle so recht abgepaßt mich kurz an der Kette zu

halten, ich wäre der schlechteste Mensch auf dem Erdboden.
Ich bin gezwungen gut zu sein. Gütige Natur, wenn ich von
Deiner Brust abfiele, was würde aus mir? Und doch ist mir's
unerträglich, daß die guten Bewegungen die ich in meinem
Herzen fühle, nicht mein sondern des Zufalls, nicht freiwil-
lig, sondern mir abgenötigt sind.

Den Ansatz aller niedrigen häßlichen Eigenschaften der
Seele fühle ich in mir. Was hindert's daß sie nicht in Handlungen ausbrechen, als daß mir die Hände gebunden sind.
Ich beneide Deinen Bruder über den Ruhm seiner Zeitverwandten. Ich halte es für ein großes Unrecht das ich leide
wenn man ihm meine Werke zuschreibt, da ich doch bedenken sollte, daß sie unter keinem anderen Namen sich so
würden produziert haben, daß bloß sein Name die Leser
aufmerksam und begierig, die Kunstrichter bescheiden und
ehrerbietig gegen diese armen Kinder meiner Laune gemacht, daß ich größtenteils meinen Unterhalt jetzt aus seinen Händen empfange, und dabei die Satisfaktion habe meinen Verwandten nicht schmeicheln zu dürfen und meinem
Genio zu indulgieren. Daß ich mich nie auch über das geringste Haar von Kränkung oder Einschränkung bei ihm
zu beschweren gehabt, vielmehr er von mir manche Insolenz ertragen ohne mir einmal eine finstre Miene – o mein
Goethe! mein Goethe, daß Du mich nie gekannt hättest. Das
Schicksal stellt mich auf eine Nadelspitze, wo ich nur immer
schwankend Dich sehen – Dir nichts erwidern kann. Meine
einsame Tränen und das was ich hier niederschreibe, sollen
Zeugen bei der Nachwelt sein.

Die höchst kindische Furcht man werde unsere Produk-
tionen miteinander vermischen – dieser nagende Geier der
mich nie verläßt – Elender sage ich zu mir selbst, ist Goethe
so arm, die Fülle seines Genies so ausgetrocknet daß er sich
mit Deinen Schätzen zu bereichern nötig hätte. Sieh seine
Werke an – ein Blick in seinen Götz, ein Blick auf seinen
Werther macht mich über und über erröten. Es ist das
verdammte Philistergeschmeiß mit ihrem Lob oder Tadel

das mich so klein macht. Ach könnt ich ewig in meinen vier
Wänden bleiben – wieviél besser würde ich mir gefallen.
Einsamkeit, Einsamkeit du allein machst mich bekannt mit
meinem bessern Selbst und mein Dasein hört auf ein Gericht
zu sein. Liebe Cornelia! wenn ich Deine Silhouette hätte.

## Siebente Selbstunterhaltung

Es ist eine ganz gutartige Gattung Leute hier Cornelia, deren
Gutartigkeit aber doch mir nicht gar zu wohlgefällt. Sie
laufen herum, spazieren, grinsen und bekomplimentieren
sich, tragen handhohen Staub auf den Schuhen heim und
bekümmern sich übrigens weder ums Gute noch ums Böse
in der Welt.

Ich ärgerte mich zu Tode über S. heut. Ich erzählte ihm
mit der größten Gemütsbewegung, daß Dein Bruder in den
Briefen an ein Frauenzimmer über die Leiden etc. in ein so
schändliches Licht gestellet worden wäre, er der doch sein
geschworenster Freund sein will und sein unvernünftigster
Bewunderer ist auch in Sachen die es nicht verdienen, hörte
mich grinsend an, je mehr ich mich ereiferte, desto mehr
grinste er mich an und doch bin ich versichert daß er seine
Partei ernstlich nimmt, aber er nimmt sie wie er bei einem
englischen Hahnengefecht die Partei eines Hahns nehmen
würde. Ohne das geringste Mitgefühl, ohne die geringste
Unruhe – Gottlob daß ich Eingeweide fühle die sich beim
Verdruß meiner Freunde bewegen. Auch bei Deinen – o
warum schreibst Du mir doch nicht. Sollte mein Brief in
unrechte Hände geraten sein, sollte er Dir Verdruß bei
Deinem Mann verursachen – o ich fürchte mich die ganze
Wut dieser Besorgnis zu fühlen. Nein Gott der Liebe, Du
wachest über uns, allgemeiner Geist – allgegenwärtiger –

## Achte Selbstunterhaltung

Ich muß Dir etwas gestehn Cornelia! das mir Dein edles
Herz gewiß verzeihen wird. Ich war heute bei C. – weil ich
hörte daß sie sich über mein gänzliches Außenbleiben ver-
wundert habe und mit dem Gedanken an ihre unglückliche
Situation all mein Mitleid wieder erwachte. Der Gang hat
mich nicht gereut. Sie war in ihrem schönsten Licht und
wollte sich mir auf ihrer besten Seite zu fühlen geben. Ich
liebe sie, bewundre, bedaure sie, aber ich bin nicht mehr
verliebt. Du Du allein hast den Zauber aufgehoben der mich
sonst würde unglücklich gemacht haben. Sie aber meint
wirklich ich tappe noch in meiner vorigen leidenschaftlichen
Sinnlosigkeit, sehe nur das an ihr was ich zu sehen wünsche
und überstreiche das übrige mit den Farben der Einbildung.
Sie öffnete mir ihr ganzes Herz – es ist mit alledem was
Erstaunendes, was das Mädchen für eine Offenheit des
Charakters besitzt, die wahrhaftig groß und edel ist. Sie las
mir Verse vor, unter denen die auf ihren untreuen Liebhaber
meisterhaft und mit voller Empfindung gemacht sind. Ich
muß sie verehren, aber lieben kann ich sie nicht mehr, sie ist
zu schlecht mit mir umgegangen. Ich wollte den Fleck
küssen, wo sie stand als sie mir die Verse auf mein langes
Bitten in die Feder diktierte, denn das ist wahr sie sagte sie
meisterhaft her mit aller Rührung mit aller Unschuld eines
verlassenen höchstbeleidigten, noch immer treuen und
rechtschaffenen Mädchens – ich werde sie ewig in meinem
Pult aufheben. Wo wär ich itzt, wenn Du Minerva mich mit
Deinem Schild nicht bedeckt hättest, Du meine Cornelia!
bei deren Andenken ich alle Ruhe und stille Größe meines
Gemüts behalte und nichts von dem kindischen Taumel der
hinreißenden Wut der Leidenschaft weiß, die mich nur
unglücklich und Dir keine Ehre macht. Sie fing alle die alten
Hexentänze wieder an mit mir, ein Vergnügen war es mir im
Herzen über all die Maschinen die mich ehmals aus meinem
Gleichgewicht brachten, zu lachen und doch meine alte

Maske vorzubehalten. Ihre Launen, ihr Eigensinn, ihre herrschsüchtigen unverbrüchlichen Befehle und Cornelia! wirst Du mich tadeln, Du große starke Seele, die nur mein Herz nicht meine Maske verlangt, daß ich meine Rolle ganz ausspielte, daß ich mich von ihr in April schicken ließ, um ihre Freundin (von der ich wußte daß sie aufs Land gefahren war) spazieren zu führen, daß ich mich an ihrem Tor melden ließ, ich sei da gewesen, habe ihre Freundin aber nicht angetroffen, daß ich als ich hörte sie sei wider unsere Abrede ohne mich abzuwarten schon fortgegangen, mich stellte als ob ich auf allen Promenaden herumlief sie aufzusuchen, ob ich gleich zum voraus solche Wege nahm wo ich wußte daß ich sie nicht finden würde und mich einsam mit dem Monde und Dir unterhalten könnte. Es ist etwas Tröstendes in dem Gedanken geliebt zu sein, warum soll ich sie nicht in dem aufrichtenden Wahn herumgehen lassen, da das Schicksal und die Schlechtigkeit der Mannspersonen sie so niederschlägt. Soll ich auch auf einmal abspringen und ihr Gleichgültigkeit merken lassen, was wird aus ihr? Ich von dem sie bisher allein glaubte und Ursache zu glauben hatte, der hat eine standhafte ewige Neigung zu mir. Ich der ich mit unvorsichtigen Geständnissen gegen sie gesündigt, zu einer Zeit da sie mir nicht Gehör geben konnte noch durfte. Ich dessen Leidenschaft oder der Anschein davon allein noch sie zurückhalten kann sich aus Verzweiflung in einen Abgrund aller Ausschweifungen zu stürzen, allein sie anreizen kann in ihrem Unglück eine gewisse Würde und Schönheit des Charakters zu suchen, wie ich denn heut die Probe davon gesehen habe.

Cornelia wenn Du in meiner Stelle wärest, was würdest Du tun? Sei unbesorgt, Du gewinnst bei dem Handel. Als ich von ihr kam las ich die Verse ein paarmal durch, dachte wie mir zu Mut sein würde wenn Du nicht wärst und dankte Dir für Deinen Schutz. Die Stellung, der Ton der Stimme, ihre Schönheit im nachlässigsten mit ihrem Schicksal so übereinstimmenden Negligée – sie würden mich wahnwitzig gemacht haben. So aber ging ich der hinter einem Gebüsch untergehenden Sonne nach, dachte dabei an Dich wenn Du sie auf einem einsamen Spaziergang vielleicht in dem Augenblick auch untergehen sähest – vielleicht in dem Augenblick auch an mich dächtest – und verglich das ruhige süße Göttergefühl in meiner Brust mit dem unruhigen tobenden angsthaften meiner ehmaligen Leidenschaft zu C.

Cornelia daß ich Dein überwallendes Aug im Abendrot küssen könnte und so mich zufrieden schlafen legen und einen Göttertraum von Dir träumen.

## Neunte Selbstunterhaltung

Ich lese in dem Augenblick Juliens Tod in der Heloise. Gott welch ein Gedanke lähmt mich. Dich krank zu wissen Cornelia, Dich in derselben Gefahr – o es war mir als ob mir jemand zurief, sie stirbt in dem Augenblick. Ich sehe Deinen Mann trostlos an Deinem Bette stehen, o ich sehe Dich die letzten Züge tun – laß mich Deine Seele von Deinen Lippen aufsammeln – von Deinen bleichen Lippen den Tod einhauchen, den Tod meinen besten Freund. – Ich weiß nicht wie mir grad diesen Abend das Buch in die Hände fallen mußte. Und mein Traum – mein Traum der mich nie verläßt. Du warst's und Dein Mann mit dem ich am Tisch saß – kurz drauf stand ich auf dem Münster und wollte mich herabstürzen. Mit welcher Herzensbeklemmung stand ich da. O ich habe den Traum ganz anders ausgelegt. Alle Umstände stimmen zusammen. Gnade Gott! Erbarmer! Vater! Meine Eltern alle an einem langen Tisch meine hiesigen Freunde, Ott – alle wie mir's so jetzt eben zusammentrifft.

## Zehnte Selbstunterhaltung

(nachdem ich mit G. in E. gewesen war)

Ach Cornelia! heiliger Schutzgeist den Gott mir zugeschickt
hat, Gott Gott selbst daß Du durch das Geständnis Deiner
Liebe wie mit einem heiligen Schilde mich vor allen Lastern
bewahren solltest, wenn ich bedenke wie unmöglich es dem
meisten Teil der jungen Leute in Strasb. ist, einen vernünftigen Gedanken ein edles Gefühl zu erhalten, wie alles sich bei
ihnen täglich zerstreuen verwischen muß, wie zuletzt ihre
ganze Fassungskraft stumpf und matt wird und sie herum-
trottende Tiere und Kälber ohne Menschensinn und Men-
schengefühl werden müssen – das heiße warme Klima, der
Nationalcharakter die ewige unersättliche sinnliche Neugier,
das Auf- und Abziehen der geputzten Damen und Herren
auf der Promenade, das ewige Zerstreuen und Vermannig-
faltigen der Konkupiszenz (der Wurzel alles moralischen
Gefühls) auf hunderttausend Gegenstände, das ewige Kla-
vierspielen auf unsern armen Nerven ohne Zweck ohne
Ganzes, das uns in einem immerwährenden zerstörenden
abnutzenden Traum erhält –

Gottlob daß ich Dich habe – und wenn Du nicht da bist
Dein Porträt und Deinen Petrarca.

Nimmer werd ich's vergessen wie Du mir ihn mitgabst
zum Geleitsmann bei meiner Abreise. O wer lehrte Dich so
die Tiefen meines Herzens durchschauen. O göttliche Frau!
Schutzgeist!

## Eilfte S. U.

Liebe Cornelia, wie sind mir doch alle Gesellschaften und
gesellschaftliche Freuden hier so fatigant. Wenn ich zu
Hause komme, ist mir als ob ich Holz gehauen habe. Ich
fühle die Ursache wohl, mein Geist zerarbeitet sich etwas
aus diesen Gesellschaften herauszusaugen und findet nirgends

wo sein Fuß ruhen möchte. Da muß ich ihn denn ganz müd und matt wieder in den Kasten zurücknehmen und an Deinem Bilde ausruhen lassen. Bei Dir war alles gesättigt alles befriedigt, hier bin ich ewig wüste und leer.

Eine Hauptbeschwernis finde ich bei allen gewöhnlichen Gesellschaften daß man sich immer vergnügt und heiter stellen muß und seinen Launen nicht nachhängen darf. Die menschliche Natur hält das immerfortwährende Vergnügen ebenso wenig aus als das Feld den ununterbrochenen Sonnenschein. Es entsteht am Ende eine solche Dürre dadurch daß Menschen und Vieh verschmachten. Die Anmerkung habe ich aber immer gemacht je gewöhnlicher und kleiner der Mensch denkt desto mehr Prätentionen macht er, es ist aber die allerlächerlichste und hochmütigste Prätention von der ganzen Welt, verlangen daß meine Gegenwart allein einen Menschen in einer immer gleich heitern Laune erhalten soll. Gott kann dies nicht einmal fodern geschweige Menschen.

Ach Cornelia wie wohl war mir bei Dir wo ich die Nase hängen lassen durfte wie ich wollte und lachen wenn mich's kützelte. Wie unglücklich ist mir die Gesellschaft der Prüden der S. die verlangen ein Herr der in ihr Haus kommt soll immer ein Sonntagsgesicht mitbringen.

## Zwölfte Selbst.

Immer wenn ich meinen gegenwärtigen Zustand mit allen seinen wunderbaren Verhältnissen überdenke, meine ich, ich sei durch meine Umstände gezwungen das zu sein was ich bin, also nicht aus mir selber gut und der Gedanke peinigt mich. Es ist wahr daß das Unglück uns empfindungsvoller macht aber das Glück macht uns mit alledem doch nicht unempfindlich wenn wir es von uns selber nicht schon sind. Ja ich möchte sagen wenn uns das Unglück empfindlicher für das macht was uns selber widerfährt so sollte das Glück ein gutartiges Herz empfindlicher für andere machen. Freilich ist es schwer für einen glücklichen sich den Zustand unglücklicher und ihre Empfindungen lebhaft vorzustellen aber er kann es doch auch ohne eigene Erfahrung durch Teilnehmen und Herablassen vorzüglich aber durch gute Dichter lernen. Warum will ich mir also den Kopf zerbrechen, warum Gott jedes kleine Übel das mir zustößt, könnte zugelassen oder zu welchem Endzweck er mir's zugeschickt haben könnte. Ist es nicht besser ich resigniere mich, sehe das Unglück für das an was es ist, unvermeidlich (wenn ich es nicht verdient habe) und lerne es auch dulden ohne seine Ursachen und Folgen zu entwickeln und einzusehen. Das heißt in die Tiefen der göttlichen Ratschlüsse sehen wollen und macht bei allem Elend nur noch elender. Muß der weise Mann keinen höheren Verstand über ihm erkennen? es wäre unerträglicher Stolz und verführte in tausend Irrtümer wenn er über all an sich selbst appellieren nicht einmal die Augen zumachen und sagen wollte das begreif ich nicht, aber ich leide – dann erst Weiser bist Du weise, bist Du groß, die Alten und selbst Sokrates glaubten an ein Fatum dem sie sich unterwarfen und wir allein wollten uns keinen andern Schicksalen unterwerfen als die wir uns allenfalls selbst zuschicken würden wenn wir Götter wären?

Von alledem ist unterschieden wenn ich bei einem Leiden frage: woher kommt Dir das? und wie kannst Du das zum Besten anwenden. – Doch wenn ich mir diese Fragen nicht beantworten kann, muß ich es auf sich beruhen lassen und nicht mich noch mehr peinigen durch die Betrachtung wie moralisch schlecht mußt Du doch sein, weil Gott noch dies und das Leiden nötig für Dich findt. Das gibt schröckliche Mutlosigkeit und der hat Christus ebenso wohl durch die Erzählung des Turms von Siloa vorbeugen wollen.

## Dreizehnte

Liebe S. ich fühle es eben daß ich Anlagen in mir habe, der allerschlechteste Mensch auf dem ganzen Erdboden zu werden und das sobald ich mich in mich selbst verliebe. Welch ein schnöder schlechter und elender Charakter Eitelkeit! Wie verschwinden in dem Augenblicke alle guten Eindrücke die wir sonst gehabt haben, alle edlen Entschließungen die wir fassen konnten, Ehrliebe und Mut selbst und wie werden wir schlechte seichte Moorlachen u[nd] Kotpfützen. O daß mein Geist mich nie verließe und eh die elende Seichtigkeit und Selbstgefälligkeit über mich käme, mich lieber dafür durch streitende Leidenschaften zu Tode quälte.

Ganz anders ist die Begierde zu gefallen, um einer oder wenigen zu gefallen und ganz anderes die elende Sucht jedermann gefallen und bezaubern zu wollen – bei einem Manne? – O bei einem Weibe entschuldige ich es. Wird es liebenswürdig wenn es in seinen Schranken bleibt.

## Vierzehnte

Cornelia ich fühle der einzige Rat sein Los in der Welt zu tragen ist daß man sich ganz aus sich heraussetzt, sich für einen fremden und andern Menschen als sich ansieht. So kann ich mich bisweilen lieben und das tröstet mich für alles das was ich erdulde. Ich denke, der Mensch verdiente doch ein klein wenig glücklicher zu sein als er ist und das ist so ein süßer Gedanke. Ich denke wenn ich ein rechtschaffener Mann wäre und mich so ansähe wie ich bin und unter den Umständen, ich würde doch eine gewisse Achtung und eine Art von Mitleiden mit meinem Schicksal fühlen und das allein erhält mich noch im Gleichgewicht.

### Funfzehnte Selbstunterhaltung

Leb wohl Cornelia! nimm diese Worte die ich Dir versiegele dieses Herz wie ich es in der Stille vor mir selbst ausgeweidet habe, mit starker Seele auf, lerne auch diese seltsame drolligte Art Menschen tragen die Du nun an mir kennen gelernt.

Deinen Petrarca geb ich Dir nicht wieder. Und für Dein Bild küß ich Deinem Bruder die Hände.

Heut saß ich da wo wir bei seinem Hiersein die Nacht geschlafen und überschaute den nun einsamen traurigen vom Mond beschienenen Plan. Ach ich muß von ihm, Länder zwischen uns setzen, Goethe erster Gespiele meiner Jugend, Goethe – muß unser Weg auseinander? Wir Unzertrennliche? – Wo und wie werde ich Dich wieder antreffen? Wirst Du noch mein sein? Wird Dein Herz mich begleiten? Und ich habe sein Bild nicht. Ich will es nicht haben, es würde mich martern. Gleich als ob unsere Trennung von so langer Dauer – Nein ich seh ihn wieder und balde.

Dein Bild Cornelia – wird nun meine einzige Gesellschaft sein. O wie ich dran hangen will.

Dies sollte Dir nie zu Gesicht kommen. Aber mitnehmen darf ich's nicht mein Reisegefährt könnt es sehen, verbrennen mag ich's nicht, und wo darf ich's sonst verwahren als bei Dir. Bedenke daß es nur für mich selbst geschrieben ward.

Ich sage Dir nimmer adieu.

gefallene Kinder
Unschu

# Der Waldbruder,
## ein Pendant zu Werthers Leiden

## Erster Teil

### Erster Brief

Herz an seinen Freund Rothe

in einer großen Stadt

Ich schreibe Dir dieses aus meiner völlig eingerichteten Hütte, zwar nur mit Moos und Baumblättern bedeckt, aber doch für Wind und Regen gesichert. Ich hätte mir nie vorgestellt, daß dies Klima auch im Winter so mild sein könne. Übrigens ist die Gegend, in der ich mich hingebaut, sehr malerisch. Grotesk übereinander gewälzte Berge, die sich mit ihren schwarzen Büschen dem herunterdrückenden Himmel entgegen zu stemmen scheinen, tief unten ein breites Tal, wo an einem kleinen hellen Fluß die Häuser eines armen aber glücklichen Dorfs zerstreut liegen. Wenn ich denn einmal heruntergehe und den engen Kreis von Ideen in dem die Adamskinder so ganz existieren, die einfachen und ewig einförmigen Geschäfte und die Gewißheit und Sicherheit ihrer Freuden übersehe, so wird mir das Herz so enge und ich möchte die Stunde verwünschen, da ich nicht ein Bauer geboren bin. Sie sehen mich oft verwundrungsvoll an, wenn ich so unter ihnen herumschleiche und nirgends zu Hause bin, mit ihrem Scherz und Ernst nicht sympathisieren kann, so daß ich mich am Ende wohl schäme und in ihre Form zu passen suchen muß, da sie denn ihren Witz nach ihrer Art meisterhaft über meine Unbehelfsamkeit wissen spielen zu lassen. Alles dies beleidigt mich nicht, weil sie meistens recht haben und ein Zustand wie der meinige durch die äußern Symptome die er veranlaßt, schon seit Petrarchs Zeiten jedermann zum Gespött dienen muß. Soll ich aber die Wahl haben, so ist mir der Spott des ehrlichen Landmanns immer noch Wohltat gegen das Auszischen leerer Stutzer und Stutzerinnen in den Städten.

Wenn Du einmal einen geschäftfreien Tag hast, so komm zu mir, Du bist der einzige Mensch, der mich noch zuweilen versteht.

Herz.

## Zweiter Brief

### Fräulein Schatouilleuse an Rothen,

#### der aufs Land gereist war, eine Frühlingskur zu trinken

Sagen Sie mir doch in aller Welt, wo mag Herr Herz hingekommen sein. Etwa bei Ihnen, so hab ich eine Wette gewonnen. Der Papa sagte heut, er habe seine Bedienung bei der Kanzlei niedergelegt und sei in den Odenwald gegangen, um Waldbruder zu werden. Da lachten wir nun alle, daß uns die Tränen von den Backen liefen, er aber schwur, es sei wahr. Ich schlug gleich eine Wette mit ihm ein, daß er bei Ihnen in Zornau wäre; schreiben Sie mir doch ob dem so ist, und ich will Ihnen auch viel Neues von ihm sagen, das Sie recht zu lachen machen wird.

## Dritter Brief

Herz an Rothen,

der dem Boten weiter nichts als einen Zettel mitgegeben,
auf dem mit Bleistift geschrieben war:
Herz! Du dauerst mich!

Ich danke Dir für Dein zuvorkommendes Mitleid. Das
Pressende und Drückende meiner äußern Umstände preßt
und drückt mich nicht. Es ist etwas in mir, das mich gegen
alles Äußere gefühllos macht.

Du hast vermutlich erfahren, daß mein letztes Geld, das
ich aus der Stadt mitgenommen, mir von einem schelmischen Bauren gestohlen worden, der die Zeit abpaßte, als ich
unten war, Brot zu kaufen. Aber wozu sollte mir auch das
Geld? Wenn ich Mangel habe, gehe ich ins Dorf, und tue
einen Tag Tagelöhners Arbeit, dafür kann ich zwei Tage
meinen Gedanken nachhängen.

Ich bin glücklich, ich bin ganz glücklich. Ich ging gestern,
als die Sonne uns mitten im Winter einen Nachsommer
machte, in der Wiese spazieren, und überließ mich so ganz
dem Gefühl für einen Gegenstand der's verdient, auch ohne
Hoffnung zu brennen. Das matte Grün der Wiesen, das mit
Reif und Schnee zu kämpfen schien, die braunen verdorrten
Gebüsche, welch ein herzerquickender Anblick für mich!
Ich denke, es wird doch für mich auch ein Herbst einmal
kommen, wo diese innere Pein ein Ende nehmen wird.
Abzusterben für die Welt, die mich so wenig kannte, als ich
sie zu kennen wünschte – o welche schwermütige Wollust
liegt in dem Gedanken!

Beständig quält mich das, was Rousseau an einem Ort
sagt, der Mensch soll nicht verlangen, was nicht in seinen
Kräften steht, oder er bleibt ewig ein unbrauchbarer schwacher und halber Mensch. Wenn ich nun aber schwach, halb
unbrauchbar bleiben will, lieber als meinen Sinn für das
stumpf machen, bei dessen Hervorbringung alle Kräfte der

Natur in Bewegung waren, zu dessen Vervollkommnung der Himmel selbst alle Umstände vereinigt hat. O Rousseau! Rousseau! wie konntest du das schreiben!

Wenn ich mir noch den Augenblick denke, als ich sie das erstemal auf der Maskerade sah, als ich ihr gegenüber am Pfeiler eingewurzelt stand und mir's war, als ob die Hölle sich zwischen uns beiden öffnete und eine ewige Kluft unter uns befestigte. Ach wo ist ein Gefühl, das dem gleich kommt, so viel unaussprechlichen Reiz vor sich zu sehen mit der schrecklichen Gewißheit, nie, nie davon Besitz nehmen zu dürfen. Ixion an Jupiters Tafel hat tausendmal mehr gelitten, als Tantalus in dem Acheron. Wie sie so stand und alles sich um sie herdrängte und in ihrem Glanze badete, und ihr überall gegenwärtiges Auge keinen ihrer Bewunderer unbelohnt ließ. Sieh Rothe, diese Maskerade war der glücklichste und der unglücklichste Tag meines Lebens. Einmal kam sie nach dem Tanz im Gedränge vor mir zu stehen, als ich eben auf der Bank saß, und als ob ich bestimmt gewesen wäre, in ihren Zauberzirkel zu fallen, so dicht vor mir, daß ich von meinem Sitz nicht aufstehen konnte, ihr meinen Platz anzutragen, denn die Ehrfurcht hielt mich zurück, sie anzureden. Diese Attitüde hättest Du sehen und zeichnen sollen, das Entzücken, so nah bei ihr zu sein, die Verlegenheit, ihr einen Platz genommen zu haben, o es war eine süße Folter, auf der ich diese wenige glückliche Minuten lag.

Wo bin ich nun wieder hineingeraten, ich fürchte mich alle die Sachen dem Papier anvertraut zu haben. Heb es sorgfältig auf, und laß es in keine unheilgen Hände kommen.

Herz.

## Vierter Brief

### Fräulein Schatouilleuse an Rothen

Ha ha ha, ich lache mich tot, lieber Rothe. Wissen Sie auch wohl, daß Herz in eine Unrechte verliebt ist. Ich kann nicht schreiben, ich zerspringe für Lachen. Die ganze Liebe des Herz, die Sie mir so romantisch beschrieben haben, ist ein rasendes Qui pro quo. Er hat die Briefe einer gewissen Gräfin Stella in seine Hände bekommen, die ihm das Gehirn so verrückt haben, daß er nun ging und sie überall aufsuchte, da er hörte, daß sie in ** angekommen sei, um an den Winterlustbarkeiten teilzunehmen. Ich weiß nicht, welcher Schelm ihm den Streich gespielt haben muß, ihm die Frau von Weylach für die Gräfin auszugeben, genug er hat keinen Ball versäumt, auf dem Frau von Weylach war, und ist überall wie ein Gespenst mit großen stieren Augen hinter ihr hergeschlichen, so daß die arme Frau oft darüber verlegen wurde. Sie bildet sich auch wirklich ein, er sei jetzt noch verliebt in sie, und ihr zu Gefallen in den Wald hinausgegangen. Sie hat es meinem Vater gestern erzählt. Melden Sie ihm das, vielleicht bringt es ihn zu uns zurück und wir können uns zusammen wieder weidlich lustig über ihn machen. Er muß recht gesund geworden sein auf dem Lande. Ich wünscht ihn doch wieder zu sehen.

## Fünfter Brief

### Rothe an Herz

Aber, Herz, bist Du nicht ein Narr, und zwar einer von den gefährlichen, die, wie Shakespeare sagt, für ihre Narrheit immer eine Entschuldigung wissen und folglich unheilbar sind. Ich habe Dir aus Fräulein Schatouilleusens Brief begreiflich gemacht, daß Dein ganzer Troß von Phantasei irre

gegangen wäre, daß Du eine andere für Deine Gräfin angesehen hättest, und Du willst doch noch nicht aus Deinem Trotzwinkel zu uns zurück. Du seist nicht in ihre
Gestalt verliebt gewesen, sondern in ihren Geist, in ihren
Charakter, Du könntest Dich geirrt haben, wenn Du zu
dem eine andere Hülle aufgesucht hättest, aber der Grund
Deiner Liebe bleibe immer derselbe und unerschütterlich.
Solltest Du aber nicht wenigstens, da Du doch durchaus
einer von denen sein willst, die mit Terenz

*insanire cum ratione volunt*

durch Abschilderung dieses Charakters, dieses Geistes das
Abenteuerliche Deiner Leidenschaft bei Deinem Freunde zu
rechtfertigen suchen? Vielleicht könntest Du hierin ebenso
wohl eines Irrtums überwiesen werden, als in jenem, und
dafür scheint es, ist Dir bange.

Alle Deine Talente in eine Einsiedelei zu begraben – Und
was sollen diese Schwärmereien endlich für ein Ende nehmen? Höre mich, Herz, ich gelte ein wenig bei den Frauenzimmern, und das bloß, weil ich leichtsinnig mit ihnen bin.
Sobald ich in die hohen Empfindungen komme, ist's aus mit
uns, sie verstehen mich nicht mehr, so wenig als ich sie,
unsere Liebesgeschichten haben ein Ende. Ich schreibe Dir
dies nicht, Dich in Deinem Vorhaben wankend zu machen,
ich weiß, daß Du einen viel zu originellen Geist hast, um
Deine Eigentümlichkeit aufgeben zu wollen, aber ich sage
Dir nur wie ich bin, ich klage Dir meine kleinen Empfindungen auf der Querpfeife, wie Du Deine auf dem Wald-
horn. Siehst Du, so bin ich in einer beständigen Unruhe, die
sich endlich in Ruhe und Wollust auflöst und dann mit einer
reizenden Untreue wechselt. So wälze ich mich von Vergnügen auf Vergnügen, und da kommen mir Deine Briefe eben
recht, unsern eingeschrumpften Gesellschaften Stoff zum
Lachen zu geben. Es sticht alles so schrecklich mit unsrer
Art zu lieben ab. Nun lebe wohl und besinne Dich einmal
eines Bessern.

                                                    Rothe.

## Sechster Brief

### Herz an Rothe

Das einzige, was mir in Deinem letzten Briefe erträglich war, ist die Stelle, da Du eine Abschilderung von dem Charakter des Gegenstandes meiner einsamen Anbetung wünschtest, das übrige habe ich nicht gelesen. Zwar scheint auch in diesem Wunsch nur die Bosheit des Versuchers durch, der dadurch, daß er mein Geheimnis aus meinem Herzen über die Lippen lockt, mir dasselbe gern gleichgültiger machen möchte. Aber sei es, es soll Dir dennoch genug geschehen. Zwar weiß ich wohl, wie vielen Schaden ich ihr durch meine Beschreibungen tue, aber dennoch wirst Du, wenn Du klug bist und Seele hast, Dir aus meinem Gestotter ein Bild zusammensetzen können.

Denke Dir alles, was Du Dir denken kannst, und Du hast nie zu viel gedacht – doch nein, was kannst Du denken? Die Erziehung einer Fürstin, das selbstschöpferische Genie eines Dichters, das gute Herz eines Kindes, kurzum alles, alles beisammen, und alle Deine Mühe ist dennoch vergeblich, und alle meine Beschreibungen abgeschmackt. So viel allein kann ich Dir sagen, daß Jung und Alt, Groß und Klein, Vornehm und Gering, Gelehrt und Ungelehrt, sich herzlich wohl befinden wenn sie bei ihr sind, und jedem plötzlich anders wird wenn sie mit ihm redt, weil ihr Verstand in das Innerste eines jeden zu dringen, und ihr Herz für jede Lage seines Herzens ein Erleichterungsmittel weiß. Alles das leuchtet aus ihren Briefen, die ich gelesen habe, die ich bei mir habe und auf meinem bloßen Herzen trage. Sieh, es lebt und atmet darinnen eine solche Jugend, so viel Scherz und Liebe und Freude, und ist doch so tiefer Ernst, die Grundlage von alledem, so göttlicher Ernst – der eine ganze Welt beglücken möchte!

## Siebenter Brief

### Rothens Antwort

Dein Brief trägt die offenbaren Zeichen des Wahnsinns, würde ein andrer sagen, mir aber, der ich Dir ein für allemal durch die Finger sehe, ist er unendlich lieb. Du bist einmal zum Narren geboren, und wenigstens hast Du doch so viel Verstand, es mit einer guten Art zu sein.

Ich lebe glücklich wie ein Poet, das will bei mir mehr sagen, als glücklich wie ein König. Man nötigt mich überall hin und ich bin überall willkommen, weil ich mich überall hinzupassen und aus allem Vorteil zu ziehen weiß. Das letzte muß aber durchaus sein, sonst geht das erste nicht. Die Selbstliebe ist immer das, was uns die Kraft zu den andern Tugenden geben muß, merke Dir das, mein menschenliebiger Don Quischotte! Du magst nun bei diesem Wort die Augen verdrehen, wie Du willst, selbst die heftigste Leidenschaft muß der Selbstliebe untergeordnet sein, oder sie verfällt ins Abgeschmackte und wird endlich sich selbst beschwerlich.

Ich war heut in einem kleinen Familienkonzert, das nun vollkommen elend war und in dem Du Dich sehr übel würdest befunden haben. Das Orchester bestand aus Liebhabern, die sich Taktschnitzer, Dissonanzen und alles erlaubten und Hausherr und Kinder die nichts von der Musik verstunden, spähten doch auf unsern Gesichtern nach den Mienen des Beifalls, die wir ihnen reichlich zumaßen, um den guten Leuten die Kosten nicht reu zu machen. Nicht wahr, das würde Dir eine Folter gewesen sein, Kleiner? besonders da seine Töchter mit den noch nicht ausgeschrienen Singstimmen mehr kreischend als singend uns die Ohren zerschnitten. Da in laute Aufwallungen des Entzückens auszubrechen und bravo, bravissimo zu rufen, das war die Kunst – und weißt Du, womit ich mich entschädigte? Die Tochter war ein freundlich rosenwangigtes Mädchen, das mich für jede Schmeichelei, für jede herzlichfalsche Lobeserhebung mit einem feurigen Blick bezahlte, mir auch oft dafür die Hand und wohl gar gegen ihr Herz drückte, das hieß doch wahrlich gut gekauft. Ich weiß, Du knirschest die Zähne zusammen, aber mein Epikureismus führt doch wahrhaftig weiter, als Dein tolles Streben nach Luft- und Hirngespinsten. Ich weiß, das Mädchen denkt doch heute den ganzen Abend mit Vergnügen an mich, warum soll ich ihr die Freude nicht gönnen, daß sie sich mit den Gedanken an mich zu Bette legt.

Willst Du's auch so gut haben, komm zu uns, ich will gern die zweite Rolle spielen, wenn ich Dich nur zum brauchbaren Menschen machen kann. Was fehlte Dir bei uns? Du hattest Dein mäßiges Einkommen, das zu Deinen kleinen Ausgaben hinreichte, Du hattest Freunde, die Dich ohne Absichten liebten, ein Glück das sich Könige wünschen möchten, Du hattest Mädchen die an kleinen Netzen für Dein Herz webten, in denen Du Dich nur so weit verstricktest, als sie Dir behaglich waren, hernach flogst Du wieder davon und sie hatten die Mühe Dir neue zu weben. Was fehlte Dir bei uns? Liebe und Freundschaft vereinigten sich, Dich glücklich zu machen, Du schrittst über alles das hinaus in das furchtbare Schlaraffenland verwilderter Ideen!

Nichts lieblicher als die Eheknoten, die für mich geschlungen werden und an denen ich mit solcher Artigkeit unten weg zu schleichen weiß. Denk, was für ein Aufwand von Reizungen bei alle den Geschichten um mich her ist, welch eine Menge Charaktere sich mir entwickeln, wie künstliche Rollen um mich angelegt und wie meisterhaft sie gespielt werden. Das ergötzt meinen innern Sinn unendlich, besonders weil ich zum voraus weiß, daß sich die Leute alle an mir betrügen, um mir hernach doch nicht einmal ein böses Wort darum geben dürfen. So gut würde Dir's auch werden, wenn Du mir folgtest; wäre doch besser, unter blühenden und glühenden Mädchen in Scherz und Freude und Liebkosungen sich herumzuwälzen, als unter deinen

glasierten Bäumen auf der gefrornen Erde. Was meinst Du
Herz? Lachst Du? Narr, wenn Du lachen kannst, so ist alles
gewonnen.


## Achter Brief

### Antwort Herzens an Rothen

Deine Briefe gefallen mir immer mehr und mehr, obschon
ich Deine Ratschläge immer mehr und mehr verabscheue,
und das bloß, weil der Ton in denselben mit dem meinigen
so absticht, daß er das verdrüßliche Einerlei meines Kum-
mers auf eine pikante Art unterbricht. Fahre fort, mir mehr
zu schreiben, es ist mir alles lieb, was von Dir kommt, sollte
mir's auch noch so viel Galle machen.

Sei glücklich unter Deinen leichten Geschöpfen, und laß
mir meine Hirngespinste. Ich erlaub es euch sogar, über
mich zu lachen, wenn euch das wohltun kann. Ich lache
nicht, aber ich bin glücklicher als ihr, ich weide mich
zuweilen an einer Träne, die mir das süße Gefühl des
Mitleids mit mir selbst auf die Wange bringt. Es ist wahr,
daß ich alles hier begrabe, aber eben in dieser Aufopferung
findt mein Herz eine Größe, die ihm wieder Luft macht,
wenn seine Leiden zu schwer werden. Niemanden im Wege
– welch eine erhabene Idee! ich will niemanden in Anspruch
nehmen, niemand auch nur einen Gedanken kosten, der die
Reihe seiner angenehmen Vorstellungen unterbricht. Nur
Freiheit will ich haben, zu lieben was ich will und so stark
und dauerhaft, als es mir gefällt. Hier ist mein Wahlspruch,
den ich in die Rindentüre meiner Hütte eingegraben:

> Du nicht glücklich, kümmernd Herz?
> Was für Recht hast du zum Schmerz?
> Ist's nicht Glück genug für dich,
> Daß sie da ist, da für sich?

## Neunter Brief

### Rothe an Herz

Wenn wir uns lange so fortschreiben, so geraten wir beide in eine Geschwätzigkeit, die zu nichts führt. Du willst unterhalten sein und ich kann und mag Dich nicht unterhalten. Alles was ich Dir schrieb, war, um Dich zurückzubringen, willst Du nicht, so laß bleiben, kurz und gut. Alle Deine Klagen und Leiden und Possen helfen Dir bei uns zu nichts, wir Deine wahren Freunde und Freundinnen und alle Vernünftigen – verzeih mir's, was können wir anders tun – lachen darüber – ja lachen entweder Dich aus der Haut und der Welt hinaus – oder wieder in unsre bunten Kränzchen zurück.

Du tätest also besser, wenn Du mir nicht mehr schriebest. Ich komme nicht zu Dir, das hab ich verschworen. Aber ich erwarte Dich bei mir, wenn Du mich wieder einmal zu sehen Lust hast.

Rothe.

Die Antwort auf diesen Brief blieb aus.

## Zehnter Brief

### Honesta an den Pfarrer Claudius,
### einen ihrer Verwandten auf dem Lande

Wissen Sie auch wohl, daß wir hier einen neuen Werther haben, noch wohl schlimmer als das, einen Idris, der es in der ganzen Strenge des Worts ist, und zu der Nische die Herr Wieland seinem Helden am Ende leer gelassen hat, mit aller Gewalt ein lebendes Bild sucht. Kurz, es ist der junge Herz, den Sie bisweilen in unserm Hause müssen gesehen haben, er war sehr einschmeichelnd beim Frauenzimmer, aber immer in seinen Ausdrücken etwas romantisch, wel-

ches mir um soviel besser gefiel. Er hat im ganzen Ernst
seine Bedienung niedergelegt, und ist in den Odenwald
gegangen und Einsiedler geworden. Jedermann redt davon
und bedaurt das Unheil, das solche Schriften anrichten. Ich
aber behaupte, daß der Grund davon in seinem Herzen liegt,
und daß er auch ohne Werther und Idris das geworden wäre,
was er ist.

Die Person, die er liebt, ist eine Gräfin, die in der Tat ein
rechtes Muster aller Vollkommenheiten ist, wie man sie mir
beschrieben hat. Sie tanzt wie ein Engel, zeichnet, malt nach
dem Leben, spricht alle Sprachen, ist mit jedermann freundlich und liebreich, kurz sie verdient es wohl, daß eine
Mannsperson um sie den Kopf verliert. Alle ihre Stunden
sollen so eingeteilt sein, daß sie niemalen müßig ist, sie
unterhält allein eine Korrespondenz, wozu mancher Staatsminister nicht Sekretärs genug finden würde, und die Briefe
schreibt sie alle während der Zeit, da sie frisiert wird, auf der
Hand, damit sie ihr von ihren übrigen Beschäftigungen nicht
Zeit wegnehmen. Es muß ein liebes Geschöpf sein, sie soll
von dem Unglück des armen Herz gehört haben, und darüber untröstlich sein, denn sie hat ein Gemüt, das nicht gern
ein Kind beleidigen möchte. Er hat einige von ihren Briefen
in die Hände bekommen, die sie während ihres Aufenthalts
auf dem Lande an die Witwe Hohl hier geschrieben hatte.
Sie wissen doch die Witwe Hohl in der Laubacherstraße in
dem großen roten Hause. Herz soll bei ihr logiert haben.
Das seltsamste ist, daß er seinen Abgott noch nicht von
Person kennt, obschon er alles angewandt, sie zu sehen zu
kriegen. Er hat eine andere für sie angesehen und also eine
ganz falsche Vorstellung von ihr in seine Zelle mitgenommen.

Die Fräulein Schatouilleuse kennt die Gräfin auch, weil
sie oft in ihr Haus kommt, will aber nicht viel Gutes von ihr
sagen. Sie meint, sie affektiere entsetzlich, nun ist das ganz
natürlich, weil ihre Art zu denken von jener ihrer himmel-
weit unterschieden sein muß.

Man sagt die Gräfin wolle an den armen Herz schreiben, um ihn vielleicht wieder zurecht zu bringen. Ich habe nicht Zeit, Ihnen mehr zu sagen, obgleich ich sonst so ungern weiß Papier übrig lasse. Unser Haus ist voll Fremde, die zur Ostermesse gekommen sind. Wenn Sie doch auch auf einige Tage herein könnten. Der wunderliche Herr Hokum ist auch da.

Honesta.

### Eilfter Brief

#### Herz an Rothen

Ich bin untröstlich, daß meine Einsiedlerei eine Fabel der Stadt wird. Gestern sind eine Menge Leute aus ** hier gewesen, die mich sehen und sprechen wollten, und mir einigemal zwar unter vielen andern den Namen derjenigen genannt haben, die ich den Wänden meiner Hütte und den leblosen Bäumen kaum zu nennen das Herz habe. Sollte etwas davon laut geworden sein, und durch Dich, Verräter? Du weißt allein, wer es ist, und wieviel mir daran gelegen, daß ihr Name auf den Lippen der Unheiligen nicht in meiner Gesellschaft ausgesprochen werde.

Auf diesen Brief erfolgte keine Antwort.

### Zwölfter Brief

Ich schreibe Dir dieses, obschon Du's nicht verdienst. Aber ich kann nicht, ich kann die Freude über alle mein Glück nicht bei mir behalten. Und da ich sonst gewohnt war, mein Herz gegen Dich zu öffnen –

Wisse alles, Rothe, sie kennt mich, sie weiß, daß ich um ihretwillen hier bin, wer muß ihr das gesagt haben?

Gestern konnt ich's fast nicht aushalten in meiner Hütte. Alles war versteinert um mich, und ich habe die Kälte in der

härtesten Jahrszeit in meinem Vaterlande selbst nicht so un-
mitleidig gefunden. Ich nahm mir das Eis aus den Haaren,
und es war mir nicht möglich, Feuer anzumachen; ich mußte
also ziemlich spät ins Dorf hinabgehen, mich zu wärmen.

Stelle Dir das Entzücken, die Flamme vom Himmel vor,
die meine ausgequälte Seele durchfuhr, als ich auf einmal
Fackeln vor einem Schlitten auf mich zukommen und bei
deren Schein die Liverei meiner angebeteten Gräfin sah. Ich
hielt sie dafür, ich betrog mich nicht. Sie war es, sie war es
selbst, nicht die, die ich auf dem Ball gesehen, aber mein
Herz sagte mir's, daß sie es sei, denn als sie mich sah, sie sah
scharf heraus, hielt sie den Muff vor das Gesicht, um die
Bewegungen ihres Herzens zu verbergen. Und wie groß,
wie sprachlos war meine Freude, als ich hernach im Dorf
hörte, sie habe sich durch ihre Bedienten nach einem gewissen Waldbruder erkundigen lassen, der hier in der Nähe
wohnte.

Ich, so lebhaft gegenwärtig in ihrem Andenken – und in
dieser Kälte kam sie heraus mich zu sehen – wenn es auch
nur Spazierfahrt war, wie glücklich, daß meine Hütte sie auf
diesen Weg locken mußte – vielleicht kann ich sie noch
einmal sehen und sprechen. – Rothe! Gibt's eine höhere
Aussicht für menschliche Wünsche?

## Brief

### der Gräfin Stella an Herz

Mein Herr! ich habe Ihren Zustand erfahren, er dauert mich.
Von ganzem Herzen wünschte ich Unmöglichkeiten möglich zu machen. Indessen kommen Sie nach der Stadt, und
wenn Ihnen damit ein Gefallen geschehen kann, mich zu
sehen und zu sprechen, wie Herr Rothe mir versichert hat,
so hoffe ich, es soll sich bei Ihrer Freundin, der Witwe
Hohl, schon Gelegenheit dazu finden.

Stella.

## Zweiter Teil

### Erster Brief

#### Herz an Rothen,

##### der in Geschäften nach Braunsberg gereist war

Da bin ich wieder mein Wohltäter! in allem Rosenschimmer des Glücks und der Freude. Rothe! Rothe! was bist Du für ein Mensch. Wie hoch über den Gesichtskreis meines Danks hinaus! Ich habe auch nicht Zeit, das alles durchzudenken, wie Du mich geschraubt und geschraubt hast, mich wieder herzukriegen, mich über alle Hoffnung glücklich zu machen – ich kann's nur fühlen und schaudern indem ich Dir in Gedanken Deine Hände drücke. Ja ich habe sie gesehen, ich habe sie gesprochen – Dieser Augenblick war der erste, da ich fühlte daß das Leben ein Gut sei. Ja ich habe ihr vorgestammelt, was zu sagen ich Ewigkeiten gebraucht haben würde und sie hat mein unzusammenhängendes Gewäsch verstanden. Die Witwe Hohl, Du kennst die Plauderin, glaubte allein zu sprechen, und doch waren wir es, wir allein, die, obgleich stumm, uns allein sprechen hörten. Das läßt sich nicht ausdrücken. Alles was sie sagte war an die Witwe Hohl gerichtet, alles was ich sagte gleichfalls und doch verstand die Witwe Hohl kein Wort davon. Ich bekam nur Seitenblicke von ihr, und sie sah meine Augen immer auf den Boden geheftet und doch begegneten unsere Blicke einander und sprachen ins Innerste unsers Herzens was keine menschliche Sprache wird ausdrücken können. Ach als sie so auf einmal das Gesicht gegen das Fenster wandte, und indem sie den Himmel ansah, alle Wünsche ihrer Seele auf ihrem Gesicht erschienen – laß mich Rothe, ich entweihe alles dies durch meine Umschreibungen.

## Zweiter Brief

Nun ist es wunderbar welch einen hohen Platz die Witwe Hohl in meinem Herzen einnimmt. Du weißt, welch eine Megäre von Angesicht sie ist, und doch kann ich mich in keiner einzigen Frauenzimmergesellschaft so wohl befinden als in ihrer. Ich verschwende Liebkosungen auf Liebkosungen an sie, und das nicht aus Politik sondern aus wahrer herzlicher Ergebenheit, denn es scheint mir daß sie wie Moses von dem Gesicht meiner Göttin einen gewissen Schimmer erhalten hat, der sie um und um zur Heiligen macht. Alle ihre Handlungen scheinen mir Abschattungen von den Handlungen meiner Gräfin, alle ihre Worte Nachhälle von den ihrigen. Wenn sie von ihr redt bekommt auch in der Tat ihr Medusenkopf gefälligere Mienen, eine gewisse himmlische Heiterkeit blitzt aus ihren Augen und ihre Reden erhalten alle eine gewisse Melodie in ihrem Munde, über die sie sich selbst zu wundern scheint. Sie redt deswegen gern von ihr. Und wer ist glücklicher dabei als ich? Zugleich habe ich an ihr gemerkt, daß sie keine gemeine Gabe des Vortrages hat. Besonders kann sie einen Charakter mit wahrer poetischer Kraft darstellen. Es scheint mir daß Frauenzimmer ihrer Art immer dadurch vor den schönen und artigen gewinnen, daß sie in einer gewissen Entfernung von den Leuten abstehen, die ihren Gesichtspunkt aus dem sie sie auffassen, immer unendlich richtiger macht. Sie sehen alles ganz, was andere nur halb sehen. Kurzum, ich liebe sie, diese Olinde.

## Dritter Brief

O Rothe! hundertmal fällt mir die Frau ein, die in einer katholischen Kirche gesessen wo sie von der lateinischen Predigt kein Wort verstand, außer einem gewissen Namen, der ihre Andacht erhielt, und dem zu Gefallen sie allein in die Kirche kam.

Du weißt, daß ich, um mich hier zu erhalten, weil ich meinen Dienst niedergelegt, den ganzen Tag informieren muß. Es mattet mich ein wenig ab, allen den verschiedenen Köpfen auf so verschiedene Art faßlich zu werden. Den Abend geh ich zur Erholung zur Witwe Hohl hinauf und wenn ich auch weiter nichts als den Namen einer gewissen Person aussprechen höre, so ist mir doch gleich wieder so wohl und kann mich so vergnügt zu Bette legen.

## Vierter Brief

Ich sehe, ich sehe, daß sich die Witwe Hohl an mir betrügt. Aber laß sie, es ist ihr doch auch wohl dabei, und da es in meinem Vermögen nicht steht, einen Menschen auf der Welt durch Handlungen glücklich zu machen, so soll es mich wenigstens freuen, eine Person die auf dieser Art der Glückseligkeit in der Welt schon Verzicht getan hatte, wenigstens durch ihre eigene Phantaseien glücklich gemacht zu haben. Unter uns, sie glaubt in der Tat, ich liebe sie. Noch mehr, auch andere Leute glauben's, weil ich ihr so standhaft den Hof mache. Ich liebe sie auch wirklich, aber nicht wie sie geliebt sein will.

Es wird mir fast zu lange, daß ich die Gräfin nicht sehe. Nirgends, nirgends ist sie anzutreffen. Und die ewige Sisyphus-Arbeit meiner täglichen Arbeiten ohne die mindeste Freude und Erholung ermattet sehr. Wenn ich nur durch alle meine Mühe noch was ausrichtete. Ich zerarbeite mich an Leuten die träger als Steine sind und die, was das schlimmste ist, mich mit den bittersten Vorwürfen kränken, daß sie bei mir nicht weiterkommen können. Witwe Hohl spricht auch kein Wort von der Gräfin mehr.

## Fünfter Brief

### Fräulein Schatouilleuse an Rothen

*[handwritten: is an old Junofer / old bag]*

Was T–, machen Sie denn so lange auf dem Lande, das ist ja nicht auszuhalten. Ihr Herz, den kriegt ja kein Mensch zu sehen, noch zu genießen, den hat die Witwe Hohl vermutlich an ihrem Bettstollen angebunden. Es ist doch schändlich, daß der Mensch ihr so hündisch getreu ist, da sie ihn offenbarlich hintergeht.

Wissen Sie auch was Neues Rothe, recht was Neues, daß die Gräfin Stella Braut ist und das mit einem garstigen alten Mann, der aber viel Geld hat. Diese Nachricht, versichert, wird Herrn Herzen übel schmecken. Wenn er sie nur nicht gar zu plump erfährt, ich glaube er erschießt sich.

Wissen Sie mir nicht zu sagen, ob man in Braunsberg gute weiche Flockseide bekommt? Und was dort die Chinesischen Blumen gelten. Bringen Sie mir welche mit, die Leute hier sind judenmäßig teuer.

## Sechster Brief

### Herz an Rothen

Bruder! es ist etwas auf dem Tapet, ich bin der glücklichste unter allen Sterblichen. Die Gräfin – kaum kann ich es meinen Ohren und Augen glauben – sie will sich mir malen lassen. O unbegreiflicher Himmel! wie väterlich sorgst du für ein verlaßnes verlornes Geschöpf. Meine letzten harrenden und strebenden Kräfte waren schon ermattet, ich erlag – ich richte mich wieder auf, ich stehe ich eile ich fliege – fliege meinen großen Hoffnungen entgegen.

## Siebenter Brief

### Witwe Hohl an die Gräfin Stella

Ich habe endlich ein Mittel ausfindig gemacht, liebe Gräfin, das Bild, das Sie Herrn Rothen in seine Sammlung von Gemälden versprochen haben, ihm ohne daß es ein Mensch auf der Welt merkt für wen, zu verschaffen. Mein Freund Herz ist in genauer Verbindung mit einem hiesigen Maler, dieser soll, als ob ich ihn heimlich durch Herzen hätte bestellen lassen, Sie unvermutet auf meinem Zimmer überraschen, Sie müssen sich ein wenig erschrocken stellen, ich bitte Sie sodann um Verzeihung und sage, weil Sie bald weg von hier zu reisen gedächten, hätt ich mir die Gelegenheit zu Nutz machen wollen, bei Ihrem letzten Besuch wenigstens Ihr Bild auf der Stube zu behalten. Herz hat mir alles dies selbst so angegeben, und Sie können sich auf ihn verlassen daß er alles so beim Maler einrichten wird, daß Sie auf keine Weise dadurch kompromittiert werden.

## Achter Brief

### Herz an Rothen

Eben erhalte ich einen wunderbaren Brief von einem Obristen in hessischen Diensten, der ehmals mit mir in Leipzig zusammen studiert hat, und mir die Stelle als Adjutant bei ihm anträgt, wenn ich ihn nach Amerika begleiten will. Wie Rothe! dieser Sprung aus dem Schulmeisterleben auf die erste Staffel der Leiter der Ehre und des Glücks, der Himmelsleiter auf der ich alle meine Wünsche zu ersteigen hoffe. Was sagst Du dazu? Und ihr Bild nehme ich mit. Mit diesem Talisman in tausend bloße Bajonetter zu stürzen – Ha Rothe, daß Du fühlen könntest, wie mir das Herz schlägt! Künftige Woche läßt sie sich malen. O die großen Akkorde des Schicksals, des göttlichgütigen Schicksals, dem wir in den umwölkten Stunden durch unsere Verwünschungen soviel Unrecht tun. Hörst Du sie nicht auch? segnest Du sie nicht auch? Wie sich alles alles vereinigt, alles vereinigen muß – Warum antwortest Du mir denn nicht?

## Neunter Brief

### Rothe an den Obristen von Plettenberg

Hier überschick ich Ihnen, mein Gönner! einen mir auf mein Gewissen anvertrauten Brief Ihrer Gräfin Nichte. Es deucht mir, er enthalte eine nochmalige Vorbitte für den armen Herz, für dessen Schicksal in Amerika ihr bange ist. Er ist in der Tat nicht zum Soldaten gemacht, so sehr er sich's zu sein einbildet. Wäre es nicht möglich, daß Sie ihn dem Kurfürsten zu ** empfehlen könnten, zu der erledigten Hofjunkerstelle. Ich werde ihn Ihnen selber nach Zelle bringen und über verschiedene Umstände seines Herkommens und seiner bisherigen Schicksale Ihnen mündlich nähere Aufschlüsse geben.

## Zehnter Brief

### Herz an Rothe

Ewige Wonne ruhe auf diesem Tage und unter dem Schimmer des rosenlächelnden Himmels müssen sich an demselben zwo große Seelen, die das unerbittliche Schicksal lang voneinander trennte, im höchsten Taumel der Liebe küssen.

Laß mich zu mir selber kommen Rothe, ich kann nicht reden – kann die Gefühle nicht ausdrücken – aber wenn es je Entzücken auf Erden gibt, so war es das. Sie wiederzusehn – nach so langem Schmachten – so wiederzusehn – siehst Du, alle die Wonne schneidt mir ins Herz, ich sitze da, halb ohne Atem, alle meine Pulse hüpfen, zittern für Freude und eine wollüstige Träne über die andere stürzt sich aus meinen Augen herab.

Die Geschichte dieses Tages – daß Du doch das alles nicht gesehen hast! Wie kann ich's erzählen? Ich kam mit dem Maler. Nein, ich schickte den Maler voraus und nach einem Weilchen kam ich nach. Sie saß ihm schon – saß da in aller ihrer Herrlichkeit – und ich konnte mich ihr gegenüberstellen und mit nimmersatten Blicken Reiz für Reiz, Bewegung für Bewegung einsaugen. Das war ein Spiel der Farben und Mienen! Wenn der Himmel mir in dem Augenblick aufgetan würde, könnt er mir nichts Schöners weisen. Das Vergnügen funkelte aus ihren Augen, o welch eine elysische Jugend blühend und düftend auf ihren Wangen, ihr Lächeln zauberte mir die Seele aus dem Körper in das weite Land grenzenloser Chimären. Und ihr Busen, auf dem sich mein ehrfurchtsvoller Blick nicht zu verweilen getraute, den Güte und Mitleid mir entgegenhob – Bruder ich möchte den ganzen Tag auf meinem Angesicht liegen, und danken, danken, danken –

## Eilfter Brief

### Herz an Rothen

Welch ein schreckliches Ungewitter hat diesen himmlischen Sonnenschein abgelöst! Rothe, ich weiß nicht, ob ich noch lebe, ob ich noch da bin oder ob alles dies nur ein beängstigender Traum ist. Auch Du ein Verräter – nein, es kann nicht sein. Mein Herz weigert sich, die schrecklichen Vorspiegelungen meiner Einbildungskraft zu glauben und doch kann ich mich deren nicht erwehren. Auch Du Rothe – nimmermehr!

Schick mir das Bild zurück, oder ich endige schrecklich. Du mußt es nun haben dieses Bild und mit blutiger Faust werde ich's zurückzufodern wissen, wenn Du mir's nicht in gutem gibst.

Dein Stillschweigen, Dein geheimnisvolles Wesen gegen mich – gegen mich, Rothe – bedenke, was das sagen will – nein doch, ich kann es, kann es nicht glauben. Du kannst Dich eines so schwarzen Komplotts nicht schuldig gemacht haben.

Ich will Dir alles erzählen, aber ich fodere von Dir, daß Du mir Aufrichtigkeit mit Aufrichtigkeit belohnst.

Ich flog den Nachmittag, sobald meine Informationen vorbei waren, zur Witwe Hohl hinauf – kannst Du Dir vorstellen, mit welchen Empfindungen? Ich wollte ihre beide Hände unbeweglich an meine Lippen drücken, mich auf die Knie vor ihr werfen, und ihr mit Blicken und Tränen für alle das Vergnügen danken, das sie mir den Vormittag verschafft hatte. Aber Gott! wie ward mir das versalzen? Ich fand sie – zu Bette. Mit der wahren Stimme einer Verzweifelnden redte sie mich an: »Unglücklicher, fort von mir! was wollt Ihr bei mir« – »Was ist Ihnen, beste Witwe Hohl« – »Seht da Euer Werk, Verräter« – »Ich schuld an Ihrer Krankheit« – »Ja schuld an meinem Tode« – »Wodurch« – »Fragt Euer Herz, Bösewicht!«

Ich war für Wut außer mir, ich fing an zu bitten, ich fing an zu schmeicheln, zu weinen, zu schwören – Welche grausame Verwirrungen hatte unser Mißverstand angerichtet, oder vielmehr meine Nachlässigkeit, sie eher aus ihrem Irrtum zu reißen. Sie war über mein Betragen den Vormittag eifersüchtig geworden – sie eifersüchtig – nie hatte ich mir das träumen lassen. Hätte sie doch nur einmal während der ganzen Zeit unserer Bekanntschaft in den Spiegel gesehen, wieviel Leiden hätte sie sich ersparen können! Indessen, der Mensch sucht seine ganze Glückseligkeit im Selbstbetrug. Vielleicht betrüge ich mich auch. Sei es was es wolle, ich will das Bild wieder haben, oder ich bringe mich um. – Nun kommt das Schlimmste erst. Ich hatte ihr gesagt, ich würde Dir das Bild zuschicken, weil ich wirklich glaubte, die

Gräfin hätte vielleicht gewünscht daß Du es auch vorher
sehen solltest, eh ich's nach Amerika mitnähme. Jetzt sagte
sie mir, daß ich die Gräfin aufs grausamste und unverzeih-
lichste beleidigen würde, wenn ich ihr nicht mit einem Eide
verspräche, Dir das Bild zuzuschicken und es nimmer wiederzufodern – »Es nimmer wiederzufodern«, sagte ich, »wie
können Sie das verlangen« – »Ja das verlange ich«, sagte sie,
»und zwar auf Ordre der Gräfin, denn das erste ist schon
geschehen.«

Nun stelle Dir vor, sie hatte während meiner Abwesenheit
mein Zimmer vom Hausherrn aufmachen lassen, und das
Bild herausgenommen. Ich hatte mir vorgesetzt, davon eine
Kopei nehmen zu lassen und sie Dir zuzusenden, das Original aber für mich zu behalten, weil des Malers Hand dabei
sichtbarlich von einer unsichtbaren Macht geleitet ward und
ich das was die Künstler die göttliche Begeisterung nennen,
wirklich da arbeiten gesehen habe – und nun – ich hätte sie
mit Zähnen zerreißen mögen – alles fort – – Rothe das Bild
wieder, oder den Tod!

Dazu kommt noch, daß ich übermorgen reisen soll. Ich
wünschte ich könnte Dich abwarten. Schick nur, wenn Du
selbst nicht kommen kannst, das Bild an Fernand, der weiß
meine Adresse. O mein Herz ist in einem Aufruhr, der sich
nicht beschreiben läßt.

Was für Ursachen konnte die Gräfin haben, das Bild Dir
malen zu lassen? – Nein es ist ein Einfall der Witwe Hohl.
Antworte mir doch.

Herz.

# Dritter Teil

## Erster Brief

### Honesta an den Pfarrer Claudius

Sie wollen das Schicksal des armen Herz wissen und was ihn zu einem so schleunigen und seltsamen Entschluß als der ist nach Amerika zu gehen, hat bewegen können. Lieber Pfarrer, um das zu beantworten muß ich wieder zurückgehn und eine ziemlich weitläuftige Erzählung anfangen die mir, da ich so gern Briefe schreibe, ein sehr angenehmer Zeitvertreib ist.

Ich habe seitdem vollständigere Nachrichten eingezogen von Herzens erster Bekanntschaft mit der Witwe Hohl, von der unglücklichen Leidenschaft die er für die Gräfin Stella faßte, von den Ursachen die alle zusammentrafen, diese Leidenschaft zu unterhalten, welches bei jedem vernünftigen Menschen sonst unbegreiflich sein würde, da die Gräfin nicht allein so weit über seinen Stand erhaben, sondern auch seit fünf Jahren schon eine Braut mit einem gewissen Obersten Plettenberg ist, der schon eine Campagne wider die Kolonisten in Amerika mitgemacht hat, bloß damit er Gelegenheit habe, sich bis zum General oder Generallieutnant zu bringen, weil er sonst nicht wagen darf, bei dem Vater der Gräfin um sie anzuhalten. Heimlich ist aber unter ihr und ihren Verwandten alles mit ihm schon ausgemacht. – Alle diese Nachrichten sollen Ihnen den Schlüssel zu Herzens wunderbarem Charakter und Handlungen geben.

Diese Geschichte ist aber so wie das ganze Leben Herzens ein solch unerträgliches Gemisch von Helldunkel daß ich sie Ihnen ohne innige Ärgernis nicht schreiben kann. Kein Zustand der Seele ist mir fataler als wenn ich lachen und weinen zugleich muß, Sie wissen ich will alles ganz haben, entweder erhabene Melancholei oder ausgelassene Lustigkeit

– indessen ist es nun einmal so und ich kann mir nicht helfen.

Die Witwe Hohl – Sie kennen die Witwe Hohl und ich brauche Ihnen ihre Häßlichkeit nicht zu beschreiben, doch wenn Sie sich nicht mehr auf ihr Gesicht erinnern sollten, sie hat eingefallene Augen, den Mund auf die Seite verzogen, der ein wahres Grab ist das wenn sie ihn öffnet, Totenbeine weist, eine eingefallene Nase kurz alles was häßlich und schrecklich in der Natur ist – hier lassen Sie mich aufstehn und abbrechen, die Beschreibung hat mich angegriffen, besonders wenn ich bedenke, daß der delikate, der fein organisierte Herz in sie verliebt war –

## Zweiter Brief

Die Witwe Hohl ist eine Person von vielem Vermögen, und was Sie mir nicht glauben werden, von einem außerordentlichen Verstande.

Sie können dies nur daraus sehen, daß sie wirklich den Plan gemacht, dem jungen feinen scharfsichtigen Herz sein Herz zu entführen, und daß sie diesen Plan – welches mir das unbegreiflichste ist – ausgeführt hat. Ich weiß nicht durch welche Zaubermittel sie ihn in ihr Haus zu locken gewußt hat. Ich stelle mir's so vor, sie war in der ganzen Stadt bekannt daß sie eine große weitläuftige Korrespondenz mit Vornehmen und Gelehrten hat, die sie sich alle durch ihren Verstand verbindlich zu machen wußte. Herz, der immer ein Narr auf Charaktere war und in der wirklichen Welt sie aufzusuchen zuviel Ekel und Launen hatte, dachte hier einen reichen Fund zu tun, und – da sie für alle diese Korrespondenten zugleich immer Geschäfte machte – bei allen diesen Personen ihre Art sich zu benehmen, die verschiedenen Massen von Licht und Schatten, von Selbstliebe und Großmut, oder auch wohl, bei Leuten von geringerm Ton, von Geiz und Hochmut in ihrem Charakter hier gleichsam aus der ersten Hand zu haben. Nun kommt noch dazu, daß sie selbst eine ungemein große Gabe zu erzählen hat, sie weiß alle Gegenstände die sie einmal sieht, gleich so zu fassen und vorzutragen daß man sie auch zu sehen glaubt, kurz als Herz das erstemal mit ihr in Gesellschaft war, wo sie denn gleich einige ihrer Briefe hervorgezogen, und von ihr hörte, daß sie ein Zimmer in ihrem Hause um einen sehr wohlfeilen Preis zu vermieten habe, zog er sogleich des folgenden Tages bei ihr ein, und nun war er für alle unsere Gesellschaften verloren.

Er kam alle drei Tage nur in unser Haus und tat dabei so frostig, daß wir ihn immer nur das Terzianfieber nannten. Zuletzt blieb er gar weg und wer dabei am wenigsten verlor, das waren wir. Jetzo erst, da ich von dem Herrn Rothe den wahren Zusammenhang seiner Verirrungen erfahre, fange ich an, ihn zu bedauern.

Stellen Sie sich vor, sie kramte die Briefe der Gräfin aus, die schon seit ihrer Kindheit mit ihr in großer Bekanntschaft steht und seit dieser Zeit her in ** alle Geschäfte durch sie hat machen lassen. Nun habe ich Ihnen die Gräfin Stella schon beschrieben, noch müssen Sie das wissen, sie schreibt wie ein Engel. Ich habe Briefe von ihr gesehen, sie weiß den allergeringsten Sachen so etwas Anzügliches zu geben, daß man sogar ihre kleinsten Kommissionen mit eben dem Interesse liest, als den wohlgeschriebensten Roman. Mein Herz war hin, als er immer weiter in dieses Heiligtum trat, Brief für Brief dieser Charakter sich immer herrlicher ihm entwickelte, denn es waren hier Briefe von den ersten Jahren ihres Lebens an und sie hatte nie geglaubt, gegen die Witwe Hohl im geringsten sich verstellen oder, was heutzutage so allgemein ist, repräsentieren zu dürfen.

Nun beging die Witwe die grausame List, Herzen ganz und gar zu verhehlen daß die Gräfin mit irgend einer Mannsperson auf der Welt in Verbindungen des Herzens stehe. Alle die neueren Briefe in denen etwas von Plettenberg vorkam, versteckte sie ihm sorgfältig, Herz der von jeher wie Sie wissen, vielleicht durch die Schicksale seiner Jugend, die sonderbar genug sein sollen, äußerst romantisch gestimmt war, glaubte es vielleicht möglich daß er dies Herz wenigstens zur Freundschaft gegen ihn durch Zeit Geduld und Sorgfalt stimmen könnte. Er faßte also den gigantischen Vorsatz, nicht abzulassen bis er es durch die Witwe Hohl so weit gebracht, daß die Gräfin Stella wenigstens seine Freundin würde. Auf der andern Seite faßte die Witwe Hohl, die wohl einsah daß Herz nur durch Reize der Seele gefesselt werden könnte und sich für die gewöhnlichen schönen und artigen Gesichte der Stadt zu gut hielt, gleichfalls den festen Vorsatz, nicht abzulassen bis sie es durch die Briefe der Gräfin dahin gebracht daß er sich ganz und gar an unsichtbare Vorzüge gewöhnte und wenn er sähe daß seine Leidenschaft für die Gräfin eine bloße Chimäre sei, sie als ihre vertrauteste Freundin an ihre Stelle setzte. Sie behielt also die Nachricht von ihrer geheimen Verbindung mit Plettenberg als den Theaterstreich zurück, der die ganze Katastrophe entscheiden sollte. Ich fürchte sehr, das Stück könne eher tragisch als komisch endigen.

Nun ging das Drama von beiden Seiten an und die Rollen wurden meisterhaft abgespielt. Witwe Hohl redete immer von der Gräfin und zog dadurch Herzen immer fester an sich. Sie ließ sogar bei der Erzählung von den Jugendjahren derselben ihren ganzen Witz und ihr ganzes Herz mit all seinen Hoffnungen teilnehmen, welches ihren Augen so wie ihren Ausdrücken ein Feuer gab, das Herzen oft ganz bezauberte. Er trank das süße Gift begierig in sich, doch brauchte er die Vorsicht, bei alledem eine gewisse Kälte und Gleichgültigkeit zu affektieren und das was die wütendste Leidenschaft in seinem Herzen war als frostige Bewunderung einzukleiden, welches auf der andern Seite die Witwe Hohl an ihm bezauberte, die denn dadurch immer besser humorisiert, immer, daß ich so sagen mag, begeisterter wurde, so daß beiden nie besser zu Mut war als wenn sie auf diese Materie kamen und sie von allen Diskursen des gemeinen Lebens immer Gelegenheit zu finden wußten, dahin einzulenken. Dazu kam noch, daß diese Materie ein unvergleichlicher Probierstein ihres Witzes war, bei alledem ihren Zweck immer vor Augen zu behalten und mit unmerklichen aber ihrer Meinung nach sehr festen und zuverlässigen Schritten ihren großen Staatsgefangenen demselben entgegenzuführen. Zu dem Ende ließ sie von Zeit zu Zeit einige nicht gar zu vorteilhafte Beschreibungen von dem Gesicht der Gräfin mit unterlaufen, sagte aber alle diese kleinen Fehler würden von den Eigenschaften ihres Gemüts so verdunkelt – ich kann nicht schreiben lieber Pfarrer, ich muß laut lachen wenn ich mir das Gesicht der Witwe bei diesen Reden denke und die erstaunte und verlegene Miene, mit der Herz ihr muß zugehört haben.

## Dritter Brief

Sie trieb es so weit, daß sie in ihren Briefen an die Gräfin von ihrer neuen Bekanntschaft mit Herzen redte oder vielmehr mit dieser neuen und seltenen Eroberung prahlte, da sie denn wie natürlich auf die Beschreibungen, die sie von seinem Charakter gemacht und die ausschweifend vorteilhaft waren, von der Gräfin auch für ihn sehr vorteilhafte Ausdrücke zur Antwort erhalten mußte. Sie hielt diese Kriegslist für notwendig, um das Feuer das sie einmal in seinem Herzen angeblasen und das er aus Politik auf seinem Gesicht oft sehr trüb und dunkel brennen ließ, nicht auslöschen zu lassen. Wer war glücklicher als Herz? Er suchte in allen diesen Ausdrücken der ganz und gar unschuldigen Gräfin wahre Spuren dessen was er für sie fühlte, und nun ging's mit seinem Verstande Genie und Talenten Galopp berghinunter. Er hörte, sie sei zu den Winterlustbarkeiten in ** angekommen. Er lief überall wie ein Wahnwitziger herum, sie zu suchen, sie zu sehen, das Bild zu dieser unsichtbaren Gottheit zu finden, die er anbetete. Sie können sich vorstellen, daß er sich alles hat kosten lassen, und so mußte er bei seinem schmalzugeschnittenen Vermögen notwendiger Weise in Schulden geraten. Endlich als ihm das Geld ausging und ihm niemand mehr borgen wollte, denn so viel Vernunft war ihm immer noch übrig geblieben, daß er sich, auch wenn's ihm das Leben gekostet hätte, nie um Geld an die Witwe Hohl wenden wollte, um ihr kein Recht über ihn zu geben, worauf sie nur lauerte – marschierte er aus der Stadt und in eine Einsiedelei, wo kein Mensch weiter von ihm hörte oder sah.

Rothe war hinter alles das gekommen. Er hat seit langer Zeit Zutritt in dem Hause der Gräfin, so wie er überhaupt hier in den besten Häusern hat, weil er von den Großen in wichtigen Geschäften mit Erfolg gebraucht wird und seine persönlichen Gaben seine Gesellschaft zu der angenehmsten von der Welt machen. Er versuchte alles, Herzen wieder in die Stadt zu bringen, da alles vergeblich war, wandte er sich an die Gräfin und erzählte ihr aufrichtig den Verlauf der Sache und die komplizierte Rolle, die die Witwe Hohl bei derselben gespielt. Die Gräfin, wie Sie sich leicht vorstellen können, war ganz innigstes tiefstes Bedauern für die Verirrung eines Menschen von so vielen Talenten, wie Rothe ihr den Herz beschrieb, und bat ihn ihr ein Mittel an die Hand zu geben, ihn vielleicht zu heilen. Rothe wußte ihr kein bessers vorzuschlagen, als daß sie sich etwa für ihn malen ließe, damit er doch einige Entschädigung für seine getäuschten Hoffnungen hätte, und alsdann wollten sie dafür sorgen, ihn zu entfernen und darüber mit Plettenberg selber korrespondieren, der von der ganzen Sache unterrichtet werden mußte, weil sie schon eine Fabel in der Stadt geworden war. Das geschah, Plettenberg schlug vor, ihn nach Amerika mitzunehmen, um gegen die Kolonisten zu dienen. Das wunderbarste war, daß Plettenberg ihn schon ehmals auf der Akademie gekannt und daselbst viel Freundschaft für ihn gefaßt hatte. Er trug ihm also die Stelle als

Adjutant bei seinem Regiment an, die denn auch Herz mit beiden Händen annahm, weil er glaubte, dies sei die Laufbahn an deren Ziel Stella mit Rosen umkränzt ihm den Lorbeer um seine Schläfe winden würde.

Sie hatten zugleich den Plan gemacht, dem armen Herz nichts von ihrer Verbindung mit Plettenberg merken zu lassen, sondern ihn in seinem lieben Irrtum fortträumen zu lassen, bis Zeit und Entfernung ihn von selbst in den Stand setzten einen solchen Todesstreich auszuhalten. Denn jetzt war nichts anders als sein unvermeidlicher Untergang abzusehen, sobald er ihn erführe. Unterdessen sollte Plettenberg aus Amerika zurückkommen, und in Abwesenheit unsers Ritters die Hochzeit vollziehen, den er denn so lange von Europa entfernt halten konnte als es ihm gelegen war.

Dieser Plan ist grausam genug, indessen ist er doch der einzig erträgliche für einen so gespannten Menschen als Herz ist. Sie haben auch wirklich den Anfang gemacht ihn auszuführen: wie er ausgehen wird weiß der Himmel, ich mache immer die Augen zu, wenn ich daran denke.

Nun stellen Sie sich vor, was die arme liebenswürdige Gräfin dabei leidet. Einen Menschen unglücklich zu sehen bloß dadurch daß sie so vollkommen ist, mit dazu beigetragen zu haben, ohne daß sie im mindesten die Absicht dazu gehabt, die schröcklichsten Aussichten für diesen Menschen vor sich zu sehen den sie sich nicht entbrechen kann, hochzuschätzen, dessen Schwärmerei für sie selbst das schönste Kolorit seines Charakters macht. Auf der andern Seite eines Liebhabers zu schonen, der schon fünf Jahre her die redendsten Proben seiner Treue gegeben hat und mit dem sie die glücklichsten Tage voraussieht. – Sie hat sich wirklich für Herzen malen lassen, wobei die Witwe Hohl immer die Hand mit im Spiel gehabt, weil Plettenberg dies nicht erfahren sollte. Sie wissen, die Delikatesse eines Liebhabers kann durch nichts so sehr beleidigt werden, als auch nur das Bild von seiner Angebeteten in fremden Händen zu wissen.

So stehen die Sachen lieber Pfarrer! und so wie ich höre soll Herz wirklich gestern abends zu den hessischen Truppen abgegangen sein die nach Amerika eingeschifft werden. Er schwimmt jetzt in lauter seligen Träumen von Liebe und Ehre, ich fürchte, das Aufwachen wird schrecklich sein.

Ich kenne Plettenberg von Person, er ist nicht schön und schon bei Jahren hat aber vielen Verstand und ein ungemein empfindliches Herz, Geld genug hat er und könnte die äußern Glücksumstände des armen Herz sehr leicht in guten Stand setzen. Aber welche Entschädigung für einen solchen Verlust und bei einem Menschen wie Herz ist! dessen ganzes Glück in Träumen besteht und der das, was man solid nennt, mit Füßen tritt.

Leben Sie wohl und verzeihen Sie daß ich soviel geplaudert habe. Nicht wahr ich hab eine gute Anlage zur Romanenschreiberin?

## Vierter Teil

### Erster Brief

#### Rothe an Plettenberg

Herz ist weggereist, bester Plettenberg, ohne mich abzuwarten. Sie sehen, er ist wie ein wilder mutiger Hengst, den man gespornt hat, der Zaum und Zügel verachtet. Auch machen mir's meine Geschäfte unmöglich, ihm gleich nachzureisen oder ihn noch einzuholen, ehe er zu Ihnen kommt. Ich will ihm also diese kleine Empfehlung als einen Vorreiter vorausschicken, damit Sie wissen, wie Sie ihn zu empfangen haben. Denn ich zweifle, obschon Sie in Leipzig mit ihm studiert, daß Sie mir diesen seltsamen Menschen ganz kennen.

Er ist – daß ich's Ihnen kurz sage – der unechte Sohn einer verstorbenen großen Dame, die vor einigen zwanzig Jahren noch die halbe Welt regierte. Er war die Frucht ihrer letzten

Liebe und als eine solche einem gewissen Großen zur Erziehung anvertraut worden, der ihn bei ihrem Hintritt sehr scharf hielt. Endlich ließ er ihn mit seinen Kindern unter der Aufsicht eines Hofmeisters reisen, der nun freilich dem wunderbaren Charakter unsers Herz auf keine Weise zu begegnen wußte und das Ansehen das er von dem Grafen ** über ihn erhalten, auf das niederträchtigste mißbrauchte. Herz, der überall zu Hause zu sein glaubte, setzte sich im zwölften Jahr mit einigen dreißig Dukaten, die er von ihm hatte ausholen können, auf die Post, und reiste heimlich à l'aventure nach Frankreich.

Hier kam er in die elendesten Umstände. Sein Geld ging zu Ende, er verstund wenig oder nichts von der Sprache, mit dem allen, so wie das ein Hauptzug in seinem Charakter ist den er vielleicht mit mehrern seiner Nation gemein hat, alle seine Vorsätze nur einmal zu fassen und durch nichts in der Welt sich davon abbringen zu lassen, war er auch jetzt durch keine Umstände mehr zu bewegen, den Schritt zu seinem Hofmeister oder zum Grafen ** zurück zu tun. Er beharrte also unveränderlich darauf, in Frankreich zu bleiben und da er den großen Abstand der französischen von den Sitten seines Vaterlandes sah, sich mit seinen eigenen Fähigkeiten und Fleiß durch alle Klassen selber hindurchzutreiben, um das Eigentümliche dieser Nation die er an Kultur so weit über der seinigen glaubte sich dadurch ganz zu eigen zu machen. Dieser abenteuerliche Vorsatz gelung ihm. Er wußte sich durch seine Gelehrigkeit und durch die guten Eigenschaften seines Geistes und Herzens in dem Hause eines reichen Bankiers so zu empfehlen, daß er ihn alles lernen ließ was er verlangte, und mit seinem Gelde und Ansehen unterstützte. Bei diesem hat er den Namen Herz angenommen, den er auch nachher immer beibehalten hat und keinem Menschen als mir von seinen Schicksalen was hat merken lassen.

 Dieser war es auch der ihn nach Leipzig schickte um Deutsch zu lernen, wo Sie ihn denn müssen gekannt haben.

Als er zurückkam, brauchte er ihn hauptsächlich zu seiner Korrespondenz und hat ihm, so wie man auch nicht anders konnte, wenn man näher mit ihm umging, sein ganzes Herz geschenkt. Endlich verschickte er ihn, um dem Bankerut eines der größten Häuser vorzubeugen, nach der Hauptstadt wo er sich auch mit so vieler Ehre dieses Geschäfts entledigte, daß er von beiden eine jährliche Pension erhielt, die er verzehren konnte, wo er wollte. Er ging nach Holland damit, weil er von jeher das Land zu sehen gewünscht hatte wo Peter der Große Schiffszimmermann gewesen, weil er aber zu nachlässig war die Gewogenheit seiner Wohltäter durch öftere Briefe zu unterhalten, so verlor er die Pension, kam darauf ins Clevische, von da er endlich hieher gekommen ist.

Sehen Sie hier die wunderbare Landkarte seiner Schicksale. Sollte ich Ihnen aber die Geschichte seines Herzens erzählen und wieviel Anteil die an seinen äußern Umständen und Begebenheiten gehabt hat, so würde Ihre Verwunderung und vielleicht Ihr Mitleid noch höher steigen.

## Zweiter Brief

### Herz an Rothen

#### einige Meilen vor Zelle

Das Bild Rothe! oder ich bin des Todes – Ich eile ihm immer näher, dem Ort meiner Bestimmung und ohne sie – Ist mir's doch, als ob ich zum Hochgericht ginge. – Rothe wärest Du etwa ein Bösewicht? Was für Ursachen kannst Du haben, mir das Bild vorzuenthalten. Es ist so schrecklich, so unmenschlich grausam. Bedenke wo ich hin soll – und ohne sie!

## Dritter Brief

### Rothe an Plettenberg

Ich kann nicht anders, ich muß meinem vorigen noch einen Brief nachschicken. Sie sollten nicht glauben, was alle diese Schicksale, mit dem Abstechenden und Befremdlichen das er an allen Charakteren und Sitten in Frankreich und Deutschland gegen die Charaktere und Sitten seines Vaterlandes gefunden, seiner Seele für eine wunderbar-romantische Stimmung gegeben haben. Er lebt und webt in lauter Phantasieen und kann nichts, auch manchmal nicht die unerheblichste Kleinigkeit aus der wirklichen Welt an ihren rechten Ort legen. Daher ist das Leben dieses Menschen ein Zusammenhang von den empfindlichsten Leiden und Plagen, die dadurch nur noch empfindlicher werden, daß er sie keinem Menschen begreiflich machen kann. Er hat sich nun einmal eine gewisse Fertigkeit gegeben, die seine andere Natur ist, alle Menschen und Handlungen in einem idealischen Lichte anzusehen. Alle Charaktere und Meinungen die von den seinigen abgehen, scheinen ihm so groß, er sucht so viel dahinter, daß er mit lauter außerordentlichen Menschen, gigantischen Tugendhelden oder Bösewichtern umgeben zu sein glaubt, und ihm gar nicht begreiflich gemacht werden kann, daß der größte Teil der Menschen mittelmäßig ist, und weder große Tugenden noch große Laster anders, als dem Hörensagen nach kennet.

Nun nehmen Sie diesen Menschen, wenn er verliebt ward, was der in seine Schönen hineinlegte. Dreimal ist er so angelaufen, endlich verzweifelte er an dem ganzen weiblichen Geschlecht und was er ihnen vorhin zu viel beilegte, traute er ihnen jetzt zu wenig zu.

Nun stellen Sie sich vor, was die Entdeckung eines solchen Charakters wie der Ihrer Braut war, auf ihn für einen Eindruck muß gemacht haben. Er sah, dachte, hörte, fühlte jetzt nun nichts als die Erscheinung einer Gottheit die in

*Don Quixotte*

weiblicher Gestalt auf die Erde gekommen wäre, ihn von seinem lästerlichen Irrtum zurückzubringen. Desto mehr aber haben wir jetzt von ihm zu befürchten, da sein Verstand mit seiner wilden taumelnden Einbildungskraft nun gemeine Sache macht.

Ich muß Ihnen doch, um Ihnen seine Art zu lieben ein wenig ins Licht zu setzen, von den drei Liebesgeschichten seiner Jugend, soviel ich davon weiß, eine Idee geben. Seine erste Liebe war in Rußland, als er erst 11 Jahr alt war, und dazu in die Mätresse des alten Grafen \*\* selbst, bei dem er im Hause war. Stellen Sie sich vor, wie aufbrausend schon die kindische Einbildungskraft dieses Menschen gewesen sein muß, da er in dieser wirklich liederlichen Weibsperson das Gegenbild zu dem Ideal zu finden glaubte, das er sich von der Nymphe des Telemachs, den sein Hofmeister mit ihm exponierte, gemacht. Dieses Ideal wurde nun aber schändlich über den Haufen geworfen, als er sie mit dem alten Grafen einmal im Bette antraf – Seine zweite Liebe war die Nichte des Kaufmanns in Lion, deren lebhafter Witz ihn steif und fest glauben machte, er habe an ihr eine zweite Ninon gefunden. Endlich aber fand er daß sie nur kokett gegen ihn gewesen war, und da sehnte er sich herzlich nach Deutschland, um aus Göthens oder Wielands Romanen und aus Klopstocks Cidli sich ein Ideal zusammenzuschmelzen, das seinesgleichen noch nicht gehabt. So gut ward's ihm denn auch, als er nach Leipzig kam, und die Tochter eines Landpredigers, die sich eine Zeitlang daselbst bei einer Verwandtin aufgehalten, versprach ihm die Erfüllung aller seiner Wünsche. Aber wie jämmerlich wurden seine Entzückungen mit schreienden und schnarrenden Dissonanzen unterbrochen, als er auf einmal auch diese seine Messiasheldin, nachdem die ersten Wochen ihrer Maskerade vorbei waren, nur als eine künstliche Agnese erscheinen sah, die unter ihrem Nonnenschleier Liebesbriefchen ohne Zahl und tausend verstohlne Küßchen entgegennahm, ja die er endlich sogar bei einer starken Vertraulichkeit mit einem dicken runden Studenten überraschte. Da lagen nun alle seine Ideale umgestürzt, und er hätte nun mit eben dem kalten Blut als jene Belagerten sich mit griechischen Bildsäulen verteidigten, sie alle über die Stadtmauer werfen können. Das Leben ward ihm zur Last, er zog in der Welt herum von einem Ort zum andern nimmer ruhig und hätte seine Existenz gar zu gern mit eigner Hand verkürzt, wenn er nicht den Selbstmord, ohne dringende Not, nach seinem Glaubenssystem für Sünde gehalten hätte.

Jetzt, mein teurester Plettenberg, können Sie sich eine Vorstellung machen, was wir von einem Menschen dieser Art in einem solchen Fall zu erwarten haben, wenn er nicht behutsam behandelt wird. Er hat Vernunft genug einzusehen, daß in seinem jetzigen Stande es Torheit wäre, Ansprüche oder Hoffnungen auf den Besitz der Gräfin zu machen, aber auch wilde Einbildungskraft genug, sich alles möglich vorzustellen was ihn zur Gleichheit mit ihr erheben kann, besonders da die Ideen seiner Jugendjahre und seiner Geburt bei allen seinen Unglücksfällen ihn nie verlassen haben. Am allermeisten da seine Jahre sich immer mehr der männlichen Reife nähern und er in ihr die Erfüllung aller seiner Ideen gefunden zu haben glaubt.

Haben Sie also die Gütigkeit, ihn so zu empfangen, wie ein weiser Arzt einen höchst gefährlichen Kranken empfangen würde, der durch alles was wirkliche Achtung Mitleid und Freundschaft verdient, alle Ihre edleren Empfindungen in Anspruch nimmt.

## Vierter Brief

### Herz an Fernand

Rothe ist ein Verräter – er schickt mir das Bild nicht – sag ihm, er wird meinen Händen nicht entrinnen.

## Fünfter Brief

### Plettenberg an Rothe

Eben habe ich Ihren irrenden Ritter nebst Ihren Vorreutern und blasenden Postillonen erhalten, lieber Rothe. Ich muß sagen, diese Erscheinung wirkt sonderbar auf mich, der Mensch ist so ganz was er sein will, und da er eine der schwersten Rollen auf Gottes Erdboden spielt, so repräsentiert er doch nicht im mindesten.

Er war bleich und blaß, als er hereintrat. Es ist lustig, wie wir miteinander umgehen. Gleich als ob ich der verliebte Ritter und er der Bräutigam sei, hat er mit einer Zuversicht mir von seiner Liebe zu meiner Braut eine Vertraulichkeit gemacht, die mich so ziemlich aus meiner Fassung setzte, aus der ich doch, wie Sie wissen, sonst so leicht nicht zu bringen bin. Er sagte mir zugleich, Sie wären ein schwarzer Charakter; als ich ihn um die Ursache fragte, gestand er mir, Sie hätten ihm das Porträt meiner Braut zuschicken sollen, und hätten es nun nicht getan. Wirklich hatte ich von jemand anders ein Paket für ihn erhalten, als ich es ihm wies, schlug er beide Hände gegen die Stirn, fiel auf die Knie und schrie »o Rothe! Rothe! wie oft muß ich mich an dir versündigen!« Ich fragte ihn um die Ursache, er sagte, er habe selbst alles so angeordnet, daß das Paket durch seinen Kommissionär in ** unter meiner Adresse an ihn geschickt werden sollte, und nun hab er's unterwegens vergessen, und Sie im Verdacht gehabt, daß Sie es ihm hätten vorenthalten wollen.

In der Tat, mein lieber Rothe, habe ich Ursache, von diesem Ihrem Verfahren gegen mich ein wenig beleidigt zu sein, besonders aber von der Gewissenhaftigkeit, mit der Sie alles was das vor mir verschwiegen gehalten. Ich hatte das Herz nicht, dieses seinsollende Porträt meiner Braut Herzen zu entziehen, weil ich fürchtete seine Gemütskrankheit dadurch in Wut zu verwandeln, aber es kränkt mich doch

daß ein Bild von ihr in fremden und noch dazu so unzuver-
lässigen Händen bleiben soll. Wenn Sie mir's nur vorher
gesagt hätten, aber wozu sollen die Verheimlichungen?

Unsere Truppen marschieren erst den Zwanzigsten, wir
haben heute den Ersten, ich dächte es wäre nicht unmöglich,
Sie vor unserem Abmarsch noch einige Tage zu sehen. Ich
habe Ihnen viel viel an meine Braut zu sagen, und brauche in
der Tat einen Mann wie Sie, mir bei meiner Abreise ein
wenig Mut einzusprechen.

Freund, ich merke an meinen Haaren, daß ich alt werde.
Sollte Stella, wenn ich wiederkomme und von den Be-
schwerden des Feldzugs nun noch älter bin – Kommen
Sie, Sie werden mein Engel sein. Es gibt Augenblicke wo
mir's so dunkel in der Seele wird daß ich wünschte –

Plettenberg.

Gedichte

# Auf die Augen der Camilla

## I

Wie durch der Wolken schwarzen Schleier
Den Eurus um den Himmel warf,
Nach kurzer Stille hell und scharf
Hervorhüpft der Plejaden Feuer

So strahlet aus Camillens Blicken
In meines stillen Ernstes Nacht
Die Sorg und Weisheit trüb gemacht,
Gefühl und zärtliches Entzücken.

Ich fühl es, weil ich noch im Staube
Und nicht in höhern Sphären bin,
Daß ein zu abgezogner Sinn
Das ganze Glück des Lebens raube.

Die Blume die der Flur gehöret,
Verduftet, welket, wenn sie nicht
Zum Himmel ihr vergnügt Gesicht
Die Wurzel zu der Erde kehret.

Ihr die ihr uns aus unsern Leibern
Herauszuzaubern meint, o denkt,
Wenn ihr die Neigungen beschränkt,
Zurück ans Spiel mit Wein und Weibern.

Wenn schon der Körper sich verzehret,
Dann ist es leicht, ganz Geist zu sein,
Und bloß sich der Vernunft zu freun,
Von aller Sinnlichkeit entleeret.

Doch sollen wir voll Glut und Leben
Vergessen in der besten Zeit
Was uns Natur und Herz gebeut
Und bloß nach Idealen streben?

Vergessen daß wir Menschen heißen
Gepflanzt in eine Körperwelt,
Von der der Geist, wenn's ihm gefällt,
Sich nicht kann in die Sphären reißen?

Vergessen daß verschiedne Triebe
Umsonst den Busen nicht durchglühn:
O nein, er klopft und lehrt uns kühn
Den menschlichen Affekt, die Liebe.

Ein König sonder Land und Leuten
Bläht sich umsonst mit seiner Macht.
Vernunft ist übel angebracht,
Wenn sie nicht hat womit zu streiten.

Doch fühlen und sein Herz bezwingen
Wenn es aus seinen Schranken wallt,
Und, nicht aus Not, freiwillig kalt,
Der Tugend teure Opfer bringen:

Dies nenn ich Stolz, den niemand tadelt,
Dies ist des Weisen großes Ziel:
Sieg ohne Widerstand ist Spiel,
Und dieser ist's, der jenen adelt.

Wir mögen lieben, was auf Erden
Zu lieben ist! doch ungestraft
Kann nie die blinde Leidenschaft
Perpetuus Dictator werden.

Camilla! dir will ich erlauben
Bisweilen die Philosophie,
Abstraktion, Hypochondrie,
Mit deinen Augen mir zu rauben.

Damit ich mich doch fühlen lerne,
Ganz Jüngling, ganz Lukretius.*
Ein andrer flieh mit Überdruß
Vom Erdball ins Gebiet der Sterne.

Ich bleibe mit vergnügten Bienen,
Auf unsrer Erde lobesan,
Und mache Honig wo ich kann
Stets unter Blumen und im Grünen.

Ich werde dich Camilla! küssen,
Weit glücklicher als Ikarus.
Ein freier Blick! ein dreister Kuß!
Und doch dabei ein gut Gewissen!


II

O Mädchen, sieh mich nicht mehr an,
Du siehst mir in das Herz,
Du siehst was es nicht bergen kann,
Viel Liebe, vielen Schmerz.

Ich wag es oft und halte Stand
Und seh dir ins Gesicht,
Doch deiner Augen hellen Brand
Erträgt mein Auge nicht.

Ich fürchte mich vor deinem Blick,
Ich fürchte, für und für
Bleibt im Augapfel mir zurück
Das kleine Bild von dir.


* Er brachte das System Epikurs in ein Gedicht.

Und dann erscheint es mir im Traum
Und dann bei Stax am Tisch:
Ich sitze dann und atme kaum
Bin stummer als ein Fisch.

Stax lacht indem er, stolz und dumm
Satyren macht und schwitzt:
Ich aber trag dein Bild herum
Das mir im Auge sitzt.

Nein Mädchen! nein, ansehen nicht,
Uns küssen wollen wir:
Dann schonen wir doch das Gesicht,
Und süßer scheint es mir.

Doch ach! im Kuß – ach was verirrt
Sich in mein Herz hinein?
Unglücklicher! ach! ach! es wird
Gewiß ihr Bildnis sein.


## Piramus und Thisbe

Der junge Piramus in Babel
Hatt in der Wand
Sich nach und nach mit einer heißen Gabel
Ein Loch gebrannt.

Hart an der Wand da schlief sein Liebchen,
Die Thisbe hieß
Und ihr Papa auf ihrem Stübchen
Verderben ließ.

Die Liebe geht so wie Gespenster
Durch Holz und Stein.

Sie machten sich ein kleines Fenster
Für ihre Pein.

Da hieß es: liebst du mich? da schallte:
Wie lieb ich dich!
Sie küßten stundenlang die Spalte
Und meinten sich.

Geraumer ward sie jede Stunde
Und mancher Kuß
Erreichte schon von Thisbens Munde
Herrn Piramus.

In einer Nacht, da Mond und Sterne
Vom Himmel sahn,
Da hätten sie die Wand so gerne
Beiseits getan.

Ach Thisbe! weint er, sie zurücke:
Ach Piramus!
Besteht denn unser ganzes Glücke
In einem Kuß!

Sie sprach, ich will mit einer Gabe
Als wär ich fromm,
Hinaus bei Nacht zu Nini Grabe,
Alsdann so komm!

Dies darf mir der Papa nicht wehren,
Dann spude dich.
Du wirst mich eifrig beten hören,
Und tröste mich.

Ein Mann ein Wort! Auf einem Beine
Sprang er für Lust:
Auf morgen nacht da küß ich deine
Geliebte Brust.

Sie, Opferkuchen bei sich habend,
Trippt durch den Hain,
Schneeweiß gekleidt, den andern Abend
Im Mondenschein.

Da fährt ein Löwe aus den Hecken,
Ganz ungewohnt,
Er brüllt so laut: sie wird vor Schrecken
Bleich wie der Mond.

Ha, zitternd warf sie mit dem Schleier
Den Korb ins Gras
Und lief, indem das Ungeheuer
Die Kuchen aß.

Kaum war es fort, so mißt ein Knabe
Mit leichtem Schritt
Denselben Weg zu Nini Grabe –
Der rückwärts tritt,

Als hätt ein Donner ihn erschossen.
Den Löwen weit –
Und weiß im Grase hingegossen
Der Thisbe Kleid. –

Plump fällt er hin im Mondenlichte:
So fällt vom Sturm
Mit unbeholfenem Gewichte
Ein alter Turm.

O Thisbe, so bewegen leise
Die Lippen sich,
O Thisbe, zu des Löwen Speise
Da schick ich mich.

Zu hören meine treuen Schwüre
Warst du gewohnt;
Sei Zeuge wie ich sie vollführe,
Du falscher Mond!

Die kalte Hand fuhr nach dem Degen
Und dann durchs Herz.
Der Mond fing an sich zu bewegen
Für Leid und Schmerz.

Ihn suchte Zephir zu erfrischen,
Umsonst bemüht.
Die Vögel sangen aus den Büschen
Sein Totenlied.

Schnell rauschte Thisbe durch die Blätter
Und sah das Gras,
Wie unter einem Donnerwetter,
Von Purpur naß.

O Gott, wie pochte da so heftig
Ihr kleines Herz!
Das braune Haupthaar ward geschäftig,
Stieg himmelwärts.

Sie flog – hier zieht, ihr blassen Musen,
Den Vorhang zu!
Dahinter ruht sie, Stahl im Busen:
O herbe Ruh!

Der Mond vergaß sie zu bescheinen,
Vor Schrecken blind.
Der Himmel selbst fing an zu weinen
Als wie ein Kind.

Man sagt vom Löwen, sein Gewissen
Hab ihn erschröckt,
Er habe sich zu ihren Füßen
Lang hingestreckt.

O nehmt, was euch sein Beispiel lehret,
Ihr Alten, wahr!
Nehmt euch in acht, ihr Alten! störet
Kein liebend Paar.


Wo bist Du itzt, mein unvergeßlich Mädchen,
Wo singst Du itzt?
Wo lacht die Flur? wo triumphiert das Städtchen
Das Dich besitzt?

Seit Du entfernt, will keine Sonne scheinen
Und es vereint
Der Himmel sich, Dir zärtlich nachzuweinen
Mit Deinem Freund

All unsre Lust ist fort mit Dir gezogen
Still überall
Ist Stadt und Feld – Dir nach ist sie geflogen
Die Nachtigall

O komm zurück! Schon rufen Hirt und Herden
Dich bang herbei.
Komm bald zurück! sonst wird es Winter werden
Im Monat Mai.


Fühl alle Lust, fühl alle Pein
Zu lieben und geliebt zu sein
So kannst du hier auf Erden
Schon ewig selig werden.

Gibst mir ein, ich soll dich bitten
Wie der König Salomo.
Herr, ach, Herr, was soll ich bitten,
Seh hinauf zu deinem Himmel,
Bitt um dieses Stückchen Himmel!
Und ein wenig Sonnenschein!
Aber laß mir Bruder Goethen,
Den du mir gegeben hast.
Dessen Herz so laut zu dir schlägt.
O für ihn bitt ich mit Tränen
Halt ihm nur den Rücken frei
Platz wird er sich selber machen
Nur beschirm mit deinem Schilde
Ihn vor Feinden, mehr vor Freunden
Die an seinen Arm sich henken
Und den Arm ihm sinken machen.
Ach! bewahr ihn nur vor Freunden
Die ihn nicht verstehn, und gerne
Ihn zu ihrem Bilde machten.
Oder kann's nicht sein, so mache
Mich nur nicht zu seinem Freunde!

## Die Demut

Ich wuchs empor wie Weidenbäume
Von manchem Nord geschlenkt
Ihr niedrig Haupt in lichte Wolken heben,
Wenn nun der Frühling lacht.

Ich kroch empor wie das geschmeide Efeu
Durch Schutt und Mauern Wege findt
An dürren Stäben hält und höher

Als sie, zum Schutt an ihren Füßen
Hinunter sieht.

Ich flog empor wie die Rakete,
Verschlossen und vermacht, die Bande
Zerreißt und schnell, sobald der Funken
Sie angerührt, gen Himmel steigt.

Ich kletterte wie junge Gemsen
Die nun zuerst die Federkraft
Ihn Sehn'n und Muskeln fühlen, wenn sie
Die steile Höh erblicken, empor.

Hier häng ich itzt aus Dunst und Wolken
Nach dir furchtbare Tiefe nieder –
Gibt's Engel hier? O komm ein Engel
Und rette mich!

O wenn ich diesen Felsengang stürzte
Wo wär, ihr Engel Gottes! mein Ende?
Wo wär ein Ende meiner Tränen
Um dich, um dich verlorne Demut?

Dich der Christen und nur der Christen
Einziger allerhöchster Segen!
Heiliger Balsam! der die Wunden
Des schwingenversengenden Stolzes heilt.

Einzige Lindrung edler Gemüter
Wenn in der trostlosen, heißen, öden,
Heißen, öden, verzehrenden Wüste
Eitler Ehre sie sich verirrt.

Wenn sie schmachteten und nicht fanden
Wo sie den Durst der Hölle stillten
Der ihr Gebein verzehrte.

Wenn sie, verzweifelnd um Schatten, wählten
Wege nach Morgen, nach Mittag, nach Abend
Und nicht fanden, nicht fanden, nicht fanden
Wo ein Schatten sie kühlete.

Wenn sie auf unmitleidigen Sand hin-
Ab sich stürzten und streckten und weinten
Ach die Tränen rolleten auf und nieder
So heiß war der Sand.

Komm der Christen Erretter und Vater
Komm du Gott in verachteter Bildung!
Komm und zeige der Demut geheime
Pfade mir an.

Führe mich weit und nieder hinunter
In ihre dunkele Schattentale
Voll lebendiger springender Brunnen,
Wo die Einsamkeit oder die Freude
Also lispelt:

Komm gerösteter Laurentius
Unglückseliger Sterblicher
Ruh von deinem Streben nach Unglück,
Ruhe hier aus.

Oder wenn von glücklicherm Streben
Du zu ruhen, Beruf in dir fühlest,
Wenn deine Flügel sinken,
Wenn deine Federkraft sich zurücksehnt,
Du die Gebeine nur fühlst, der Geister
All entledigt – Gerippe –
Ruhe hier aus!

Horch! hier singen die Nachtigallen
Auch Geschöpfe wie du, und besser,

Denn ein Gott hat sie singen lehren
Und sie dachten doch nie daran, ob sie
Besser sängen als andre.

Hier, hier Sterblicher! sieh hier rauschen
Quellen in lieblichen Melodien
Jede den ihr bezeichneten Weg hin
Ohne Gefahr.

Sieh hier blühen die Blumen wie Mädchen
In ihrer ersten Jugend-Unschuld
Unverdorbene Lilienmädchen;
Ja sie blühen und lächeln und buhlen
Ungesehen und unbewundert
Mit den Winden der lauen Luft!

Lerne von ihnen, für wen blühn sie?
Für den Gott, der sie blühen machte
All in ihrer unnachahmlichen
Blumennaivetät.

Sieh den Weg an! irrte hier jemals
Ein animalischer Fuß?
Blühn doch, blühen dem guten Schöpfer
Der sie gemacht.

Hier, hier Sterblicher! hier wo Jesus,
Als er ein Knabe war,
Hier wo Jesus, dein Jesus geschlummert
Bis ins dreißigste Jahr.

Hier wo er aus dem Getümmel der tollen
Plumpen Bewundrer sich hergestohlen
Hier seinen reinen Atem dem Vater,
Seufzend über die Torheit und Mühe
Menschlicher Grillen, zurückgeschickt hat.

Hier, hier Sterblicher! hier wo Jesus
Von seinen Gottestaten geruht
Hier, hier ruhe von den Spielen
Deiner dir anvertrauten Kindskraft.


## Ausfluß des Herzens

### Eine esoterische Ode

Oft fühl ich's um Mitternacht
Dann stehn mir die Tränen im Auge,
Und ich fall im Dunkel vor dir aufs Knie –
Du prüfst mir dann 's Herz und ich fühl es noch wärmer.

Heilig ist es – von Gott –
Was im Herzen glüht. Laut ruft es in mir,
Gott! – Laut ruft's dir entgegen. Es dringt
Durch die Gebein' – und auch die Gebeine fühlen's.

Wo ist's, dies Bild? – daß ich's umfasse –
Das Bild Gottes, das meine Seele liebt.
Ich wollt es durch schauen –
       mein Arm sollt an es verwachsen
Und tief prägt ich's ins Herz.

Ach ein Bild! – Gott du hießt es
Den Genius mir vor Augen halten.
Wach ich früh am Morgen, so steht es vor mir –
Leg ich mich nieder, so schwebt es vor meiner Stirne.

Bet ich zu dir – wenn Himmel und Erden
Um mich vergehn – wenn du nur und ich in dir
Noch bin – dann lächelt dies Bild in voller Klarheit
Mir entgegen, daß das Herz mir hinweg schmilzt.

Weg! – daß der Strom – er kocht mir im Herzen –
Sich hier vor den Herrn ergieße –!
Herr! ich will – ach! ich will es noch mehr –! –!
Herr! dies Verlangen – der himmlische Zug – –!

Ach vor dir! – ja vor dir – O führe mich hin! –
Es ist eine Seele gleich gestimmt mit mir –
Ich bin nicht ganz ohne sie – Mit ihr
Eins soll ich die Ewigkeiten genießen.

Herr ich sahe ein Mädchen – So wie dies
Muß es ein Mädchen sein –
Die edle Gottes-Seele flammt im Auge –
Lieb, Unschuld, Größe, Wärme, Adel! –

Ach Gott! Mich deucht', ich sähe das Bild
Das vor meiner Seele schwebt'.
Die ganze Seele fing an sich zu heben –
Noch nie gefühlte heilige Erschütterung

Durchschauert' jede Nerve mir
Der Geist wuchs – Ich liebte dich reiner –
Ich fühlte mir Kraft, Tugend zu üben
Wie ich zuvor nie sie gefühlt.

## Über die deutsche Dichtkunst

Hasch ihn, Muse, den erhabnen Gedanken –
Es sind ihrer nicht mehr,
Ihre Schwestern haben die Griechen und Römer
Und die Hetrurier weggehascht,
Und die meisten ergriffen die kühnen Briten,
Und Shakespear an ihrer Spitze,
Und trugen sie alle fort wie der Sabiner sein Mädchen.

Mancher brauchte sie zum andernmal,
Aber sie waren nicht mehr Jungfraun.

O traure, traure Deutschland,
Unglücklich Land! zu lange brach gelegen!
Deine Nachbarinnen blühen um dich her voll Früchte
Wie goldbeladne Hügel um einen Morast,
Wie junge kinderreiche Weiber
Um ihre älteste Schwester,
Die alte Jungfer blieb.

O Homer, o Ossian, o Shakespear,
O Dante, o Ariosto, o Petrarca,
O Sophokles, o Milton, o ihr untern Geister –
O ihr Pope, ihr Horaz, ihr Polizian, ihr Prior, ihr Waller,
Gebt mir tausend Zungen für die tausend Namen,
Und jeder Name ist ein kühner Gedanke –
Ein Gedanke – tausend Gedanken
Unsrer heutigen Dichter wert.

Deutschland, armes Deutschland,
Die Kunst trieb kranke Stengel aus deinem Boden,
Höchstens matte Blüten,
Die an den Ähren hingen vom Winde zerstreut,
Und in der Hülse, wenn's hoch kam,
Zwei Körner Genie
Wenn ich dichte und – –

O ich schmeichelte mir viel,
Als nur dunkles Morgenrot
Von dem braunen Himmel um mich lachte;
Junge Blume, so dacht ich,
O was fühlst du für Säfte emporsteigen,
Welche Blume wirst du blühen am Tage,
Deutschlands Freude und Lieflands Stolz.

Als es aber Tag um mich ward,
Kroch meine Blüte voll Scham zurück,
Denn ich sah neben mir auf meinen Beeten Schwestern
Mit wohlriechenden Busen düften,
Mit bescheidener Röte lächeln.

Aber als der Mittag nieder auf mich sah,
Und ich auf benachbarten Beeten
Fremder Blumen himmlische Zier
Mit englischem Aushauch verbunden erblickte
Wunder den Augen der Nase den Sinnen
Süßes Wunder selbst dem stolzen kalten Verstande.

O da fühlt ich, auf einem Sandkorn
Stehe meine Wurzel, ein Regentropfe
Sein alle meine Säfte, ein Schmetterlings Flügelstäubchen
Aller meiner Schönheit Zier –

– Nehmt sie an meine Zither
Eichen von Deutschland und laßt von Petrarchen
Einen Ton ihre schnarrenden Saiten berühren
Daß er mir ein Grablied singe –

Unberühmt will ich sterben
Will in ödester Wüste im schwarzen Tale mein Haupt hin
Legen in Nacht – kein Chor der Jünglinge soll um das Grab
                                        des Jünglings
Tanzen, keine Mädchen Blumen drauf gießen
Kein Mensch drauf weinen Tränen voll Nachruhm
Weil ich so verwegen – so tollkühn gewesen
Weil auch ich es gewagt zu dichten

Und du mein Genius wenn Gott mich würdig hielt
Einen mir zum Geleit zu geben
Schütze treuer Gefährte des Lebens
Schütze mein einsames Grab
Daß kein Blick aus dem Reiche der Seligen

Von Shakespears brennendem Auge
Oder dem düsterleuchtenden Auge Ossians
Oder dem rotblitzenden Auge Homers
Sich auf dasselbe verirre
Damit sich meine Asche im Grabe nicht empöre
Für Scham, daß auch ich einst wagte zu dichten.


## Nachtschwärmerei

Ach rausche rausche heiliger Wasserfall
Rausche die Zeiten der Kindheit zurück in mein Gedächtnis
Da ich noch nicht entwöhnt von deinen Brüsten
Mutter Natur mit dankbar gefühliger Seele
Dir im Schoß lag dich ganz empfand
Schämst du dich Wange von jenen Flammen zu brennen
Schämst du dich Auge, von jenen geheimen Zähren
Jenen süßen süßesten alle meiner Zähren
Wieder still befeuchtet zu werden?
Nein so hab ich, so hab ich die Menschheit
Noch in der wilden Schule der Menschen
Nein so hab ich sie noch nicht verlernt.
Kann gleich mein Geist mit mächtigeren Schwunge
Unter die Sterne sich mischen die damals
Nur als freundliche Funken mich ganz glücklich
Ganz zum Engel lächelten.
Aber itzt steh ich, nicht lallendes Kind mehr
Itzt steh ich dar ein brennender Jüngling
Blöße mein Haupt vor dem Unendlichen
Der über meiner Scheitel euch dreht
Denk ihn, opfr' ihm in seinem Tempel
All meine Wünsche mein ganzes Herz.
Fühle sie ganz die große Bestimmung
All diese Sterne durchzuwandern
Zeuge dort seiner Macht zu sein.

O wenn wird er, wenn wird er der glücklichste der Tage
Unter allen glücklichen meines Lebens
Wenn bricht er an, da ich froher erwache
Als ich itzt träume – o welch ein Gedanke
Gott! – noch froher als itzt! ist's möglich
Hast du soviel dem Menschen bereitet
Immer froher – tausendmal tausend
Einen nach dem andern durchwandern und – immer froher
O da verstumm ich – und sink in Nichts
Schaffe mir Adern du Allmächtiger dann! und Pulse
Die dir erhitzter entgegen fliegen
Und einen Geist der dich stärker umfaßt.
Herr! meine Hoffnung! wenn die letzte der Freuden
Aus deiner Schale ich hier gekostet
Ach dann – wenn nun die Wiedererinnrung
Aller genossenen Erdenfreuden
Unvermischt mit bitterer Sünde
Wenn sie mich einmal noch ganz überströmt
Und dann, plauz der Donner mir zu Füßen
Diese zu enge Atmosphäre
Mir zerbricht, mir Bahn öffnet, weiter –
In deinen Schoß Unendlicher
Ach wie will ich, wie will ich alsdenn dich
Mit meinen Glaubensarmen umfassen
Drücken an mein menschliches Herz
Laß nur ach laß gnädig diesen Anteil von Erde
Diese Seele von Erde mich unzerrüttet
Ganz gesammlet dir darbringen zum Opfer
Und dein Feuer verzehre sie. –
Ach dann seht ihr mich nicht mehr teure Freunde
Lieber Göthe! der Freunde erster
Als dann siehst du mich nicht mehr.
Aber ich sehe dich, mein Blick dringt
Mit dem Strahl des Sterns zu dem ich eile
Noch zum letztenmal an dein Herz
An dein edles Herz. – Albertine

Du auch, die meiner Liebe Saite
Nie laut schallen hörtest, auch dich
Auch dich seh ich, segne dich – wär ich
Dann ein Halbgott dich glücklich zu machen
Die du durch all mein verzweiflungsvoll Bemühen
Es nicht werden konntest – die du vielleicht es wardst
Durch dich selbst – ach die du in Nacht mir
Lange lange drei furchtbare Jahre
Nun versunken bist – die ich nur ahnde –
Euch mein Vater und Mutter – Geschwister
Freunde Gespielen – fort zu vielfache Bande
Reißt meine steigende Seele nicht wieder
Nach der zu freundlichen Erde hinab. –
Aber ich sehe dich dort meine Doris
Oder bist du vielleicht – trüber Gedanke!
Nein du bist nicht zurückgekehrt
Nein ich sehe dich dort ich will in himmlischer Freundschaft
Mit dir an andern Quellen und Büschen
Sternenkind! ach wie wollen wir Kinder
Hand in Hand dort spazieren gehn! –
Aber Göthe – und Albertine –
Nein ihr reißt mich zur Erde hinunter
Grausame Liebe! ihr reißt mich hinunter.
Reißt denn Geliebte! reißt denn ich folge
Reißt – und macht mir die Erde zum Himmel.


## Freundin aus der Wolke

Wo, du Reuter,
Meinst du hin?
Kannst du wähnen
Wer ich bin?
Leis umfaß ich
Dich als Geist,

Den dein Trauren
Von sich weist.
Sei zufrieden
Göthe mein!
Wisse, jetzt erst
Bin ich dein;
Dein auf ewig
Hier und dort –
Also wein mich
Nicht mehr fort.


## An die Sonne

Seele der Welt, unermüdete Sonne!
Mutter der Liebe, der Freuden, des Weins!
Ach ohne dich erstarret die Erde
Und die Geschöpfe in Traurigkeit.
Und wie kann ich von deinem Einfluß
Hier allein beseelt und beseligt
Ach wie kann ich den Rücken dir wenden?

Wärme, Milde! mein Vaterland
Mit deinem süßesten Strahl, nur laß mich
Ach ich flehe, hier dir näher,
Nah wie der Adler dir bleiben.


## An das Herz

Kleines Ding, um uns zu quälen,
Hier in diese Brust gelegt!
Ach wer's vorsäh, was er trägt,
Würde wünschen, tätst ihm fehlen!

Deine Schläge, wie so selten
Mischt sich Lust in sie hinein!
Und wie augenblicks vergelten
Sie ihm jede Lust mit Pein!

Ach! und weder Lust noch Qualen
Sind ihm schrecklicher als das:
Kalt und fühllos! O ihr Strahlen,
Schmelzt es lieber mir zu Glas!

Lieben, hassen, fürchten, zittern,
Hoffen, zagen bis ins Mark,
Kann das Leben zwar verbittern;
Aber ohne sie wär's Quark!

## Die erste Frühlingspromenade

Der Baum, der mir den Schatten zittert,
Der Quell, der mir sein Mitleid rauscht,
Der Vogel, der im Baume zwittert,
Und, ob ich ihn auch höre, lauscht;
Die ganze freundliche Natur
Nimmt mich umsonst in ihre Kur.

Die Weisheit, strengen Angesichtes
Und guten Herzens, aber kalt,
Lacht meines glühenden Gedichtes
Von Liebe – und doch glaubt sie's bald;
Will mich entzaubern, trösten mich,
Bezaubert und verirret sich.

Die Schöne, die auf jungen Rosen
Des liebesbangen Maien liegt,
Von der, dem Kummer liebzukosen,
Mir Blick und Wunsch entgegen fliegt,

Die schraubt mein mir entrücktes Herz
Nur höher auf zu wilderm Schmerz.

Ach Phyllis! um gleich jenen Knaben
In Sturmhaub und Perück und Stern,
So froh die Fluren zu durchtraben,
Müßt ich von diesen weisen Herrn
Die Kälte und die Blindheit haben;
Müßt ich, in meinem Selbst vergraben,
Dich, Gottheit, nie gesehen haben;
So hold, so nah mir – und so fern – –

## Auf ein Papillote

### welches sie mir im Konzert zuwarf

Meinstu mit Zucker willst du meine Qual versüßen
Mitleidig göttlich Herz! wie wenig kennstu sie?
Wenn sich nach Mitternacht die nassen Augen schließen
Schläft doch mein Herz nicht ein, es wütet spat und früh
Vor Tage lieg ich schon und sinn auf mein Verderben
Und strafe mich oft selbst und nehm mir Tugend vor
Und kämpf und ring mit mir und sterb und kann nicht
                                        sterben
Weil mich mein Unstern nur zum Leiden auserkor
Ich soll dich sehn und fliehn? Dein Lächeln sehn und
                                        meiden?
Und du verstehst es wohl wo mir's am wehsten tut
Du hassest meine Ruh, es scheint dich freut mein Leiden
Du wünschst es größer noch, es scheint du willst mein Blut
So nimm es Göttliche! ein kleines Federmesser
Eröffnet mir die Brust, wie sanft würd es mir tun?
Ach tu's, durchbohr mein Herz, gewiß dann wird mir besser
In deinen Armen will ich dann vom Leben ruhn

Ach welche Süßigkeit! von Lieb und Wollust trunken
Schläft dann mein mattes Haupt von seiner Unruh ein
Auf deinen süßen Schoß verliebt herabgesunken
Und küsset sterbend noch die Ursach seiner Pein
Ja tu's! von deiner Hand wie kann der Tod mich schröcken
Es ist das größte Glück das ich erhalten kann
Ein Stoß so ist's geschehn: wie süß wird er mir schmecken
Ein kleiner Stoß und denn geht erst mein Leben an
Dann will ich zärtlich dir als Geist zur Seite schweben
Dann wehrt es niemand mir, du selber wehrst es nicht
Denn darf ich ungescheut dem Munde Küsse geben
Der so verführisch lacht und so bezaubernd spricht
Denn darf so lang ich will mein Auge nach dir sehnen
Denn hasch ich deinen Blick und schließ ihn in mein Herz
Denn wein ich wenn ich will und niemand schilt die Tränen
Denn seufz ich wenn ich will und niemand schilt den
                                    Schmerz
Dann will ich dir im Traum zu deinen Füßen liegen
Und wachend horch ich auf wie dir's im Busen schlägt
Bistu vergnügt, o Glück! so teil ich dein Vergnügen
Wo nicht, so teil ich auch was dir Verdruß erregt
Dann mein unschätzbar Gut! dann straft mich das Gewissen
Für meine Liebe nicht, nur dann, dann steht mir's frei
Dann fühl ich keinen mehr von den verhaßten Bissen
Als ob ich Frevler schuld an deiner Unruh sei
Dann bistu meiner los, nicht wahr du bist es müde
Von mir gekränkt zu sein, dann weißtu es nicht mehr
Was mich schmerzt oder nicht, denn hast du ewig Friede
Denn nach dem Tode rührt mein Schmerz dich nicht so sehr
Selbst ach! dein Glück verlangt's, ich fühl es, ach! mit
                                    Zittern
Daß ich im Wege bin – so tu es beste Hand!
Ich muß mir täglich nur das Leben mehr verbittern
Und tust du's nicht – denn Gott! erhalt mir den Verstand! –

## An **

In der Nacht im kalten Winter
Wird's so schwarz und graulich nicht,
Als in meinem armen Herzen
Fern von deinem Angesicht.

Aber wenn es wieder lächelt
In die Seele mir hinein,
Werd ich jung und neu geboren,
Wie das Feld im Sonnenschein.

Du allein gibst Trost und Freude,
Wärst du nicht in dieser Welt,
Stracks fiel' alle Lust zusammen,
Wie ein Feuerwerk zerfällt.

Wenn die schöne Flamm erlöschet,
Die das all gezaubert hat,
Bleiben Rauch und Brände stehen
Von der königlichen Stadt.

## Impromptü auf dem Parterre

Dies Erschröcken, dies Verlangen
Das mich als du kamst, umfangen
Dies Gefühl – wer zaubert's nach?
Gott! wie schlug das Herz so schwach –
Als mein Glas ihn überraschte
Jenen Blick nach dem ich haschte
Jenen Blick – o Huldgöttin!
Welch ein Himmel war darin!

Sieh mein Herz, das nach dir bebte
Kannt ich gleich die Ursach nicht
Zog, obschon ich widerstrebte
Stets mein Aug auf dein Gesicht
Bis ich, ohne daß ich wußte
Wer du wärest, weinen mußte.


Ich suche sie umsonst die heilige Stelle
Häng hier umsonst am Sturz des Berges hinüber
Schau über Bäumen zur Wiese hinab
Finde sie nicht
Hier war's, hier war's wo die Bäume sich küssen
Sich still und heilig auf ewig umarmen
Hier war's wo die unermüdete Quelle
Sanft nach ihr weint – nimm meine Tränen mit
Hier war's, hier wo der grausame Himmel
Hinter dem freundlichern Laube verschwindt
Und mein schont. Empfange mich Erde
Daß du mein Grab wärst – ich soll euch verlassen
Sie verlassen, von ihr vergessen
Wie ein vorübergewehter Windhauch
Ach ich beschwör euch ihr schöner zu grünen
Wenn der Frühling sie wieder hieher lockt
Wenn sie unter Gelächter und Freunden
Und ihrer Kinder Jubelgetümmel
Zu euch kehret, euch blühender macht
Unglückliche! ihr könnt nicht zu ihr
Euer Wehen eure Seufzer
Eure Klagen höret sie nicht.
Aber sie wird wenn sie euch vorbeigeht
Süßere Schauer empfinden, sie wird euch
Mit ihren Blicken segnen, ihr werdet
Glücklicher sein als ich.

# Eduard Allwills
## erstes geistliches Lied

Wie die Lebensflamme brennt!
Gott du hast sie angezündet
Ach und deine Liebe gönnt
Mir das Glück das sie empfindet.

Aber brenn ich ewig nur
Gott du siehst den Wunsch der Seele
Brenn ich ewig ewig nur
Daß ich andre wärm, mich quäle?

Ach wo brennt sie himmlischschön
Die mir wird in meinem Leben
Was das Glück sei zu verstehn
Was du seist zu kosten geben.

Bis dahin ist all mein Tun
Ein Geweb von Peinigungen
All mein Glück ein taubes Ruhn
All mein Dank an dich erzwungen.

Du erkennst mein Innerstes
Dieses Herzens heftig Schlagen
Ich ersticke seine Klagen
Aber Gott, du kennest es.

Es ist wahr ich schmeckte schon
Augenblicke voll Entzücken,
Aber Gott in Augenblicken
Steht denn da dein ganzer Lohn?

Funken waren das von Freuden
Vögel, die verkündten Land
Wenn die Seele ihrer Leiden
Höh und Tief nicht mehr verstand.

Aber gäb es keine Flamme
Und betrög uns denn dein Wort
Sucht' uns wie das Kind die Amme
Einzuschläfern fort und fort?

Nein ich schreie – Vater! Retter!
Dieses Herz will ausgefüllt
Will gesättigt sein, zerschmetter
Lieber sonst dein Ebenbild.

Soll ich ewig harren streben
Hoffen und vertraun in Wind.
Nein ich laß dich nicht mein Leben
Du beseligst denn dein Kind.


## Der verlorne Augenblick
## Die verlorne Seligkeit

Eine Predigt über den Text: Die Mahlzeit war bereitet,
aber die Gäste waren ihrer nicht wert

Von nun an die Sonne in Trauer
Von nun an finster der Tag
Des Himmels Tore verschlossen
Wer tut sie wieder zu öffnen
Wer tut mir den göttlichen Schlag
Hier ausgesperret verloren
Sitzt der Verworfne und weint
Und kennt im Himmel auf Erden
Gehässiger nichts als sich selber
Und ist im Himmel auf Erden
Sein unversöhnlichster Feind.

Aufgingen die Tore
Ich sah die Erscheinung

Wie fremd ward mir
Ich sah sie die Tochter des Himmels
Gekleidt in weißes Gewölke
In Rosen eingeschattet
Düftete sie hinüber zu mir
In Liebe hingesunken
Mit schröcklichen Reizen geschmückt
O hätt ich so sie trunken
An meine Brust gedrückt
Mein Herz lag ihr zu Füßen
Mein Mund schwebt' über sie
Ach diese Lippen zu küssen
Und dann mit ewiger Müh
Den süßen Frevel zu büßen!

In dem einzigen Augenblick
Große Götter was hielt mich zurück
Was preßte mich nieder
Wieder wieder
Kommt er nicht mehr der Augenblick
Und der Tod mein einziges Glück.

O daß er kehrte
O daß er käme
Mit aller seiner Bangigkeit
Mit aller seiner Seligkeit
Drohte der Himmel
Die Kühnheit zu rächen
Und schiene die Erde
Mit mir zu brechen
Heilige! Einzige
Ach an dies Herz
Dies trostlose Herz
Preß ich dich Himmel
Und springe mit Freuden
In endlosen Schmerz.

## Lied zum teutschen Tanz

O Angst! o tausendfach Leben
O Mut den Busen geschwellt
Zu taumeln zu wirbeln zu schweben
Als ging's so fort aus der Welt
Kürzer die Brust
Atmet die Lust
Alles verschwunden
Was uns gebunden
Frei wie der Wind
Götter wir sind
Freier als Wind
Ach wir nun sind
Ach wir Götter tun was uns gefällt

## Die Liebe auf dem Lande

Ein wohlgenährter Kandidat
Der nie noch einen Fehltritt tat,
Und den verbotnen Liebestrieb
In lauter Predigten verschrieb,
Kehrt' einst bei einem Pfarrer ein,
Den Sonntag sein Gehülf zu sein.
Der hatt ein Kind, zwar still und bleich
Von Kummer krank, doch Engeln gleich
Sie hielt im halberloschnen Blick
Noch Flammen ohne Maß zurück,
All itzt in Andacht eingehüllt,
Schön wie ein marmorn Heiligenbild.
War nicht umsonst so still und schwach,
Verlaßne Liebe trug sie nach.
In ihrer kleinen Kammer hoch
Sie stets an der Erinnrung sog

An ihrem Brotschrank an der Wand
Er immer, immer vor ihr stand,
Und wenn ein Schlaf sie übernahm
Im Traum er immer wieder kam.
Für ihn sie noch ihr Härlein stutzt,
Sich, wenn sie ganz allein ist, putzt,
All ihre Schürzen anprobiert
Und ihre schönen Lätzchen schnürt,
Und von dem Spiegel nur allein
Verlangt er soll ein Schmeichler sein.
Kam aber etwas Fremds ins Haus
So zog sie gleich den Schnürleib aus,
Tat sich so schlecht und häuslich an,
Es übersah sie jedermann.
Zum Unglück unserm Pfaffen allein
Der Lilie Nachtglanz leuchtet ein,
Obschon sie matt am Stengel hing.
Früh eh er in die Kirche ging
Er sehr eräschert zu ihr trat
Und sie – um ein Glas Wasser bat –
Denn laut er auf der Kanzel schreit
Man hört ihn auf dem Kirchhof weit
Und macht solch einen derben Schluß
Daß alt und jung noch weinen muß,
Und der Gemeinde Sympathie
Ergriff zu allerletzt auch sie –
's ging jeder wie gegeißelt fort –
Der Kandidat ward Pfarr am Ort.


Ob's nun die Dankbarkeit ihm tat,
Ein's Tags er in ihr Zimmer trat,
»Sehr holde Jungfrau«, sagt er ihr,
»Ihr schickt Euch übel nicht zu mir.
Ihr habt mein Herz, da nehmt die Hand –«
Sie sehr erschrocken auf den Tod
Ward endlich wieder einmal rot,

»Ach lieber Herr – – mein Vater – ich –
Ihr findet Bessere als mich
Ich bin zu jung – ich bin zu alt –«
Der Vater kroch hinzu und schalt,
Und kündigt' Stund und Tag und Mann
Ihr mit gefaltnen Händen an.
Wer malet diesen Kalchas mir
Und dieses Opfers Blumenzier,
Wie's vorm Altar am Hochzeittag
In seiner Mutter Brautkleid lag,
Wie's unters Vaters Segenshand
Mehr litt als es sich selbst gestand;
Wie's dumpf, nur ahndend seine Pflicht
Entzog den Qualen sein Gesicht,
Und tausend Nattern in der Brust
Zum Dienste ging verhaßter Lust.

Ach Männer, Männer seid nicht stolz
Als wärt nur ihr das grüne Holz,
Der Weiber Güt und Duldsamkeit
Ist grenzenlos wie Ewigkeit.
Sie fand an ihrem Manne nun
All seinem Reden, seinem Tun
An seiner plumpen Narrheit gar
Noch was das liebenswürdig war
Sie dreht' und rieb so lang dran ab,
Bis sie ihm doch ein Ansehn gab,
Und wenn's ihr unerträglich kam
Nahm sie's als Zucht – für ihren Gram.

Ihr einzig Gut auf dieser Welt
Der Engel noch für Sünde hält.
Dem Mann gelind, sich selber scharf
Sie – Gott – nicht einmal weinen darf,
Sie kommt und bringt ihr Auge klar
Als sein geraubtes Gut ihm dar,

Und wenn er schilt und brummt und knirrt
Ihr leichter um das Herze wird,
Doch wenn er freundlich herzt und küßt
Für Unruh sie des Todes ist.

Denn immer, immer, immer doch
Schwebt ihr das Bild an Wänden noch,
Von einem Menschen, welcher kam
Und ihr als Kind das Herze nahm.
Fast ausgelöscht ist sein Gesicht,
Doch seiner Worte Kraft noch nicht
Und jener Stunden Seligkeit
Ach jener Träume Würklichkeit
Die, angeboren jedermann,
Kein Mensch sich würklich machen kann.

Ach du um die die Blumen sich
Verliebt aus ihren Knospen drängen
Und mit der frohen Luft um dich
Entzückt auch ihren Weihrauch mengen
Um die jetzt Flur und Garten lacht
Weil sie dein Auge blühen macht.

Ach könnt ich jetzt ein Vogel sein
Und im verschwiegnen Busch es wagen
Dir meines Herzens hohe Pein
Die ohne Beispiel ist zu klagen.
Empfändest du die Möglichkeit
Von dieser Qualen Trunkenheit

Vielleicht daß jener Busen sich
Zu einem milden Seufzer hübe
Der mich bezahlte daß ich dich
Noch sterbend über alles liebe.

## Schinznacher Impromptüs

### I

Woher, Herr Seelen-Archiater,
Der Geistlich-Armen Prokurater,
Der Verse wahre Pia-Mater,
Der Versemacher Prior-Pater,
Von guten Schädeln stets der Frater,
Von allen Schwachen stets der Vater,
Von allen Starken der Kalfater –
Kurzum, mein lieber Herr Lavater,
Des Herr Gotts Nuntius a Later! –
Sag Er, wo nehm ich einen Stater?

### II

Herr Pfeffel, glaube mir, dein Name
Ward einst verfälscht von einer Dame
Qui grecaijait comme on dit à Paris.
Aus deinen Versen sieht man klar,
Zehn Fehler gegen einen Treffer
Verwett ich, daß dein Name war
Nicht Pfeffel, sondern Hofrat – Pfeffer.


Willkommen kleine Bürgerin
Im bunten Tal der Lügen!
Du gehst dahin, du Lächlerin!
Dich ewig zu betrügen

Was weinest du? die Welt ist rund
Und nichts darauf beständig.
Das Weinen nur ist ungesund
Und der Verlust notwendig.

Einst wirst du, kleine Lächlerin!
Mit süßerm Schmerze weinen
Wenn alle deinen treuen Sinn
Gott! zu verkennen scheinen

Dann wirst du stehn auf deinem Wert
Und blicken, wie die Sonne
Von der ein jeder weg sich kehrt
Zu blind für ihre Wonne.

Bis daß der Adler kommen wird
Aus fürchterlichen Büschen,
Der Welten ohne Trost durchirrt —
Wie wirst du ihn erfrischen!

# Theoretische Schriften

# Anmerkungen übers Theater

Diese Schrift ward zwei Jahre vor Erscheinung der Deutschen Art und Kunst und des Götz von Berlichingen in einer Gesellschaft guter Freunde vorgelesen. Da noch manches für die heutige Belliteratur drin sein möchte, das jene beiden Schriften nicht ganz überflüssig gemacht, so teilen wir sie – wenn nicht anders als das erste ungehemmte Räsonnement eines unpartei'schen Dilettanten – unsern Lesern rhapsodienweis mit.


M. H.

> Nec minimum meruere decus, vestigia graeca
> Ausi deserere –                    *Horat.*

Der Vorwurf einiger Anmerkungen, die ich für Sie auf dem Herzen habe, soll das Theater sein. Der Wert des Schauspiels ist in unsern Zeiten zu entschieden, als daß ich nötig hätte, wegen dieser Wahl captationem benevolentiae vorauszuschicken, wegen der Art meines Vortrags aber muß ich Sie freilich komplimentieren, da meine gegenwärtige Verfassung und andere zufällige Ursachen mir nicht erlauben, so weit mich über meinen Gegenstand auszubreiten, so tief hineinzudringen, als ich gern wollte. Ich zimmere in meiner Einbildung ein ungeheures Theater, auf dem die berühmtesten Schauspieler alter und neuer Zeiten nun vor unserm Auge vorbeiziehen sollen. Da werden Sie also sehen die großen Meisterstücke Griechenlands von ebenso großen Meistern in der Aktion vorgestellt, wenn wir dem Aulus Gellius glauben wollen und andern. Sie werden, wenn Sie belieben, im zweiten Departement gewahr werden die Trauerspiele des Ovids und Seneka, die Lustspiele des Plautus und Terenz und den großen Komödianten Roscius, dessen der berühmte Herr Cicero selbst mit vieler Achtung

erwähnt. Werden sehen die drei Schauspieler, die sich in eine
Rolle teilen, die Larven, die uns Herr du Bos so ausführlich
beschreibt, den ganzen furchtbaren Apparatus, und dennoch den alten Römern müssen Gerechtigkeit widerfahren
lassen, daß die wesentliche Einrichtung ihrer Bühne und ihr
Parterre, das will's Gott aus nichts weniger als der Nation
bestand, diese scheinbaren Ausschweifungen von der Natur
notwendig machten. Daß aber die Alten ihre Stücke mehr
abgesungen als rezitiert, scheint mir aus dem du Bos sehr
wahrscheinlich, da es sich so ganz natürlich aus dem Ursprung des Schauspiels erklären läßt, als welches anfangs
nichts mehr gewesen zu sein scheint, als ein Lobgesang auf
den Vater Bachus von verschiedenen Personen zumal ge-
sungen. Auch würden eines so ungeheuren Parterre unru-
hige Zuhörer wenig Erbauung gefunden haben, wenn die
Akteurs ihren Prinzessinnen zärtliche Sachen vorgelispelt
und vorgeschluchzt, die sie unter den Masken selbst kaum
gehört, wiewohl auch heutiges Tags sich zuzutragen pflegt,
geschweige. Doch lassen wir das lateinische Departement,
Sie werden im italienischen, Helden ohne Mannheit und
dergleichen, da aber Orpheus den dreiköpfigten Cerberus
selbst durch den Klang seiner Leier dahin gebracht, daß er
nicht hat mucksen dürfen, sollte ein Sänger oder Sängerin
nicht den grimmigsten Kunstrichter? Ich öffne also das
vierte Departement, und da erscheint – ach schöne Spiele-
werk! da erscheinen die fürchterlichsten Helden des Altertums, der rasende Oedip, in jeder Hand ein Auge und ein
großes Gefolge griechischer Imperatoren, römischer Bürgermeister, Könige und Kaiser, sauber frisiert in Haarbeutel
und seidenen Strümpfen, unterhalten ihre Madonnen, deren
Reifröcke und weiße Schnupftücher jedem Christenmen-
schen das Herz brechen müssen, in den galantesten Ausdrücken von der Heftigkeit ihrer Flammen, daß sie sterben,
ganz gewiß und unausbleiblich den Geist aufgeben, sich
genötigt sehen, falls diese nicht. Ich darf mich hier nicht
lange erst besinnen, was für Meister für diese Bühne gearbei-

tet, große Akteurs auf derselben erschienen, es würde mir beschwerlicher werden, Ihnen die Liste von beiden vorzulegen, als es dem guten Vater Homer mag geworden sein, die griechischen und trojanischen Offiziere herzubeten. Man darf nur die vielen Journäle, Merkure, Ästhetiken mit Pröbchen gespickt – und was die Schauspieler betrifft, so ist der feine Geschmack ihnen überall schon zur andern Natur geworden, über und unter der sie wie in einem andern Klima würden ersticken müssen. In diesem Departement ist Amor Selbstherrscher, alles atmet, seufzt, weint, blutet, ihn und den Lichtputzer ausgenommen ist noch kein Akteur jemals hinter die Kulisse getreten, ohne sich auf dem Theater verliebt zu haben. Laßt uns nun noch die fünfte Kammer besehen, die von dieser die umgekehrte Seite war, obschon es den erleuchteten Zeiten gelungen, auch bis dahin durchzudringen und der höllischen Barbarei zu steuern, die die Dichter vor und unter der Königin Elisabeth daselbst ausgebreitet. Diese Herren hatten sich nicht entblödet, die Natur mutterfadennackt auszuziehen und dem keusch- und züchtigen Publikum darzustellen wie sie Gott erschaffen hat. Auch der häßliche Gärrick hört allmählich auf, mit seinem Götzen Shakespear Wohlstand, Geschmack und Moralität, den drei Grazien des gesellschaftlichen Lebens, den Krieg anzukündigen. Nun und gleich bei lüpfe ich den Vorhang und zeige Ihnen – ja was? ein wunderbares Gemenge alles dessen, was wir bisher gesehen und erwogen haben, und das zu einem Punkt der Vollkommenheit getrieben, den kein unbewaffnetes Auge mehr entdecken kann. Deutsche Sophokles, deutsche Plautus, deutsche Shakespears, deutsche Franzosen, deutsche Metastasio, kurz alles was Sie wollen, durch kritische Augengläser angesehen und oft in einer Person vereinigt? Was wollen wir mehr. Wie das alles so durcheinander geht, Cluvers Orbis antiquus mit der neueren Heraldik, und der Ton im Ganzen so wenig deutsch, so kritisch bebend, geraten schön – wer Ohren hat zu hören, der klatsche, das Volk ist verflucht.

Nachdem ich also fertig bin und Ihnen, so gut ich konnte, die Bühne aller Zeiten und Völker in aller Geschwindigkeit zusammengenagelt, so erlauben Sie mir, m. H. Sie beim Arm zu zupfen und mittlerweile das übrige Parterre mit offnem Mund und gläsernen Augen als Katzen nach dem Taubenschlage zu den Logen hinaufglurt, Ihnen eine müßige Stunde mit Anmerkungen über Theater, über Schauspieler und Schauspiel anzufüllen. Sie werden mir als einem Fremden nicht übel nehmen, daß ich mit einer gewissen Freiheit von den Dingen rede und meine Worte –

Mit Ihrer Erlaubnis werde ich also ein wenig weit ausholen, weil ich solches zu meinem Endzweck – meinem Endzweck? Was meinen Sie aber wohl, das der sei? Es gibt Personen, die ebenso geneigt sind was Neues zu sagen und das einmal Gesagte mit allen Kräften Leibes und der Seele zu verteidigen, als der gröbere Teil des Publikums, der dazu geschaffen ist, ewig Auditorium zu sein, geneigt ist, was Neues zu hören. Da ich hier aber kein solches Publikum – so untersteh ich mich nicht, Ihnen den letzten Endzweck dieser Anmerkungen, das Ziel meiner Parteigänger anzuzeigen. Vielleicht werden Sie, wenn Sie mit mir fortgeritten sind, von selbst drauf stoßen und alsdenn –

Wir alle sind Freunde der Dichtkunst, und das menschliche Geschlecht scheint auf allen bewohnten Flecken dieses Planeten einen gewissen angebornen Sinn für diese Sprache der Götter zu haben. Was sie nun so reizend mache, daß zu allen Zeiten – scheint meinem Bedünken nach nichts anders als die Nachahmung der Natur, das heißt aller der Dinge, die wir um uns herum sehen, hören etcetera, die durch die fünf Tore unsrer Seele in dieselbe hineindringen, und nach Maßgabe des Raums stärkere oder schwächere Besatzung von Begriffen hineinlegen, die denn anfangen in dieser Stadt zu leben und zu weben, sich zueinander gesellen, unter gewisse Hauptbegriffe stellen, oder auch zeitlebens ohne Anführer, Kommando und Ordnung herumschwärmen, wie solches Bunian in seinem Heiligen Kriege gar schön beschrieben hat. Wie besoffene Soldaten oft auf ihrem Posten einschlafen, zu unrechter Zeit wieder aufwachen etcetera, wie man denn Beispiele davon in allen vier Weltteilen antrifft. Doch bald geb ich selbst ein solches ab – ich finde mich wieder zurecht, ich machte die Anmerkung, das Wesen der Poesie sei Nachahmung und was dies für Reiz für uns habe – Wir sind, m. H. oder wollen wenigstens sein, die erste Sprosse auf der Leiter der freihandelnden selbstständigen Geschöpfe, und da wir eine Welt hie da um uns sehen, die der Beweis eines unendlich freihandelnden Wesens ist, so ist der erste Trieb, den wir in unserer Seele fühlen, die Begierde 's ihm nachzutun; da aber die Welt keine Brücken hat, und wir uns schon mit den Dingen, die da sind, begnügen müssen, fühlen wir wenigstens Zuwachs unsrer Existenz, Glückseligkeit, ihm nachzuäffen, seine Schöpfung ins Kleine zu schaffen. Obschon ich nun wegen dieses Grundtriebes nicht nötig hätte mich auf eine Autorität zu berufen, so will ich doch nach der einmal eingeführten Weise mich auf die Worte eines großen Kunstrichters mit einem Bart lehnen, eines Kunstrichters, der in meinen Anmerkungen noch manchmal ins Gewehr treten wird. Aristoteles im vierten Buch seiner Poetik: »Es scheint, daß überhaupt zwei natürliche Ursachen zur Poesie Gelegenheit gegeben. Denn es ist dem Menschen von Kindesbeinen an eigen, nachzuahmen. Und in diesem Stück liegt sein Unterscheidungszeichen von den Tieren. Der Mensch ist ein Tier, das vorzüglich geschickt ist, nachzuahmen.« Ein Glück, daß er vorzüglich sagt, denn was würde sonst aus den Affen werden?

Ich habe eine große Hochachtung für den Aristoteles, obwohl nicht für seinen Bart, den ich allenfalls mit Peter Ramus, dem jedoch der Mutwill übel bekommen ist – Aber da er hier von zwo Quellen redet, aus denen die landüberschwemmende Poesie ihren Ursprung genommen und gleichwohl nur auf die eine mit seinem kleinen krummen Finger deutet, die andere aber unterm Bart behält (obwohl

ich Ihnen auch nicht dafür stehe, da ich aufrichtig zu reden,
ihn noch nicht ganz durchgelesen) so ist mir ein Gedanke
entstanden, der um Erlaubnis bittet, ans Tageslicht zu kommen, denn einen Gedanken bei sich zu behalten und eine
glühende Kohle in der Hand –

Erst aber noch eine Autorität. Der berühmte weltbe-
rühmte Herr Sterne, der sich wohl nichts weniger als Nachahmer vermutet, und weil er das in seine siebente Bitte zu
setzen vergessen, deswegen vom Himmel damit scheint
vorzüglich gestraft worden zu sein, in seinem Leben und
Meinungen sagt im vierzigsten Kapitel: »Die Gabe zu ver-
nünfteln und Syllogismen zu machen, im Menschen – denn
die höhern Klassen der Wesen, als die Engel und Geister,
wie man mir gesagt hat, tun das durch Anschauen.«

Es ist nur der Unterschied, daß diese zweite Autorität
dem, was ich sagen will, vorangeht, und also nach schuldiger
Dankbarkeit an den Pfauenschwanz, dem ich diese Feder
entwandt, fang und hebe ich also an.

Unsere Seele ist ein Ding, dessen Wirkungen wie die des
Körpers sukzessiv sind, eine nach der andern. Woher das
komme, das ist – soviel ist gewiß, daß unsere Seele von
ganzem Herzen wünscht, weder sukzessiv zu erkennen,
noch zu wollen. Wir möchten mit einem Blick durch die
innerste Natur aller Wesen dringen, mit einer Empfindung
alle Wonne, die in der Natur ist, aufnehmen und mit uns
vereinigen. Fragen Sie sich, m. H. wenn Sie mir nicht glauben wollen. Woher die Unruhe, wenn Sie hie und da eine
Seite der Erkenntnis beklapst haben, das zitternde Verlangen, das Ganze mit Ihrem Verstande zu umfassen, die
lähmende Furcht, wenn Sie zur andern Seite übergehn,
werden Sie die erste wieder aus dem Gedächtnis verlieren.
Ebenso bei jedem Genuß, woher dieser Sturm, das All zu
erfassen, der Überdruß, wenn mit Ihrer keichenden Sehnsucht
kein neuer Gegenstand übrig zu bleiben scheint – die Welt
wird für Sie arm und Sie schwärmen nach Brücken. Den
zitterlichtesten Strahl möcht Ihr Heißhunger bis in die

Milchstraße verfolgen, und blendete das erzürnte Schicksal Sie, wie Milton würden Sie sich in Chaos und Nacht Welten wähnen, deren Zugang im Reich der Wirklichkeiten Ihnen versperrt ist.

Schließen Sie die Brust zu, wo mehr als eine Adamsribbe rebellisch wird und kommen wieder hinüber mit mir in die lichten Regionen des Verstandes. Wir suchen alle gern unsere zusammengesetzte Begriffe in einfache zu reduzieren und warum das? weil er sie dann schneller – und mehr zugleich umfassen kann. Aber trostlos wären wir, wenn wir darüber das Anschauen und die Gegenwart dieser Erkenntnisse verlieren sollten, und das immerwährende Bestreben, all unsere gesammleten Begriffe wieder auseinanderzuwickeln und durchzuschauen, sie anschaulich und gegenwärtig zu machen, nehm ich als die zweite Quelle der Poesie an.

Der Schöpfer hat unserer Seele einen Bleiklumpen angehängt, der wie die Penduln an der Uhr sie durch seine niederziehende Kraft in beständiger Bewegung erhält. Anstatt also mit den Hypochondristen auf diesen sichern Freund zu schimpfen (amicus certus in re incerta, denn was für ein Wetterhahn ist unsere Seele?) ist er, hoff ich, ein Kunststück des Schöpfers, all unsere Erkenntnis festzuhalten, bis sie anschaulich geworden ist.

Die Sinne, ja die Sinne – es kommt freilich auf die spezifische Schleifung der Gläser und die spezifische Größe der Projektionstafel an, aber mit alledem, wenn die Camera obscura Ritzen hat –

So weit sind wir nun. Aber eine Erkenntnis kann vollkommen gegenwärtig und anschaulich sein – und ist deswegen doch noch nicht poetisch. Doch dies ist nicht der rechte Zipfel, an dem ich anfassen muß, um –

Wir nennen die Köpfe Genies, die alles, was ihnen vorkommt, gleich so durchdringen, durch und durch sehen, daß ihre Erkenntnis denselben Wert, Umfang, Klarheit hat, als ob sie durch Anschaun oder alle sieben Sinne zusammen wäre erworben worden. Legt einem solchen eine Sprache, mathematische Demonstration, verdrehten Charakter, was ihr wollt, eh ihr ausgeredt habt, sitzt das Bild in seiner Seele, mit allen seinen Verhältnissen, Licht, Schatten, Kolorit dazu.

Diese Köpfe werden nun zwar vortreffliche Weltweise was weiß ich, Zergliederer, Kritiker – alle ers – auch vortreffliche Leser von Gedichten abgeben, allein es muß noch was dazukommen, eh sie selbst welche machen, versteh mich wohl, nicht nachmachen. Die Folie, christlicher Leser! die Folie, was Horatz vivida vis ingenii, und wir Begeisterung, Schöpfungskraft, Dichtungsvermögen, oder lieber gar nicht nennen. Den Gegenstand zurückzuspiegeln, das ist der Knoten, die nota diacritica des poetischen Genies, deren es nun freilich seit Anfang der Welt mehr als sechstausend soll gegeben haben, die aber auf Belsazers Waage vielleicht bis auf sechs, oder wie Sie wollen –

Denn – und auf dieses Denn sind Sie vielleicht schon ungeduldig, das Vermögen nachzuahmen, ist nicht das, was bei allen Tieren schon im Ansatz – nicht Mechanik – nicht Echo – – nicht was es, um Othem zu sparen, bei unsern Poeten. Der wahre Dichter verbindet nicht in seiner Einbildungskraft, wie es ihm gefällt, was die Herren die schöne Natur zu nennen belieben, was aber mit ihrer Erlaubnis nichts als die verfehlte Natur ist. Er nimmt Standpunkt – und dann muß er so verbinden. Man könnte sein Gemälde mit der Sache verwechseln und der Schöpfer sieht auf ihn hinab, wie auf die kleinen Götter, die mit seinem Funken in der Brust auf den Thronen der Erde sitzen und seinem Beispiel gemäß eine kleine Welt erhalten. Wollte sagen – was wollt ich doch sagen? –

Hier lassen Sie uns eine kleine Pause bis zur nächsten Stunde machen, wo ich mit Columbus' Schifferjungen auf den Mast klettern, und sehen will, wo es hinausgeht. Noch weiß ich's selber nicht, aber Land wittere ich schon, bewohnt und unbewohnt, ist gleichgültig. Der Parnas hat noch viel unentdeckte Länder, und willkommen sei mir,

Schiffer! der du auch überm Suchen stürbest. Opfer für der
Menschen Seligkeit! Märtyrer! Heiliger!

Ich habe in dem ersten Abschnitt meines Versuchs Ihnen,
m. H. meine unmaßgebliche Meinung – – mir eine fertige
Zunge geben, meine Gedanken geschwind und dennoch mit
gehöriger Präzision – Denn ich fürchte sehr, das Jugend-
feuer werde die wenige Portion Geduld auflecken, die ich
in meinem Temperament finde, und die doch einem Pro-
saisten, und besonders einem kritischen – In der Tat, da
die Kritik mehr eine Beschäftigung des Verstandes als der
Einbildungskraft bleibet, so verlangt sie ein großes Maß
Phlegma –
  Ich habe also bei phlegmatischem Nachdenken über diese
zwei Quellen gefunden, daß die letztere die Nachahmung
allen schönen Künsten gemein, wie es denn auch Batt –
Die erste aber, das Anschauen allen Wissenschaften, ohne
Unterschied, in gewissem Grade gemein sein sollte. Die
Poesie scheint sich dadurch von allen Künsten und Wissenschaften zu unterscheiden, daß sie diese beiden Quellen
vereinigt, alles scharf durchdacht, durchforscht, durch-
schaut – und dann in getreuer Nachahmung zum
andernmal wieder hervorgebracht. Dieses gibt die Poesie der
Sachen, jene des Styls. Oder umgekehrt, wie ihr wollt. Der
schöne Geist kann das Ding ganz kennen, aber er kann es
nicht wieder so getreu von sich geben, alle Striche seines
Witzes können's nicht. Darum bleibt er immer nur schöner
Geist, und in den Marmorhänden Longin, Home (wer will,
schreibe seinen Namen hin) wird seine Schale nie zum
Dichter hinuntersinken. Doch dies sind so Gedanken neben
dem Totenkopf auf der Toilette des Denkers – laßt uns zu
unserm Theater umkehren!
  Und die Natur des Schauspiels zu entwickeln suchen, aus
dieser Untersuchung einige Korollarien ableiten, mit guten
Gründen verschanzen, und im dritten Abschnitt wider die
Angriffe unsrer Gegner, das heißt, des ganzen feinern Publi-

kums verteidigen, ob wir sie vielleicht dahin vermöchten, die Belagerung in eine Blockade zu verwandeln, weil alsdenn –

Daß das Schauspiel eine Nachahmung und folglich einen **Dichter** fodere, wird mir doch wohl nicht bestritten werden. Schon im gemeinen Leben (fragen wir den Pöbel, dessen Witz noch nicht so boshaft ist, Worte umzumünzen) heißt ein geschickter Nachahmer, ein guter Komödiant, und wäre das Schauspiel was anders als Nachahmung, es würde seine Schauer bald verlieren. Ich getraue mich, zu behaupten, daß tierische Befriedigungen ausgenommen, es für die menschliche Natur kein einzig Vergnügen gibt, wo nicht Nachahmung mit zum Grunde läge – die Nachahmung der Gottheit mit eingerechnet u. s. w.

Herr Aristoteles selber sagt – –

Es kommt itzt darauf an, was beim Schauspiel eigentlich der Hauptgegenstand der Nachahmung: der Mensch? oder das Schicksal des Menschen? Hier liegt der Knoten, aus dem zwei so verschiedene Gewebe ihren Ursprung genommen, als die Schauspiele der Franzosen (sollen wir der Griechen sagen?) und der ältern Engländer, oder vielmehr überhaupt aller ältern nordischen Nationen sind, die nicht griechisch gesattelt waren.

Hören Sie also die Definition des Aristoteles von der Tragödie, lassen Sie uns hernach die Dreistigkeit haben, unsere zu geben. Ein großes Unternehmen, aber wer kann uns zwingen, Brillen zu brauchen, die nicht nach unserm Auge geschliffen sind.

Er sagt im sechsten Kapitel seiner poetischen Reitkunst: »Es ist also das Trauerspiel die Nachahmung einer **Handlung**, einer guten, vollkommenen und großen Handlung, in einer angenehmen Unterredung, nach der besondern Beschaffenheit der handelnden Personen abgeändert, nicht aber in einer Erzählung.«

Er breitet sich weiter über diese Definition aus. »Und weil das Trauerspiel die Nachahmung einer Handlung ist, die von bestimmten Personen geschiehet, welche notwendig von verschiedener Beschaffenheit sein müssen, sowohl in Ansehung ihrer Sitten, als Gesinnungen, so auch ihre Handlungen von verschiedener Beschaffenheit sind, so ist es natürlich, daß es zwei Ursachen der Handlungen gebe, die Gesinnungen und die Sitten, und nach Maßgabe dieser müssen die Personen alle entweder glücklich oder unglücklich werden.« Er erklärt sich hernach über diese Ausdrücke, damit er allem Mißverstande vorbeuge. »Sitten sind die Art, mit der jemand handelt. Gesinnungen sind seine Gemütsart und der Ausdruck derselben im Sprechen.« Sie sehen aus dieser Erklärung, daß wir nach unserer modernen dramaturgischen Sprache diese beide Worte in eins zusammenfassen, übersetzen können. Charakter, der kenntliche Umriß eines Menschen auf der Bühne. Er fodert also, daß wir die Fabel des Stücks nach den Charakteren der handelnden Personen einrichten, wie er im neunten Kap. noch deutlicher sich erklärt: »der Dichter solle Begebenheiten nicht vorstellen, wie sie geschehen sind, sondern geschehen sollten.«

Nachdem er nun selbst zugestanden, daß der Charakter der handelnden Personen den Grund ihrer Handlungen, und also auch der Fabel des Stücks enthalte: sollt es uns fast wundern, daß er in eben diesem Kapitel fortfährt: »Das Wichtigste unter allen ist die Zusammensetzung der Begebenheiten. Denn das Trauerspiel ist nicht eine Nachahmung des Menschen, sondern der Handlungen, des Lebens, des Glücks oder Unglücks, denn die Glückseligkeit ist in den Handlungen gegründet, und der Endzweck des Trauerspiels ist eine Handlung, nicht eine Beschaffenheit.« Als ob die Beschaffenheit eines Menschen überhaupt vorgestellt werden könne, ohne ihn in Handlung zu setzen. Er ist dies und das, woran weiß ich es, lieber Freund, woran weißt du es, hast du ihn handeln sehen? Sei es also, daß Drama notwendig die Handlung mit einschließt, um mir die Beschaffenheit anschaulich zu machen: ist darum Handlung der letzte Endzweck, das Principium? Er fährt fort: »Sie (die handelnden Personen) sind nach ihren Sitten von einer gewissen Beschaffenheit, nach ihren Handlungen aber glücklich oder unglücklich. Sie sollen also nicht handeln, um ihre Sitten darzustellen, sondern die Sitten werden um der Handlungen willen mit eingeführt.« (Aristoteles konnte nichts anders lehren, nach den Mustern, die er vor sich hatte, und deren Entstehungsart ich unten aus den Religionsmeinungen klar machen will. Eben hier ist die unsichtbare Spitze, auf der alle herrliche Gebäude des griechischen Theaters ruhen: auf der wir aber unmöglich fortbauen können.) »Die Begebenheiten, die Fabel ist also der Endzweck der Tragödie, denn ohne Handlungen würde es keine Tragödie bleiben, wohl aber ohne Sitten.« Ohnmöglich können wir ihm hierin recht geben, so sehr er zu seiner Zeit recht gehabt haben mag. Die Erfahrung ist die ewige Atmosphäre des strengen Philosophen, sein Räsonnement kann und darf sich keinen Nagelbreit drüber erheben, so wenig als eine Bombe außer ihrem berechneten Kreise fliegen kann. Da ein eisernes Schicksal die Handlungen der Alten bestimmte und regierte, so konnten sie als solche interessieren, ohne davon den Grund in der menschlichen Seele aufzusuchen und sichtbar zu machen. Wir aber hassen solche Handlungen, von denen wir die Ursache nicht einsehen, und nehmen keinen Teil dran. Daher sehen sich die heutigen Aristoteliker, die bloß Leidenschaften ohne Charakteren malen (und die ich übrigens in ihrem anderweitigen Wert lassen will), genötigt, eine gewisse Psychologie für alle ihre handelnde Personen anzunehmen, aus der sie darnach alle Phänomene ihrer Handlungen so geschickt und ungezwungen ableiten können und die im Grunde mit Erlaubnis dieser Herren nichts als ihre eigene Psychologie ist. Wo bleibt aber da der Dichter, christlicher Leser! wo bleibt die Folie? Große Philosophen mögen diese Herren immer sein, große allgemeine Menschenkenntnis, Gesetze der menschlichen Seele Kenntnis, aber wo bleibt die individuelle? Wo die unekle, immer gleich glänzende, rückspiegelnde, sie mag im

Totengräberbusen forschen oder unterm Reifrock der Königin? Was ist Grandison, der abstrahierte geträumte, gegen einen Rebhuhn, der da steht? Für den mittelmäßigen Teil des Publikums wird Rousseau (der göttliche Rousseau selbst –) unendlichen Reiz mehr haben, wenn er die feinsten Adern der Leidenschaften seines Busens entblößt und seine Leser mit Sachen anschaulich vertraut macht, die sie alle vorhin schon dunkel fühlten, ohne Rechenschaft davon geben zu können, aber das Genie wird ihn da schätzen, wo er aus den Schlingen und Graziengewebe der feinern Welt Charaktere zu retten weiß, die nun freilich doch oft wie Simson ihre Stärke in dem Schoß der Dame lassen. Wir wollen unsern Aristoteles weiter hören: »Die Trauerspiele der meisten Neuern sind ohne Sitten, es bleiben darum ihre Verfasser immer Dichter« (in unsern Zeiten durchaus nicht mehr, Handlungen und Schicksale sind erschöpft, die konventionellen Charaktere, die konventionellen Psychologien, da stehen wir und müssen immer Kohl wärmen, ich danke für die Dichter). Er führt das Beispiel zweier Maler, des Zeuxes und Polygnotus. Ich will diese Stelle übergehen und meine Paradoxe nicht auf alle schöne Künste – doch einen Seitenblick – nach meiner Empfindung schätz ich den charakteristischen, selbst den Karikaturmaler zehnmal höher als den idealischen, hyperbolisch gesprochen, denn es gehört zehnmal mehr dazu, eine Figur mit eben der Genauigkeit und Wahrheit darzustellen, mit der das Genie sie erkennt, als zehn Jahre an einem Ideal der Schönheit zu zirkeln, das endlich doch nur in dem Hirn des Künstlers, der es hervorgebracht, ein solches ist. In der Morgenzeit der Welt war's was anders, Zeuxes arbeitete, um uns Kritiker und Geschmack zu bilden, Apelles' Kohle, von einem göttlichen Feuer geleitet, schuf wie Gott um ihr selbst willen. Die Idee der Schönheit muß bei unsern Dichtern ihr ganzes Wesen durchdrungen haben – denn fort mit dem rohen Nachahmer, der nie an diesem Strahl sich gewärmt hat, auf Thespis' Karre – aber sie muß nie ihre Hand führen oder zurückhalten, oder der Dichter wird – was er will, Witzling, Pillenversilberer, Bettwärmer, Brustzuckerbäcker, nur nicht Darsteller, Dichter, Schöpfer –

Aristoteles: »Ein Zeichen für die Wahrheit des Satzes, daß die Fabel, die Ver- und Entwickelung der Begebenheiten in der Tragödie am meisten gefalle, ist, weil die, so sich an die Poesie wagen, weit eher in Ansehung der Diktion und Charaktere fürtrefflich sind, als in der Zusammensetzung der Begebenheiten, wie fast an all unsern ersten Dichtern zu sehen« dies will nichts sagen. Dictione et moribus soll gar in einer Klasse nicht stehen. Es ist hier nicht die Rede von hingekleckten Charakteren, von denen all unsere bärtige und unbärtige Schulübungen so voll; wo bei einer schwimmenden ungefähren Ähnlichkeit des Zuschauers Phantasei das Beste tun muß – selbst nicht von dem famam sequere sibi convenientia finge des Horaz, noch von seinem servetur ad imum, was das Journal Encyclopédique soutenir les caractères nennt – es ist die Rede von Charakteren, die sich ihre Begebenheiten erschaffen, die selbständig und unveränderlich die ganze große Maschine selbst drehen, ohne die Gottheiten in den Wolken anders nötig zu haben, als wenn sie wollen zu Zuschauern, nicht von Bildern, von Marionettenpuppen – von Menschen. Ha aber freilich dazu gehört Gesichtspunkt, Blick der Gottheit in die Welt, den die Alten nicht haben konnten, und wir zu unserer Schande nicht haben wollen. Er fährt fort, wie er denn nicht anders konnte: »Die Fabel also ist der Grund (Principium), und gleichsam die Seele der Tragödie, das zweite aber sind die Sitten. Es ist wie in der Malerei, wenn einer mit den schönsten Farben das Papier beschmierte, würde er lange so nicht ergetzen, als einer, der ein Bild drauf hinzeichnet.« (Er vergleicht also die Fabel mit der Zeichnung, die Charaktere mit dem Kolorit??) »Es ist aber das Trauerspiel die Nachahmung einer Handlung, und durch diese Handlung auch der handelnden Personen.« Umgekehrt wird –

Was er von den Sentiments der Diktion der Melopöie der

Dekoration – können wir hier unmöglich aufnehmen, wenn wir uns nicht zu einem Traktat ausdehnen wollen. Wir haben es eigentlich mit seinem dramatischen Principium, mit der Basis seines kunstrichterlichen Gebäudes unternommen, weil wir doch die Ursache anzeigen müssen, warum wir so halsstarrig sind, auf demselben nicht fortzubauen. Gehen über zum Fundament des Shakespearischen unsers Landsmanns, wollen sehen, ob die Wunder, so er auf jeden gesunden Kopf und unverderbtes Herz tut, wirklich einem je ne sais quoi der erleuchtetsten Kunstrichter, einem Ohngefähr, vielleicht einem Planeten, vielleicht gar einem Kometen zuzuschreiben sind, weil er nichts vom Aristoteles gewußt zu haben – Und zum Henker hat denn die Natur den Aristoteles um Rat gefragt, wenn sie ein Genie?

Auf eins seiner Fundamentalgesetze muß ich noch zurückschießen, das so viel Lärm gemacht, bloß weil es so klein ist, und das ist die so erschröckliche jämmerlichberühmte Bulle von den drei Einheiten. Und was heißen denn nun drei Einheiten, meine Lieben? Ist es nicht die e i n e, die wir bei allen Gegenständen der Erkenntnis suchen, die eine, die uns den Gesichtspunkt gibt, aus dem wir das Ganze umfangen und überschauen können? Was wollen wir mehr, oder was wollen wir weniger? Ist es den Herren beliebig, sich in dem Verhältnis eines Hauses und eines Tages einzuschränken, in Gottes Namen, behalten Sie Ihre F a m i l i e n stücke, Miniaturgemälde, und lassen uns unsere Welt. Kommt es Ihnen so sehr auf den Ort an, von dem Sie sich nicht bewegen möchten, um dem Dichter zu folgen: wie denn, daß Sie sich nicht den Ruhepunkt Archimeds wählen: da mihi figere pedem et terram movebo? Welch ein größer und göttlicher Vergnügen, die Bewegung einer Welt, als eines Hauses? und welche Wohltat des Genies, Sie auf die Höhe zu führen, wo Sie einer Schlacht mit all ihrem Getümmel, Jammern und Grauen zusehen können, ohne Ihr eigen Leben, Gemütsruhe, und Behagen hineinzuflechten, ohne auf dieser grausamen Szene Akteur zu sein. Liebe Herren!

was sollen wir mehr tun, daß ihr selig werdet? wie kann man's euch bequemer machen? Nur zuschauen, ruhen und zuschauen, mehr fodern wir nicht, warum wollt ihr denn nicht auf diesem Stern stehen bleiben, und in die Welt 'nabgucken, aus kindischer Furcht den Hals zu brechen?

Was heißen die drei Einheiten? hundert Einheiten will ich euch angeben, die alle immer doch die e i n e bleiben. Einheit der Nation, Einheit der Sprache, Einheit der Religion, Einheit der Sitten – ja was wird's denn nun? Immer dasselbe, immer und ewig dasselbe. Der Dichter und das Publikum müssen die eine Einheit fühlen aber nicht klassifizieren. Gott ist nur Eins in allen seinen Werken, und der Dichter muß es auch sein, wie groß oder klein sein Wirkungskreis auch immer sein mag. Aber fort mit dem Schulmeister, der mit seinem Stäbchen einem Gott auf die Finger schlägt.

Aristoteles. Die Einheit der Handlung. Fabula autem est una, non ut aliqui putant, si circa unum sit. Er sondert immer die Handlung von der handelnden Hauptperson ab, die bongré malgré in die gegebene Fabel hineinpassen muß, wie ein Schiffstau in ein Nadelöhr. Unten mehr davon, bei den alten Griechen war's die Handlung, die sich das Volk zu sehen versammlete. Bei uns ist's die Reihe von Handlungen, die wie Donnerschläge aufeinander folgen, eine die andere stützen und heben, in ein großes Ganze zusammenfließen müssen, das hernach nichts mehr und nichts minder ausmacht, als die Hauptperson, wie sie in der ganzen Gruppe ihrer Mithändler hervorsticht. Bei uns also fabula est una si circa unum sit. Was können wir dafür, daß wir an abgerissenen Handlungen kein Vergnügen mehr finden, sondern alt genug worden sind, ein Ganzes zu wünschen? daß wir den Menschen sehen wollen, wo jene nur das unwandelbare Schicksal und seine geheimen Einflüsse sahen. Oder scheuen Sie sich, meine Herren! einen Menschen zu sehen?

Einheit des Orts – oder möchten lieber sagen, Einheit des Chors, denn was war es anders? Kommen doch auf dem griechischen Theater die Leute wie gerufen und gebeten herbei, und kein Mensch stößt sich daran. Weil wir uns freuen, daß sie nur da sind – weil das Chor dafür dasteht, daß sie kommen sollen, und sich das im Kopf eines Freundes geschwind zusammenreimt, was wohl die causa prima und remotior der Ankunft seines Freundes sein möchte, wenn er ihn eben in seinen Armen drückt.

Einheit der Zeit, worin Aristoteles gar den wesentlichen Unterscheid des Trauerspiels von der Epopee setzt. Am Ende des 5. Kapitels: »Die Epopee ist also bis auf den Punkt mit der Tragödie eins, daß jede eine Nachahmung edler Handlungen mittelst einer Rede ist. Darin aber unterschieden, daß jene ein einfaches Metrum und als eine Erzählung lang fortgeht, diese aber, wenn es möglich, nur den Umlauf einer Sonne in sich schließt, da die Epopee von unbestimmter Zeit ist.« Sind denn aber zehn Jahr, die der Trojanische Krieg währte, nicht ebenso gut bestimmte Zeit als unus solis ambitus? Wo hinaus, lieber Kunstrichter, mit dieser differentia specifica? Es springt ja in die Augen, daß in der Epopee der Dichter selbst auftritt, im Schauspiele aber seine Helden. Warum sondern wir denn das Wort vorstellen, das einzige Prädikat zu diesem Subjekt, von der Tragödie ab, die Tragödie stellt vor, das Heldengedicht erzählt: aber freilich in unsern heutigen Tragödien wird nicht mehr vorgestellt.

Wenn wir das Schicksal des Genies betrachten (ich rede von Schriftstellern) so ist es unter aller Erdensöhne ihrem das bängste, das traurigste. Ich rede ehrlich, von den größesten Produkten alter und neuer Zeiten. Wer liest sie? wer genießt sie? – Wer verdaut sie? Fühlt das, was sie fühlte? Folgt der unsichtbaren Kette, die ihre ganze große Maschine in eins schlingt, ohne sie einmal fahren zu lassen? Welches Genie liest das andere so? – Mitten im hellesten Anschaun der Zaubermächte des andern und ihren Wirkungen und Stößen auf sein Herz, dringen Millionen unberufene Gedanken – dein Blatt Kritik – dein unvollendeter Roman – dein Brief – oft bis auf die Wäsche hinunter – weg sind die süßen Illusionen, da zappelt er wieder auf dem Sande, der vor

einem Augenblicke im Meere von Wollust dahin schwamm.
Und wenn das Genie so liest ὦ πόποι wie liest der Philister
denn? Wo ist da lebendige Vorstellung der tausend großen
Einzelheiten, ihren Verbindungen, ihres göttlichen ganzen
Eindrucks? Was kann der Epopeendichter tun, unsere Aufmerksamkeit festzuhalten, an seine Galeere anzuschmieden
und dann mit ihr 'von zu fahren? Einen Vorrat von Witz
verschütten, der sich tausendmal erschöpft (siehe Fielding
und andere) oder wie Homer, blind das Publikum verach-
ten und für sich selber singen? Der Schauspieldichter hat's
besser, wenn das Schicksal seine Wünsche erhören wollte. Schlimmer, wenn es sie nur halb erhört. Werd ich gelesen und der Kopf ist so krank oder so klein, daß alle
meine Pinselzüge unwahrgenommen vorbeischwimmen, geschweige in ein Gemälde zusammenfließen – Trost! ich
wollte nicht gelesen werden. Angeschaut. Werd ich aber
vorgestellt und verfehlt – so möcht ich Palett und Farben ins
Feuer schmeißen, weit inniger betroffen, als wenn eine
Betschwestergesellschaft mich zum Bösewicht afterredet.
Bin ich denn ein Bösewicht? Und bin ich denn – und schlag
in die Hände – was ihr aus mir machen wollt?

Aber wie gewinnen könnte ich (sagt der Künstler) o welch
ein herrlicherer Dank? welch eine seligere Belohnung aller
Mühe, Furcht und Leiden, wie gar nichts Ehrensäulen und
Pensionen dagegen, zu denen der Künstler nie den Weg hat
wissen wollen – als meine Ideen lebendig gemacht, realisiert
zu sehen. Zu sehen das Ganze und seine Wirkung wie ich es
dachte – o ihr Beförderer der Künste! ihr Mäcenen! ihr
Auguste! non saginandi – nur Platz, unser Schauspiel aufzuführen und ihr sollt Zuschauer sein. Euer ganzes Volk. Da
ihr im Angesichte eures ganzen Volks auf dem Theater der
Welt eure Rollen spielen müßt und sich der Nachruhm nicht
bestechen läßt – wo wollt ihr euch verewigen als hier? Horaz
schlug das carmen lyricum vor, aber siehe, ich sage euch,
euer Ruhm stirbt mit seinem Schall, bleibt selber nur Schall,
nie in Anschauen, nie in Bewegungen des Herzens verwan-

delt. Cäsar ist in Rom so nie bedauert worden, als unter den Händen Shakespears.

Wir sehen also, was der dramatische Dichter vor dem epischen gewinnt, wie kürzern Weg zum Ziel, sein großes Bild lebendig zu machen, wenn er nur sichere Hand hat, in der Puls der Natur schlägt, vom göttlichen Genius geführt. Richter der Lebendigen und der Toten. – Er braucht die Sinne nicht mit Witz und Flittern zu fesseln, das tut der Dekorationenmaler für ihn, aller Kunstgriffe überhoben, schon eingeschattet von dem magischen Licht, auf das jener so viel Kosten verschwendet, führt er uns dahin, wo er wollte, ohne andern Aufwand zu machen, als was er so gern aufwendet, sein Genie. Hundert Sachen setzt er zum voraus, die ich hier nicht nennen mag – und wie höher muß er fliegen! Ach mir, daß ich die Geheimnisse unserer Kunst verraten muß, den Flor wegziehen, der ihren Reiz so schön und schamhaft in seine Falten zurückbarg und doch vielleicht noch zu wenig verraten habe. Heutzutage, da man genießen will, ohne das Maul aufzutun, muß Venus Urania selbst zur Kokette werden – fort! Rache!

Da wir am Fundament des Aristotelischen Schauspiels ein wenig gebrochen und mit Recht befürchten müssen – so wollen wir's am andern Ende versuchen, auf das Dach des französischen Gebäudes klettern und unsere gesunde Vernunft und Empfindung fragen.

Was haben uns die Primaner aus den Jesuiterkollegien geliefert? Meister? Wir wollen doch sehen. Die Italiener hatten einen Dante, die Engelländer Shakespearn, die Deutschen Klopstock, welche das Theater schon aus ihrem eigenen Gesichtspunkt ansahen, nicht durch Aristoteles' Prisma. Kein Naserümpfen, daß Dantens Epopee hier vorkommt, ich sehe überall Theater drin, bewegliches, Himmel und Hölle, den Mönchszeiten analog. Da keine Einschränkungen von Ort und Zeit, und freilich, wenn man uns auf der Erde keinen Platz vergönnen will, müssen wir wohl in der Hölle spielen. Was Shakespear und Klopstock in seinem

Bardiet getan, wissen wir alle, die Franzosen aber erschrekken vor allem solchen Unsinn, wie Voltaire wider den la Motte, der im halben Rausch was herlallt, von dem er selbst nicht Rechenschaft zu geben weiß: Les François sont les premiers qui ont fait revivre ces sages règles de Théâtre, les autres peuples – Mais comme ce joug étoit juste et que la raison triomphe enfin de tout –

Man braucht nicht lange zu beweisen, daß die französischen Schauspiele den Regeln des Aristoteles entsprechen, sie haben sie bis zu einem Punkt hinausgetrieben, der jedem Mann von gesunder Empfindung Herzensangst verursacht. Es gibt nirgend in der Welt so grübelnde Beobachter der drei Einheiten: der willkürliche Knoten der Handlung ist von den französischen Garnwebern zu einer solchen Vollkommenheit bearbeitet worden, daß man ihren Witz in der Tat bewundern muß, als welcher die simpelsten und natürlichsten Begebenheiten auf so seltsame Arten zu verwirren weiß, daß noch nie eine gute Komödie außer Landes ist geschrieben worden, die nicht von funfzigen ihrer besten Köpfe immer wieder in veränderter Gestalt wäre vorgezeigt worden. Sie setzen, wie Aristoteles, den ganzen Unterscheid des Schauspiels darin, daß es vierundzwanzig Stunden währt und suavi sermone, siehe seine Definition. Das Erzählen im Trauerspiel und in der Epopee ist ihnen gleichgültig und sie machen mit dem Aristoteles die Charaktere nicht nur zur Nebensache, sondern wollen sie auch, wie Madame Dacier gar schön auseinandergesetzt hat, gar nicht einmal im Trauerspiele leiden. Ein Unglück, daß die gute Frau bei Charakteren sich immer Masken und Fratzen dachte, aber wer kann davor?

Wenn also die französischen Schauspiele größtenteils nach den Regeln des Aristoteles – und seiner Ausleger zugeschnitten sind – wenn wir vorhin bei der Theorie zu murren fanden, und bei der Ausübung hier gar – – was bleibt uns übrig? Was, als die Natur Baumeisterin sein zu lassen, wie Virgil die Dido beschreibt.

Talis Dido erat, talem se laeta ferebat
Per medios, instans operi regnisque futuris.
Tum foribus divae media testudine templi
Septa armis, solioque alte subnixa resedit
Iura dabat, legesque viris, operumque laborem
Partibus aequabat iustis –

Ist's nicht an dem, daß Sie in allen französischen Schau-
spielen (wie in den Romanen) eine gewisse Ähnlichkeit der
Fabel gewahr werden, welche, wenn man viel gelesen oder
gesehn hat, unbeschreiblich ekelhaft wird. Ein offenbarer
Beweis des Handwerks. Denn die Natur ist in allen ihren
Wirkungen mannigfaltig, das Handwerk aber einfach, und
Atem der Natur und Funke des Genies ist's, das noch un-
terweilen zu unserm Trost uns durch eine kleine Abwech-
selung entschädigt. Fürchte nicht, liebes Publikum, wenn du
die Dämme so hoch aufziehst, die Grenzen so weit steckst,
von Dichterlingen überschwemmt zu werden. Sie lieben das
freie Feld nicht, sie befinden sich besser hinter den Außen-
werken des Handwerks. Es ist keine Kleinigkeit, Schlingen
für die Herzen auszuwerfen, alle die tausend Köpfe wegzu-
zaubern und willig zu machen uns zu folgen. Die französischen Intrigen, deren sie ganze Kramläden voll haben, die
sie verändern, bereichern, zusammenflicken wie die Moden,
werden sie nicht von Tage zu Tage uninteressanter, abge-
schmackter? Es geht ihren Schauspieldichtern wie den lustigen Räten in Gesellschaften, die in der ersten halben Stunde
erträglich, in der zweiten sich selbst wiederholen, in der
dritten von niemand mehr gehört werden als von sich selbst.
Hab ich doch letzt eine lange Komödie gesehen, die nur auf
einem Wortspiel drehte. Ja wenn solche trifles light as air
von einem Shakespear behandelt werden, aber wenn die
Intrige das Wesen des Stücks ausmacht, und die Verwirrung
besteht in einem Wort, so ist das ganze Stück soviel wert –
als ein Wortspiel. Woher aber diese schimmernde Armut?
Der Witz eines Shakespears erschöpft sich nie und hätt er

noch so viel Schauspiele geschrieben. Sie kommt – erlauben Sie mir's zu sagen ihr Herren Aristoteliker! – sie kommt aus der Ähnlichkeit der handelnden Personen, partium agentium, die Mannigfaltigkeit der Charaktere und Psychologien ist die Fundgrube der Natur, hier allein schlägt die Wünschelrute des Genies an. Und sie allein bestimmt die unendliche Mannigfaltigkeit der Handlungen und Begebenheiten in der Welt. Nur ein Alexander und nach ihm keiner mehr, und alle Wut der Parallelköpfe und Parallelbiographen wird es dahin nicht bringen, eine vollkommen getreue Kopie von ihm aufzuweisen. Selbst die Parallelensucht verrät die Leute und macht einen besondern Bestimmungsgrund ihrer Individualität.

Es ist keine Kalumnie (ob in den Gesellschaften laß ich unentschieden) daß die Franzosen auf der Szene keine Charaktere haben. Ihre Helden, Heldinnen, Bürger, Bürgerinnen, alle ein Gesicht, eine Art zu denken, also auch eine große Einförmigkeit in den Handlungen. Geeinzelte Karikaturzüge in den Lustspielen geben noch keine Umrisse von Charaktern, personifizierte Gemeinplätze über den Geiz noch keine Personen, ein kützliches Mädchen und ein Knabe, die allenfalls ihre Rollen umwechseln könnten, noch keine Liebhaber. Ich suchte Trost in den sogenannten Charakterstücken, allein ich fand soviel Ähnlichkeit mit der Natur (und noch weniger) als bei den Charaktermasken auf einem Ball.

Ihr ganzer Vorzug bliebe also der Bau der Fabel, die willkürliche Zusammensetzung der Begebenheiten, zu welcher Schilderei der Dichter seine eigene Gemütsverfassung als den Grund unterlegt. Sein ganzes Schauspiel (ich rede hier von Meisterstücken) wird also nicht ein Gemälde der Natur, sondern seiner eigenen Seele. Und da haben wir oft nicht die beste Aussicht zu hoffen. Ist etwas Saft in ihm, so finden wir doch bei jeder Marionettenpuppe, die er herhüpfen und mit dem Kopf nicken läßt, seinen Witz, seine Anspielungen, seine Leidenschaften und seinen Blick. Nur in einen willkürlichen Tanz komponiert, den sie alle eins nach dem andern abtanzen und hernach sich gehorsamst empfehlen. Welcher Tanz wie die Contretänze so oft wieder von neuem verwirrt, verschlungen, verzettelt wird, daß zuletzt Tänzer und Zuschauer die Geduld verlieren. Oder ist der Kopf des Dichters schon ausgetrocknet, so stoppelt er Schulbrocken aus dem Lukan und Seneka zusammen, oder leiht vom Euripides und Plautus, die wenigstens gelehrtes Verdienst haben, und bringt das in schöne fließende Verse, suavi sermone. Oder fehlt es ihm an allem, so nimmt er seine Zuflucht zu dem – französischen Charakter, welcher nur einer – und eigentlich das summum oder maximum aller menschlichen Charaktere ist. Macht seinen Helden äußerst verliebt, äußerst großmütig, äußerst zornig, alles zusammen und alles auf einmal, diesen Charakter studieren alle ihre Dichter und Schauspieler unablässig und streichen ihn wie das Rouge auf alle Gesichter ohne Ansehen der Person.

Ich sage, der Dichter malt das ganze Stück auf seinem eigenen Charakter (denn der eben angeführte Fall ereignet sich eigentlich nur bei denen, die selbst gar keinen Fond, keinen Charakter haben). So sind Voltairens Helden fast lauter tolerante Freigeister, Corneillens lauter Senekas. Die ganze Welt nimmt den Ton ihrer Wünsche an, selbst Rousseau in seiner Heloise, das beste Buch, das jemals mit französischen Lettern ist abgedruckt worden, ist davon nicht ausgenommen. So sehr er abändert, so geschickt er sich hinter die Personen zu verstecken weiß, die er auftreten läßt, so guckt doch immer, ich kann es nicht leugnen, etwas von seiner Perücke hervor, und das wünscht ich weg, um mich ganz in seine Welt hineinzutäuschen, in dem Palast der Armide Nektar zu schlürfen. Doch das im Vorbeigehen, zum Theater zurück. Voltaire selbst hat eingesehen, daß einer willkürlich zusammengesetzten Fabel, die nur in den Wünschen des Dichters (oft in seiner Gebärerinangst und Autorsucht) nicht in den Charakteren den Grund hat, das Reizende und Anziehende fehle, das uns auch nach befriedigter Neugierde beim zweiten Anblick unterhalten und nähren kann, er sucht also dieses wie eine geschickte Kokette durch äußern Putz zu erhalten. Die Diktion, die Symmetrie und Harmonie des Verses, der Reim selbst, für den er fast zum Märtyrer wird. Pradon und Racine hatten eine Phädra geschrieben. La conduite de ces deux ouvrages, sagt er, est à-peu-près la même. Il y a plus: les personnages des deux pièces se trouvent dans les mêmes situations, disent presque les mêmes choses; mais c'est là qu'on distingue le grand homme et le mauvais poète, c'est lorsque Racine et Pradon pensent de même, qu'ils sont le plus différents. Merken Sie wohl, Racine et Pradon. Hier steht also nur Racine auf der Bühne und dort nur Pradon. Aber haben wir denn die beiden Herren hervorgerufen? Sie hätten immer warten können, bis das Stück zu Ende war.

Zugegeben, daß bei einer mäßigen Portion allgemeiner Kenntnis des menschlichen Herzens diese Zunft auch Leidenschaften, etwas mehr als Neugier zu erregen wüßte, da doch gemeinhin die warme Einbildungskraft des Zuschauers bei den schön aufgeputzten Worten wie beim Putz einer Hure das Beste dazutun muß – untersuchen Sie sich, meine Herren! wenn Sie aus dem Schauspielhause fortgehen, was ist das Residuum davon in Ihrer Brust? Dampf, der verraucht, sobald er an die Luft kommt. Sie merkten dem Dichter das Kunststück ab, Sie sahen ihm auf die Finger, es ist doch nur eine Komödie, sagen Sie und wer war die in der zweiten Loge? Was gilt's, Sie greifen sich gar an Kopf, wenn Sie aufmerksam zugesehen haben, und ich sage Ihnen im Vertrauen, daß ein solches Stück in vollem Ernst den Kopf des Zuschauers mehr angreift als den Kopf des Komödianten und Poeten zusammengenommen. Denn er muß das hinzudenken, was –

Ja wenn noch hinter jedem Stück der Autor in selbst eigener Person aufträte, ein examen anstellte, remarques machte, die Wahrscheinlichkeit seiner Erfindungen und Träume plädierte und Sie so per syllogismum dahin brächte, zu bekennen, sein Stück sei schön. So aber bleibt man noch immer im Zweifel und das ist das Ärgste, was man aus einem Stück nach Hause tragen kann.

Daß ich dieses trockene Stück Räsonnement mit einem Nägelchen spicke, will ich –

Voltaire und Shakespear wetteiferten einst um den Tod des Cäsars. Die ganze Stadt weiß davon. Ich möchte sagen, ein kleiner Vogel verbarg sich einst unter die Flügel eines Adlers, darnach satzt' er ihm auf den Rücken und dann: Quo me Bache rapis tui plenum? Hernach, die Historie ist lustig, klatscht' ein berühmter Kunstrichter in die Hände: il nostro poeta ha fatto quel uso di Shakespeare che Virgilio faceva di Ennio. Nur möchte man beherzigen, mit wie vieler Vorsicht – und daß er bloß den Ernst der Engelländer auf die vaterländische Bühne gebracht, nicht aber ihre Wildheit. Dawider hätt ich nun nichts einzuwenden, wenn man mir erlaubt, die Vorsicht durch Ohnmacht zu übersetzen, den harten Ausdruck ferocità, durch Genie, und die Moral drunter schreibe: Wenn der Fuchs die Trauben nicht langen kann –

In eine ausführliche Parallele des Julis Cäsar und des La mort de Caesar mag sich ein anderer einlassen – nicht den beiderseitigen Bau der Fabel, Gruppierung der Charaktere, Vorbereitung und Schwingung der Situationen – nichts von der Portia sagen, die V. nicht würdig fand – nichts von der nahen Blutsfreundschaft zwischen Cäsar und Brutus, die er wie einen blauen Lappen aufs grüne Kleid – bloß beide Dichter an den Stellen zusammenhalten, wo sie eine und dieselbe Person in einer und derselben Situation sprechen lassen, um zu zeigen, lorsque Racine et Pradon pensent de même qu'ils sont les plus différents.

Es sei der Monologe des Brutus als die große Tat noch ein Embryo in seinem Gehirn lag, durchs Schicksal gereift ward, dann durch alle Hindernisse brach und wie Minerva in völliger Rüstung geboren ward. Diesen Gang eines großen Entschlusses in der Seele hat V. – vielleicht nicht gesehen.

Erst zum Shakespear, meine Herren! Sein Brutus spaziert in einer Nacht, wo Himmel und Erde im Sturm untergehen wollen, gelassen in seinem Garten. Rät aus dem Lauf der Sterne, wie nah der Tag ist. Kann ihn nicht erwarten, befiehlt seinem Buben, ein Licht anzuzünden. »Es muß durch seinen Tod geschehen: dafür hab ich für mein Teil nicht die geringste Ursache, aber um des Ganzen willen« – Philosophiert noch, beratschlagt noch ruhig und kalt, derweile die ganze Natur der bevorstehenden Symphonie seiner Gemütsbewegungen präambuliert. Lucius bringt ihm Zettel, die er auf seinem Fenster gefunden. Er dechiffriert sie beim Schein der Blitze. »Rede – schlage – verbeßre – du schläfst« – ha er reift, er reift der fürchterliche Entschluß: »Rom! ich versprech es dir. « Lucius sagt ihm, morgen sei der 15. März, der Krönungstag Cäsars. Brutus schickt ihn heraus. Jetzt das Wehgeschrei der Gebärerin, wie in kurzen, entsetzlichen Worten: »Zwischen der Ausführung einer furchtbaren Tat und ihrer Empfängnis ist die ganze Zwischenzeit wie ein schreckenvoller Traum: der Genius und die sterblichen Werkzeuge sind alsdann in Beratschlagung und die innere Verfassung des Menschen gleicht einem Königreich, das von allgemeiner Empörung gärt« (Wiel. Übers.). Lucius meldet die Zusammenverschwornen – nun ist's da – die ganze Art – sie sollen kommen – der Empfang ist kurz, Helden anständig, die auf gleichen Ton gestimmt, sich auf einen Wink verstehen. Cassius will, sie sollen schwören (die schwindlichte Cholera) Brutus »Keinen Eid! Wenn Schicksal des menschlichen Geschlechts, tiefes Gefühl der sterbenden Freiheit zu schwache Bewegungsgründe sind, so gehe jeder wieder in sein Bette« – was soll ich hier abschreiben, Sie mögen's selber lesen, das läßt sich nicht zerstücken. »Junge! Lucius! schläfst du so feste?« Wer da nicht Addisons Seraph auf Flügeln des Sturmwinds Götterbefehle ausrichtend gewahr wird – wem die Würde menschlicher Natur nicht dabei im Busen aufschwellt und ihm den ganzen Umfang des Worts: Mensch – fühlen läßt –

Laßt uns den französischen Brutus besuchen!

Schon im ersten Akt hat er Cäsarn seine ganze Herzensmeinung entdeckt, sagt ihm ins Gesicht, er sei ein größerer Feind der Römer, als die Parther, er verabscheue seine Zärtlichkeit, im zweiten Akt fängt er gleich an auf Antonius zu schimpfen, der weiter nichts von ihm verlangte als eine Unterredung mit Cäsarn und Antonius, oder vielmehr – schimpft wieder auf die römische Tugend: Tu veux être un héros, mais tu n'es qu'un barbare, geht drauf ganz boshaft fort und nun – merken Sie auf, wie die Champagnerbouteille aufbraust, nachdem der Zapfen heraus ist: Quelle bassesse (Brutus) o ciel! et quelle ignominie, Voilà donc tes soutiens (bis auf den letzten Tropfen) Voilà vos successeurs Horace, Decius (kurz er ruft alle Helden des alten Roms in chronologischer Ordnung um Beistand an und Pompejus erhört ihn in loco). Que vois je grand Pompée – Tu dors Brutus – Rome mes yeux sur toi seront toujours ouverts (ein Wortspiel) Mais quel autre billet (ei ei alle auf einmal und auf einem Flecken. Wir kamen alle auf den Einfall, Pompejens Statue damit zu behängen – und wahrsagten, daß er sie da finden würde. So muß man die Geschichte verschönern. Das Fenster – wie gemein! aber Pompejus' Statue – warum sie ihm nicht lieber in Mund gesteckt, wie die alten Maler ihre Zettel?)

Nun kommen die Zusammenverschwornen zu ihm. Cimber setzt die epische Trompete an den Mund, wer Lust hat, mag seine Deklamation mit der Erzählung des Casca im S. vergleichen. Nun was tut Cassius drauf? er predigt, und Brutus macht eine feine kritischphilosophische Glosse zum Lebenslauf des alten Cato aus Utika. Sa mort fut inutile – et c'est la seule faute où tomba ce grand homme. Nun geht das Predigen auf zwei Seiten fort, jeder sagt mit andern Worten, was der andere vor ihm gesagt, auf einmal ereifert sich Brutus jähling, weil der Akt bald zu Ende geht: Jurez donc, sagt er, avec moi, jurez, sagt er, sur cette épée, par le sang de Caton (obschon er einen Bock damals gemacht) par celui de

Pompée, und Cassius schwört mit ihm und Brutus tritt zur
Statue des Pompejus und schwört wieder und – haben Sie
genug, meine Herren? – allons préparons nous, c'est trop
nous arrêter. –

Was kann ich davor? – – Soll ich Ihnen noch die Leichen-
reden gegeneinander halten? – Ich denke, ich habe schon
zuviel gesagt, und, wenn mir diese chymische Metapher
erlaubt ist, man darf nur von jedem einige Tropfen in die
Solution tun, um zu sehen, welches Acidum das stärkere ist
und das andere zum Rezipienten herausjagt. Doch da es
Geschöpfe und Leser von allen Arten gibt, so müssen auch
Schriftsteller – aber Signor Conte, daß Sie als ein so aufge-
klärter Kunstrichter: il nostro Poeta ha fatto quel uso di
Shakespeare che Virgilio faceva di Ennio – quo nunc se
proripit ille? (*Virg.*)

Noch ein paar Worte übern Aristoteles. Daß er grade im
Trauerspiele, wo auf die handelnden Personen alles ankommt, das die Epopee dramatisiert heißen könnte, den
Charakteren so wenig gibt, wundert mich, könnt ich nicht
reimen, wenn ich nicht den Grund davon tiefer fände, in
nichts weniger als dem ἦθος der Schauspiele.

Die Schauspiele der Alten waren alle sehr religiös, und
war dies wohl ein Wunder, da ihr Ursprung Gottesdienst
war. Da nun fatum bei ihnen alles war, so glaubten sie eine
Ruchlosigkeit zu begehen, wenn sie Begebenheiten aus den
Charakteren berechneten, sie bebten vor dem Gedanken
zurück. Es war Gottesdienst, die furchtbare Gewalt des
Schicksals anzuerkennen, vor seinem blinden Despotismus
hinzuzittern. Daher war Oedip ein sehr schickliches Sujet
fürs Theater, einen Diomed führte man nicht gern auf. Die
Hauptempfindung, welche erregt werden sollte, war nicht
Hochachtung für den Helden, sondern blinde und knechtische Furcht vor den Göttern. Wie konnte Aristoteles also
anders: secundum autem sunt mores. Ich sage, blinde und
knechtische Furcht, wenn ich als Theologe spreche. Als

Ästhetiker, war diese Furcht das einzige, was dem Trauerspiele der Alten den haut goût, den Bitterreiz gab, der ihre Leidenschaften allein in Bewegung zu setzen wußte. Von jeher und zu allen Zeiten sind die Empfindungen, Gemütsbewegungen und Leidenschaften der Menschen auf ihre Religionsbegriffe gepfropft, ein Mensch ohne alle Religion hat gar keine Empfindung (weh ihm!) ein Mensch mit schiefer Religion schiefe Empfindungen und ein Dichter, der die Religion seines Volks nicht gegründet hat, ist weniger als ein Meßmusikant.

Was wird nun aus dem Oedip des Herrn Voltaire, aus seinem impitoyables dieux, mes crimes sont les vôtres. Gott verzeihe mir, so oft ich das gehört, hab ich meinen Hut andächtig zwischen beide Hände genommen, und die Gnade des Himmels für den armen Schauspieler angefleht, der Gotteslästerungen sagen mußte, weil er sie gelernt hatte. Und was beim Griechen mein ganzes Mitleiden aus der Brust herausgeschluchzt haben würde, macht beim Franzosen mein Herz für Abscheu zum Stein. Wer? was? Oedip? ist das geschehen? Wenn es geschehen ist, warum bringt ihr's auf die Bühne wie es geschah, nicht vielmehr, wie Aristoteles selber verlangt, wie es geschehen sollte. Bei dem Griechen sollte Oedip ein Monstrum von Unglück werden, weil Jokasta durch ihren Fürwitz Apolln geärgert, die Ehrfurcht vor ihm aus den Augen gesetzt. Aber bei dem Franzosen hätt er sein Unglück verdienen sollen, oder fort von der Bühne. Wenigstens mußt du mir ein Brett zuwerfen, Dichter, woran ich halten kann, wenn du mich auf diese Höhe führst. Ich fordre Rechenschaft von dir. Du sollst mir keinen Menschen auf die Folter bringen, ohne zu sagen warum.

Damit wir nun, unsern Religionsbegriffen und ganzen Art zu denken und zu handeln analog, die Grenzen unsers Trauerspiels richtiger abstecken, als bisher geschehen, so müssen wir von einem andern Punkt ausgehen, als Aristoteles, wir müssen, um den unsrigen zu nehmen, den Volksgeschmack der Vorzeit und unsers Vaterlandes zu Rate ziehen, der noch heutzutage Volksgeschmack bleibt und bleiben wird. Und da find ich, daß er beim Trauerspiele oder Staatsaktion, ist gleichviel, immer drauf losstürmt (die Ästhetiker mögen's hören wollen oder nicht) das ist ein Kerl! das sind Kerls! bei der Komödie aber ist's ein anders. Bei der geringfügigsten drollichten, possierlichen unerwarteten Begebenheit im gemeinen Leben rufen die Blaffer mit seitwärts verkehrtem Kopf: Komödie! Das ist eine Komödie! ächzen die alten Frauen. Die Hauptempfindung in der Komödie ist immer die Begebenheit, die Hauptempfindung in der Tragödie ist die Person, die Schöpfer ihrer Begebenheiten.

Also ganz und gar wider Madame Dacier in ihrer Vorrede zum Terenz, der ich bei dieser Gelegenheit höflichst die Hände küsse.

Das Trauerspiel bei uns war also nie wie bei den Griechen das Mittel, merkwürdige Begebenheiten auf die Nachwelt zu bringen, sondern merkwürdige Personen. Zu jenem hatten wir Chroniken, Romanzen, Feste, zu diesem Vorstellung, Drama. Die Person mit all ihren Nebenpersonen, Interesse, Leidenschaften, Handlungen. Und war sie tot, so schloß das Stück, es müßte denn noch ihr Tod Würkungen veranlaßt haben, die auf die Person ein noch helleres Licht zurückwürfen. Daher führen uns unsere ältesten Schauspieldichter oft in einem Akt ohne Anstoß durch verschiedene Jahre fort, sie wollen uns die ganze Person in allen ihren Verhältnissen zeigen, ja Hanns Sachse findet so wenig Bedenklichkeiten drin, seine geduldige Griselda in einem Auftritte freien, heiraten, schwanger werden und gebären zu lassen, daß er vielmehr im Prolog seine Zuschauer für der allzustarken Illusion warnet und ihnen auf sein Ehrenwort versichert, daß alle Sachen so eingericht, daß keinem Menschen ein Schaden geschicht. Woher das Zutrauen zu der Einbildungskraft seines Publikums? Weil er sicher war, daß sie sich aus der nämlichen Absicht dort versammlet hatten, aus der er aufgetreten war, ihnen einen Menschen zu zeigen, nicht eine Viertelstunde.

So ist's mit den historischen Stücken Shakespears: hier möchte ich Charakterstücke sagen, wenn das Wort nicht so gemißbraucht wäre. Die Mumie des alten Helden, die der Biograph einsalbt und spezeiert, in die der Poet seinen Geist haucht. Da steht er wieder auf, der edle Tote, in verklärter Schöne geht er aus den Geschichtbüchern hervor und lebt mit uns zum andernmale. O wo finde ich Worte, diese herzliche Empfindung für die auferstandenen Toten anzudeuten – und sollten wir nach Rom, in alle Vorfallenheiten ihres Lebens folgen und das: selig sind die Augen, die dich gesehen haben, nun für uns behalten? Habt ihr nicht Lust ihnen zuzusehen, meine Herren? In jeder ihrer kleinsten Handlungen, Schicksalswechsel und Lebensstößen? In ihrer immer regen Gegenwürkung und Geistesgröße? Weilt ihr lieber an der Moorlache, als an der grünen See in unauslöschlicher Bewegung und dem hellen Felsen mitten in? Ja, meine Herren! wenn Sie den Helden nicht der Mühe wert achten, nach seinen Schicksalen zu fragen, so wird Ihnen sein Schicksal nicht der Mühe wert dünken, sich nach dem Helden umzusehen. Denn der Held allein ist der Schlüssel zu seinen Schicksalen.

Ganz anders ist's mit der Komödie. Meiner Meinung nach wäre immer der Hauptgedanke einer Komödie eine Sache, einer Tragödie eine Person. Eine Mißheurat, ein Fündling, irgend eine Grille eines seltsamen Kopfs (die Person darf uns weiter nicht bekannt sein, als insofern ihr Charakter diese Grille, diese Meinung, selbst dieses System veranlaßt haben kann: wir verlangen hier nicht die ganze Person zu kennen). Sehen Sie, meine Herren, das wäre so meine Meinung über Shakespears Komödien – und alle Komödien, die geschrieben sind und geschrieben werden können. Die Personen sind für die Handlungen da – für die artigen Erfolge, Wirkungen, Gegenwirkungen, ein Kreis herumgezogen, der sich um eine Hauptidee dreht – und es ist eine Komödie. Ja wahrlich, denn was soll sonst Komödie in der Welt sein? Fragen Sie sich und andere! Im Trauerspiele aber sind die Handlungen um der Person willen da – sie stehen also nicht in meiner Gewalt, ich mag nun Pradon oder Racine heißen, sondern sie stehen bei der Person, die ich darstelle. In der Komödie aber gehe ich von den Handlungen aus, und lasse Personen Teil dran nehmen welche ich will. Eine Komödie ohne Personen interessiert nicht, eine Tragödie ohne Personen ist ein Widerspruch. Ein Unding, eine oratorische Figur, eine Schaumblase über dem Maul Voltairens oder Corneillens ohne Dasein und Realität – ein Wink macht sie platzen.

– – Das wär's nun, meine Herren! ich bin müde, Ihnen mehr zu sagen. Aber weil doch jeder Rauch machen muß, der sich unterstehen will, ein Feuer anzuzünden. Ich bin gewiß, daß es noch lange nicht genug war, Aufmerksamkeit rege zu machen – nichtsdestoweniger straft mich mein Gewissen doch, daß ich schon zuviel gesagt. Denn es ist so eine verdrüßliche Sache, von Dingen zu schwätzen, die sich nur sehen und fühlen lassen, über die nichts gesagt sein will – qui hedera non egent. Hätt ich nur mit diesen Anmerkungen das ausgerichtet, was Petronius in seinem Gastmahl des Trimalchion von – daß die Römer zwischen den ungeheuren Mahlzeiten der Saturnalien sich eines Brechmittels, auch wohl schnellwirkenden Purganz bedient, um sich neuen Appetit zu schaffen.

Wer noch Magen hat und ich kann ihm mit einem bisher unübersetzten – Volksstück – Komödie von Shakespearn aufwarten. – – Seine Sprache ist die Sprache des kühnsten Genius, der Erd und Himmel aufwühlt, Ausdruck zu den ihm zuströmenden Gedanken zu finden. Mensch, in jedem Verhältnis gleich bewandert, gleich stark, schlug er ein Theater fürs ganze menschliche Geschlecht auf, wo jeder stehn, staunen, sich freuen, sich wiederfinden konnte, vom obersten bis zum untersten. Seine Könige und Königinnen schämen sich so wenig als der niedrigste Pöbel, warmes Blut im schlagenden Herzen zu fühlen, oder kützelnder Galle in schalkhaftem Scherzen Luft zu machen, denn sie sind Menschen, auch unterm Reifrock, kennen keine Vapeurs, sterben nicht vor unsern Augen in müßiggehenden Formularen dahin, kennen den tötenden Wohlstand nicht. Sie werden also hier nicht ein Stück sehen, das den und den, der durch Augengläser bald so, bald so, verschoben drauf losguckt, allein interessiert, sondern wer Lust und Belieben trägt, jedermann, bringt er nur Augen mit und einen gesunden Magen, der ein gutes spasmatisches Gelächter – – doch ich vergesse hier, daß ich nicht das Original, sondern – eheu discrimina rerum – meine Übersetzung ankündige – mag er immerhin auftreten, mein Herkules, wär's auch im Hemd der Dejanira – –

# Über Götz von Berlichingen

Wir werden geboren – unsere Eltern geben uns Brot und
Kleid – unsere Lehrer drücken in unser Hirn Worte, Sprachen, Wissenschaften – irgend ein artiges Mädchen drückt
in unser Herz den Wunsch es eigen zu besitzen, es in unsere Arme als unser Eigentum zu schließen, wenn sich nicht
gar ein tierisch Bedürfnis mit hineinmischt – es entsteht
eine Lücke in der Republik wo wir hineinpassen – unsere
Freunde, Verwandte, Gönner setzen an und stoßen uns
glücklich hinein – wir drehen uns eine Zeitlang in diesem
Platz herum wie die andern Räder und stoßen und treiben –
bis wir wenn's noch so ordentlich geht abgestumpft sind und
zuletzt wieder einem neuen Rade Platz machen müssen –
das ist, meine Herren! ohne Ruhm zu melden unsere Biographie – und was bleibt nun der Mensch noch anders als
eine vorzüglich-künstliche kleine Maschine, die in die
große Maschine, die wir Welt, Weltbegebenheiten, Weltläufe nennen besser oder schlimmer hineinpaßt.

Kein Wunder, daß die Philosophen so philosophieren,
wenn die Menschen so leben. Aber heißt das gelebt? heißt
das seine Existenz gefühlt, seine selbstständige Existenz, den
Funken von Gott? Ha er muß in was Besserm stecken, der
Reiz des Lebens: denn ein Ball anderer zu sein, ist ein
trauriger niederdrückender Gedanke, eine ewige Sklaverei,
eine nur künstlichere, eine vernünftige aber eben um des-
sentwillen desto elendere Tierschaft. Was lernen wir hieraus? Das soll keine Deklamation sein, Ihr Herren, wenn Ihr
Gefühl Ihnen nicht sagt, daß ich recht habe, so verwünscht
ich alle Rednerkünste, die Sie auf meine Partei neigten, ohne
Sie überzeugt zu haben. Was lernen wir hieraus? Das lernen
wir hieraus, daß handeln, handeln die Seele der Welt sei,
nicht genießen, nicht empfindeln, nicht spitzfündeln, daß
wir dadurch allein Gott ähnlich werden, der unaufhörlich
handelt und unaufhörlich an seinen Werken sich ergötzt: das

lernen wir daraus, daß die in uns handelnde Kraft, unser Geist, unser höchstes Anteil sei, daß die allein unserm Körper mit allen seinen Sinnlichkeiten und Empfindungen das wahre Leben, die wahre Konsistenz den wahren Wert gebe, daß ohne denselben all unser Genuß all unsere Empfindungen, all unser Wissen doch nur ein Leiden, doch nur ein aufgeschobener Tod sind. Das lernen wir daraus, daß diese unsre handelnde Kraft nicht eher ruhe, nicht eher ablasse zu wirken, zu regen, zu toben, als bis sie uns Freiheit um uns her verschafft, Platz zu handeln: Guter Gott Platz zu handeln und wenn es ein Chaos wäre das du geschaffen, wüste und leer, aber Freiheit wohnte nur da und wir könnten dir nachahmend drüber brüten, bis was herauskäme – Seligkeit! Seligkeit! Göttergefühl das!

Verzeihn Sie meinen Enthusiasmus! Man kann nicht [zu] enthusiastisch von den Sachen sprechen; da unsere Gegner soviel Feuer verschwenden, uns das Leiden süß und angenehm vorzustellen, sollen wir nicht aus Himmel und Hölle Feuer zusammenraffen und das Tun zu empfehlen? Da stehn unsre heutigen Theaterhelden und verseufzen ihre letzte Lebenskraft einer bis über die Ohren geschminkten Larve zu gefallen – Schurken und keine Helden! was habt ihr getan, daß ihr Helden heißt?

Ich will mich bestimmter erklären. Unsre heutigen Schaubühnen wimmeln von lauter Meisterstücken, die es aber freilich nur in den Köpfen der Meister selber sind. Doch das beiseite, sein sie was sie sein was geht's mich an? Laßt uns aber einen andern Weg einschlagen, meine Brüder, Schauspiele zu beurteilen, laßt uns einmal auf ihre Folgen sehen, auf die Wirkung die sie im Ganzen machen. Das denk ich ist doch gewiß wohl der sicherste Weg. Wenn ihr einen Stein ins Wasser werft, so beurteilt ihr die Größe Masse und Gewicht des Steins nach den Zirkeln die er im Wasser beschreibt. Also sei unsere Frage bei jedem neuen herauskommenden Stück das große, das göttliche Cui bono? Cui bono schuf Gott das Licht: daß es leuchte und wärme, cui bono die Planeten: daß sie uns Zeiten und Jahre einrichteten, und so geht es unaufhörlich in der Natur, nichts ohne Zweck, alles seinen großen vielfachen nie von menschlichem Visierstab, nie von englischem Visierstab ganz auszumessenden Zweck. Und wo fände der Genius ein anderes, höheres, tieferes, größeres, schöneres Modell als Gott und seine Natur?

Also cui bono? was für Wirkung? die Produkte all der tausend französischen Genies auf unsern Geist, auf unser Herz, auf unsre ganze Existenz? Behüte mich der Himmel, ungerecht zu sein. Wir nehmen ein schönes wonnevolles süßes Gefühl mit nach Hause, so gut als ob wir eine Bouteille Champagner ausgeleert – aber das ist auch alles. Eine Nacht drauf geschlafen und alles ist wieder vertilgt. Wo ist der lebendige Eindruck, der sich in Gesinnungen, Taten und Handlungen hernach einmischt, der prometheische Funken der sich so unvermerkt in unsere innerste Seele hineingestohlen, daß er wenn wir ihn nicht durch gänzliches Stilliegen in sich selbst wieder verglimmen lassen, unser ganzes Leben beseligt; das also sei unsre Gerichtswaage nach der wir auch mit verbundenen Augen den wahren Wert eines Stücks bestimmen. Welches wiegt schwerer, welches hat mehr Gewicht Macht und Eindruck auf unsre Meinungen und Handlungen? Und nun entscheiden Sie über Götz. Und ich möchte dem ganzen deutschen Publikum wenn ich so starke Stimme hätte, zurufen: Samt und sonders ahmt Götzen erst nach, lernt erst wieder denken, empfinden, handeln, und wenn ihr euch wohl dabei befindet, dann entscheidet über Götz.

Also meine werten Brüder! nun ermahne und bitte ich euch laßt uns dies Buch nicht gleich nach der ersten Lesung ungebraucht aus der Hand legen, laßt uns den Charakter dieses antiken deutschen Mannes erst mit erhitzter Seele erwägen und wenn wir ihn gutfinden, uns eigen machen, damit wir wieder Deutsche werden, von denen wir so weit weit ausgeartet sind. Hier will ich euch einige Züge davon

hinwerfen. Ein Mann der weder auf Ruhm noch Namen
Anspruch macht, der nichts sein will als was er ist: ein
Mann. – Der ein Weib hat, seiner wert, nicht durch Schmeichelei sich erbettelt, sondern durch Wert sich verdient – eine
Familie, einen Zirkel von Freunden, die er alle weit stärkerer
liebt, als daß er's ihnen sagen könnte, für die er aber tut –
alles dran setzt ihnen Friede, Sicherheit für fremde unge-
rechte Eingriffe, Freude und Genuß zu verschaffen – sehen
Sie da ist der ganze Mann, immer weg geschäftig, tätig,
wärmend und wohltuend wie die Sonne, aber auch ebenso
verzehrendes Feuer, wenn man ihm zu nahe kommt – und
am Ende seines Lebens geht er unter wie die Sonne, vergnügt, bessere Gegenden zu schauen, wo mehr Freiheit ist,
als er hier sich und den Seinigen verschaffen konnte, und
läßt noch Licht und Glanz hinter sich. Wer so gelebt hat,
wahrlich, der hat seine Bestimmung erfüllt, Gott du weißt
es wie weit, wie s e h r, er weiß nur soviel davon als genug ist
ihn glücklich zu machen. Denn was in der Welt kann wohl
über das Bewußtsein gehen, viel Freud angerichtet zu haben.

Wir sind alle, meine Herren! in gewissem Verstand noch
stumme Personen auf dem großen Theater der Welt, bis es
den Direkteurs gefallen wird uns eine Rolle zu geben.
Welche sie aber auch sei, so müssen wir uns doch alle bereit
halten in derselben zu handeln, und je nachdem wir besser
oder schlimmer, schwächer oder stärker handeln, je nachdem haben wir hernach besser oder schlimmer gespielt, je
nachdem verbessern wir auch unser äußerliches und inner-
liches Glück.

Was könnte eine schönere Vorübung zu diesem großen
Schauspiel des Lebens sein, als wenn wir da uns itzt noch
Hände und Füße gebunden sind, in einem oder andern
Zimmer unsern Götz von Berlichingen, den einer aus unsern
Mitteln geschrieben, eine große Idee – aufzuführen versuch-
ten. Lassen Sie mich für die Ausführung dieses Projekts
sorgen, es soll gar soviel Schwürigkeiten nicht haben als Sie
sich anfangs einbilden werden. Weder Theater noch Kulisse

noch Dekoration – es kommt alles auf Handlung an. Wählen Sie sich die Rollen nach Ihrem Lieblingscharakter, oder erlauben Sie mir sie auszugeben. Es wird in der Tat ein sehr nützlich Amüsement für uns werden. Durchs Nachahmen durchs Agieren drückt sich der Charakter tiefer ein. Und Amüsement soll es gewiß dabei sein, da bin ich Ihnen gut vor, größer als Sie es jetzt sich jemals vorstellen können. Aber nur Ernst und Nachdruck bitt ich mir dabei von Ihnen aus, denn meine Herren Sie sind jetzt Männer – und ich hoff ich habe nicht mehr nötig, Ihnen den Ausspruch des Apostels Pauli zuzurufen: Als ich ein Kind war tat ich wie ein Kind, als ich aber ein Mann ward, legt ich das Kindische ab. Wenn jeder in seine Rolle ganz eindringt und alles draus macht was draus zu machen ist – denken Sie meine Herren! welche eine Idee! welch ein Götterspiel! Da braucht's weder Vorhang noch Bänke! Wir sind über die Außenwerke weg. Zwei Flügeltüren zwischen jeder Szene geöffnet und zugeschlossen – die Akte können wir allenfalls durch eine kleine Musik aus unsern eigenen Mitteln unterscheiden – Und kein Sterblicher darf zu unsern Eleusinis, bevor wir die Probe ein drei- viermal gemacht – und dann eingeladen alles was noch einen lebendigen Odem in sich spürt – das heißt, Kraft Geist und Leben um mit Nachdruck zu handeln.

Tantum

# Über die Veränderung
## des Theaters im Shakespear

Man hält sich an so verschiedenen Orten und auf so verschiedene Art über die Freiheiten auf, die sich dieser große, und ich sage es nicht aus Mode-Enthusiasmus, sondern mit der kältesten Überzeugung, größeste aller neuern dramatischen Dichter in Ansehung der Einheiten der Zeit und des Orts genommen. Man vergißt, daß er mitnichten der einzige gewesen, der es getan; daß schon die Alten, und wohl niemand mehr als Aristophanes, denen es doch wegen des Chors weit schwerer ward,* die Szene verändert, daß unter den neuern, selbst unter den Franzosen, Voltäre und andere, sich bei den trefflichsten Stellen ihrer Dramen dazu gezwungen gesehen. Man vergißt, daß auch Shakespear die Veränderung der Szene immer nur als Ausnahme von der Regel angebracht, immer nur höheren Vorteilen aufgeopfert, und je größer die dadurch erhaltenen Vorteile waren, desto mehr Freiheit in dem Stück dem Dichter zu gestatten, man in dem Augenblicke der Begeisterung gar kein Bedenken trug. Das entschuldigt aber gar nicht junge Dichter, die aus bloßem Kützel einem großen Mann in seinen Sonderbarkeiten nachzuahmen, ohne sich mit seinen Bewegungsgründen rechtfertigen zu können, ad libitum von einem Ort zum andern herumschweifen, und uns glauben machen wollen, Shakespears Schönheiten bestünden bloß in seiner Unregelmäßigkeit.

---

* Das Chor bei den Alten konnte nicht abgeschafft werden, es schmeichelte zu sehr der Eigenliebe eines republikanischen Volks, sich bei allen großen oder merkwürdigen Handlungen als Teilnehmer, oft als Richter zu sehen. Zugleich war es ein trefflicher politischer Kunstgriff der Dichter, die Eindrücke, die ihr Stück auf das Volk machen sollte, vorher zu bestimmen, und die Menge, die doch immer geführt sein will, und muß, durch das Beispiel ihrer Zeitverwandten zum Interesse zu nötigen.

Wie gesagt – und zum leztenmal sei es gesagt, über eine Materie, über die ich mich mit niemandem in Zank einlassen will: – Das Interesse ist der große Hauptzweck des Dichters, dem alle übrigen untergeordnet sein müssen – fodert dieses – fodert die Ausmalung gewisser Charaktere, ohne welche das Interesse nicht erhalten werden kann, unausbleiblich und unumgänglich Veränderung der Zeit und des Orts, so kann und muß ihm Zeit und Ort aufgeopfert werden, und niemand, als ein kalter Zuschauer, der bloß um der Dekoration willen kommt, kann und wird darüber murren. Fodert dieses es aber nicht, welcher echte Dichter wird seinen Schauspielern und Zuschauern mit Veränderung der Szenen beschwerlich fallen, da die Einheit der Szene ihm so offenbare Vorteile zur Täuschung an die Hand bietet. Der große Wert einer dramatischen Ausarbeitung besteht also immer in Erregung des Interesse, Ausmalung großer und wahrer Charaktere und Leidenschaften, und Anlegung solcher Situationen, die bei aller ihrer Neuheit nie unwahrscheinlich noch gezwungen ausfallen. Ein solches Theatergemälde kann und muß sich, wie jedes Meisterstück eines Genies, sei es in welcher Kunst es wolle, über alle Ungerechtigkeiten der Zeit hinaus erhalten, behauche es mit Neid oder Meistersucht, so oft und viel es beliebig, wer da wolle.

Dieses Räsonnement mit einer Urkunde zu bewähren, so ist im Hamlet die Verweisung des jungen Melancholikers aus Dännemark nach Engelland notwendig, um seinen Charakter und die in demselben liegende Haupthandlung des Stücks durch alle Zwischenfälle durchzuführen, und in ihr volles Licht zu setzen. Ein Pinselstrich wie der, da er in Engelland neugeworbenen Truppen begegnet, die für eine Hand voll Erde ihr Leben in die Schanze schlagen, und an ihrem Beispiel sogleich Gelegenheit nimmt, seine Saumseligkeit, für einen ermordeten Vater sein Leben dranzusetzen, zu verdammen, hält uns für die Aufopferung einiger hundert Meilen in unsrer Ideenfolge vollkommen schadlos. Wer aber in dieser Aufopferung, ohne eine Ursache dazu zu haben, eine Schönheit suchen, das heißt, den Leser mit allem kalten Blut das man ihm gelassen, zum Glauben an seinen Szenenwechsel zwingen wollte, würde ebenso töricht handeln, als der Verkäufer eines schlechten versauerten Landweins, der seinen Kunden, beim ersten Glase, das er an die Lippen setzte, überreden wollte, zu schwören, die Stube drehe sich mit ihm.

## Anhang

Ich kann nicht umhin, hier das Resultat einiger meiner Empfindungen bei der Vorstellung des Tugendhaften Verbrechers* niederzuschreiben, da es zur nähern Bestimmung des Satzes, inwieweit die Wandelbarkeit des Theaters der Täuschung vorteilhaft oder nachteilig sein könne, nicht wenig beitragen kann. Ganz überzeugt von dem Vorzug derjenigen Stücke, in welchen die Einheit des Orts beibehalten worden, wenn sie sonst an Güte den unregelmäßigen gleich kämen, ging ich hin, ich muß aber gestehen, daß ich mit ungemein veränderter Überzeugung zurückgekommen bin. Es hat weder am Schauspieler noch am Dichter gelegen, denn ich abstrahierte von beiden. Das unaussprechlich Interessierende dieser Geschichte, die gut und meisterhaft angelegten Situationen von Anfang, die Ahndung der Cidelise bei ihrer vorhabenden zweiten Verheuratung »es ist als ob mir jemand zuflüsterte: er ist hier, er ist nicht weit von dir« die unvermutete und doch höchst wahrscheinlich gemachte Erscheinung des Galeerensklaven, alles das überfüllte mein Herz mit der angenehmen Wollust der Schmerzen, wie sie Oßian nennt, die sich in Tränen Luft machen mußte. Aber, meine Herren, als ich weiter fortfuhr zuzusehen, ich kann mir's nicht leugnen, da war's, als ob mir jemand zuflüsterte: du bist ein Kind, daß du über solche Ungereimtheiten weinen kannst! Es hinderte nichts, daß ich

---

* Ein französisches Drama.

mir unaufhörlich in die Seele zurückrief: Die Geschichte ist wahr – sie war mir nicht wahrscheinlich, und wie groß war mein Erstaunen – soll ich sagen meine Schadenfreude, als ich dies demütigende Bekenntnis von dem Dichter selbst hörte, der es im letzten Akt Olbanen in den Mund legt: Cette Scène est trop vraie pour être vraisemblable. Wie denn, wenn das nicht Armut der Kunst ist, m. H. was soll es denn sein? Eine Geschichte, die in der Erzählung einen Bösewicht gläubig machen würde, in der Vorstellung unwahrscheinlich machen, soll ich's sagen? im letzten Akt kindisch behandeln. Aus allen diesen interessanten Personen Marionettenspieler machen? Wer kann es aushalten, bei Szenen, die durchaus aneinanderhängen sollen und müssen, die Liebhaberin, bloß weil es der Dichter so haben will, in dem nämlichen Augenblick, als er an seinem unsichtbaren Draht den Vater herbeizieht, ihrem Liebhaber das Geständnis, das er niemanden getan, ablocken zu sehen, zu sehn wie der alte Mann mit langsamen Schritten herbeirückt, um aus seinem Munde das Wort pour mon Père aufzuhaschen, und drauf mit einem bewundernswürdigen le voici zuschnappen zu können. Wo kommt der Vater her? ich sehe ihn, aber ich begreife ihn nicht, so wenig als das ganze Stück. Seine récits höre ich kaum, und was ich davon auffange, kommt mir vor, wie die contes de ma mère oye, die, wenn die starre stumpfe Bewundrung vorhergegangen ist, mich mit Ammengeschwätzigkeit überreden wollen, alles das sei natürlich zugegangen. Ich sehe, daß ich so sagen mag, lauter Folgen ohne Ursachen, Konklusionen ohne Prämissen, die kaum die Einbildungskraft eines Kindes glauben, geschweige die eines Mannes, sich davon rühren lassen kann. Wie also, wenn um gewisse Handlungen und Situationen, ich will nicht sagen gläublich, nur begreiflich zu machen, gewisse andere Handlungen und Situationen vorausgeschickt werden müßten, deren wir auf keine Art und Weise entraten könnten, ohne das ganze Vergnügen der Täuschung (des heiligsten Grundgesetzes aller Poeterei) aufzugeben? Das Theater ist ein Schauspiel der Sinne, nicht des Gedächtnisses, der Einbildungskraft. Wenn diesen notwendigen vorbereitenden Handlungen und Situationen zehnmal lieber Zeit und Ort aufgeopfert, als meine Sinne durch ungereimte Erscheinungen, wie in einem Schattenspiel, mehr befremdet und betäubt als gerührt würden; wenn z. B. in gegenwärtigem Stück die Situation des Vaters, als er auf die Galeere geschleppt werden sollte, die großmütige Aufopferung des Sohnes, die Bestürzung der Seinigen, mir vor die Augen gebracht worden wären, hieße das mit dem Ei der Leda anfangen? Ich meine nicht. Um wie ein großes würde die Wahrscheinlichkeit, und der Eindruck der Szene beim Hafen dabei gewinnen? Und wenn ich nur begreifen könnte, wie die Braut soeben zurecht nach Marseille gekommen wäre, wenn ich sie bei dem Tode ihres Mannes mit ihrem ganzen Vermögen aufsitzen gesehen, um ihren ersten Geliebten zu suchen, wenn sie dann, laß es sein ein sympathetischer Zug, nach dem Hafen von Marseille gezogen – und ich nun diesen unglücklichen Liebhaber als Galeerensklaven auf sie zukommen – wie würde sinnlicher Betrug von sinnlichem Betrug unterstützt, den hohen Grad der Täuschung den gewaltigen Schlag der Rührung vermehren? Soll ich mir alles dies jetzt in Gedanken vorstellen? Und warum in Gedanken? Weil ich mir keine Verwandlung der Szenen denken, mich nicht in Gedanken von einem Ort zum andern hinversetzen kann, das ich doch im Roman, das ich doch in diesem Schauspiel selbst tun muß, und mit unendlich mehr Mühe, da es mir nicht durch sinnliche Hülfsmittel erleichtert wird. Und was für Köpfe setzt der Dichter voraus bei dieser Zumutung, da seine geschraubte und gewundene Erzählung bei dem Zuhörer wahrhaftig kein Bild in der Seele zurücklassen wird. Unendlich phantasiereichere und genievollere Köpfe, als der seinige war, sich das Sinnliche gegenwärtig zu machen, was mit dem Feuer zu vergegenwärtigen, daß wir Zeit und Ort darüber vergäßen, er selbst verzweifelte. Aber die Stücke werden zu lang? Ha, wenn Maß, Ziel

und Verhältnis nicht in der Seele des Dichters ist, die drei
Einheiten werden es nicht hereinbringen. Hier eben ruhen
die Geheimnisse der Kunst, die zu entschleiern keine ver-
wegene Kunstlehrerhand vermögend ist. Der große Schlag
der Haupthandlung, zu dem alle übrigen nur untergeordnet
wirken, er entsteht in der Seele des Dichters, wie ein Don-
nerschlag am Himmel; wer will dem Gang und Weg vor-
zeichnen? Ein unvernehmlichs Krachen in den Wolken mit
tausend Wetterleuchten umher hat aber noch nie eingeschlagen.

# Rezension des Neuen Menoza

### von dem Verfasser selbst aufgesetzt

Es ist eine mißliche Sache von sich selber zu reden, wenn's aber nicht anders sein kann, und man sich durch Stillschweigen bei Welt und Nachwelt vom dem Verdacht der Unmündigkeit nicht lossagen könnte, so wird man freilich in die traurige Notwendigkeit versetzt, mit den andern Guckukken mit anzustimmen. Ich nenne einen Menschen unmündig, der von seinen Handlungen nicht Rechenschaft zu geben im Stande ist, und da andre mit ihrem Selbst zu sehr beschäftigt sind, mir diesen doch nicht unverdienten Dienst zu erweisen: so muß ich freilich selber hinter dem Vorhang hervorgehn, und meinem deutschen Vaterlande dartun, daß ich mit andern unberufenen Schmierern ihm wenigstens nicht beschwerlich worden bin. Alles fodert mich dazu auf, die gänzliche Vernachlässigung, und darf ich's sagen stillschweigende Gleichgültigkeit oder vielmehr Mißbilligung derer, die ich als den edlern Teil desselben, vorzüglich verehre, auf der einen; der Mißverstand, das falsche schielende Lob, der ungegründete Tadel gewöhnlicher Kunstrichter auf der andern Seite. Ich habe einen Freund, der sich Ruhm genug im Vaterlande erworben hatte, um zu meinem ersten Stücke seinen Namen herzugeben, und es so vor den niederschlagenden Beleidigungen und Anschielungen nirgend autorisierter Richter sicher zu stellen, ohne daß ich nötig gehabt durch Kabalen und Kunstgriffe, deren diese Herren gewohnt sind, ihre Gunst zu suchen. Ich bin der Ehre meines Freundes diese öffentliche Verteidigung meiner selbst schuldig: Er ist es, der meine Stücke, die ich ihm zu einer unschuldigen Ergötzung in der Handschrift zugeschickt, ohne mein Wissen und Zutun der Welt mitgeteilt: damit man nun nicht etwa glaube, ich habe hinter seinem Namen Schutz gesucht, und ihn aus seiner Gesellschaft nachteilig beurteile, will ich hiemit jedermann sagen, was ich von meinem Stück selber halte. Vorzüglich aber seh ich mich gedrungen neuauftretende Dramenschreiber in den Standpunkt zu stellen, aus dem sie meine bisherigen Arbeiten fürs Theater anzusehn haben, damit sie nicht etwa glauben, ich habe mich von den Einflüssen eines glücklichen oder unglücklichen Ohngefährs blindlings regieren lassen, niederzuschreiben was mir in die Feder kam. Ich habe etwa durch ihnen unbekannte Mittel, das Geheimnis gefunden, mir die Freundschaft eines oder des andern berühmten Mannes, und mittelst derselben Ruhm und Ansehn beim Publikum zu erwerben (worüber ich mich zur Zeit noch nicht beschweren kann), und sei dieses der Weg, auf dem sie mir nachzugehn hätten. Ich verachte diesen Weg und hier ist es der Ort, wo ich's einmal öffentlich sagen muß.

Mich wunderte der Kaltsinn im geringsten nicht, mit welchem das Publikum meinen Menoza aufgenommen: jedermann sieht leicht ein, daß ich mir nichts Gelinderes von demselben gewärtigen konnte. Ein Prinz, der ohne den geringsten Anteil, mit dem kalten Auge eines Beobachters, aber eines Beobachters, dem darum zu tun war, Wahrheit, Größe und Güte zu finden, von allen marktschreierischen Nachrichten, die ihm Jesuiten und Missionarien gaben, auf die höchste Erwartung gespannt, quer durch mein Vaterland reist und darinnen nun nicht viel findt, wenigstens das nicht findt, was er suchte, konnt in demselbigen sein Glück nicht machen. Es konnte an ihm gelegen haben, daß er die Vorzüge desselben nicht so aufempfand, aber niemand hat sich doch noch die Mühe gegeben, ihm dieses anschaulicher zu beweisen, als der Herr v. Biederling. Vielleicht hat ihn niemand der Mühe wert gehalten, indessen behält doch immer sein persönlicher Charakter, der ganze Entwurf und Endzweck seiner Reise mit dem unüberwindlichen und aushaltenden Entgegenstreben gegen alle Fährlichkeiten, Leiden, Verkennungen und Mißdeutungen, Anzügliches und Hochachtungswürdiges genug, um von denen, die sich von der Spreu in Kot getretner Menschen unterscheiden wollen, nachgeahmt zu werden. Ein Mensch, der alles, was ihm vorkommt, ohne Absichten schätzt, und in dem Maß als seine nicht versäumten Kenntnisse und Talente zureichen, ist, wenn er andern Leuten seine Urteile nicht aufdringen will, wie unsre Journalisten, immer ein hochachtungswürdiger, in unserm eigennützigen Jahrhundert, der einzige hochachtungswürdige Mensch.

Von der Seite hätt ich also wider die Kunst nicht verstoßen, das Publikum für meine Hauptperson einzunehmen, sobald das Publikum sich nur Zeit nimmt, oder ihm Zeit gelassen wird darüber nachzudenken. Aber da stehn freilich viel andre Sachen im Wege. Ich habe gegen diesen Menschen, gewöhnliche Menschen meines Jahrhunderts abstechen lassen, aber immer mit dem mir einmal unumstöß[lich] angenommnen Grundgesetz für theatralische Darstellung, zu dem Gewöhnlichen, ich möcht es die treffende Ähnlichkeit heißen, eine Verstärkung, eine Erhöhung hinzuzutun, die uns die Alltagscharaktere im gemeinen Leben auf dem Theater anzüglich interessant machen kann. Ich kann also dafür nicht, wenn Donna Diana gewissen Herren zu rasen scheint, die die menschliche Natur nur immer im Schnürleib des Etikette zu sehen gewohnt sind, und daß es solche Empfindungen gebe, können die, die in ähnlichen Umständen gewesen sind, doch nicht in Abrede sein.

Ich kann dafür nicht, wenn andre im Grafen Kamäleons einen unnatürlichen Bösewicht zu finden glauben, da wir doch Dichtungen dieser Art in der neusten Geschichte unsrer Tage überall, leider sowohl in südlichen als nördlichen Ländern, durch die Erfahrung häufig bestätigt finden. Glaubt man etwa, ich habe aus der Luft gegriffen, was bei mir halbe Authentizität eines Geschichtschreibers ist? Ich habe nur den Grafen Kamäleons erträgliche Farben geben wollen, um unser Auge nicht zu beleidigen. Das ist es, was ich schöne Natur nenne, nicht Verzuckungen in willkürliche Träume, die nur der schön findet, der wachend glücklich zu sein, verzweifeln muß.

So habe ich überall gemalt. Ich hoffe, die häufigen Zieraus unsers Vaterlands, werden's sich für eine Ehre halten, so dargestellt zu sein, soviel Beobachtungsgeist mit ihrem gewöhnlichen literarischen Geschwätz zu verbinden. Sähen die Herren es lieber, daß man ihre Blößen empfindlicher aufdeckte, so hängt Popens Geißel noch ungebraucht an der Wand: Wer weiß, wer sie einmal über Deutschland schwingt.

Beza ist der waisenhäuserische Freudenhässer, bloß weil es Freude ist, und er keinen schon in diesem Jammertal glücklichen Menschen leiden kann. Ich habe ihm den Anstrich von der orientalischen Modeliteratur gegeben, um ihn interessant zu machen. In der Tat lassen sich die beiden Extreme sehr wohl vereinigen, obschon ich in einer neuen Auflage des Menoza, die mir aber meine Freunde widerraten, aus den scheinbaren Widersprüchen dieses Charakters, zwei neue für sich bestehende Charaktere, zu schaffen willens war. Denn sobald der Gesichtspunkt des Theologen untheologisch ist, sind alle seine Aussichten verschoben, mag er nun von sanguinischen oder melancholischen oder hypochondrischem Temperament sein.

Herr Wieland irret sich, wenn er glaubt, daß ich in keiner andern Maske auftreten könne, um unsre heutige theatralische Kunst lächerlich zu machen, als der des Bürgermeister in Naumburg. So wie er sich irrt, wenn er Rotwelsch für meine Muttersprache hält. Und ich hoffe, wenn er sich die Mühe nähme dieses Rotwelsch (ich meine die A. ü. d. Th.) von Anfang bis zu Ende durchzulesen, er würde finden, daß er sich auch darin geirrt, daß ich ihn ausgeschrieben. Das ist überhaupt der Fehler eben nicht, den man mir vorzuwerfen haben wird, wenigstens sagt mir mein Gewissen nichts davon.

Das zu Romantische, das mehr als Englische und Spanische dieses Stücks, ist mir, ich muß es sagen, noch halb ein Rätsel, und wenn der Vorwurf gegründet wäre, eine der ersten Erfordernisse des Gegenstandes. In einem Stück, wo der Hauptheld höchst romantisch ist, muß alles übrige mit ihm nicht zu sehr absetzen, oder die ganze Harmonie schreit. Wir finden sogar in dem natürlichen Lauf der Dinge eine gewisse Übereinstimmung, einen Zusammenstoß seltsamer und außerorderlicher Begebenheiten, das auch das Sprichwort veranlaßt hat, kein Unglück kommt je allein. Bei einer Familie, die so aus ihrem Schwunge gebracht war, wie die Biederlingsche, waren ungewöhnliche Schicksale der Kinder, auch eben nichts Übernatürliches noch Unbegreifliches. Vertauschungen sind ja auch auf der Bühne nichts Fremdes, Giftmischereien nichts Unerhörtes. Deutlicher hätt ich in der Erzählung der Umstände sein können, die den Grafen dahin gebracht, durch Gustav den Vater seiner Donna, in Madrid, mit einem sogenannten Sukzessionspulver vergiften zu lassen, um desto bequemer mit ihr und seinem ganzen Vermögen entfliehn zu können, wenn ich nicht überhaupt alle Erzählungen auf dem Theater haßte. Indessen ist das in der Tat ein Fehler, den ich mir anrechne und der der Katastrophe im vierten Akt viel mehr Licht und Wahrheit würde gegeben haben. Ich möchte immer gern der geschwungnen Phantasei des Zuschauers auch was zu tun und zu vermuten übrig lassen, und ihm nicht alles erst vorkäuen. Gustav, das Werkzeug, der Frevel seines Herrn, bestraft ihn dadurch, daß er sich im Augenblick der höchsten Reue selbst bestraft. Wiewohl diese Entwickelung ist zu ernsthaft für eine Komödie, ich will mich also darüber erklären.

Ich nenne durchaus Komödie nicht eine Vorstellung die bloß Lachen erregt, sondern eine Vorstellung die für jedermann ist. Tragödie ist nur für den ernsthaftern Teil des Publikums, der Helden der Vorzeit in ihrem Licht anzusehn und ihren Wert auszumessen im Stande ist. So waren die griechischen Tragödien Verewigung merkwürdiger Personen ihres Vaterlandes in auszeichnenden Handlungen oder Schicksalen; so waren die Tragödien Schackespears, wahre Darstellungen aus den Geschichten älterer und neuerer Nationen. Die Komödien jener aber waren für das Volk, und der Unterscheid von Lachen und Weinen war nur eine

Erfindung späterer Kunstrichter, die nicht einsahen, warum der gröbere Teil des Volks geneigter zum Lachen als zum Weinen sein, und je näher es dem Stande der Wildheit oder dem Hervorgehn aus demselbigen, desto mehr sich seine Komödien dem Komischen nähern mußten. Daher der Unterschied unter der alten und neuen Komödie, daher die Notwendigkeit der französischen weinerlichen Dramen, die alle Spöttereien nicht hinwegräsonieren können, und die nur mit totalem Verderbnis der Sitten der Nation ganz fallen werden. Komödie ist Gemälde der menschlichen Gesellschaft, und wenn die ernsthaft wird, kann das Gemälde nicht lachend werden. Daher schrieb Plautus komischer als Terenz, und Moliere komischer als Destouches und Beaumarchais. Daher müssen unsere deutschen Komödienschreiber komisch und tragisch zugleich schreiben, weil das Volk, für das sie schreiben, oder doch wenigstens schreiben sollten, ein solcher Mischmasch von Kultur und Rohigkeit, Sittigkeit und Wildheit ist. So erschafft der komische Dichter dem Tragischen sein Publikum. Ich habe genug geredt für die, die mich verstehen wollen, und verstehen können. Ich spreche hier keinem einzigen Künstler was ab, sondern will bloß die Grundsätze meiner Kunst, die ich mir von den berühmtesten alten Künstlern abgezogen, und lange mit ganz warmer teilnehmender Seele durchdacht habe, dem Publikum vorlegen. Wer bedenkt, was das Theater für Einflüsse auf eine Nation haben kann, wird sich mit mir für eine Sache interessieren, die in Theaterzeitungen und Almanachen gewiß nicht ausgemacht werden wird. Ich habe nie ans Publikum etwas gefodert, ich weiß auch nicht, ob einige meiner Stücke, die hie und da bei meinen Freunden in Handschriften liegen, Verleger finden werden. Mögen meine Freunde damit machen was sie wollen, nur begegne man mir, der nie Vorteile bei seinen Autorschaften gesucht, noch erhalten hat, sondern ewig das güldne angustam amice pauperiem pati studieren wird, nicht als einem Menschen, den man ums Brot beneidet.

# Über die Bearbeitung der deutschen Sprache im Elsaß, Breisgau, und den benachbarten Gegenden

### In einer Gesellschaft gelehrter Freunde vorgelesen

Schon lange habe ich gewünscht, Ihnen ein Vorschlag näher legen zu können, dem Zeit und Umstände allein bisher nicht haben zulächeln wollen. Wir alle sind Deutsche. Mit Vergnügen, aber mit heimlichem, habe ich bisher aus einigen Ihrer Vorlesungen gesehen, daß selbst die Obermacht einer herrschenden, und was noch weit mehr ist, verfeinerten Sprache den alten Hang zu dem mütterlichen Boden Ihres Geistes, ich meine, zu unserer nervichten deutschen Sprache, nicht habe ersticken können. Bleiben Sie ihm treu. Alle Ihre kindischen und nachher männlichen Vorstellungen und Gefühle sind auf diesem Boden erwachsen, wollen Sie denen entsagen, weil Sie Untertanen einer fremden glücklichen Regierung sind? Eben weil diese Regierung menschenfreundlich und beglückend ist, fodert sie diese Aufopferung von Ihnen nicht; der Geist, m. H. leidet keine Naturalisationen, der Deutsche wird an der Küste der Kaffern so gut als in Diderots Insel der Glückseligkeit* immer Deutscher bleiben, und der Franzose Franzos.

Vielmehr kann Ihnen diese Nachbarschaft, diese vertraute Bekanntschaft mit einer fremden gebildeten Sprache, zur Bearbeitung Ihrer eigenen, große Hülfsmittel an die Hand bieten, deren manche Ihrer Landsleute entbehren. Sehn Sie den unleidlich gedehnten schwäbischen Dialekt, der noch in diesen Gegenden herrschet, mit all seinen Provinzialwörtern und oft hier allein noch erhaltenen uralten Wortfügungen und Redegebräuchen als die Fundgrube an, aus der Sie mit Hülfe der geschliffenern Ausdrücke und Redearten der

---

* Le Fils naturelle. Drame.

Franzosen als mit Werkzeugen unbezahlbare Schätze für unsere gesamte hochdeutsche Sprache herausarbeiten können. Hüten Sie sich aber, die Werkzeuge zu dem Sprach-Schatz schlagen zu wollen; hieraus würde ein Deutsch-französisch entstehen, das der Reinigkeit beider Sprachen gleich gefährlich werden könnte.

Unsere Sprache ist noch zur Zeit in den mehresten Kreisen Deutschlands (ich nehme hier nur den Ober- und Niedersächsischen aus) sehr arm und doch unaussprechlich reich. Das heißt, sie ist wenig bearbeitet, und hat übermäßigen Vorrat. Vielleicht macht uns diese Armut wie die Gold und Silber mit Füßen tretenden Schweizer glücklicher, weil jede Bearbeitung der Sprache bei den buhlenden Schriftstellern in derselben gar zu gern in ein schallreiches Geschwätz ausartet. Doch deucht mich, könnte da leicht ein Mittelweg gefunden werden, und wir sind eben durch die Beispiele unserer Nachbaren gewitzigt, in dem Fall, durch ihren Schaden klug zu werden. Das heißt dem Übel an der Wurzel vorzubeugen, und das durch einen gewissen Lakonismus, der eigentlich nichts als eine Sparsamkeit unnötigen Aufwandes, und eben das, was bei einer Maschine die Berechnung der Kräfte zu den Wirkungen ist.

Wohllaut in der Sprache besteht nicht in der Menge, sondern in der Auswahl der Wörter; nur der Reiche kann zehn unwichtige Ausdrücke stehen lassen, und mit dem eilften bezaubern. Alle Redseligkeit ist glänzende Armut, flitternder Komödiantenstaat; doch kann auch die Kürze zur Affektation ausarten.*

---

* Ich finde diese Anmerkung zu machen nötig, wegen des im südlichern Deutschland hauptsächlich Mode gewordenen sogenannten coupierten Styles, der eigentlich nichts als der zusammengezogene Styl ist, und bei Stellen, die Nachdruck und vorzügliche Wärme erfodern, seine gute unleugbare Wirkung tut. Eben deswegen aber muß er nicht bei unerheblichen Veranlassungen gebraucht, nicht gemein gemacht werden, oder er macht in der Rede grade den Übelstand, den die Stellung eines Menschen, der zu einem gewaltigen Schlage ausholt, machen würde, wenn er sich dieselbe als seine Lieblingsstellung in Gesellschaften angewöhnen wollte: man würde ihn auslachen.

Dürft ich Ihnen also für die Zukunft unmaßgeblich vorschlagen, meine Herren, Versuche zu machen, wie ehemals übliche, oder vielleicht noch unter einer gewissen Klasse von Leuten gebräuchliche Redensarten zu der Summe unsers gesamten Hochdeutsch geschlagen werden können. Ich nenne Hochdeutsch nicht das in gewissen Kreisen Deutschlandes durch berühmte Schriftsteller in Gang gebrachte Deutsch, nach dessen Analogie zwar die andern Kreise und Provinzen ihre Landessprache bilden könnten, das aber bei weitem noch nicht der allgemein angenommene Münzfuß für alle Wörter und Redensarten in den übrigen Gegenden Deutschlands ist, noch sein darf. Zu diesem gehört Zusammentreten mehrerer Gesellschaften, deren Mitglieder aus den verschiedensten Ständen ausgewählt sein müssen, um eine verständliche Sprache für alle hervorzubringen. Die Schönheit und Bildung dieser Sprache überläßt man freilich den einsichts- und geschmackvollesten Mitgliedern dieser Gesellschaften, die eine weitausgebreitete und verdaute Belesenheit, sowohl in den alten als neuen Schriften unserer Gelehrten aller Gattungen, als der Schriftsteller des Altertums und unserer Nachbarn besitzen. Diese aber müssen durchaus die übrigen ihrer Nation zu Rate ziehn, widrigenfalls sie wie die Werkmeister am Turm zu Babel nie dürften verstanden werden. So allein können wir uns griechische Ründe, römische Stärke, englischen Tiefsinn, französische Leichtigkeit zu eigen machen, ohne das Eigentümliche unserer Sprache zu verlieren, welches Kürze und Bestimmtheit ist, die wir aber nach Maßgabe der Umstände und Zwecke ausdehnen und verwandeln können; ein Vorzug unserer Sprache, den wir der ruhigen und gründlichen Anlage unsers Nationalcharakters zu danken haben, der in der Tat dazu gemacht ist, in Werken des Geistes Gesetzgeber aller benachbarten Nationen zu werden.

Mir scheinen in unserer Sprache noch unendlich viele Handlungen und Empfindungen unserer Seele namenlos, vielleicht weil wir bisher als geduldige Bewunderer alles Fremden uns mit auswärtigen Benennungen für einheimische Gefühle begnügt haben, die denn nicht anders als schielend ausgedruckt werden konnten. Hier ist ein Gegenstand, der der Anstrengung Ihrer Kräfte würdig wäre, da Sie, als Vertraute dieser fremden Sprachen, und gleichsam im Mittelpunkt von drei der gebildtesten Nationen Europens, von Franzosen, Italienern und Deutschen, diesen Mangel am ersten empfinden müssen. Auch mit den Engländern und Holländern stehen wir, besonders was den handelnden Teil betrifft, in sehr engen Beziehungen. Nur ein kleines Beispiel geben die Wörter interessieren, frappieren, saisieren, die alle einem großen Teil von Menschen nur durch weitläuftige Umschreibungen können verständlich gemacht werden, und deren wir doch im gemeinen Leben so nötig haben. Intrigieren, kultivieren, kompromittieren und unzählige andere mehr, sollten unsere alten Schriftsteller, wenn man sie studierte, für ähnliche Umstände keinen Namen gehabt haben, und werden wir, wie verständige Kameralisten, unserm Vaterlande nicht unsterbliche Dienste erweisen, wenn wir Landesprodukte nicht in fremden Ländern aufsuchen, auf Kosten unserer ganzen Art zu denken, zu empfinden, und zu handeln, auf Kosten unsers National-Charakters, Geschmacks und Stolzes? Ich billige den Nationalhochmut nie, aber sich freiwillig in den Fall setzen, anderer Leute nötig zu haben, wenn man dessen entübrigt sein kann, ist eine Trägheit, die gar zu gern in sklavische Unterwürfigkeit ausartet, und den Adel der Seele tötet.

Ich bin auf diese Ausdrücke eifersüchtiger als auf Worte, die Sachen oder Werkzeuge bezeichnen, weil sie auf Sinnesart und Handlungen wirken. Daß eine andere Nation es in dieser und jener Kunst weiter gebracht habe, können wir ihr leicht zugestehen, willig uns zu ihr in die Schule geben; aber daß sie Herrscher unserer Seele und deren Bewegungen sein soll, wo der Vorzug ihrer Art zu empfinden nicht ausgemacht ist, muß jeden wahren Patrioten schmerzen. Daher allein kommt es, daß wir bisher (aus einer nur faulen nicht edlen Selbsterniedrigung) unsern Nachbarn zum Gelächter haben dienen müssen.

Alle rauhe Sprachen sind reicher als die gebildeten, weil sie mehr aus dem Herzen als aus dem Verstande kommen. Bei den Rauhen ist es Bedürfnis, die die Wörter macht, bei den Gebildeten Übermut. Bei den ersten hat jedes Wort seine Stelle von der Natur angewiesen, seine geflissenste Bestimmtheit und bleibenden Wert, bei den andern verjährt dieses, erhält sich jenes mehr aus Eigensinn der Mode als aus Verdienst. Sehen Sie die gefährliche Klippe, an der unsere Sprache gegenwärtig schifft. Das *ut silvae pronos mutantur in annos*, des galanten Horaz, hat es nicht zuletzt den gänzlichen Verfall der römischen Sprache, und mit ihr der Wissenschaften, verursacht? Scheint es nicht mit manchen neuern schon denselben Weg nehmen zu wollen? Welch ein Unterscheid unter ihren ältern und neuern Produkten, welche Stärke in jenen, welche Kraftlosigkeit in diesen? Lassen Sie uns also nicht wie sie, aus unbedachtsamen Jugendkützel, unsere Quellen verschütten, lassen Sie uns vielmehr dahin zurückkehren, und sie gegen den Übermut des alleszerstörenden Witzes verteidigen! Gotisch sollte uns kein so verhaßtes Wort sein; auf gotischen Grund und Boden alle Vorzüge fremder Nationen zu verpflanzen, sollte unser höchster Stolz sein. Wenn also diejenigen Provinzen Deutschlands, in denen sich noch die meisten Überreste der gotischen Sprache und Denkart erhalten haben, mit denen zusammenträten, die von unsern Nachbaren schon das Gepräge angenommen, wenn jede berühmte Stadt Deutschlandes Beiträge zu einem Idiotikon gäbe, das mehr auf die urältesten Wörter und deren Bedeutungen als auf die heutigüblichen sähe, und sodann auf einem Klopstockischen Landtage der ältesten und einsichtsvollesten Gelehrten jedes Orts auf ein Vereinigungsmittel, auf einen nicht einseitigen despotischen, sondern republikanischen Sprachgebrauch gedacht würde – unsere Sprache wie ein Baum der seine Wurzeln im ganzen Vaterlande ausgebreitet hat, und von allen Orten her gleichmäßigen Zufluß der Säfte empfängt, würde von den Winden der Mode und des Leichsinns nichts zu befürchten haben.

Von jeher ist die Philosophie, oder vielmehr die Sucht zu philosophieren, wenn sie Mode ward, der Sprache am gefährlichsten gewesen. So war die griechische Sprache bis auf die Zeiten des Sokrates stark wie ein Löwe, dieser in allem andern Betracht unsterbliche Mann ward doch der Sprache durch das Raffinement, das er in dieselbe brachte, gefährlich, er verachtete die komischen Dichter, die ihre Rechte noch unter dem Volk behaupteten, und die natürliche Sprache rächte sich auf eine höchst unnatürliche Art an der gekünstelten. Die auf ihn folgenden Philosophen behielten aber dennoch das Übergewicht, die Dichter gediehen nicht mehr, die ersten Bedürfnisse und Gefühle der Menschen wurden durch die dritte Hand angedeutet, die Sprache verlor das Herzliche, und die Vernunft, die sich so schwer mitteilt, konnte nur den Witz zu Hülfe nehmen.

Welch Feuer herrscht in den Plautinischen Stücken? Horaz, mehr Philosoph als Dichter, fand sie platt. Indessen war die stoische Philosophie, die karglaut war, der Sprache doch zuträglicher, als die nachher überhand nehmende epikureische, die schon Bedürfnisse verschleiern mußte, um sie angenehmer zu machen; das heißt, die ebenso viel Räubereien an der Sprache beging, und das, was sie nur einem gewissen unnatürlichen Reiz gab, dem Gefühl entzog. Die Satyre pflegt gemeinhin der letzte Nachschößling einer absterbenden Sprache, das heißt einer Sprache ohne Dichter zu sein. Darf ich's sagen, daß nach Boileau und Popen sich die Dicht-Kunst unserer Nachbarn noch kaum hat erholen können. Die Satyre reduziert die Einbildungskraft auf Vernunft, und führt, wenn sie übertrieben wird, eine falsche Scham ein, die allen freien Gebrauch der Sprache hindert. Glückliches Land, wo die Satyre nur verdorbene Sitten trifft, und falscher Geschmack nur durch das ernste Stillschweigen der Weisheit zur Selbsterkenntnis gebracht wird!

Wenn wir in die Häuser unserer sogenannten gemeinen Leute gingen, auf ihr Interesse, ihre Leidenschaften acht gäben, und da lernten, wie sich die Natur bei gewissen erheischenden Anlässen ausdrückt, die weder in der Grammatik noch im Wörterbuch stehen; wie unendlich könnten wir unsere gebildete Sprache bereichern, unsere gesellschaftlichen Vergnügen vervielfältigen? Ich setze voraus, daß dies mit Geschmack, mit Gefühl des Anständigen, des jedem Verhältnisse Angemessenen geschähe, das die wahre Philosophie allein lehren kann, die freilich heutzutage, leider, noch kein Stück unserer öffentlichen Erziehung ausmacht. Unsere Operetten haben das Glück, das sie auf der Bühne gemacht, bloß den veredelten Gefühlen und Ausdrücken der Natur zu danken, die sie aus den geringern Ständen in unsere verdorbenen und ausgeschliffenen Gesellschaften übergetragen. Wie, wenn wir uns zu Zeiten im ersten besten Bürgerhause die Operette selber gäben, die Natur auf dem Punkt der Leidenschaft ertappten, und ihr da Ausdrücke abstöhlen, die uns schon mit der Sache selber auf ewig verschwunden geschienen? Wie würden uns da erst über den Reichtum unserer Sprache die Augen aufgehen, und mit Zuziehung unserer alten Quellen hundert eingeschlichene Wörter fremder Sprachen verrufen werden?

Überhaupt, m. H. muß man handeln um reden zu können. Ich fürchte mich hier, was hinzuzusetzen, wenn Ihnen das was ich damit sagen will, nicht von selbst einleuchtet. Welch ein Unterscheid unter einer Sprache die nur erlernt ist und einer die wir uns selber gelehrt haben? Das erste macht Papageien, das andere Menschen. Verzeihen Sie, wenn mich hier der Enthusiasmus zu weit führt. Ich habe kein Buch in einer fremden Sprache leichter und geschwinder, daß ich es sagen mag ohne Lehrmeister verstanden, als wenn ich's in einer ähnlichen Lage der Seele las, in der der Verfasser geschrieben.

Soll ich noch Bewegungsgründe brauchen, Ihnen die Anschaffung einiger Glossarien, und einiger andern merkwürdigen alten und neuen deutschen Bücher und deren Studium anzupreisen? Soll ich Ihnen zu bedenken geben, wieviel nicht allein in den Wissenschaften, wieviel selbst im Handel und Wandel, und allen andern Begegnissen des menschlichen Lebens, die Liebe und die Freundschaft selbst nicht ausgenommen, auf die Sprache ankomme, auf die Art andern seine Gedanken und Wünsche auszudrücken? Die Natur hat schon die Tiere gelehrt, sich durch gewisse Laute und Schreie miteinander zu verbinden; das hülfloseste unter allen Tieren, der Mensch, hat dieses innigen Bandes aller Gesellschaft und Menschenliebe am meisten vonnöten. Treffen wir mit andern in Ansehung unserer gemeinschaftlichen Sprache keine Verabredung, so vereinzeln wir uns selbst auf die allergrausamste Weise. Sind es gar Leute, mit denen wir zu teilen haben, und verstehen nicht alle Schattierungen in ihrer Sprache, so entstehen daraus unzählige Verwirrungen und Mißverständnisse, die oft mit der Zeit zu Haß, Feindseligkeiten, und Untergang ganzer Familien, Gesellschaften und Nationen ausschlagen können. Wie vielen wechselseitigen Bedürfnissen könnte aber auch in den Provinzen Deutschlands abgeholfen werden, wenn sich die Leute ganz verständen, und durch ein gewisses allgemeines Band näher zusammengezogen würden!

# Versuch über das erste Principium der Moral

Das Studium der Moral ist zu allen Zeiten eine der vorzüglichsten Beschäftigungen des menschlichen Verstandes gewesen: und in der Tat sollte es, wenn wir eine vollkommene Erziehung auf unsrer Erde erwarten könnten, die erste sein. Da die Moral die Lehre von der Bestimmung des Menschen und von dem rechten Gebrauch seines freien Willens um diese Bestimmung zu erreichen ist, so sehen wir klar, daß sie die Zeichnung zu dem ganzen Gemälde unsers Lebens enthält, welcher wir, je nachdem sich bei reiferem Alter und fruchtbaren Umständen unsere Fähigkeiten entwickeln, Licht Schatten und Kolorit geben.

Diese Moral muß aber auf gewissen festgesetzten unumstößlichen Gründen beruhen, sonst wird das ganze Gebäude unproportioniert und schwankend. Nichts ist aber der menschlichen Natur unwürdiger, als Handlungen die nach keinem Ziel gehen. Ja ich möchte (wenn es hier nicht noch zu frühe wäre) sagen, nichts ist unangenehmer und unseliger als ein solches absichtloses Betragen. Denn daß das wahre Vergnügen in mehr als einer bloßen Kützelung unserer Sinne bestehe, werden Sie mir auch unbewiesen zugeben.

Ich habe mir vorgenommen, Ihnen m. H., nach meiner gewöhnlichen Art, über diese ersten Gründe der Moral einige leichte, ohne Zusammenhang scheinende Anmerkungen hinzustreuen. Es ist kein Glaubensbekenntnis, es sind Meinungen, die mir aber so lange als bare Münze gelten, bis ich sie gegen bessere auswechseln kann. Wenn ein Sokrates, der andere in den Sphären herumreisen ließ, unterdessen in sich selbst zurückschauerte und sein eigen Herz, die reichhaltigste Goldgrube, durchforschte, wenn ein Sokrates gestehen mußte, er habe noch nichts gelernt, als daß er nichts wisse – was sollen wir sagen, meine Herren?

Der menschliche Verstand ist von der Art, daß er in jeder Wissenschaft, oft in seiner gesamten Erkenntnis, auf ein erstes Principium zu kommen strebt, welches alsdenn die Basis wird auf der er baut, und, wenn er einmal zu bauen angefangen, von welcher er nie wieder abgeht, es müßte dann der Herr vom Himmel selbst herabfahren und ihm die Sprache verwirren.

Soll ich aufrichtig reden, so deucht mich dieses Verfahren des menschlichen Verstandes allemal ein wenig vorwitzig und wo ich irre, bestätigt die Erfahrung meinen Verdacht. Wir sind einmal zusammengesetzte Wesen und eine unendliche Reihe von Begriffen aus einem ersten einzigen Begriff herzuleiten, wird uns vielleicht erst dann möglich sein, wenn unsre ihrer Natur nach einfache Seele von dieser wunderlich zusammengesetzten Masse Materie getrennt ist, an die es dem Schöpfer gefallen, sie festzumachen, so wie Jupiter in der Fabel den ehrlichen Prometheus der aus dem Himmel Feuer stehlen wollte, fein unterwegens an den Kaukasus schmiedete.

Mich deucht, wir haben in der Republik der Gelehrten Erfahrungen genug gehabt, wieviel Irrungen schon aus der gefährlichen Einheitssucht, dem Bestreben alles auf eins zurückzubringen, entstanden. Mich hier in einen Detail einzulassen, dazu würde Ihnen die Geduld und mir die Zeit mangeln. Doch, Sie dürfen nur ein wenig um sich her, ein wenig ins Vergangene zurücksehen. Wie erschröcklich viele Sekten und Stifter derselben in allen Provinzen der Wissenschaft, wovon jeder einen andern Standpunkt genommen, aus dem er alle Dinge um sich herum ansieht, aus dem er eine Linie ins Unendliche zieht und derselben so steif und fest folgt als Theseus dem Faden der Ariadne; ob sie ihn aber allezeit so glücklich aus dem Labyrinth heraushilft, ist eine andere Frage. Mir wenigstens kommen diese kühnen Stifter neuer Sekten, die durchaus und durchein allein behaupten den echten Punkt der Wahrheit getroffen zu haben, wie blinde Hähne auf einem großen Haufen Schutt vor: jeder von ihnen bekommt statt des Weizenkörnchens Sand in die Klaue und jeder kräht: εὕϱηϰα.

Der Moral ist es nicht besser gegangen. Statt daß mancher rechtschaffene Barbar diese liebenswürdige Göttin in ihrer himmlischen ersten Nacktheit mit seinen beiden Augen ansah, so machten die alten Philosophen schon alle nach der Reihe das eine Auge zu und visierten nach dem ersten einzigen Grundsatz derselben, oder welches einerlei ist nach dem summum bonum. Plato zog seine Linie in die Sphären, Diogenes in den Kot, Zeno in eine absolute Notwendigkeit, Epikur grade in das Weinglas. Jeder von diesen Herren hat fürtreffliche Wahrheiten gesagt, aber keiner von ihnen hat sein Ziel getroffen. Budsdo ein japanischer Philosoph glaubte sogar das summum bonum im Nichts anzutreffen. Er und seine Anhänger verschlossen sich deshalben zu ganzen Tagen in dunkle Zimmer, um sich bei Zeiten an das liebe Nichts zu gewöhnen. Man sollte fast glauben, er habe durch dieses drolligte System ein Emblem der andern moralischen Systeme geben und sich über sie lustig machen wollen. Keinem von allen diesen Herren aber ist es eingefallen, das erste Principium der Moral, das summum bonum in uns selber zu suchen.

Hieher, m. H., linksumgemacht – Ehe wir ins Unendliche reisen, lassen Sie uns hier stille stehen und fragen, wohin wir reisen wollen.

In der Tat, die menschliche Vernunft gleicht dem Auge eines Übersichtigen, das Gegenstände von halben Stunden weit aufnimmt, was aber nahe bei ihm steht, nie sehen kann. Und die Wahrheit, um recht verborgen zu bleiben, stellt sich oft ganz nahe bei uns, oder sie macht es wie Diogenes, der einen Schützen die Scheibe verfehlen sah, sich vor dieselbe hinstellte und sagte: da bin ich am sichersten.

Glauben Sie aber nicht, m. H., wenn ich Sie jetzt zum Dreifuß Ihres eigenen Herzens führe um sich über Ihre große Reise durchs Leben dort Rats zu erholen, daß es Ihnen von dem ersten und einzigen Principium des ganzen moralischen Systems Nachricht geben wird. Nein, m.H., geben Sie das einzige erste Principium nur ganz dreist in allen Wissenschaften auf, oder lassen Sie uns den Schöpfer tadeln, daß er uns nicht selbst zu einem einzigen Principium gemacht hat. Ich weiß wohl, daß gewisse Psychologen uns gern überreden möchten wir wären entweder ganz Geist, oder ganz Materie. Aber warum fürchten denn alle Nationen des Erdballs den Tod, da sie doch sehen, daß kleine niedliche Würmer von uns essen, die ebenso gut Materie sind als wir. Warum verlieren wir lieber einen Arm, ein Bein, als den Kopf, an dem die Materie nichts mehr wiegt, als an jenen. Ja dort oben in der Zirbeldrüse sitzt etwas, das sagt: Ich bin, und wenn das Etwas fort ist, so hört das Ich bin auf. Wenn Hände Mund und Kehle ganz unbesorgt daran arbeiten, Speise und Trank in unsern Magen hinabzuschicken, so ruft der fremde Herr dort oben in der Zirbeldrüse einmal über das andere: Halt lieber Mund! es ist zuviel lieber Mund! du wirst dir den Magen verderben. Kurz meine Herren wir sind Hermaphroditen, gedoppelte Tiere sowohl in unserm Wesen, als in unsern Kenntnissen und den Prinzipien derselben. Newton hätte uns gern auf eine einzige Kraft zurückgeführt um alle Phänomene der Naturlehre daraus abzuleiten. Aber was war zu tun, er fand zwo, die anziehende und die zurückstoßende Kraft und bei diesen zwoen mußte er stille stehen. Noch ein Beispiel und dann wollen wir näher zur Sache. Herr Batteux schwur hoch und teuer das erste Principium aller schönen Künste gefunden zu haben. Ahmet der schönen Natur nach! Was ist schöne Natur? Die Natur nicht wie sie ist, sondern wie sie sein soll. Und wie soll sie denn sein? Schön ‒ ‒ Ein treffliches Principium, das mir meine Frage mit andern Worten zurück gibt. Home fand zwei Principia des Schönen, Einheit und Mannigfaltigkeit und mir daucht er hat seine beiden Augen gebraucht, da jener das eine zumachte und mit dem andern schielte.

Wir wollen also die Frage verändern und anstatt: Was ist das erste – soll es heißen: Welches sind die ersten Principia der Moral, aus welchen wir uns ein richtiges, festes und dauerhaftes System derselben entwickeln können.

Und diese Frage soll uns unser Herz beantworten. Ich wünschte einen Feuerfunken in diese dunkle Kammer hinabbringen zu können, der mit schwachem zitterndem Licht uns die innere Einrichtung unserer Maschine nur ein wenig helle machen könnte. Es sind zwei Räder da, oder lieber ohne Allegorie zu sprechen, zween Grundtriebe, welche mit verborgener Gewalt allen Handlungen unsers ganzen Lebens ihre Richtung geben. Nehmen Sie es mir nicht übel meine H. selbst die Stille, die jetzt in diesem Zimmer herrscht, die Geduld mit der Sie meinem Geplauder zuhören, ist eine Wirkung und Beweis derselben.

Ja, ja, es liegen zween Triebe in unserm Herzen, wie sie hineingekommen, mag der liebe Gott wissen, was wir darüber sagen können, wird immer mangelhaft sein. Genug, sie sind da, und sie sollen die zween Füße sein, auf welchen wir den Körper unserer Moral zu stehen machen wollen und diese Füße werden uns, ich versichere Sie, geschwind und leicht zum Ziel tragen, da wir auf einem allein nur langsam dahinhinken würden.

Diese beiden Grundtriebe die in die menschliche Natur von ihrem Schöpfer gelegt sind, heißen: der Trieb nach Vollkommenheit und der Trieb nach Glückseligkeit.

Aber jetzt bitte ich Sie, mich vollends auszuhören. Lossprechen, Beifallen und Verdammen sind lauter Sachen, die das Anhören voraussetzen, sonst sind sie nach aller Menschen Urteil ungerecht. [Sie werden mir gleich beim ersten Wort, da ich von Vollkommenheit rede, denselben Vorwurf machen, den meine Nasenweisigkeit dem Herrn Batteux gemacht, nämlich daß ich in meiner Antwort auf die Frage die ich dieser Abhandlung zum Titel beigelegt, Ihnen nichts mehr als Ihre Frage in andern Worten zurückgebe. Hören

Sie also meine Definition, oder vielmehr Deskription von der Vollkommenheit, einem Wort, das den meisten Menschen, ich weiß nicht warum? nicht gefällt und das sie so gern mit dem Wort Glückseligkeit verwechseln, welches doch in der Tat, wenn wir mit allen Worten genau bestimmte Begriffe verbinden wollen, eine von derselben ganz unterschiedene Bedeutung hat.]

Was ist Vollkommenheit? – Wir haben von Natur gewisse Kräfte und Fähigkeiten in uns, die wir fühlen, das heißt nach der Baumgartischen Art zu reden, uns ihrer bewußt sind – und je mehr sie sich entwickeln, desto deutlicher fühlen, oder welches einerlei ist, desto deutlicher uns ihrer bewußt werden. Ob dieses Gefühl angenehm sei, brauche ich Sie wohl nicht zu fragen. Sie fühlen sich alle, m. H. Ihr erstes Gefühl muß sehr klein gewesen sein: als Ihre Kräfte noch in Windeln lagen, weinten Sie. Aber Sie werden sich auch wohl zu erinnern wissen, daß Ruhe und Heiterkeit in Ihrer Seele mit dem erweiterten Gefühl Ihrer Fähigkeiten zunahmen. Und noch jetzt, welche Stunden Ihres Lebens sind wohl glücklicher als die, in welchen Sie das größte Gefühl Ihres Vermögens um mit Ossian zu sprechen, oder das höchste Bewußtsein Ihrer gesamten Fähigkeiten haben? Der Trieb nach Vollkommenheit ist also das ursprüngliche Verlangen unsers Wesens, sich eines immer größern Umfanges unserer Kräfte und Fähigkeiten bewußt zu werden. Es versteht sich am Rande, daß hier Fähigkeiten des Geistes und Körpers samt und sonders verstanden werden, und inwiefern einer auf diese, der andere auf jene einen höhern Wert setzt, insofern sind auch die Begriffe der Vollkommenheit verschieden.

Eine schöne Moral, werden Sie sagen, läßt sich hieraus folgern. Nicht zu frühzeitig mit den Folgerungen, m. H. Ich habe mit diesen letzten Worten nur anzeigen wollen, was ist, nicht was sein soll. Um den wahren Begriff der Vollkommenheit zu erlangen, müssen wir in die Kenntnis des Menschen ein wenig tiefer hineingehn, Erfahrungen anstellen, sie vergleichen, und die Vernunft entscheiden lassen. Da aber nichts so schwer ist, als sich selbst ganz kennen zu lernen, so sehen Sie selbst, daß wir hier für unser ganzes Leben, vielleicht auch fürs künftige Stoff genug finden, uns zu beschäftigen. Nichts in der Welt ist zu einer absoluten Ruhe geschaffen und unsere Bestimmung scheint gleichfalls ein immerwährendes Wachsen, Zunehmen, Forschen und Bemühen zu sein. Wir sollen immer weiter gehen und nie stille stehen.

Soviel aber denke ich haben wir aus unsern eigenen und aller unserer Nebenmenschen Erfahrungen in unserm aufgeklärteren Zeitalter schon gelernt, daß unter allen unsern Fähigkeiten die unsers Geistes, und unter diesen die sogenannten obern Seelenkräfte, die edlern, die andern also ihnen untergeordnet sind. Nach dieser Proportion müssen wir also auch sie zu entwickeln und zu erhöhen suchen. Da aber alle in einem unauflöslichen unendlichfeinen Bande miteinander stehen, so sind die andern ebenso wenig zu verabsäumen. Und dieses nach der verschiedenen Einrichtung eines jeden Individuums: sein inneres Gefühl seine gemachten Erfahrungen und die Entscheidung seiner Vernunft wird ihn darin am besten unterrichten. Genug es muß in unserm Bestreben nach Vollkommenheit eine gewisse Übereinstimmung aller unserer Kräfte zu einem Ganzen, eine gewisse Harmonie sein, welche eigentlich den wahren Begriff des höchsten Schönen gibt. Sehen Sie nun, daß die Linien des wahren Schönen und des wahren Guten im strengsten Verstande, in einen Punkt zusammenlaufen?

Bedenken Sie wohl, m. H., daß ich hier von einer menschlichen Vollkommenheit rede. Ich hoffe nicht, daß mir hier der Einwurf wird gemacht werden, daß, da Gott die ersten Menschen gut erschaffen, sie meinen Begriffen zufolge gar keine Moral müßten gehabt haben. Gut, m. H., hieß bei den ersten Menschen, fähig zur Vollkommenheit, aber noch nicht vollkommen, denn sonst würden sie nicht gefallen sein. Alle Geschöpfe vom Wurm bis zum Seraph

müssen sich vervollkommnen können, sonst hörten sie auf
endliche Geschöpfe zu sein, und würden sich nach dem
Platonischen Lehrbegriff ins unendliche und allervollkommenste Wesen verlieren.

Noch einen Trieb haben wir in uns, der den Trieb nach
Vollkommenheit beständig begleitet, den ich aber nicht
sowohl einen Grund- als einen Hülfstrieb nennen kann
und dieses ist der Trieb – uns mitzuteilen. Wir suchen alle
Fähigkeiten und Kräfte, deren wir uns bewußt sind, auch
andern um uns herum fühlbar zu machen und eben dieses ist
das einzige Mittel, dieselben zu entwickeln und zu erweitern. Die meisten, die größten und fürtrefflichsten unserer
Fähigkeiten liegen tot, sobald wir aus aller menschlichen
Gesellschaft fortgerissen uns völlig allein befinden. Daher schaudert unserer Natur für nichts so sehr, als einer
gänzlichen Einsamkeit, weil alsdenn unser Gefühl unserer
Fähigkeiten das kleinstmöglichste wird. Sehen Sie hier die
Weisheit des Schöpfers, sehen Sie hier den Keim der Liebe
und aller gesellschaftlichen Tugenden auf den ersten Grundtrieb nach Vollkommenheit gepfropft. Mich über diese
Materie weiter auszulassen würde sehr überflüssig sein, da
ich Sie nur auf die unter Ihnen allen noch unvergessene
Abhandlung des Herrn Salzmann verweisen darf.

Eins muß ich hier noch aufnehmen und dieses ist die
Untersuchung auf welchem Grunde das Ideal einer reinen
Freundschaft beruhe. Die Freundschaften aus Eigennutz,
aus Eitelkeit, aus unlautern Absichten sind der menschlichen
Natur unwürdig. Die Freundschaften des Umgangs sind nur
der Halbschatten einer echten von allem Eigennutz gereinig-
ten Freundschaft. Die Freundschaft aus Sympathie, das ist,
die bei dem ersten Blick wegen eines je ne sais quoi geschlos-
sen werden, sind unzuverlässig, nicht dauerhaft, und allemal
verdächtig weil sie bloß in der Phantasei ihren Grund haben.
Welches ist denn nun das Ideal der Freundschaft? Wir
Menschen können uns von andern niemals Begriffe machen,
wenn wir sie nicht mit uns selbst vergleichen. Wir selbst sind

immer der Maßstab nach welchem wir Personen außer uns
messen. Wahre Vollkommenheit kann also niemand gehörig
schätzen, als der sie selber besitzt. (Bedenken Sie, daß ich
hier von lauter Idealen rede.) Wahre Freundschaft beruht
also einzig auf das wechselseitige Gefühl unserer Vollkommenheit, oder, um jetzt menschlich zu reden, auf das
wechselseitige Gefühl unsers Bestrebens nach Vollkommenheit.

Aber, was wird denn nun aus dem andern Fuß Ihres
moralischen Körpers aus der Glückseligkeit werden, hör ich
Sie fragen. Ist das Gefühl unserer Fähigkeiten nicht das, was
unsere ganze Glückseligkeit ausmacht? Und sind Vollkommenheit und Glückseligkeit also nicht gleichgültige Begriffe?

Nein, m. H. Die Glückseligkeit, die ich meine (und hier
müssen wir durchaus bestimmte Begriffe haben), ist von der
Vollkommenheit wesentlich unterschieden. Die Vollkommenheit beruht auf uns selber, die Glückseligkeit nicht. Die
Vollkommenheit ist eine Eigenschaft, die Glückseligkeit ist
ein Zustand.

Was ein Zustand sei – Sie werden so unbarmherzig nicht
sein und von mir eine ontologische Definition fodern. Sie
würde Ihnen doch keinen deutlichern Begriff dieses Worts
geben, sie würde vielleicht auf nichts weiter hinauslaufen, als
zu sagen: Ein Zustand ist status, und status ist ein Zustand.
Sehen Sie das Wort selbst an, der anschauende Begriff eines
Zustandes wird Ihnen sagen, daß es eine gewisse Lage, eine
gewisse Relation unsers Selbst mit den Dingen außer uns sei.
Ferner, daß es in der ganzen Schöpfung nur zween mögliche
Zustände gebe, die Ruhe und die Bewegung. Der Zustand
einer absoluten Ruhe hat, wie die Physiker lehren, in unserer Welt keine Statt, die Ruhe der Materie selbst ist eine
entgegengesetzte Bewegung gleicher Kräfte, die sich untereinander aufheben. Die Geisterwelt kennen wir freilich
nicht, wir sehen aber als täglicher Erfahrung an unserm
lieben Hausherrn unserer Seele, daß die Geister noch weniger als die Materie zur absoluten Ruhe gemacht sind. Wenn

also die Frage ist, welcher Zustand für unser Ich das aus Materie und Geist zusammengesetzt ist, der glücklichste sei, so versteht es sich zum voraus, daß wir hier einen Zustand der Bewegung meinen. Ich muß mich darüber näher erklären.

Sie haben gehört, eine absolute Ruhe ist (ich will das wenigste sagen) in diesem Leben unserm Ich kein möglicher Zustand. Also wollen wir die absolute Ruhe in Miltons Chaos und alte Nacht hin verweisen. Es gibt aber eine relative Ruhe welche, wenn wir sie auf unser Ich anwenden, nichts ist als der geringste Grad der Bewegung. Es sei also die Frage, welcher Zustand ist der glücklichste für uns. Die Antwort ist flugs fertig, derjenige, welcher unserer Vollkommenheit, dem Umfange unserer Fähigkeiten am angemessensten ist. Nun kommt es darauf an, zu zeigen, welcher Zustand unserer Vollkommenheit der angemessenste sei.

Rousseau ist für den Zustand der Ruhe, oder der kleinstmöglichsten Bewegung. Allein sollte dieser Zustand einem Wesen wohl der angemessenste sein, welches in sich einen Grundtrieb zu einer immer höheren Vervollkommnung, zu einer immer weitern Entwickelung seiner Fähigkeiten spürt? Nein! Der höchste Zustand der Bewegung ist unserm Ich der angemessenste, das heißt derjenige Zustand, wo unsere äußern Umstände unsere Relationen und Situationen so zusammenlaufen, daß wir das größtmöglichste Feld vor uns haben, unsere Vollkommenheit zu erhöhen zu befördern und andern empfindbar zu machen, weil wir uns alsdenn das größtmöglichste Vergnügen versprechen können, welches eigentlich bei allen Menschen in der ganzen Welt in dem größten Gefühl unserer Existenz, unserer Fähigkeiten, unsers Selbst besteht.

Woher denn nun aber die verschiedenen Begriffe der Menschen von der Glückseligkeit, die spanischen Schlösser, die die Phantasei jedes Menschen auf eine andere Art zusammensetzt und wenn man sie ihm bestreiten will, sogleich mit dem Sprüchwort verteidigt: De gustibus non est disputandum? Darüber m. H. ließe sich ein Buch schreiben. Ich will aber versuchen, Ihnen die ganze Schwürigkeit mit zween Worten zu heben. Aus der unrichtigen Kenntnis seiner selbst. Der Wollüstling fühlt bloß seine Sinnlichkeit. Er würde erschröcklich böse werden, wenn man ihm anschauend und lebendig zu erkennen gäbe, daß er höhere Fähigkeiten habe, deren Gefühl ihn unendlich mehr belustigen würde. Der Hochmütige fühlt nur diejenigen Fähigkeiten in sich, die er andern empfindbar machen kann. Daraus wird mit der Zeit ein Bestreben, andern mehr zu fühlen zu geben, als er selbst fühlt. Daraus wird eine Überredung eine Persuasion von höhern Fähigkeiten in sich, als da sind, das heißt, er glaubt sich selbst vollkommener, als er sich wirklich fühlt. Lachen Sie nicht über diese Scheinwidersprüche, es ist Wahrheit darinne. Zugleich überhebt ihn diese Persuasion der Mühe zu wachsen, in seiner Vervollkommung weiter zu gehen. Gefährlicher Irrtum! der in der Tat unglücklich macht, ihn täglich unglücklicher macht, je länger er stille steht. Denn das falsche Gefühl von Fähigkeiten verdunkelt sich zuletzt immer selber und kann nur mit gewaltsamer Anstrengung in unserer Seele erhalten werden, welche gewiß kein Vergnügen ist. Der Geizige als bloßer Geizige ist niemals glücklich, ja er ist nicht einmal so dreist, eine Glückseligkeit zu wünschen, weil er sich immer heimlich fürchtet, sie möchte ihm Geld kosten. Das Geld hat nur den Wert eines Mittels, wodurch wir uns in den Zustand auf dieser Welt versetzen können, der unsern Fähigkeiten der angemessenste scheint. Wenn wir aber dieses Mittel nie dazu brauchen, so zeigen wir ja offenbar, daß wir keine Fähigkeiten weder des Körpers noch des Geistes haben, die wir zu entwickeln, deren wir uns bewußt zu werden suchen. Der eigentliche Geizige ist also das elendeste und unglücklichste unter allen Tieren, weil er nie hoffen kann sich einiger

Fähigkeiten des Geistes oder Körpers bewußt zu werden: daher haben dergleichen Leute schwarzes Blut, melancholische dunkle Köpfe, unbehülfliche Gliedmaßen und lachen niemals, wenn andere Leute lachen. – Der Geizige aus Absichten ist nur alsdenn glücklich wenn er seine Absichten erreicht und alsdenn kommt es darauf an, wie edel oder unedel diese Absichten sein, nach diesem Maßstabe ist er mehr oder weniger glücklich – oder um nicht nach seinen eigenen Begriffen uns auszudrücken, weniger oder mehr unglücklich.

Wir sind also nur alsdenn wahrhaftig glücklich wenn wir in einem Zustande sind, in welchem wir unsere Vollkommenheit auf die leichteste und geschwindeste Art befördern können, das heißt, in welchem wir die Fähigkeiten unsers Verstandes, unsers Willens, unserer Empfindungen, unserer Phantasei, aller unserer untern Seelenkräfte, hernach auch unserer Gliedmaßen und unsers Körpers immer mehr entwickeln verfeinern und erhöhen können und zwar in einer gewissen Übereinstimmung der Teile zum Ganzen, in einer gewissen Harmonie und Ordnung, welche uns unsere Vernunft, die von allen Vorurteilen befreit ist und die höchste Oberherrschaft über alle unsere übrigen Seelenvermögen erhalten hat, selbst lehren wird.

Gott gibt uns unsern Zustand, unsere Glückseligkeit und zwar (dies lernen wir aus der großen Weltordnung und eigenen täglich und stündlich anzustellenden Erfahrungen) nach Maßgebung unserer Vollkommenheit, das heißt, unsers Bestrebens nach Vollkommenheit. Diesen Lehrsatz so lebendig zu erkennen, dessen so gewiß zu sein, daß wir uns durch keine Scheinwidersprüche darin irre, oder davon abwendig machen lassen, nenne ich: Glauben. Es ist dieses der moralische, oder wollen Sie lieber, der natürliche Glaube, an ein Wesen, das uns die ganze Schöpfung und der Trieb nach Vollkommenheit und nach einem Zustande der dieser Vollkommenheit der beförderlichste ist, schon als das allervollkommenste Wesen kennen gelehrt hat. Diesen Glauben hat schon ein Sokrates wiewohl dunkel bei sich gespürt: ja dieser Glaube macht eigentlich an sich schon den Hauptgrund unserer Glückseligkeit aus. Es ist eine gänzliche Ergebung in den göttlichen Willen, die von einer süßen innern Empfindung der alles erfüllenden Gottheit begleitet ist. Dieses war die Empfindung in der sich Henoch nach dem Ausdruck der Originalsprache mit Gott zerwandelte, und von der er in der Tat nur eine kleine Stufe brauchte, um bis in den Himmel zu rücken. Dieses war die Empfindung von welcher David begeistert sang: Wenn ich nur dich habe, so frage ich nichts nach Himmel und Erden. Und wenn mir Leib und Seele verschmachtete, so bleibst du Gott doch meines Herzens Trost und mein Teil.

In der Tat, m. H., wenn Gott uns nicht unsern Zustand gäbe – wie elend würden wir sein? Wir mit unserer spannelangen Vernunft, wir die wie Kinder anzusehen, welche das Feuer für was Angenehmes halten, weil es rot aussieht, und schnell mit beiden Händen hineingreifen.

Sollen wir aber nichts zu Verbesserung unsers Zustandes tun, hör ich Sie fragen. Sollen wir Gott versuchen und lauter Wunder von ihm erwarten?

Hören Sie was wir tun müssen, hören Sie es, merken Sie es, dies ist der fruchtbarste Teil meiner Prinzipien. Wir müssen suchen andere um uns herum glücklich zu machen. Nach allen unsern Kräften arbeiten, nicht allein ihre Fähigkeiten zu entwickeln, sondern auch sie in solche Zustände zu setzen, worin sie ihre Fähigkeiten am besten entwickeln können. Wenn jeder diesen Vorsatz in sich zur Reife und zum Leben kommen läßt, so werden wir eine glückliche Welt haben. Jeder sorgt bloß für des andern Glück und jeder wird selbst glücklich, weil er um sich herum Leute findet, die für das seinige sorgen. Diese beständig wachsame und wirkende Sorgfalt für den Zustand meines Nebenmenschen wird auch das beste Mittel sein, hier in dieser Welt meine Fähigkeiten zu entwickeln, meine Vollkommenheit zu befördern.

O wie bezaubernd ist die Aussicht in eine solche Welt! Das ist das Reich Gottes auf Erden um dessen Ankunft uns Christus im Vaterunser beten lehrt.

Aber – ach diese Welt, ist keine solche Welt. Jeder sorgt nur für seinen eignen Zustand, für den Zustand seines Nachbaren aber schließt er die Augen zu. Und sollen wir Moralisten – sollen wir Christen uns darin nicht von dem gemeinen Haufen unterscheiden? Das ist eben der große Probierstein von der Wahrhaftigkeit und Realität unsers Glaubens. Frisch an die Arbeit, meine Brüder, die ihr Mut genug habt, Menschenfreunde zu sein. Überlaßt euren Zustand dem Gott der die Welt geschaffen, strebt einzig und allein darnach besser zu werden und eure Nebenmenschen um euch herum nicht allein besser, sondern auch glücklich zu machen!

Es ist schwer – es ist unmöglich –

Stille – Hier gehe ich von der Moral zur Religion über.

Es ist seltsam, daß man unter der natürlichen und theologischen Moral einen Unterscheid macht, gleich als ob die ewigen Gesetze Gottes über unser Verhalten nicht zu allen Zeiten dieselben gewesen wären. Die Bibel ist uns nicht gegeben uns eine neue Moral zu lehren, sondern nur die einzige und ewige Moral, die der Finger Gottes in unser Herz geschrieben, in ein neues Licht zu setzen. Der Mensch war verblendet worden von dem Leben das aus Gott ist, und die Absicht des Erlösers war, wie er selber sagt, nicht das Gesetz aufzuheben, sondern es zu erfüllen, uns dasselbe also durch seine Lehre und Beispiel von neuem vor die Augen zu legen und zu empfehlen. Ja sogar, die Übereinstimmung seiner Lehre mit dieser Moral ist die einzige Probe der Göttlichkeit derselben. Wenigstens ist dieser Beweis mir allezeit der einleuchtendste und kräftigste gewesen und er selbst beruft sich darauf, wenn er die Pharisäer tadelt, die nicht glauben sobald sie keine Zeichen und Wunder sähen, wenn er mit klaren Worten spricht: Wer den Willen tut meines Vaters im Himmel, der wird sehen, ob meine Lehre von Gott sei.

Unsere ganze Religion und die Absicht der Sendung Christi beruht also bloß auf neuen Motiven, höheren Bewegungsgründen, die uns der barmherzige Gott zur Aufmunterung und Hülfe auf dem steilen und schweren Wege nach Vollkommenheit und Glückseligkeit hinzugetan. Und welches waren diese? Ich will versuchen einen unvollkommenen Abriß davon zu geben. Zuerst steht, die nähere Bekanntmachung seines Willens hierüber durch Jesum Christum unsern Messias. Welch eine Aufmunterung, wenn Gott vom Himmel das bestätigt, was mir mein Herz zugeflüstert hat. Der Wille Gottes war der Inhalt der Lehre Christi. Und Christus sagt: Seid vollkommen, wie euer Vater im Himmel vollkommen ist. Und von der Glückseligkeit – merken Sie diesen Ausspruch: Trachtet am ersten nach dem Reich Gottes – ich habe schon vorhin gesagt, daß ich in der Tat das Reich Gottes auf Erden für nichts anders als das beständige Bestreben aller Menschen einander glücklich zu machen, halte – so wird euch das übrige zufallen. Sorget nicht – euer himmlischer Vater weiß was ihr bedürfet. – Das ist aber noch nicht genug: ein höheres Motiv ist das große Gemälde das unser Heiland uns in seinem Leben aufgestellt hat. Das ist eine lebendige Rede, oder vielmehr ein redendes Leben, welches wenn wir es anschauend erkannt, wir nicht unnachgeahmt lassen können. Jesus Christus, der auch wie wir an Gebärden als ein Mensch erfunden ward, nahm zu an Alter Weisheit und Gnade bei Gott und den Menschen. Er dachte nie an seinen eigenen äußerlichen Zustand, er hatte nicht wo er sein Haupt hinlegte, er suchte nicht seine eigne Ehre, aber er zog umher, lehrte, tat wohl und beförderte die Ehre Gottes. Er ging so weit in der Aufopferung seines eigenen Glückes, daß er nicht allein sein Leben, sondern sogar – und bei dieser Tat schauert das innerste Wesen meiner Seele, die höchste die einzigmögliche Glückseligkeit, die Gemeinschaft mit Gott aufgab und sich am Kreuz drei Stunden von Gott verlassen sah – Das ist der einzige Begriff, den wir in der Bibel von einer Hölle haben. Und er – der nächste an der Gottheit – in diesen drei Stunden von ihr am weitesten entfernt – o gottseliges kündlich großes Geheimnis in welches die Engel zu schauen gelüstet! eine Liebe, die wir mit verhülltem Antlitz und im Staube angehefteter Vernunft anbeten müssen.

So hoch kann unser nachahmendes Wohlwollen nie steigen, aber eben daher entsteht das dritte Motiv zu unserm Bestreben nach Vollkommenheit, die Lehre von dem Verdienst Jesu Christi, von dem vollgültigen Verdienst seines Lebens Leidens und Sterbens. Nichts ist so niederschlagend, als wenn man einen Endzweck nicht allein nicht erreicht, sondern auch nicht zu erreichen hoffen kann. Und wenn ihr alles getan habt, sagt Christus, so seid ihr unnütze Knechte. Dieses legen viele ihrer Faulheit zu einem Polster unter und glauben das beste sei, nichts zu tun. Erschröckliche Erklärung die unsere ganze Religion umwirft und der Absicht Gottes gerade entgegen läuft. Eben darum weil wir nicht alles tun können, und wenn wir es getan hätten, wir dennoch kein für Gott geltendes Verdienst haben würden, so sollen wir durch den Glauben uns das vollgeltende Verdienst des vollkommensten Menschen Jesu Christi zueignen und um dessen willen allein die Annäherung zu Gott, das heißt die ewige Seligkeit hoffen und erwarten. Dies ist der geistliche oder wenn Sie lieber wollen der theologische Glaube, der unserer ganzen moralischen Gemütsverfassung und wenn sie auch die vollkommenste wäre, ganz allein die Krone aufsetzen kann und muß. Er ist, wenn ich mit Baumgartenschen Ausdrücken reden soll: Complementum moralitatis.

Noch viele Motiven unserer geheiligten Religion übergehe ich weil ich hier mir nicht zum Ziel gesetzt, ein Lehrgebäude der Religion zu geben, sondern nur einige Linien der Moral zu ziehen, welche sich in unsere geoffenbarte Religion verlieren, wie kleine Flüsse in den Ozean.

Die uns von Gott verheißene unmittelbare Unterstützung unserer Bestrebung nach Vollkommenheit ist uns, wenn wir unsere Bemühungen undankbar finden eine herrliche Aufmunterung von neuem anzufangen, wenn wir uns aber einiger glücklich geratenen Versuche zu sehr überheben, eine göttliche Demütigung.

Das größeste und letzte Motiv, das uns unsere Religion zur Vollkommenheit gibt ist die Aussicht in ein ewiges Leben, die Verheißung des einstigen Anschauens, der nächsten Erkenntnis und Empfindung Gottes, als worin die höchste Glückseligkeit besteht, welche uns in der Hl. Schrift unter verschiedenen sinnlichen Vorstellungen angedeutet wird, weil wir noch zu unfähig sind, sie uns einmal anders zu denken. O wie kann eine Glückseligkeit höher steigen, welch ein Zustand kann alle in uns liegende Menschenkräfte mehr entwickeln, erhöhen und vervollkommnen als die unmittelbare anschauende Erkenntnis des, der da wohnet in einem Licht, da niemand zukommen kann, welchen kein Mensch gesehen hat, noch sehen kann, Ihm sei Ehre in Ewigkeit.   Amen.


Jetzt will ich mit zwei Worten zu unserer Moral zurückkehren. Sie sehen, daß die Vollkommenheit der erste Punkt ist, nach dem wir visieren, die Glückseligkeit aber, oder der dieser Vollkommenheit gemäßeste Zustand, der andere. Sie sehen, daß die Glückseligkeit zugleich ein Bewegungsgrund wird, warum wir Vollkommenheit suchen, weil wir sonst keine wahre Glückseligkeit finden, und umgekehrt, daß die Vollkommenheit der Bewegungsgrund ist, warum wir Glückseligkeit suchen, weil, wenn wir keine Fähigkeiten hätten, wir auch keinen Zustand suchen würden, der diese Fähigkeiten immer weiter entwickeln kann.

Sehen Sie hier, m. H., meine Moral auf zween Füßen, der eine unterstützt den andern wechselsweise und auf beiden schreitet man mit Leichtigkeit zu seinem Ziel fort.

Was helfen aber diese Spekulationen, wenn sie nicht ausgeübt werden. Ich habe mit einigem Widerstande sie aufgeschrieben, bloß um Ihnen m. H. Gelegenheit zu geben, Ihr Nachdenken zu üben und selbst zu einiger Gewißheit zu gelangen. Ich kann geirrt haben. Ich will mein ganzes Leben hindurch lernen. Solange man mich nicht eines Bessern belehrt, gehe ich auf diesem Wege fort und glaube, daß es besser sei, des HERRN Willen zu tun, als ihn bloß zu wissen.

# Über die Natur unsers Geistes

Eine Predigt über den Prophetenausspruch:
Ich will meinen Geist ausgießen über alles Fleisch
vom Laien

Ich will mich hier in keine metaphysischen Untersuchungen einlassen, nur das Brauchbarste sagen, was unsern Geist in der zu seinem Glück notwendigen Spannung zu erhalten vermögend ist.

Je mehr ich in mir selbst forsche und über mich nachdenke, desto mehr finde ich Gründe zu zweifeln, ob ich auch wirklich ein selbstständiges von niemand abhangendes Wesen sei, wie ich doch den brennenden Wunsch in mir fühle. Ich weiß nicht der Gedanke ein Produkt der Natur zu sein, das alles nur ihr und dem Zusammenlauf zufälliger Ursachen zu danken habe, das von ihren Einflüssen lediglich abhange und seiner Zerstörung mit völliger Ergebung in ihre höheren Ratschlüsse entgegensehen müsse, hat etwas Schröckendes – Vernichtendes in sich – ich weiß nicht wie die Philosophen so ruhig dabei bleiben können.

Und doch ist er wahr! – Aber mein traurendes, angsthaftes Gefühl darüber ist ebenso wahr. Ich appelliere an das ganze menschliche Geschlecht, ist es nicht das erste aller menschlichen Gefühle, das sich schon in der Windel und in der Wiege äußert – unabhängig zu sein.

Wie denn, ich nur ein Ball der Umstände? ich –? ich gehe mein Leben durch und finde diese traurige Wahrheit hundertmal bestätigt. Wie kommt es aber, daß wenn ich meine Schicksale erzähle, ich alle meinen Witz aufbiete, meine Schicksale soviel ich kann, mir unterzuordnen, meiner Klugheit, meiner Würksamkeit, woher kommt denn die Gewissensangst die ich zugleich dabei fühle, du hast vielleicht nicht soviel dazu beigetragen als du dir einbildest – die Mühe mit der ich diese Skrupel zu überwinden, hundert kleine Zwischenfälle zu vergessen suche, um mich selbst mit dem stolzen Gedanken zu täuschen, das tatst du, das wirktest du, nicht das wirkte die Natur, oder der Zusammenstoß fremder Kräfte. Dieser Stolz – was ist er? wo wurzelt er?

Sollte er nicht ein Wink von der Natur der menschlichen Seele sein, daß sie eine Substanz die nicht selbstständig geboren, aber ein Bestreben ein Trieb in ihr sei sich zur Selbstständigkeit hinaufzuarbeiten, sich gleichsam von dieser großen Masse der ineinanderhangenden Schöpfung auszusondern und ein für sich bestehendes Wesen auszumachen, das sich mit derselben wieder nur soweit vereinigt, als es mit ihrer Selbstständigkeit sich vertragen kann. Wäre also nicht die Größe dieses Triebes das Maß der Größe des Geistes – wäre dieses Gefühl über das die Leute so deklamieren, dieser Stolz nicht der einzige Keim unsrer immer im Werden begriffenen Seele, die sich über die Welt die sie umgibt zu erhöhen und einen drüber waltenden Gott aus sich zu machen bestrebt ist. Können die Helvetiusse und alle Leute die so tief in die Einflüsse der uns umgebenden Natur gedrungen sind, sich selbst dieses Gefühl ableugnen das das aus ihnen gemacht hat was sie geworden sind?

Die allerunabhängigste Handlung unsrer Seele scheint das Denken zu sein – es war der einzige Rat den die ohnmächtige menschliche Weisheit oder Erfahrenheit bekümmerten Unglücklichen geben konnte, sie sollten über die Natur ihres Unglücks nachdenken, philosophieren – das heißt sich gewissermaßen über ihre Umstände hinaussetzen, und den Schwung der Unabhängigkeit gegeben. So sehr man auch wider diesen Trost der Stoiker deklamiert hat, so ist er doch nicht so ungegründet, wenn man nur Stärke genug hat die Probe zu machen, welche Stärke eben sich nur in sich selbst vermehren kann. Und die Erfahrung hat's zu allen Zeiten bewiesen, daß es solche Leute gab, bei denen ihr Stolz (gütige Gabe des Himmels) das Gegengewicht gegen die schmerzhaftesten Gefühle hielt. Es muß also dieses Gefühl das angenehmste beglückendste – und auch unentbehrlichste in der ganzen menschlichen Natur sein, weil wir im Stande sind, ihm alle mögliche andere angenehme Gefühle aufzuopfern.

Daher die allgemeine Meinung aller Menschen von dem Vorzug des Denkens. Jeder glaubt, sobald er denkt sei er über alles hinausgesetzt, was ihm auch nur immer begegnen mag. Und in der Tat er ist's – er kann freilich die unangenehmen Gefühle seines Zustandes nicht ableugnen, aber er findet eine Kraft in sich, ihnen das Gegengewicht zu halten, dieses Gefühl schmeichelt ihm mit einem größern Wert, je heftiger die Schmerzen um ihn wüten und er wird immer mehr Gott in seinen Augen, je weniger die äußerste Wut seines Schicksals seinen innern Frieden zu stören vermögend ist.

Es geht aber hier gemeiniglich ein seltsamer Selbstbetrug bei den meisten Denkern oder Philosophen vor. Sie glauben ihre Independenz auf den höchsten Grad getrieben zu haben, wenn sie ihre Aufmerksamkeit von den sie affizierenden Gegenständen abzuziehen und entweder auf sich selbst oder andere gleichgültige Dinge zu richten vermögend sind. Sie glauben dadurch an Wert gewonnen zu haben, wenn sie ihre Seele stumpf machen und einschläfern, anstatt durch innere Stärke den äußern unangenehmen Eindrücken das Gegengewicht zu halten. Das Gefühl von Leere in ihrer Seele das daher entsteht, straft sie genug und sie haben beständig alle Hände voll zu tun, ihrem zu Boden sinkenden Stolz wieder emporzuhelfen. Sie fühlen es daß sie sich ihren unangenehmen Empfindungen nicht entziehen können ohne Wüste und Leere in der Seele zu haben und der Zustand der Streit ist marterhafter als die unangenehmen Empfindungen selbst.

Denken heißt nicht vertäuben – es heißt, seine unangenehmen Empfindungen mit aller ihrer Gewalt wüten lassen und Stärke genug in sich fühlen, die Natur dieser Empfindungen zu untersuchen und sich so über sie hinauszusetzen. Diese Empfindungen mit vergangenen zusammenzu-

halten, gegeneinander abzuwägen zu ordnen und zu über-
sehen. Da erst kann man sagen, man fühle sich – und wenn
solch ein Strauß überstanden ist, bekommt der Mensch,
oder des Menschen Geist eine Festigkeit die ihm für die
Ewigkeit und Unzerstörbarkeit seiner Existenz Bürge wird.
Glücklich da erst, mit der Überzeugung sich selbst dieses
Glück zu danken zu haben.

So, möcht ich sagen, erschafft sich die Seele selber und
somit auch ihren künftigen Zustand. So lernt sie Verhältnis
der Dinge zu sich selber – und zugleich Gebrauch und
Anwendung dieser Dinge zur Verbesserung ihres äußern
Zustandes finden. So sondert sie sich aus dem maschinenhaft
wirkenden Haufen der Geschöpfe ab und wird selbst Schöpfer, mischt sich in die Welt nur insofern als sie es zu ihrer
Absicht dienlich erachtet, je größer ihre Stärke desto größer
ihre freiwillige Teilnehmung, ihre verhältnismäßige Einmi-
schung, ihr nachmaliger Schöpfungs- und Wirkungskreis.
So gründet sich all unsere Selbstständigkeit all unsre Existenz auf die Menge den Umfang die Wahrheit unsrer
Gefühle und Erfahrungen, und auf die Stärke mit der wir sie
ausgehalten, das heißt über sie gedacht haben oder welches
einerlei ist, uns ihrer bewußt geworden sind.

Unsere Unabhängigkeit zeigt sich aber noch mehr im
Handeln als im Denken, denn beim Denken nehm ich
meine Lage mein Verhältnis und Gefühle wie sie sind,
beim Handeln aber verändere ich sie wie es mir gefällt.
Um vollkommen selbstständig zu sein, muß ich also viel
gehandelt, das heißt meine Empfindungen und Erfahrungen
oft verändert haben. Ist dies nach gewissen Gesetzen der
allgemeinen Harmonie geschehen, so nennen wir das gut
handeln, im entgegenstehenden Fall böse. Diese Harmonie
läßt sich aber eher fühlen als bestimmen. Denn welcher
Verstand ist so weit durchgedrungen – und was müßte er für
einen Weg gemacht haben, um dahin zu kommen? Böse
Handlungen geben sich gleich zu erkennen durch die
dadurch verursachten quälenden Gefühle, deren Deutlich-

keit der Mensch aufhalten, die er aber nie ganz vertilgen kann.

Christus lebte nach einem Plan um allgemeiner Gesetzgeber zu werden, er lebte um zu leiden und zu sterben. Seine Gefühle müssen unaussprechlich gewesen sein, er hatte sich in einen Standpunkt gestellt das Elend einer ganzen Welt auf sich zu konzentrieren und durchzuschauen. Aber das konnte auch nur ein Gott –

Er handelte – er veränderte seine Lage – aber immer tiefer hinab, bis er mit dem tiefsten beschloß, s c h i m p f l i c h e r T o d – Alles was die menschliche Natur Zärtliches empfinden kann, fühlte er von Freundschaft, von inniger Männer-Hochachtung, von der reinsten weiblichen Liebe, von der vollkommensten Gunst der Gottheit, die sich mit ihm vereinigte – aber auch alles was die menschliche Natur Banges und Schröckhaftes ahnden kann von Undankbarkeit, Vernachlässigung, Vereinzelung, Verachtung, grimmigsten Haß Neid und Rache einer ganzen Welt um ihn her, Rache die sich am Tode nicht sättigte, sondern auch das Leben nach dem Tode, das hochachtungsvolle Andenken der Nachwelt auf ewig rauben wollte – ach ich kann dies beklemmende Bild nicht auszeichnen, der Pinsel zittert mir in den Händen und die Augen versagen ihren Dienst.

Das ist das Bild das wir sehen, soll ich euch ein anderes aufdecken, das nur dem Auge der Engel sichtbar werden kann. Das war der leidende Mensch, soll ich euch den leidenden Gott weisen. Dessen Blick in die geheimsten Schlupfwinkel aller menschlichen Herzen drang, ihr Elend da heraushob und es an seinen Busen beherbergte. Dessen göttliches Mitleiden das ganze unglückliche Gewebe jeder Menschenseele durchdrang und mit den Pharisäern wütete und fürchtete, mit Ischariot bereute und verzweifelte. Ach wie wenig verstehen die Ausleger die Leidensgeschichte und den Sinn und das Pathos der Worte: Aber einer unter euch ist ein Teufel. Jesus Christus wie unerkannt ist deine göttliche Gestalt unter den Menschen, deine niedrige, verachtete, zertretene Knechtsgestalt – unter keiner andern konnte ein Gott erscheinen.

Ein Diener aller – und doch verraten – und doch fühlbar für den Verräter – so daß das sein größtes Leiden ausmachte –

Da seine Selbstständigkeit zu behalten, im Tode selbst der nun alles mit Schimpf beschließt mit der heitersten Gegenwirkung zu rufen: Es ist vollbracht – und so rette ich meinen Geist in deine Hände –

Gott, daß du uns nicht mehr solchen Proben aussetzest, sie übersteigen die menschlichen Kräfte. Unser Stolz, unser Stolz, das einzige Gut das du uns gegeben hast um uns selbst dadurch dir nah zu bringen – wir können ihn so ganz nicht aufopfern, wir würden wenigstens an die Nachwelt appellieren. Alle Märtyrer sind eines rühmlichen Todes gestorben, Christus allein eines schändlichen. Als ein Verführer als ein Empörer mit allen Anzeigen der Wahrscheinlichkeit – ohne sich drüber zu verteidigen – ohne sich seiner hohen Bestimmung nach verteidigen zu können – das konnte nur der Mensch in dem die Fülle der Gottheit war, die niemals eine Verteidigung braucht und die wir nur verteidigen um uns glücklicher zu machen.

Zugleich hat er uns ein Symbol geben wollen, was den vollkommenen Menschen mache und wie der nur durch allerlei Art Leiden und Mitleiden werde und bleibe. Denn seine Auferstehung und Auffahrt sind nur Fortsetzung dieses selben großen Plans zu leiden und zu handeln.

Das allerhöchste Leiden ist Geringschätzung. Nicht höher kann das Leiden irgend eines sterblichen Menschen steigen als das Leiden Christi da er als ein gefährlicher Mensch angesehen eingezogen und gestraft wurde und man doch nicht mehr als dreißig Silberlinge auf seinen Kopf setzte. Ihn nicht auf das Fest greifen, sondern so ganz in der Stille und gleichsam daß kein Hund oder Hahn darnach krähte von der Welt schaffen wollte. Ein Gott der auf der ganzen Erde

Revolutionen zu machen die Kraft und den Beruf in sich spürte, so gleichsam wie ein aufschießendes Unkraut in der Geburt erstickt zu werden. So ging es ihm schon unterm Herodes und sein ganzes Leben hindurch und das ist das Schicksal aller Rechtschaffenen. Ein Bösewicht hat wenigstens die Genugtuung daß er von sich reden macht wenn er auch mit Schande und Schmach beschließet, daß viele sich vor ihm fürchten und alles aufbieten ihm entgegen zu streben, bei Christo aber schien es den Pharisäern nicht der Mühe zu lohnen sich in große Unkosten zu setzen – und sein eigener Freund und Anhänger also sein Bewunderer – verriet ihn um diese Kleinigkeit. Denkt euch das Herz das dieses fühlen mußte.

## Briefe eines jungen L. von Adel
## an seine Mutter in L. aus ** in **

Liebe Mutter, ich gehe hier alle Tage aufs Feld und kann
Ihnen nicht sagen, was mir die Bauern für Freude machen.
Bisweilen geh ich weit weit und kehre zu Mittag in einem
Dorf ein, aber ja nicht in der Schenke, sondern bei einem
Bauer und gebe mich für einen reisenden Handwerksbur-
schen aus, damit die Leute sich nicht in acht vor mir
nehmen. Ich frage sie sodann nach allem und weil ich brav
schmeicheln kann und an all ihrem Wesen solchen Anteil
nehme, als ob ich der Sohn aus dem Hause wäre, so sagen sie
mir's. Liebe Mama! wenn ich nach Hause komme, soll alles
anders werden. Ich sehe es kommt nichts dabei heraus wenn
der Bauer wie das Vieh gehalten wird, er wird faul und
unlustig. Es will ja bei uns mit nichts recht fort. Der Herr
Professor sagt: die Schuld liegt am Bauer, denn der Bauer ist
die Stütze des Staats. Wissen Sie wie ich's mache, wenn ich
nach Hause komme. Ich lasse mein ganzes Gut aufnehmen
nach Ruten und Schuhen. Ja, ja, Sie müssen wissen, ich
versteh es itzt, ich habe neulich eine ganze Wiese und noch
dazu mit einem Fluß und Busch darin aufgenommen ganz
allein. Ich bin ein rechter Ingenieur. Alsdann lachen Sie
mich aber nur nicht aus, liebe Mama, sonst kann ich keine
Zeile mehr schreiben – alsdann laß ich alle meine Bauern
aufschreiben, Jungens und Mädchens, Große und Kleine –
Alsdann – nun seh ich, wie Sie schon wieder über alles sich
mokieren, wovon Sie nichts verstehen – nehmen Sie mir
nicht übel, gnädige Mama, ich will ja gern Schläge aushalten und Ihnen noch die Hand dazu küssen, wenn Sie mich
nur machen lassen – Alsdann, wollte ich sagen, berechne
ich nach hiesigem d-Fuß, wieviel ein Bauer wohl Acker
braucht, um damit für sich und seine Familie honett auszu-
kommen und der Herrschaft ihre Fronen ohne Beschwer zu

entrichten. Alsdann – aber Sie müssen mich ganz bis zu Ende hören, ad unguem wie der Lateiner sagt; nun hab ich freilich eine große Dummheit begangen daß ich Ihnen lateinisch schreibe, da Sie ja nicht einmal wissen was ad ist und was unguem ist und ich es Ihnen auch nicht erklären kann, weil ich da von Praeposition und von Casus reden müßte, das Sie ebensowenig verstehen. Aber Sie werden mir's verzeihen, gnädige Mama, die Gelehrten machen oft dumme Streiche und bleiben deswegen immer Gelehrte, sagt der Herr Professor; es ist wie mit den schönen Frauenzimmern, deren Briefe man noch einmal so gern liest wenn ein paar orthographische Schnitzer darin sind – aber wo war ich denn nun? o weh – und hab ich alles vergessen; so geht's, wenn man an die Frauenzimmer schreibt, nehmen Sie mir nicht übel – ja, ich wollte sagen alsdann teile ich jedem Bauer, der Wirt ist und große Söhne oder Knechte hat, soundsoviel Ackerland aus und sag: hör, lieber Freund, das ist nun dein Eigentum, darüber kannst du schalten und walten wie du willst. Nur mußt du mir davon die und die Fronen entrichten, das versteht sich am Rande. Sie werden sagen: das ist wider die Landeseinrichtungen! Was gehn mich die Landeseinrichtungen an, wenn ich mehr tue als sie von mir fordern. Das ist eine Sünde in meinem Beutel. Sie werden sagen: man wird dir Vormünder setzen auf daß du wirst dein Vermögen durchbringen. Ei ja doch, was Sie nicht mögen. Ich hoffe, ich werde mehr dabei gewinnen als die andern alle. Vors erste bin ich sicher, daß niemand davonläuft und das ist schon viel. Vors andere arbeitet mir alles und das ist noch mehr, wenn Sie's gnädigst erlauben; denn wo nur Arbeit ist, da kann der Gewinst nicht fehlen, sagt der Herr Professor. Vors dritte bin ich gewiß, daß mir niemand desertiert und vors vierte – aber daß das ja unter uns bleibt, gnädigste Mama, denn sobald meine Bauern was davon erfahren, so ist alles verfumfeit – wenn ich erst sehe, daß es meinen Bauern gut geht und da muß ich mich aufs Spionieren legen und daß

sie durch ihren Gewerb und Verkehr was vor sich gebracht
haben, so komme ich ganz leise und milche sie ein bißchen,
das will soviel sagen, Mama: ich komme und setz ihnen ein
wenig mehr an an Zehnten und dergleichen, was sie bei uns
die Gerechtigkeit nennen – Zuletzt halt ich sie an mir das in
barem Gelde zu zahlen, wenn erst der Verkehr mit den
Städten größer wird und sie bar Geld haben und nicht alles
was sie lösen gleich in Branntwein vertrinken, wie sie jetzt
wohl tun; aus lauter Verzweiflung, sagt der Professor: weil
sie kein Eigentum nicht haben. Noch eins, Mama! auf dem
Lande leb ich nicht, das sag ich Ihnen zum voraus, und
wenn's eine Stadt wäre so groß als mit einer Kuhhaut zu
bedecken, es ist doch immer besser unter Menschen sein. In
der Stadt da halt ich immer alle Tage ein paar Kuverts offene
Tafel für die Gelehrten, von denen man immer eins oder das
andere lernen kann, wenigstens amüsieren sie einen, daß
man nicht niedergeschlagen oder wild wird. Alsdann halt ich
mir meine Handwerker, die für mich arbeiten müssen, das
heißt ich laß mehrere dasselbe Stück Arbeit machen und
wähle den besten für die Zukunft, die andern bezahl ich alle
gut, aber laß sie hernach gehen. So wird das was ich trage
oder habe gewiß immer nach der Mode sein und meinen
Nachbarn den Ton geben. Es ist doch angenehm wenn man
andern Leuten den Ton gibt, Mama! und die Handwerker
werden dadurch in einer beständigen Jalousie gehalten, daß
einer dem andern nichts nachgeben will; am Ende werden sie
mich bitten, um das halbe Geld was von ihnen anzunehmen,
nur damit sie in die Mode kommen. Ebenso mache ich's mit
meinen Kaufleuten. Aber alles das muß hanteiert sein sagt
der Herr Professor, denn wenn man's anfängt, es wieder läßt
– so tut's einem nur mehr Schaden. Und dann muß ich auch
Geschmack und die Sachen die sie machen zu beurteilen
verstehen, muß auch schon mehr gesehen haben in der Welt.
Und das hab ich nun auch schon und werde es noch mehr,
wenn ich nach Haus komme. Oh, da bestelle ich mir schon

Kaufleute, die meinen Kaufleuten alles aus der ersten Hand liefern sollen; laß es kosten – ich bring es schon wieder ein. Dafür trag ich meine Kapitalien bei unseren Kaufleuten höher an. Oh, wenn ich unsern andern Edelleuten nur den Ton erst gebe, die Kaufleute werden [Das Weitere fehlt.]

Anhang

# Zu dieser Ausgabe

Die Texte der vorliegenden Ausgabe folgen den Erstdrucken oder Ausgaben, die die Handschriften oder Erstdrucke zugrunde legen; die Druckvorlagen sind jeweils in den Anmerkungen angegeben.

Die Orthographie wurde unter Wahrung des Lautstandes und sprachlich-stilistischer Eigenheiten behutsam dem heutigen Gebrauch angeglichen. In der Groß- und Klein- sowie in der Zusammen- und Getrenntschreibung wurde nicht selten die Fassung der Originale bevorzugt (z. B. *zu Nutz, zu Mut, bei Zeiten, im Stande; klar machen, lieb haben, zurecht setzen, gut tun, kennen lernen, übel nehmen; irgend ein* u. a. m.). Anredepronomina in der Höflichkeitsform (*Er, Sie, Ihr, Euch, Euer*) wurden durchweg groß geschrieben. Die sparsame Apostrophsetzung der Originale wurde beibehalten, aber vereinheitlicht. Eigennamen wurden nicht modernisiert, wechselnde Schreibweisen (z. B. *Shakespeare* neben *Shakespear* und *Shakspeare*) nicht normalisiert. Bei Werktiteln, die in den Vorlagen häufig nicht durch Anführungszeichen und Großschreibung des ersten Wortes gekennzeichnet sind, wurde das Anfangswort (Artikel, Adjektiv u. a.) groß gesetzt. Hervorhebungen erscheinen gesperrt, gelegentliche Großschreibung blieb erhalten. Unterschiedliche Abkürzungen bei Sprechernamen in den Theaterstücken wurden vereinheitlicht.

Die Interpunktion der Originale blieb gewahrt, ausgenommen eine Normalisierung der Zeichensetzung nach Sprechernamen und nach Regieanweisungen. In wenigen Fällen wurde vor der direkten Rede ein Doppelpunkt ergänzt.

Offensichtliche Druckfehler wurden stillschweigend verbessert.

# Anmerkungen

## Abkürzungen

| | |
|---|---|
| D | Druckvorlage |
| E | Erstdruck |
| Flüchtige Aufsätze | Kayser, Philipp Christoph (Hrsg.): Flüchtige Aufsäzze von Lenz. Zürich 1776. |
| Stöber | Der Aktuar Salzmann und sein Freunde. In: Alsatia. Jahrbuch für elsässische Geschichte [. . .]. Hrsg. von August Stöber. Mülhausen 1853. S. 64–77. |
| Tieck | Gesammelte Schriften (s. Literaturhinweise). |
| Unglaub | Lenz: Dramen des Sturm und Drangs (s. Literaturhinweise). |
| WB | Lenz: Werke und Briefe (s. Literaturhinweise). |
| Weinhold | Gedichte von J. M. R. Lenz. Mit Benutzung des Nachlasses Wendelins von Maltzahn. Hrsg. von Karl Weinhold. Berlin 1891. |
| WS | Lenz: Werke und Schriften (s. Literaturhinweise). |
| Zoeppritz | Aus F. H. Jacobi's Nachlaß. [. . .] Hrsg. von Rudolf Zoeppritz. 2 Bde. Leipzig 1869. |

## Der Hofmeister

Entst. 1771/72. In einer erhaltenen Handschrift (vgl. die *Hofmeister*-Ausgabe von Kohlenbach), die jedoch nicht als Druckvorlage diente, tragen einige Figuren noch andere Namen, die aus dem Bekanntenkreis von Lenz gewählt waren und darauf hindeuten, daß Lenz in dem Stück eigene Erlebnisse und Ereignisse aus seiner Umgebung verarbeitet hat.

E/D: Leipzig: Weygand, 1774. Den Druck des anonym veröffentlichten Stückes vermittelte Goethe, dem es auch anfänglich zugeschrieben wurde. Das Stück fand eine überwiegend positive Aufnahme; es ist das einzige Schauspiel von Lenz, das zu seinen Lebzeiten in Hamburg, Berlin und Mannheim aufgeführt wurde, freilich in einer sehr weitreichenden und abmildernden Bearbeitung von Friedrich Ludwig Schröder (1744–1816). In neuerer Zeit erfuhr

das Stück 1950 durch Bertolt Brecht (1898–1956) eine bedeutende
Bearbeitung.

9,1 *Hofmeister:* Privaterzieher oder Hauslehrer in adligen und
wohlhabenden bürgerlichen Familien, die die Erziehung und erste
Ausbildung der Kinder besorgten. Die meist schlecht bezahlten
Hofmeisterposten waren oft die ersten Anstellungsmöglichkeiten
für Universitätsabgänger. Auch Lenz sah sich in späteren Jahren
mehrfach gezwungen, Hofmeisterstellen anzunehmen.

9,4 *Komödie:* In der Handschrift lautet der Untertitel noch »Lust
und Trauerspiel«. Zu Lenzens Komödienbegriff vgl. seine *Anmerkungen übers Theater,* bes. S. 397–400, und *Rezension des
Neuen Menoza,* S. 419 f.

10,5 *Adjunkt:* (lat.) Amtsgehilfe, hier: an einer Universität oder im
kirchlichen Bereich.

10,13 *Klassenpräzeptor:* (lat.) Lehrer einer Schulklasse.

10,17 f. *Händels Kuchengarten und Richters Kaffeehaus:* zwei
bekannte Treffpunkte bürgerlicher und intellektueller Geselligkeit
in Leipzig.

10,19 *Konrektor:* (lat.) Stellvertreter des Schulleiters.

10,20 *diskurrieren:* (lat.) sich unterhalten.

10,24 f. *Scharrfüßen:* devoten Höflichkeitsbezeigungen in Form
einer Verbeugung, begleitet von einem Scharren mit einem Fuß.

10,28 *artiges:* Im 18. Jh. hatte das Wort viele Bedeutungsnuancen,
die von ›fein, vornehm‹ über ›wohlerzogen, geschickt‹ bis ›freundlich, hübsch‹ reichten.

11,7 *Dukaten:* bis ins 19. Jh. gebräuchliche Goldmünzen; 300
Dukaten wären für einen Hofmeister damals ein außerordentlich
hohes Gehalt gewesen.

11,24 *Kontrefei:* (frz.) Abbild, Ebenbild.

*Eltervaters:* hier: Großvaters.

11,32 f. *Linie . . . mit Kreide über den Schnabel zieht:* Der Major
verhält sich den Wünschen seiner Frau gegenüber wie ein niedergedrücktes und durch einen vom Schnabel ausgehenden auf den
Boden gemalten Strich ›hypnotisiertes‹ Huhn.

12,1 *Hollunken:* veraltete Nebenform zu *Halunken.*

12,7 *galonierter:* (frz.) betreßter.

12,8 *Patronin:* (lat.) hier: Hausherrin.

12,16 *stehenden Gehalts:* festen Gehalts.

12,32 *buschscheu:* hier: duckmäuserisch, schüchtern.

*blöden:* hier u. ö.: verzagten, furchtsamen, schüchternen.

13,2 *Kompliment aus der Menuet:* eine Verbeugung, wie sie zum Menuett, einem noch im 18. Jh. beliebten Hof- und Gesellschaftstanz, gehörte.

13,5 *Pas:* (frz.) Tanzschritt.

13,7 *Assembleen:* (frz.) hier: Tanzgesellschaften, Geselligkeiten.

13,21 *enrhumiert:* (frz.) erkältet, verschnupft.

13,22–27 *Vous parlez françois … mon cher:* (frz.) Sie sprechen ohne Zweifel französisch? – Ein wenig, Madame. – Haben Sie schon Ihre Bildungsreise nach Frankreich gemacht? – Nein, Madame … Ja, Madame. – Sie sollten doch wissen, mein Lieber, daß man in Frankreich nicht die Hand küßt.

*Votre tour de France:* Eine längere Reise zu den kulturellen Zentren Europas, besonders in Italien und Frankreich, beschloß seinerzeit oft die Ausbildung junger Adliger und wohlhabender Bürgerlicher.

13,30 *Komplimenten:* (frz.) Verbeugungen zur Begrüßung, Höflichkeitsbezeugungen.

13,33 *Marchese:* italienischer Adelstitel, etwa dem Rang eines Grafen entsprechend.

14,6 *on ne peut pas mieux:* (frz.) man kann nicht besser.

14,7 *Beluzzi:* Carlo Belluzzi, italienischer Tänzer, der um 1758 auch in Petersburg auftrat.

14,12 *Kochischen Theater:* Heinrich Gottfried Koch (1703–75) leitete von 1749 bis zu seinem Tode eine der bekanntesten Theatertruppen der Zeit; er wirkte mit ihr vor allem in Städten im mittleren und nördlichen Teil Deutschlands (Leipzig, Berlin, Hamburg).

14,26 *dasigen:* dortigen.

14,29 *links:* hier: linkisch, unelegant.

*bordierten:* mit einer Zierborte versehen.

15,9 *Gulden:* bis ins 19. Jh. im Deutschen Reich verbreitete Silbermünze.

15,19 *Heiduck:* hier: Bedienter, Söldner.

15,23 *Tuckmäuser:* Duckmäuser, Leisetreter.

15,25 *Feriieren:* Ferien machen, faulenzen.

*Rekreieren:* (lat.) Erholen.

15,27 *Malum hydropisiacum:* (lat.) Wassersucht.

15,29 *Cornelio:* Cornelius Nepos (um 100–25 v. Chr.), römischer Historiker, dessen Lebensbeschreibungen berühmter Männer bis ins 19. Jh. zum Kanon der lateinischen Schullektüre gehörte. Der falsch flektierte Name (Dativ statt Akkusativ) weist auf die schlechten Lateinkenntnisse des Majors.

*Lippel:* wohl Koseform zu *Leopold*.

15,32 *Rückenbein:* Rückgrat.

16,30 *Taler preußisch Courant:* Taler nach der preußischen Währung; der Taler war damals eine der gängigsten Silbermünzen. Drei Taler entsprachen einem Dukaten, während der Gulden nur etwa 2/3 des Werts eines Talers hatte.

16,31 *Salarii:* (lat.) Gehalt, Lohn; auch hier flektiert der Major falsch, benutzt die Genitivform statt richtig den Dativ.

17,19 *zum Nachtmahl:* zum ersten heiligen Abendmahl.

17,20 f. *etwas aus dem Christentum mit ihr nehmen:* etwas aus der christlichen Lehre, dem Katechismus, mit ihr durchnehmen.

18,2 f. *meines Herzens einziger Trost:* biblische Wendung nach Ps. 73,26 und Jer. 15,16.

18,6 f. *fein säuberlich mit dem Knaben Absalom:* König David befahl, seinen Sohn Absalom, der sich gegen ihn erhoben hatte, zu schonen (2. Sam. 18,5).

18,10 *Lex:* (von lat. *lectio* ›Lektion‹) Hausaufgabe.

19,1 *Juliette:* Anspielung auf Shakespeares Tragödie *Romeo und Julia* (1595) bzw. auf eine französische Bearbeitung dieses Stoffes, *Romeo et Juliette* (1772), die Lenz in einem Aufsatz besprochen hatte (vgl. WB II, S. 625–632.)

19,8 f. *einen Degen trage:* Einem Studenten stand das Recht zu, den Degen zu tragen.

19,11 f. *wie im Gellert:* Zitiert wird die Schlußzeile aus Christian Fürchtegott Gellerts (1715–69) Gedicht »Der Selbstmord«.

19,19 *Graf Paris:* Ihm ist Julia in Shakespeares Drama zum Gatten bestimmt. Durch eine List, ein Betäubungsmittel, das sie in einen todähnlichen Schlaf versenken soll, sucht sich Julia dieser Drohung zu entziehen.

19,31 *für den:* vor dem; *für* statt heutigem *vor* ist im 18. Jh., auch bei Lenz, häufig.

20,20 *englisches:* engelgleiches.

21,5 *Mühmchen:* Nichtchen; *Muhme* bezeichnet jede weibliche Verwandte, vor allem Geschwisterkinder.

22,7 *Sekunda:* (lat., ›die zweite‹) die vorletzte Klasse des Gymnasiums.

**24,16**  *das Laufen:* wohl ›Durchfall‹.

**25,2**  *Kondition:* (lat.) Anstellung.
*aufsagten:* kündigen würde.

**25,10**  *Anmutungen:* Zumutungen, Launen.

**25,15 f.**  *dampfigten:* aufgeblasenen.

**25,16**  *abgedämpften:* abgelebten, ausgedienten.

**26,14**  *Laban:* Er ließ Jakob sieben Jahre dienen, ehe er ihm seine Tochter Rahel zur Frau geben wollte; Jakob mußte dann jedoch erst Lea, die ältere Schwester, heiraten und erhielt Rahel erst nach weiteren sieben Jahren Dienst (vgl. 1. Mose 29).

**26,16 f.**  *am Markt stehen lassen:* ohne Beschäftigung lassen. Am Markt boten beschäftigungslose Arbeiter ihre Dienste an; die Wendung geht wohl auf Mt. 20,3 zurück.

**26,23**  *Grotius:* Hugo Grotius (d. i. Huigh de Groot, 1583–1645), bedeutender niederländischer Rechtsgelehrter und Staatsmann, Begründer des modernen Natur- und Völkerrechts.

**27,5**  *Cholerikus:* (griech./lat.) Choleriker; nach der antiken Temperamentenlehre ein aufbrausender, jähzorniger Mensch.
*rede gern von der Lunge ab:* sage gern deutlich meine Meinung; vgl. die Redensart »frei von der Leber weg sprechen«.

**27,11 f.**  *zur öffentlichen Schul gehalten:* auf die öffentliche Schule geschickt.

**27,17**  *Subjecta:* (lat.) Personen, Menschen.

**27,24**  *Mamsell:* (von frz. *mademoiselle* ›Fräulein‹) zeitübliche Anrede für bürgerliche, unverheiratete, junge Frauen (vgl. 83,28) wie für weibliches Dienstpersonal.
*ein ganzer Wisch:* umgangssprachl. für ›eine ganze Menge‹.

**27,29**  *salariert:* (mlat.) bezahlt.

**27,34**  *Argusse:* Argus, eine Gestalt aus der griechischen Mythologie, hatte Augen am ganzen Körper; übertr.: mißtrauischer Aufpasser.
*künstlich:* geschickt.

**28,22**  *Faktotum:* (lat.) Diener, der alles macht.

**28,23**  *Polyhistor:* (griech.) Gelehrter mit umfassendem Wissen auf vielen Gebieten.

**28,36**  *subsistieren:* (lat.) seinen Lebensunterhalt haben, auskommen.

**29,1**  *quittieren:* (frz.) hier: die Stelle aufgeben.

**29,14**  *komme:* fortkomme.

**29,28**  *Aussichten in die selige Ewigkeit:* ironische Anspielung auf

Johann Kaspar Lavaters (1741–1801) mehrbändige Erbauungs-
schrift *Aussichten in die Ewigkeit* (1768–78).

30,13 *tiefsinnig:* hier: trübsinnig, schwermütig.

30,22 f. *Schnuppen:* Schnupfen.

31,24 f. *besponnen:* bei Geld.

32,2 *Philister:* (Studentenspr.) Nichtakademiker, Spießbürger.

32,8 *Wechsel:* hier: Geldanweisung, in der Regel der Eltern, zur
Bestreitung der Lebensunterhalts- und Studiumskosten.

32,14 *steht noch zu Gevattern:* (Studentenspr.) ist noch verpfändet.

32,18 *invitieren:* (lat.) einladen.

32,23 *Hundstagen:* Der Aufgang des Sirius, des Hundssterns, leitet
oft die heißeste Zeit während des Jahres im Juli und August ein.

32,26 *wie ich meinen Leuten umspringe:* Die zu erwartende Präpo-
sition »mit« fiel wohl nur versehentlich im Druck weg; in der
Handschrift steht sie noch, wenn auch in einer etwas anderen
Verbindung; es heißt dort: »wie ich mit meinen Philisterleuten
abfahre«.

32,28 *breiter tun:* umgangssprachl. ›vornehmer tun‹, mehr bean-
spruchen.

33,3 *kleine Steine dir:* hier etwa: du brauchst keinen Zwieback.

33,15 *Aye!:* (engl.) hier: Ausruf der Zustimmung.

33,27 *einlogieren:* (von frz. *loger* ›wohnen‹) einziehen.

34,4 *Kaffeezeug:* Kaffeegeschirr.

34,5 *Gulden:* vgl. Anm. zu 15,9 und 16,30. Um 1798 gaben Studenten 600–1200 Gulden pro Jahr für ihre Lebenshaltungs- und
Studiumskosten aus.

34,34 *Döbblinsche Gesellschaft:* Die Schauspielertruppe Carl Theo-
phil Döbbelins (1727–93), eines der bedeutendsten zeitgenössischen Theaterleiters, hatte Lessings Lustspiel *Minna von Barnhelm oder Das Soldatenglück* (1767) seit 1768 im Repertoire (vgl.
36,22).

34,35 *in die Komödie:* hier: ins Theater, Schauspiel.

35,9 f. *zum Versatz:* als Pfand gegen eine Geldsumme.

35,16 *Hunz und Kunz:* jedermann, alle Leute; Variante zu *Hinz
und Kunz.*

35,24 f. *silberstücknen Weste:* Weste aus einem kostbaren, silber-
durchwirkten Stoff.

36,8 *ausgetrummelt:* umgangssprachl. für ›ausgetrommelt‹, öffentlich durch einen Trommler bekanntgemacht.

36,9 *wütige:* tollwütige.

36,14 *mit allem Fleiß:* mit Absicht und Vorsatz.

36,20 *Gesellschaft:* hier: Theatergesellschaft, Schauspielertruppe.

36,21 *Schmieralien:* (Studentenspr.) Schreibzeug.

36,33 f. *es soll dir zu Hause kommen!:* es soll dir vergolten, heimgezahlt werden!

37,7 *durch Spießruten gejagt:* bis ins 18. Jh. übliche, grausame Militärstrafe, bei der der Verurteilte mit entblößtem Rücken eine Doppelreihe von Soldaten durchlaufen mußte, die auf ihn mit angespitzten Ruten einschlugen.

38,17 *in die Lehre:* in den vorbereitenden Katechismusunterricht vor dem ersten heiligen Abendmahl.

39,4 *Pantomime:* (griech.) hier: Geste, Gebärde.

39,18 f. *besorgtest du für mich:* warst du um mich besorgt.

39,23 *Abälard:* Der Philosoph Pierre Abélard (1079–1142) hatte als Hauslehrer seine Schülerin Heloïse verführt und nach der Geburt eines Sohnes geheiratet. Auf Veranlassung des Vormunds von Heloïse wurde Abélard überfallen und entmannt.

39,26 *Die Neue Heloïse:* Jean-Jacques Rousseaus (1712–78) damals vielgelesener Roman *Julie ou la Nouvelle Héloïse* (1761; dt. 1762), in dessen Mittelpunkt die Liebesbeziehung eines bürgerlichen Hauslehrers zu seiner adligen Schülerin steht.

40,10 *auf unsre Hand:* etwa: das dürfen Sie uns glauben.

40,11 *Bouteillen:* (frz.) Flaschen.

40,18 *Piquet:* (frz.) Kartenspiel für zwei Personen.

40,20 *Touren:* (frz.) hier: Rundgänge.

40,21 *Fontenelle:* (frz.) in der Medizin des 18. Jh.s ein künstliches Geschwür zur Entgiftung des Körpers.

40,23 *Ökonomie:* hier: Landwirtschaft.

40,24 *ausgeschlagenen:* geschlagenen; eigtl. ›bis zum letzten Glockenschlag am Abend‹.

41,4 *Pietist:* Anhänger einer protestantischen, im 18. Jh. besonders in Mitteldeutschland verbreiteten Erweckungsbewegung, die eine gefühlsbetonte Frömmigkeit und tätige Nächstenliebe propagierte.

41,5 *Quacker:* Quäker, Anhänger einer im 17. Jh. in England aus der puritanischen Bewegung hervorgegangenen protestantischen Glaubensgemeinschaft.

41,20 *Heautontimorumenos:* (griech., ›Selbstquäler‹), Titelfigur einer Komödie des römischen Dichters Terenz (Publius Terentius Afer, um 190–159 v. Chr.). Der Held bestraft sich aus Kummer über das von ihm verschuldete Schicksal seines Sohnes mit harter Feldarbeit.

41,20 f. *Madame Dacier:* Anne Lefèvre-Dacier (1654–1720) hatte die Lustspiele des Terenz ins Französische übersetzt; die Ausgabe von 1717 war illustriert.

42,5 *abfällt:* abmagert.

42,8 *der arme Lazarus:* Im Gleichnis vom Reichen und Armen (Lk. 16,19–31) liegt der mit Geschwüren bedeckte Lazarus vor der Tür des reichen Prassers.

42,9 *Es frißt mir die Leber ab:* Es nimmt mir die Lebensfreude, zerstört mir das Leben. In der Handschrift schreibt Lenz noch »das Leben«; bis zur Entdeckung des Blutkreislaufes galt die Leber neben dem Herz als der Sitz des Lebens.

42,22 *schalu:* (von frz. *jaloux*) eifersüchtig.

42,27 *Sottisen:* (frz.) beleidigende Äußerungen, Grobheiten.

43,22 *sieben Weisen Griechenlandes:* sieben Herrscher und Gesetzgeber Griechenlands aus dem 7. und 6. Jh. v. Chr., von denen Lebensweisheiten in Form kurzer Merksprüche überliefert sind; der zitierte Merkspruch wird dem Philosophen Thales von Milet (6. Jh. v. Chr.) zugeschrieben.

43,30 *einen ... Bock gemacht:* einen Fehler, eine Dummheit gemacht; die Redensart geht auf die frühere Sitte der Schützengilden zurück, dem schlechtesten Schützen als Trostpreis einen Bock zu überreichen.

43,34 *Kreditores:* (lat.) Gläubiger.

43,34–44,1 *wegstecken:* hier: gefangensetzen.

44,4 *Kaventen:* (lat.) Bürgen.

44,7 f. *prostituieren:* (lat.) hier: bloßstellen, in Verruf bringen.

44,15 *mit seinem guten Willen:* freiwillig, mit Absicht.

44,19 *Säkulum:* (lat.) Jahrhundert.

44,26 *Präzeptores:* (lat.) Lehrer.

44,34 *einen verlornen Sohn:* Anspielung auf das Gleichnis vom verlorenen Sohn (Lk. 15,11–32); zur exemplarischen Bedeutung dieses Gleichnisses für Lenz vgl. Schöne, S. 92–138.

45,19 *Hundert Meilen:* etwa 750 km.

45,27 *Pedell:* Diener, Hausmeister an einer Universität.

46,17 *Sekundant:* (lat.) Beistand, Zeuge bei einem Duell.

47,7 *so lang mehr:* so lange noch, noch oft.

47,9 *ausschweifend:* hier: maßlos, übertrieben.

47,26 *Battaillen:* (frz.) Schlachten.

47,27 *Blessuren:* (frz.) Verwundungen.

48,14 *Infamie:* (lat.) hier: Schande, Schmach.

48,29 *arbeitet:* hier: müht sich.

48,30 *beunmündig:* Das Verb *beunmündigen* statt *entmündigen* ist sonst nicht belegt und scheint eine zeittypische Neubildung von Lenz zu sein.

48,32 *Gott hat mich bis hieher erhalten:* Die Worte erinnern an die Eingangsstrophe des protestantischen Kirchenliedes »Bis hierher hat mich Gott gebracht«, dessen Text von Ämilie Juliane Gräfin Schwarzburg-Rudolstadt (1637–1706) stammt.

49,5 *lineiert:* zieht Linien als Schreibhilfe auf einem Blatt.

49,14 *Vorschrift:* hier: Vorlage für den Schreibunterricht.

49,22 *rot und weiß:* Vgl. das »Lied über weiß und rot« aus Shakespeares Komödie *Love's Labour's Lost* (I,3), die Lenz unter dem Titel *Amor vincit omnia* (1774) übersetzt hatte (vgl. WB I, S. 607–666).

49,24 *Unstern:* hier: unglückliche Lage.

49,25 f. *einbilden:* vorstellen.

49,28 *hastigen:* leicht erregbaren.

49,29 *Cholera:* (griech.) hier: aufbrausendes Temperament.

50,14 f. *unus ex his:* (lat.) einer von denen.

50,15 *mit Rosen und Lilien überstreut:* Diese Wendung bezeichnet einen genußvollen und glücklichen Zustand; sie geht zurück auf die antike Sitte, Gäste bei einem Festmahl mit Rosenblüten zu bestreuen. Gewöhnlich nennt die Redensart nur Rosen; indem Wenzeslaus sie um »Lilien« erweitert, variiert er erneut das Rot-und-weiß-Motiv.

50,29 *Zirkulation:* hier: Kreislaufbewegung.

50,35 *Tressen:* Besatz, Borte mit Gold- oder Silberfäden durchwirkt; auch als Rangabzeichen bei Uniformen.

51,24 *Efferveszenz:* (lat.) Aufwallung.

52,1 f. *jungen Siegfrieds:* Anspielung auf den Helden des *Nibelungenliedes* und des Volksbuchs vom »hürnen Siegfried«.

52,4 *Bube:* hier: Knecht.

52,8 f. *drauf angesehen:* begehrt; vgl. Mt. 5,28: »Wer ein Weib ansieht, ihrer zu begehren«.

52,23 *umständlich:* im 18. Jh. noch in positiver Bedeutung ›ausführlich, eingehend‹.

53,5 *Groschen:* gebräuchliche kleine Silbermünze; 24 Groschen hatten den Wert von einem Taler (vgl. Anm. zu 16,30).

53,21 *Hohepriester Eli:* Von ihm wird berichtet, daß er böse Söhne hatte; er starb, als er von einem Stuhl fiel und sich dabei den Hals brach (vgl. 1. Sam. 2,12 und 4,18).

53,29 *Damon und Pythias:* Die bekannteste Bearbeitung des antiken Stoffes von der beispielhaften Treue zweier Freunde ist Schillers Ballade »Die Bürgschaft« (1799).

53,33 *Erzrenommisten:* Renommist (frz.): Aufschneider, Prahler.

55,3 *in Sack stecke:* verdiene.

55,22 *visitieren:* (lat.) durchsuchen.

55,22 f. *potz Millius:* (von lat. *mille*) potztausend.

55,23 f. *als ob Ihr zu laxieren einnähmt:* als ob Sie ein Abführmittel einnehmen würden.

55,29 ἄριστον μὲν το ὕδως: (griech.) das Beste ist das Wasser; Anfang der »1. Olympischen Ode« des griechischen Dichters Pindar (518–438 v. Chr.).

55,33 *der große Mogul:* europäische Bezeichnung für die islamischen Herrscher Indiens, die für ihren Reichtum und prächtigen Lebensstil berühmt waren.

56,17 *Tabagie:* (frz.) Rauchstube, Tabakladen.

57,7 *satt überhörig:* ungehörig satt, mehr als satt.

57,23 f. *Allons!:* (frz.) Auf! Vorwärts!

57,27 *in der Latinität:* in der lateinischen Sprache.

57,31 f. *Corderii Colloquia:* Gemeint sind die *Colloquiorum scholasticorum libri quattuor* (lat., »Gespräche für Schüler in vier Büchern«, 1564) des französischen Gelehrten Maturin Corderius (1479–1565), die bis ins 18. Jh. als Lehrbuch der lateinischen Sprache verwendet wurden.

57,32 *Gürtleri Lexikon:* Das viersprachige (lat., dt., griech., frz.) *Novum Lexicon Universale* (1683) von Nicolaus Gürtler (1654 bis 1711) blieb lange ein Standardwerk für den Sprachunterricht.

58,1 f. *Kollaborator:* (lat.) Gehilfe, Aushilfslehrer.

58,9 *Zerstörung Jerusalems:* Schwere Sünder bleiben aus dem von Gott versprochenen himmlischen Jerusalem ausgeschlossen (vgl. Offb. 21,1–27).

58,18 *ungeboren:* hier: undeutlich.

58,26 *nach meiner Hand ziehen:* nach meinen Vorstellungen, meinem Ideal erziehen.

59,5 f. *wie Kain ... unstet und flüchtig:* Zur Strafe für den Mord an seinem Bruder Abel wurde Kain zu dauernder Heimatlosigkeit verdammt (vgl. 1. Mose 4,12).

59,6 f. *Krieg mit den Türken:* Russisch-Türkischer Krieg 1768–74; das Stück spielt also in der unmittelbaren Gegenwart.

59,10 *Ausschweifungen:* hier: phantastische Ideen.

59,12 *Professor M–r:* Gemeint ist Georg Friedrich Meier (1718–77), Philosoph in Halle.

60,5 *griechisch werden:* den griechisch-orthodoxen Glauben der Russen annehmen.

60,22 f. *gestoben oder geflogen:* zeitgenössisch für ›hingekommen oder abgeblieben‹.

60,29 *Türkenpallasch:* Türkensäbel.
*Viktorie:* (lat.) Sieg.

61,18 *drei Lilien auf dem Rücken:* in Frankreich Brandmarkung straffällig gewordener Dirnen.

61,19 *Vivat!:* (lat.) Er lebe hoch!

61,29 *auszustehn:* hier: im Freien zu stehen, um zu betteln.

63,31 *gerochen:* veraltete starke Nebenform zu *geräeht*.

64,5 *Gevatter:* urspr.: Taufpate; hier: vertraute Anrede unter Freunden und Bekannten.

64,27 *Bankozettel:* Bankanweisung, Scheck.

64,30 *Barbier:* Bartscherer, Haarschneider. Ein Barbier hatte meist auch eine Ausbildung in der sogenannten kleinen Wundheilkunde und leistete erste, einfachere medizinische Hilfe.

64,32 *Otterngezüchte:* biblisches Scheltwort für böse Menschen (vgl. Mt. 3,7).

65,3 f. *zu Morsch schlagen:* für ›kurz und klein schlagen‹; weder Adelung noch das Grimmsche Wörterbuch kennen ein Substantiv »Morsch«.

65,5 f. *in iure naturae ... gentium:* (lat.) im Naturrecht, im bürgerlichen Recht, im Kirchenrecht und im Völkerrecht.

65,9 *sondiert:* (frz.) mit einer Wundsonde untersucht.

65,12 *in fine videbitur cuius toni:* (lat.) am Ende wird man die Tonart erkennen; ein aus dem Mittelalter stammendes Sprichwort.

65,19 *Kollegia:* (lat.) Vorlesungen.

65,20 *in amore omnia insunt vitia:* (lat.) in der Liebe liegen alle Fehler; Zitat aus der Komödie *Der Eunuch* (I,1,14) des römischen Lustspieldichters Terenz (vgl. Anm. zu 41,20).

65,33 f. *einen Brief ... den er nicht ins Fenster stecken soll:* Die Redensart meint einen geharnischten Brief, den publik zu machen man sich hüten wird.

**67,5 f.** *daß Euch die schwere Not:* redensartliche Verwünschung; *schwere Not:* umgangssprachl. ›Epilepsie‹.

**67,14 f.** *einen Adelbrief gekauft:* Wohlhabende Bürgerliche konnten sich einen Briefadel erwerben, der jedoch vom Geburtsadel nicht anerkannt wurde.

**68,23** *Batterien:* (frz.) Geschütze, Kanonen.

**68,28** *Teekessel:* (Studentenspr.) dumme, einfältige Person, bei Lenz mit der Zusatzbedeutung: ein Mann, der seinen Geschlechtstrieb nicht zu beherrschen vermag.

**69,1** *Teufel im Paradiese:* Anspielung auf den ersten Sündenfall (1. Mose 3,1–7), als der Teufel in der Gestalt einer Schlange Eva verführte.

**69,9** *dreust:* dreist.

**69,10** *blöde gegen 's Frauenzimmer:* schüchtern gegenüber Frauen; *Frauenzimmer* hat hier noch die frühere kollektive Bedeutung.

**69,25** *Quinte:* (lat.) hier: die höchste, die E-Saite, der Laute.

**69,35** *Otschakof:* Die türkische Festung Otschakow an der Mündung des Dnjepr ins Schwarze Meer hielt 1771 einer russischen Belagerung stand.

**70,17** *in der Suite:* (frz.) im Gefolge.
*Prinzen Czartorinsky:* Adam Kasimir Fürst Czartoryski (1734 bis 1823), der sich erfolglos gegen Stanislaus Poniatowski um den polnischen Königsthron beworben hatte.

**70,26 f.** *seit Anno Dreißig:* seit dem Jahre 1730.

**70,30** *sein Tag:* hier: sein Lebtag.

**70,31** *das dritte Chor war's, k, k:* das dritte Saitenpaar auf der Laute; »k« bezeichnet einen Ton in der französischen Lautentabulatur.

**71,2** *Toujours content, jamais d'argent:* (frz.) Immer zufrieden, niemals Geld.

**71,6** *Serenade:* hier: Abendmusik, die vor einem Haus dargebracht wurde.

**71,16** *honett:* (frz.) ehrenwert, ehrenhaft.

**71,25** *hinausgehänselt:* hier: hinausgeworfen.

**72,13** *Dem Kalbsfell folgen:* Soldat werden, d. h. der mit Kalbsfell bespannten Trommel der Soldatenwerber folgen.

**72,19** *Magnifikus:* (lat.) Bezeichnung für den Rektor einer Universität.

**73,13** *Satisfaktion:* (lat.) Genugtuung, Ehrenerklärung.

**74,13** *Hagar:* Als Abraham Hagar und ihren gemeinsamen Sohn

Ismael verstieß, bewahrte Gott beide vor dem Verdursten (vgl. 1. Mose 21,14–21).

74,21 *Sußchen:* wohl umlautlose Form des Koseworts *Süßchen* ›süßes Kind‹.

75,16 *immatrikuliert:* (lat.) als Student an einer Universität eingeschrieben.

75,18 *muß:* hier: darf.

75,26 *legiert ihm den Degen:* schlägt ihm den Degen aus der Hand.

76,15 *Honettetät:* (frz.) Redlichkeit, Ehrgefühl.

76,17 *kuraschöse:* (von frz. *courageux*) mutige.

77,13 *frigidus per ossa:* (lat.) kalt durch die Gebeine.

77,15 *Lineamenten:* (lat.) Gesichtszüge, Miene.

77,21 *Origenes:* Der griechische Kirchenvater und Philosoph Origenes (185–254 n. Chr.) entmannte sich in seiner Jugend aus religiösen Gründen.

77,22 *Rüstzeug:* Werkzeug.

77,27 *Jubilate:* (lat.) Freut euch.
*Evoë:* (griech./lat.) Jubelruf der Bacchantinnen, der Begleiterinnen des Weingottes Bacchus.

78,4 f. *ich bin der Nichtigkeit entbunden ... Flügel her:* als direktes Zitat aus einem Kirchenlied nicht nachzuweisen, doch ähnliche Gedanken finden sich öfters in Kirchenliedern um 1700; vgl. etwa Ämilie J. Gräfin von Schwarzburg-Rudolstadt (1637–1706): »Flügel her, nur Flügel her, Jesus, ich will gerne scheiden.«

78,6 *Lots Weib:* Als Gott Lot und seine Familie aus Sodom und Gomorrha nach Zoar rettete, sah Lots Weib auf der Flucht gegen das ausdrückliche Verbot auf die brennenden Städte zurück und erstarrte zu einer Salzsäule (vgl. 1. Mose 19,24–26).

78,8 *Kollega:* (lat.) Amtsgenosse.

78,14 *Schlacken:* hier: unnütze Gewohnheiten.

78,17 *Diät:* hier: Lebensweise.

78,18–20 *was hinaufsteigt, das ist ... für dich:* Anspielung auf die Anekdote vom Mönch auf der Latrine, die in Luthers *Tischreden* erzählt wird (*Werke*, Bd. 2, Weimar 1913, S. 413).

78,23 *Essäer:* auch: Essener; über diese jüdische Sekte und ihre Grundsätze (wie Ehelosigkeit und das Gebot, am Sabbat keine Notdurft zu verrichten) berichtet der jüdische Historiker Josephus Flavius (um 37–100 n. Chr.) in seiner *Geschichte des jüdischen Krieges* (2,119–161).

78,27 *ihr Fleisch:* hier: ihre sinnlichen Begierden.

78,30 *in amore ... vitia:* vgl. Anm. zu 65,20.

78,32 f. *lauro tempora ... pulsabit:* (lat.) mit Lorbeer werde ich die Schläfen bekränzen, und er wird mit erhobener Stirn die Sterne berühren; nach Horaz (Quintus Horatius Flaccus, 65–8 v. Chr.), *Oden* 3,30,16 und 1,1,36.

79,17 f. *unter meinem Kuvert:* hier: unter meiner Anschrift.

79,21 *wenn er anders:* falls er noch.

80,19 *Mätresse:* (frz.) Geliebte.

80,26 *Krepanz:* Substantivableitung von *krepieren* (lat.) ›elend umkommen‹.

82,6 *übergehn:* vorübergehn.

82,7 *die Ader schlägt:* die Ader öffnet; das Aderlassen war noch im 18. Jh. ein vielfach angewandtes medizinisches Verfahren (u. a. bei Ohnmachtsanfällen).

82,8 *französisch:* hier: empfindlich, weichlich.

82,11 *maliziösen:* (frz.) bösen, boshaften.

82,21 *Melancholei:* (griech.) Schwermut, Trübsinn.

82,29 *Bärenhäuter:* Der römische Historiker Tacitus (etwa 55–117 n. Chr.) berichtet in seiner *Germania* (Kap. 15 und 22), daß die Germanen Felle tragen und im Frieden faulenzen, d. h. auf der Bärenhaut liegen; darauf geht das aus dem 16. Jh. stammende Schimpfwort zurück.

83,7 *Sie wollen mich im –:* Die verhöhnende Redensart »jmdn. im Arsche lecken« wurde unter den Autoren des Sturm und Drang literaturfähig und ist seitdem als Zitat aus Goethes *Götz von Berlichingen* (1773) berühmt-berüchtigt. Bekannt war die Redensart freilich schon Luther. Pätus gebraucht die Wendung noch ein zweites Mal (vgl. 84,27 »Laß ihn dich –«; in der Handschrift steht hier noch der volle Wortlaut).

84,23 *verzettelt:* verspielt.

85,24 *kalmäuserst du:* machst du dir trübe Gedanken, läßt du den Kopf hängen.

85,28 *Friedrichsd'or:* unter Friedrich II. (1712–86) in Preußen eingeführte Goldmünze; im Wert entsprach sie knapp 5 Talern.

86,11 *in schwarzen Kleidern:* hier: in der schwarzen Amtstracht der Pfarrer.

86,16 *ist's nicht ausgemacht:* hier: ist meine Frage nicht wirklich beantwortet.

86,19 *Anmerkung:* hier: Beobachtung.

86,25 *Strauß:* Kampf, Streit, Gefecht.

86,27 *σκάνδαλον ἐδίδους, ἕταιρε!:* (griech.) du hast Ärgernis erregt, Freund!

86,31–87,2 *Der Evangelist Markus … Matthäus:* Den vier Evangelisten sind nach Offb. 4,6–9 symbolische Begleiter zugeordnet: Matthäus der Engel bzw. Mensch, Markus der Löwe, Lukas das Rind und Johannes der Adler.

87,2 *einer geflügelten Schlange:* einem gefallenen Engel; nach Offb. 12,7–9, wo der Sturz des Teufels in Gestalt des Drachens (d. i. einer geflügelten Schlange) und seiner Engel berichtet wird.

87,8 *kasuistisch:* (lat.) hier: ganz auf seinen, Läuffers, Fall bezogen.

87,20 *Lucifer:* Lichtbringer, nach Jes. 14,12 als Name des gestürzten Erzengels, des Satans, gedeutet.

87,24 *statuiert:* (lat.) hier: angenommen, behauptet.

87,32 *posito:* (lat.) gesetzt den Fall.

88,2 *Ziegel auf dem Dach:* In seinem *Brief an die Fürsten zu Sachsen von dem aufrührischen Geist* (1524) schreibt Luther: »Wenn ich gewußt hätte, daß soviel Teufel auf mich gezielt hätten als Ziegel auf den Dächern waren zu Worms, wäre ich dennoch eingeritten« (*Werke*, Bd. 15, Weimar 1899, S. 214).

88,7 *Reutet:* rottet.

88,13 *freigeistern:* sich von den überlieferten religiösen und sittlichen Wertvorstellungen lösen; im 18. Jh. meist mit starkem negativen Unterton.

88,24 *vom alten Sauerteig:* von der alten Schlechtigkeit (nach 1. Kor. 5,6–8).

88,25 f. *wer einmal geschmeckt hat die Kräfte der zukünftigen Welt:* Zitat nach Hebr. 6,4–6.

88,35–89,1 *den weisen Männern im Areopagus … Phryne willen:* Auf dem Hügel Areopagus tagte das höchste Gericht des antiken Athen. Die wegen ihrer Schönheit berühmte Dirne Phryne gewann dort in einem Prozeß ein günstigeres Urteil, indem sie sich vor den Richtern entkleidete.

89,11 f. *Fleischtöpfen Egyptens … Kanaan:* Unter den Entbehrungen auf der Flucht in das verheißene Land Kanaan verzagte das Volk Israel und wünschte sich zurück in die ägyptische Gefangenschaft, wo es nicht hatte hungern müssen (vgl. 2. Mose 16,3).

90,23 *Ziehens:* hier: Umherziehens, der unsteten Lebensweise.

90,34 *einewege:* dennoch, doch.

91,9 *Pro deum atque hominum fidem!:* (lat.) Bei der Treue der Götter und Menschen!

91,10 f. *falscher Prophet! Reißender Wolf in Schafskleidern:* Vgl. Mt. 7,15: »Sehet euch vor vor den falschen Propheten, die in Schafskleidern zu euch kommen, inwendig aber sind sie reißende Wölfe.«

91,13–15 *Es muß ja Ärgernis kommen ... kommt!:* wörtliches Zitat von Mt. 18,7.

91,26–30 *Wenn man mir dies Herz ... für Lisen schlagen:* Läuffer antwortet Wenzeslaus hier mit Wendungen aus Mt. 5,29 f. und 18,8 f.

92,4 *O tempora, o mores!:* (lat.) O Zeiten, o Sitten! Zitat aus Marcus Tullius Ciceros (106–43 v. Chr.) erster Rede gegen Catilina (1,2).

92,5 f. *Valerius Maximus ... de pudicitia:* Die folgende Anekdote stammt aus dem Kapitel »Über die Keuschheit« der Sammlung *Denkwürdige Taten und Aussprüche* (4,1,4) des römischen Historikers Valerius Maximus (1. Jh. n. Chr.).

92,8 *die Räson:* (frz.) hier: der Grund.

92,8 f. *ut etiam ... perferret:* (lat.) daß sie auch ihre Küsse ihrem Gatten rein überbringen sollte.

92,10 *Etiam oscula ... etiam oscula:* (lat.) Auch die Küsse, nicht nur die Jungfräulichkeit, auch die Küsse.

92,15 f. *profanieren:* (lat.) entweihen, entwürdigen.

92,18 *Serail:* Die französische Bezeichnung für den Palast eines Sultans meint hier, wie oft, fälschlich nur das Frauengemach, den Harem, dessen Aufseher meist Kastraten waren.

92,19 *Mietling:* Anspielung auf den guten Hirten, der sich um seine Schafe kümmert, weil sie ihm gehören und er nicht gemietet ist, um sie zu hüten (vgl. Joh. 10,12 f.).

93,15 f. *Connubium sine prole, est quasi dies sine sole:* (lat.) Eine Ehe ohne Kind ist wie ein Tag ohne Sonne.

93,16 *Seid fruchtbar und mehret euch:* vgl. 1. Mose 1,22.

93,27 *weil doch Heiraten besser ist als Brunst leiden:* vgl. 1. Kor. 7,9.

93,32 *Kapaun:* hier: Kastrat.

93,33 f. *homuncio:* (lat.) Menschlein, schwacher Mensch.

94,16 *Ich bin nicht wert, daß ich Ihr Sohn heiße:* Fritz zitiert hier aus dem Gleichnis vom verlorenen Sohn (Lk. 15,21).

95,25 *Ritter von der runden Tafel:* Der Vergleich bezieht sich auf die Sage von König Artus und den Rittern der Tafelrunde.

97,6 *Großmutter:* in der Handschrift von Lenz schon richtig in
»Mutter« verbessert.

97,24 *Großsohn:* Enkel.

98,23 f. *die Engel aus dem Himmel gefallen:* Über den Sturz der
Engel, die sündigten, aus dem Himmel berichten Offb. 12,7–9
und 2. Petr. 2,4.

99,2 *gewarten:* gewärtigen, erwarten.

99,3–5 *wenn's wahr ist .. die Buße tun:* Der Major beruft sich auf
Lk. 15,7: »Also wird auch Freude im Himmel sein über einen
Sünder, der Buße tut, mehr als über neunundneunzig Gerechte,
die der Buße nicht bedürfen.«

## Der neue Menoza

Entst. 1773. *E/D:* Leipzig: Weygand, 1774. Auch hier vermittelte
Goethe den Druck der ebenfalls anonym veröffentlichten Komödie.
Das Stück fand eine nur sehr geteilte und gegenüber dem *Hofmeister*
enttäuschende Aufnahme; gegen Wielands kritische Besprechung im
*Teutschen Merkur* (Bd. 8, 3. Stück, Dezember 1774, S. 241) verfaßte
Lenz seine eigene *Rezension des Neuen Menoza* (vgl. S. 415–420).
Von seinen Freunden setzte sich öffentlich nur Johann Georg
Schlosser (vgl. Anm. zu 415,10 f.) für ihn ein. Lenz hatte schon früh
daran gedacht, die Komödie zu überarbeiten. Eine handschriftlich
erhaltene alternative Schlußszene (vgl. WB I, S. 722–724) stammt
aber wohl aus einer früheren Fassung des Stücks.

101,1 *Der neue Menoza:* Anspielung auf den 1754 in deutscher
Übersetzung erschienenen dänischen Roman *Menoza, ein Asiati-
scher Prinz, welcher die Welt umher gezogen, Christen zu suchen,
aber des Gesuchten wenig gefunden* (1742) von Erik Pontoppidan
(1698–1764).

101,4 *cumbanischen:* aus Cumba, einem fiktiven asiatischen Königreich.

101,15 *Bakkalaureus:* (lat.) niedrigster akademischer Grad.

101,17 *Magister:* (lat.) akademischer Grad zwischen Bakkalaureus
und Doktor.
*an der Pforte:* an der bis ins 19. Jh. berühmten Lehranstalt Schul-
pforta in der Nähe von Naumburg.

101,19 *Der Schauplatz ist hie und da:* bewußte Zurückweisung der zur starren Konvention gewordenen Regel von der ›Einheit des Ortes‹ im Drama.

106,4 *Sukzessionspulver:* (von lat. *successio* ›Nachfolge‹) bleihaltige giftige Arznei, die, wie der Name andeutet, auch als Mittel eingesetzt wurde, um unliebsame Thronfolger zu beseitigen.

106,27 *Calmuckenprinzen:* Kalmücken stammten urspr. aus Mittelasien.

107,32 f. *räsonieren:* (frz.) vernünftig überlegen.

109,17 *Sußchen:* vgl. Anm. zu 74,21.

109,20 *indianischen:* indischen.

110,6 *Abrahams Schoß:* vgl. Lk. 16,22.

110,20 f. *den Musen und Grazien geopfert:* die ›schönen Wissenschaften‹ Poetik und Beredsamkeit studiert und daneben zugleich ein galantes Leben geführt.

111,5 *herkulischen Bestrebungen:* Um Unsterblichkeit zu erlangen, mußte der antike Held Herkules (griech. Herakles), ein Sohn von Zeus, zwölf übermenschliche Arbeiten verrichten.

111,23 *Besser:* Johann von Besser (1652–1729), galanter Dichter und Hofmann, ab 1717 Zeremonienmeister am Dresdner Hof.

*Gellert:* Christian Fürchtegott Gellert (1715–69), einflußreicher Schriftsteller (Fabeln, Gedichte, Lustspiele, ein Roman), lehrte seit 1744 Poesie, Beredsamkeit und Moral in Leipzig.

*Rabner:* Gottlieb Wilhelm Rabener (1714–71), sächsischer Steuerbeamter und Verfasser populärer Satiren.

*Dusch:* Johann Jakob Dusch (1725–87), Dichter und Gymnasialprofessor in Altona.

111,24 *Schlegel:* Johann Elias Schlegel (1719–49), Dramatiker, der früh die Bedeutung Shakespeares erkannte.

*Utz:* Johann Peter Uz (1720–96), anakreontischer Dichter und Justizrat in Ansbach.

*Weisse:* Christian Felix Weisse (1726–1804), anakreontischer Dichter, Verfasser von Singspielen, Übersetzer Shakespeares und Steuereinnehmer in Leipzig.

*Jacobi:* Johann Georg Jacobi (1740–1814), anakreontischer Dichter und Professor der Philosophie und Beredsamkeit in Halle.

111,25 *Wieland:* Christoph Martin Wieland (1733–1813), den die jungen Autoren des Sturm und Drang als einflußreichen Vertreter der von ihnen verachteten Rokoko-Kultur mehrfach angriffen, veröffentlichte 1772 den in einem imaginären China spielenden utopischen Staatsroman *Der Goldene Spiegel oder die Könige von*

Scheschian, *der vom fiktiven Übersetzer dem Kaiser Tai-Tsu gewidmet ist.*

111,26 *ut inter ignes luna minores:* (lat.) wie der Mond unter den kleineren Sternen (vgl. Horaz, *Oden* 1,12,47).

111,36 *Grazie:* Anspielung auf einen Lieblingsbegriff Wielands; vgl. etwa dessen episches Gedicht *Die Grazien* (1770).

112,36–113,2 *Papst ... Goldmacherbuch:* Einer Anekdote nach soll Papst Leo X. (1475–1521) einem Autor, der ihm ein Buch über die Goldmacherkunst zugeeignet hatte, zur Belohnung einen leeren Geldbeutel geschenkt haben mit dem Trost, er wisse ja, wie er diesen durch seine Kunst füllen könne.

*aus euren Mitteln:* aus euren Reihen.

113,5 f. *aux petites maisons:* (frz.) ins Irrenhaus (in Paris).

113,10 *Federmesser:* kleines Messer zum Zuschneiden von Schreibfedern.

114,3 *englisches:* engelgleiches.

114,5 *Blödigkeit:* Furchtsamkeit, Unerfahrenheit.

116,4 *Gewehr:* hier: Waffe.

116,31 *durch die Gerechtigkeit:* durch das Gericht.

118,1 *zur Ader lassen:* vgl. Anm. zu 82,7.

118,9 *Tod für Feuer:* (geistiger) Tod statt Leben.

121,21 *Conterfait:* (frz.) Konterfei, Abbild.

122,14 *ohne Proklamation:* ohne öffentliche Bekanntgabe, öffentliches Aufgebot.

123,18 *nach Holland:* Mit der Flucht in die seit 1648 unabhängigen Niederlande war der Graf der Rechtsprechung des Deutschen Reiches entzogen.

123,32–124,1 *Thomas a Kempis:* deutscher Mystiker (1380–1471), dessen Erbauungsbuch *De imitatione Christi* (»Über die Nachahmung Christi«) in viele Sprachen übersetzt wurde.

124,4 *sympathisieren:* hier: übereinstimmen.

124,9 *wie Sodom:* Die biblische Stadt wurde wegen der sexuellen Verdorbenheit der Bewohner von Gott durch einen Schwefel- und Feuerregen vernichtet (vgl. 1. Mose 19,1–29).

124,10 *Witz:* Verstand, Einsicht.

124,23 f. *dura necessitas, durissima necessitas:* (lat.) harte Notwendigkeit, härteste Notwendigkeit (nach Horaz, *Oden* 3,24,5 f.).

124,35 *Handeln macht glücklicher als genießen:* ein Leitgedanke von Lenz, der in seinen Werken immer wieder aufgegriffen wird (vgl. etwa *Über die Natur unsers Geistes*, S. 450 f.).

125,5 *Freigeisterphilosophie:* im 18. Jh. eine Philosophie, die die Existenz Gottes in Frage stellt.

125,7 *Es ist alles eitel:* Vgl. Pred. 1,2: »Es ist alles ganz eitel, sprach der Prediger, es ist alles ganz eitel.«

125,17 *Kleinmeister:* Eindeutschung von frz. *petit-maître* ›Stutzer, Geck‹.

125,17 f. *ihr Herren Franzosen:* Verehrer des französischen Geschmacks.

125,31 *vernünftige Tiere:* Anspielung auf die Aristotelische Definition des Menschen als ›animal rationale‹.

126,23 *Midas:* sagenhafter phrygischer König, dem in der griechischen Mythologie der Gott Dionysos den Wunsch erfüllte, daß sich alles, was er berühre, in Gold verwandle. Die Gabe erwies sich freilich als Fluch, da sich auch Speisen und Getränke in Gold verwandelten.

126,30 *Unräsonables:* (frz.) Unvernünftiges.

127,4 f. *Glauben, Berge zu versetzen:* Vgl. 1. Kor. 13,2: »Und wenn ich weissagen könnte, und wüßte alle Geheimnisse und alle Erkenntnis, und hätte allen Glauben, also, daß ich Berge versetzte, und hätte der Liebe nicht, so wäre ich nichts.«

127,5 *Historie:* (lat.) Geschichte, Situation.

127,16 *Pater General:* Ordensgeneral des Jesuitenordens.

127,20 *Fickel Fackel:* ruck, zuck; im Handumdrehn.

127,24 f. *verkauf sie auf die Galeeren:* Noch bis ins 18. Jh. wurden Verbrecher als Ruderer nach Venedig und Genua verkauft, um auf den als Kriegs- und Frachtschiffen im Mittelmeer gebräuchlichen Galeeren, die mit bis zu 500 Ruderern besetzt waren, ihre Strafe zu verbüßen.

128,4 f. *Reise in die selige Ewigkeit:* Anspielung auf das in ganz Europa verbreitete Erbauungsbuch des Engländers John Bunyan (1628–88) *The pilgrim's progress from this world, to what which is to come* (London 1678–84; dt. 1685 u. d. T. *Eines Christen Reise nach der Seeligen Ewigkeit*).

130,1 *schönerös:* (von frz. *généreux*) generös, großzügig.

130,2 *einienig:* einzig (und allein).

130,16 *unerzogenes:* hier: noch nicht erwachsenes.

130,36 *Schlagwasser:* aromatischer Riechspiritus, den man bei Ohnmachts- und Schlaganfällen verabreichte.

132,15 *nach Kronstaxe:* in Kronentaler; der Kronentaler war eine im 18. Jh. vor allem in Süddeutschland gebräuchliche Silbermünze.

132,25 *Bankzeddeln:* Bankanweisungen.

132,27 *Albertusgeld:* urspr. eine niederländische, dann während des 18. Jh.s auch in anderen europäischen Staaten geprägte Silbermünze, die im Wert dem Kronentaler entsprach.

133,14 *Festin:* Fest.

134,9 *Alfanzereien:* Streiche, Narreteien.

134,30 *Gaudium:* (lat.) Freude.

135,7 *des Teufels seine Schmieralie:* sündhaft-sinnliche Vorstellungen.

135,25 *Fiskus:* (lat.) hier: Staatskasse.

136,11 *passiert ... für:* gilt ... als.

136,18 *il n'y a pas du mal:* (frz.) das schadet nichts.

136,30 *Polonoise:* (frz.) hier: Polin.

137,7 *Io:* eine Geliebte von Zeus, die er, um Hera zu täuschen, in eine Kuh verwandelte und die dann von dieser in den Wahnsinn getrieben wurde (vgl. Ovid, *Metamorphosen* 1,583–750).

138,26 *sint:* seit.

140,21 *schnüre mich auf!:* schnür mir die Schnürbrust (Korsett) auf!

140,22 *Spiritus:* (lat.) hier: Weingeist, als Mittel bei einer Ohnmacht.

140,26 *Nun bin ich wieder Diana:* Anspielung auf ihre Namensgeberin, die römische Göttin der Jagd.

141,7 *Delinquentin aufheben:* Verbrecherin gefangensetzen.

143,17 f. *dem Fickelfackel ... Studentchen:* hier: dem unruhigen ... Studentchen.

144,22 *à propos!:* (frz.) nebenbei.

146,17 *Viktoria, Vivat!:* (lat.) Sieg, er lebe hoch!

146,27 *Golt Herr – –!:* im Handexemplar von Lenz korrigiert: »Gott und Herr« (Unglaub).

150,31 *ein eigener Hecht:* ein Sonderling.

150,32 *Espece:* (frz.) Sorte.

151,1 *Keinerts:* berüchtigtes Bordell in Leipzig (Unglaub).

151,8 f. *Blauen Engel:* bekannter Gasthof in Leipzig.

151,10 *Assemblee:* (frz.) Versammlung, Gesellschaft.

151,14 *Herrn Gevatter:* vgl. Anm. zu 64,5.

151,15 *Braminen:* Brahmanen, Angehörige der obersten Priesterkaste in der indischen Hindu-Religion.

151,24 f. *Gott verzeih mir, wie – – – – – – –:* Im Handexemplar von Lenz ist hier »ein Eccehomo« eingefügt (Unglaub); die Striche weisen wohl auf eine Rücksichtnahme auf die Zensur. Der

Vergleich »ecce homo« (lat.) zitiert den Ausspruch des Pilatus, als er Jesus nach der Geißelung dem Volk mit den Worten vorführte: »Seht, welch ein Mensch!« (Joh. 19,5).

151,29 *Marqueur:* (frz.) Kellner, Bedienter in einem Gasthaus; urspr. der Punkteanschreiber beim Billard.

152,34 *aber:* abermals.

153,9 *kein Zerimoniums:* (lat.; mit grammatisch falscher Endung) hier: keine Umstände.

153,10 *Herr Schwarzrock:* geringschätzige Bezeichnung für einen Geistlichen.

153,11 f. *Kredenzer:* (ital.) Mundschenk, Kellner.

154,6 *Leidige Tröster:* Vgl. Hiob 16,2: »Ich habe solches oft gehöret. Ihr seid allzumal leidige Tröster«; »leidig« hier: lästig.

154,11 f. *Höllenstein:* ehemals in der Medizin verwendetes Ätzmittel.

155,6 *Michaelis:* die *Abhandlung von den Ehegesetzen Mosis, welche die Heyrathen in die nahe Freundschaft untersagen* (Göttingen 1755) des protestantischen Theologen und Orientalisten Johann David Michaelis (1717–91).

155,11 *den Star stechen:* alte Behandlungsform der krankhaften Trübung der Augenlinse; sprichwörtlich: die Augen öffnen, aufklären.

155,13 *denn sie ist deine Schwester:* Vgl. das Verbot, eine Schwester zu heiraten, 3. Mose 18,11.

155,19 *Giganten:* In der griechischen Mythologie versuchten die riesenhaften Söhne der Erdgöttin Gäa die den Olymp bewohnenden Götter zu stürzen, sie wurden aber vernichtet.

155,20 *Donnerer:* in der griechischen Mythologie ein Beiname von Zeus (lat. Jupiter).

156,14 *Hinter mich, Satan:* Vgl. die Zurückweisung des Apostels Petrus durch Jesus (z. B. Mk. 8,33).

156,20 *Konsistorium:* (lat.) Bezeichnung für die oberste protestantische Kirchenbehörde.

156,21 f. *mit Wasser und Brot:* mit Gefängniskost, d. h. gerichtlich.

157,26 *Cabriolet:* (frz.) zweirädriger Einspänner.

157,28 *Provisionen:* (lat.) hier: Vorräte.

158,4 *en Masque:* (frz.) in Maske.

158,11 *Domino:* (ital.) langer schwarzer Maskenmantel.

158,12 *am Rahmen:* am Stickrahmen.

158,20 *Narrenteiding:* Narrengeschwätz, Narrenposse, Narretei.

158,22 *Übel:* in E: »übel«.

159,17 *Divertissement:* (frz.) hier: ablenkende Lustbarkeit, Zerstreuung.

159,18 *wie Penelope:* Die Frau des griechischen Helden Odysseus, die zwanzig Jahre lang auf dessen Rückkehr warten mußte, wehrte Freier, die sie zu einer neuen Heirat drängten, unter dem Vorwand ab, sie wolle erst das Leichengewand für ihren Schwiegervater anfertigen; das am Tage Gewebte löste sie jede Nacht aber wieder auf.

159,20 *Dessein:* (frz.) Musterzeichnung.

159,24 *Hymen:* griechischer Hochzeitsgott, meist als Jüngling mit Fackel und Kranz dargestellt.

159,25 f. *Leichensermon:* Leichenrede.

159,31 *Vignette:* (frz.) kleine Illustration auf dem Titelblatt, zu Anfang oder Ende einer Buchseite.

159,31 f. *Hallers Ode auf seine Mariane:* Der Dichter und Arzt Albrecht von Haller (1708–77) schrieb 1736 eine »Trauer-Ode, bey Absterben seiner geliebten Mariane«.

160,4 *dürfen:* hier u. ö.: müssen, brauchen.

160,16 *Festin:* Fest.

161,16 *Dame d'honneur:* (frz.) Ehrendame.

161,24 *Phäton:* in der griechischen Mythologie der Sohn des Sonnengottes, der sich von seinem Vater erbat, für einen Tag den Sonnenwagen lenken zu dürfen. Er konnte jedoch die Pferde nicht zügeln und stürzte ins Meer (vgl. Ovid, *Metamorphosen* 2,47 bis 332).

162,32 *nur glauben und selig dabei sein:* Vgl. Joh. 20,29: »Selig sind, die nicht sehen, und doch glauben.«

163,4 *Graf Aranda Velas:* Graf Aranda (1718–99) war zur Zeit der Schlesischen Kriege Botschafter beim Reich und am polnischen Hof (Unglaub, 1989, S. 20).

163,6 *Schlesischen Krieg:* Preußen und Österreich führten zwischen 1740 und 1763 drei Kriege um den Besitz Schlesiens.

163,11 *englischen Krankheit:* Gemeint ist wohl: Rachitis.

163,24 *Seraphims:* Seraphim (Pl.): geflügelte Wesen vor Gottes Thron (vgl. Jes. 6,1–6).

164,10 *Larve:* Maske.

164,11 *Furien:* römische Rachegöttinnen.

164,25 *Biscuit:* (frz.) Zwieback, Gebäck.

165,14 *Don Quischotte:* Don Quichote, die Titelfigur des Romans von Miguel de Cervantes Saavedra (1547–1616), hat durch die Lektüre von Ritterromanen den Verstand verloren, in seinem Fall die Fähigkeit, zwischen Einbildung und Wirklichkeit zu unterscheiden.

165,18 *Chapeau:* (frz., ›Hut‹) Mann, Kavalier.

167,13 *Equipage:* (frz.) Reiseausrüstung (Pferde, Wagen, Dienerschaft und Gepäck).

167,24 *für Chagrin:* (frz.) aus Kummer, Gram.

167,32 *verlorner Sohn:* vgl. Anm. zu 44,34.

169,7 f. *mit seinem Weibe Rebekka zu scherzen:* Vgl. 1. Mose 26,8: »Als er nun eine Zeitlang da war, sah Abimelech, der Philister König, durch das Fenster und ward gewahr, daß Isaak scherzte mit seinem Weibe Rebecca.«

169,15 *Roquelaure:* (frz.) Reisemantel.

169,18 f. *Rekreation:* (lat.) Erholung, Aufmunterung.

169,22 *Püppelspiel:* Puppen-, Marionettentheater.

169,25 f. *prostituieren:* hier: sich bloßstellen, kompromittieren.

169,30 *Hannswurst:* bis ins 18. Jh. Name des ungebildeten Spaßmachers oder Dummkopfs in der populären Komödie.

170,4 *schöne Natur:* hier: die idealisierte Naturdarstellung des französischen Klassizismus.

170,30 *die so sehr bestrittenen drei Einheiten:* die aus der *Poetik* des Aristoteles (384–322 v. Chr.) abgeleitete Forderung nach der Einheit von Ort, Zeit und Handlung im Drama, gegen die auch Lenz in seinen *Anmerkungen übers Theater* polemisierte (vgl. bes. S. 383–387).

171,20 f. *wie der Engelländer:* Gemeint ist wohl derselbe Engländer, über den Lenz in einem Brief vom April 1776 bemerkt, er habe sich aus Langeweile erschossen, »weil er nichts neues in der Zeitung fand«.

171,26 *Desperation:* (lat.) Verzweiflung.

171,30 *ennuyierst:* (frz.) langweilst.

172,4 f. *im Comptoir:* (frz.) im Geschäft, im Kontor.

172,13 *räsoniere nicht:* hier: widersprich nicht.

172,16 f. *kommod:* (frz.) bequem.

172,20 *Geschmackshöker:* Geschmackskrämer.

172,24 *kuranzen:* plagen, drangsalieren.

172,24 f. *'s Collegia:* (lat., mit falschem Singular beim Artikel) Vorlesungen.

## Die Soldaten

Entst. 1774/75. *E/D:* Leipzig: Weidmann und Reich, 1776. Herder vermittelte den Verleger und regte eine Neufassung des Schlusses (die ursprüngliche Schlußfassung ist WB I, S. 245 f. abgedruckt) an, der in die Druckfassung eingeht. Wegen der leicht zu entschlüsselnden Anspielung auf reale Vorgänge, die Lenz ausführlich im *Tagebuch* (vgl. WB II, S. 298–329) darstellte, wollte er das Stück unbedingt ohne Namensnennung bzw. unter dem Pseudonym Steenkerk aus Amsterdam veröffentlichen. Das Drama fand bei Erscheinen kaum öffentliche Beachtung; es sind nur vier Rezensionen bekannt. Von seiner Thematik her steht das Stück im Zusammenhang mit Lenzens etwas später entstandener gesellschaftspolitischer Reformschrift *Über die Soldatenehen* (WB II, S. 787–827), die jedoch Fragment blieb.

173,2 *Komödie:* Der späte Wunsch von Lenz, den Untertitel in »Schauspiel« zu ändern, konnte beim Druck nicht mehr berücksichtigt werden.

173,4 *Galanteriehändler:* handelte mit eleganten Stoffen, modischer Kleidung und Schmucksachen.

173,12 *Obrister:* Oberst.

173,18 *Gräfin de la Roche:* Der Name ist eine Reverenz Lenzens vor der zeitgenössischen Schriftstellerin Sophie von La Roche (1731–1807).

174,11 *arriviert:* (frz.) angekommen.

174,17 *bis der Verstand aus ist:* bis das Gemeinte deutlich wird.

174,18 *Politessen:* (frz.) Höflichkeiten, Artigkeiten.

174,20 *Continuation:* (frz.) Fortsetzung.

175,2 *schalu:* (von frz. *jaloux*) eifersüchtig.

175,5 *Hand:* hier: Handschrift.

176,6 *ein Buch ... Papier:* ein Packen Schreibpapier (1 Buch hat 24 Bogen).

176,26 *Semester:* (lat.) Halbjahr, Halbjahresurlaub.

176,29 *Prison:* (frz.) Gefängnis.

177,11 *ennuyiert:* (frz.) gelangweilt.

177,12 *Tabatieren:* (frz.) (Schnupf-)Tabaksdosen.

177,17 *das hat gute Wege:* das hat keine Eile.

178,11 *Milizen:* (lat.) heute für ›Volkswehr, Bürgerheer‹ im Gegensatz zu stehenden Heeren; hier noch allg. ›Soldaten‹.

178,14 *Tant pis!:* (frz.) Desto schlimmer!

178,21 *Willstu:* Willst du; entstanden durch Kontamination, wobei das *d* ausfiel.

178,22 f. *pardonieren:* (frz.) verzeihen.

178,26 *Zitternadeln:* ein Modeschmuck aus vibrierendem Draht, der als Kopfschmuck getragen wurde.

178,28 *englisches:* engelgleiches.

178,31 *La chercheuse d'esprit:* (frz.) »Die Sucherin nach Wissen« (1741), eine komische Oper von Charles-Simon Favart (1710–92).

178,32 *Piece:* (frz.) hier: Theaterstück.
*der Deserteur:* wohl das gleichnamige Drama (1770) von Louis-Sébastien Mercier (1740–1814).

179,31 *machen wir richtig:* rechnen wir ab.

180,3 *Keuchel:* Küken, Küchlein.

180,7 *Aubergen:* (frz.) Wirtshäuser, Herbergen.

180,9 *wips:* Interj.: husch, augenblicklich.

180,30 *c'est à dire:* (frz.) das heißt.

181,2 *die beiden weißen Läppchen unterm Kinn:* abwertende Beschreibung des Beffchens der Geistlichen.

181,20 *räsoniert:* hier: laut überlegt, geredet.

181,23 *Farce:* (frz.) Posse, Schwank.

182,10 *dem schwarzen Rock:* der schwarzen Amtstracht der Pfarrer.

182,29 *Nero:* Der römische Kaiser Nero (37–68 n. Chr.) war berüchtigt für seine Grausamkeit und soll Rom in Brand gesteckt haben.
*Oglei Oglu:* (türk.) Sohn des Oglei; gemeint ist wohl der Nachfolger des Dschingis Khan (1155–1227), Oktai; allen Mongolen-Herrschern wurde große Grausamkeit nachgesagt.

183,7 *honetten:* (frz.) ehrbaren, anständigen.

183,8 f. *malhonett zu machen:* in schlechten Ruf zu bringen, zu verderben.

183,13 *Honettehommes:* (frz.) Ehrenmänner.

183,16 *entretenierte:* (frz.) ausgehaltene.

183,20 *ich trag einen Degen:* Der Feldprediger weist so darauf hin, daß auch er ein Offizier, Degenträger, ist und so seine Ehre auf dem Spiel steht.

184,14 *geputzt:* geschmückt, zurechtgemacht.

185,20 f. *in Blame bringen:* (von frz. *blâme* ›Tadel‹) in Verruf bringen, bloßstellen.

185,23 f. *schalusierst:* bist eifersüchtig (vgl. Anm. zu 175,2).

188,28 *Fats:* (frz.) Gecken.

189,9 f. *Cabriolet:* (frz.) zweirädriger Einspänner.

190,34 *Daniel:* wohl Anspielung auf das hohe Ansehen, das der alttestamentliche Prophet Daniel am babylonischen Hof genoß (vgl. Dan. 2).

191,19 *Grillen:* im 17. Jh. ›trübselige, melancholische Gemütsverfassung‹.

191,21 *Pfifferling:* Der kleine Speisepilz ist schon seit dem 16. Jh. auch Sinnbild des Wertlosen.

191,29 *bravste:* tapferste.

192,8 f. *schneiden Komplimenten:* machen Höflichkeitsbezeugungen, Verbeugungen.

193,13 *rekommandiert:* (frz.) empfohlen.

193,16 *Sentiment:* (frz.) Empfindung, Gefühl.

193,19 *blödern:* hier: furchtsameren, schüchterneren.

194,18 *Rheinluft:* Armentières liegt, wie zuvor richtig angegeben, an der Lys, einem Nebenfluß der Schelde; die Erwähnung des Rheins ist ein Versehen und weist auf den Ort der der Handlung zugrunde liegenden tatsächlichen Ereignisse, auf Straßburg.

194,30 *throsonisch:* prahlerisch; nach Thraso, dem prahlerischen Hauptmann, in der Komödie *Der Eunuch* (161 v. Chr.) des römischen Lustspieldichters Terenz (vgl. Anm. zu 41,20).

194,34 *pariere:* in der Fechtersprache: wehre ab.

195,3 *Bouteille:* (frz.) Flasche.

195,15 *darohne:* ohne das.

195,30 *Livres:* französische Münze (›Pfund‹).

195,35 *avertieren:* (frz.) warnen, benachrichtigen.

196,1 *Schwerenot:* Bezeichnung für Epilepsie, häufig in Verwünschungen.

196,19 *impertinenter:* (frz.) anmaßender, unverschämter.

197,22 *belaure:* hier: erwische.

198,5 f. *verschameriert:* (von frz. *charmer* ›bezaubern‹) verliebt, verguckt.

198,9 f. *Liebesdeklaration:* (lat.) Liebeserklärung.

198,24–199,2 *Ein Mädele jung ein Würfel ist . . .:* Ob es sich hier um ein wirkliches Volkslied oder eine Dichtung von Lenz handelt, konnte bislang nicht geklärt werden.

199,4 *berufen:* zur Ordnung zu rufen.

199,13 *Gad:* Gott. Lenz benutzt hier und im folgenden karikierend die Aussprache der Juden.

199,13 f. *Camplat:* Komplott, heimlicher Anschlag.

199,15 *Rocklor:* (von frz. *roquelaure*) langer Reisemantel.

199,16 *subtiles:* hier wohl: leises.

200,12 *Adonai:* hebräische Anrede an Gott.

201,27 *verkehrt:* hier: verführt.

201,32–34 *wenn ein Vögelein ... gelingen:* Das aus dem Grimm-schen Märchen *Das Hirtenbüblein* (Nr. 152) bekannte und zuvor schon in Kirchenliedern und der Erbauungsliteratur tradierte Motiv geht ursprünglich wohl auf den Mystiker Heinrich Suso (1300–66) zurück (vgl. Lutz Mackensen (Hrsg.), *Handwörter-buch des deutschen Märchens*, Bd. 1, Berlin/Leipzig 1930–33, S. 386).

202,5 *Metze:* Dirne, Hure.

203,33 *Sorgstuhl:* hier: Lehnstuhl.

205,13 *Canaille vous même:* (frz.) ein Schurke (sind) Sie selbst.

205,36 *vidimieren:* (lat.) beglaubigen.

206,1 *Kopei:* Kopie.

*Promesse de Mariage:* (frz.) Heiratsversprechen. Einen solchen notariell beglaubigten Vertrag, wohl von Lenz aufgesetzt, gab es zwischen Baron Friedrich von Kleist und Cleophe Fibich; er wurde, wie im Stück, gebrochen (vgl. WB I, S. 731–737).

206,5 f. *Louis quatorze:* Ludwig XIV., der »Sonnenkönig« (1638 bis 1715).

206,7 *Monsieur le Baron:* (frz.) Herr Baron.

206,12 *eingegangenen:* nicht mehr benutzten.

206,32 *Anmerkung:* hier: Beobachtung.

207,2 *karessieren:* (frz.) liebkosen.

207,11 *Bataillen:* (frz.) Gefechte, Schlachten.

208,1 *Rekruten anwerben:* Im 18. Jh. gab es in der Regel keine Wehrpflicht, sondern Freiwilligenheere, deren Soldaten angewor-ben werden mußten. Die Anwerbung wurde jedoch oft mit Täuschung und Gewalt erreicht.

208,5 *Philisterleben:* verächtlich für: bürgerliches, ziviles Leben.

208,11 *meine Schildwachten bezahle:* Soldaten konnten sich vom Wachdienst freikaufen.

209,7 *Soldatenmensch:* Soldatenhure.

209,23 f. *Approbation:* (frz.) Billigung, Zustimmung.

209,25 *Connoisseuse:* (frz.) Kennerin.

209,28 *Rumor:* (lat.) Aufregung, Unordnung.

210,30 *Cicisbeo:* (ital.) Begleiter, Hausfreund (mit anzüglichem Nebensinn).

211,3 *Gräfin La Roche:* vgl. Anm. zu 173,18; Lenz hatte ihr im September 1775 geschrieben: »Es kömmt eine Gräfin La Roche drin vor, der ich etwas von Ihrem Charakter zu geben versucht habe, wie ich ihn aus Ihren Schriften und Briefen kenne« (WB III, S. 338).

211,11 *große Hitze:* Fieber.

211,13 *Mademoiselle:* (frz.) hier wohl eine Erzieherin, wozu man oft eine Französin nahm.

211,18 *empfindliches:* empfindsames.

211,30 *auf dich passen:* dich bedienen.

212,13 *für Sie:* vor Ihnen.

213,19 *kompläsant:* (frz.) gefällig, zuvorkommend.

214,12 *Rappuse:* hier: Unordnung, Durcheinander.

215,8 *Pamela:* In dem in ganz Europa populären Roman *Pamela, or Virtue Rewarded* (»Pamela oder die belohnte Tugend«, 1740; dt. 1772) des Engländers Samuel Richardson (1689–1761) widersteht die Titelfigur, ein einfaches Mädchen, den Verführungsversuchen eines Adeligen und erreicht dadurch, daß dieser sie schließlich wirklich liebt und auch heiratet.

216,11 *Hazardspiel:* (frz.) Glücksspiel.

217,2 *hat seine Hand:* hat sein Eheversprechen; vgl. *um die Hand anhalten*.

218,8 *die Wirtschaft:* hier: die Angelegenheit.

218,10 *verschlägt:* hilft, ändert.

219,16 *Anciennität:* (frz.) das (höhere) Dienstalter.

220,12 *Himmelsgaudium:* (lat.) himmlisches Vergnügen.

220,14 *minaudiert:* (frz.) ziert sich, tut schön.

220,32 *Lusthause:* Gartenhaus oder Landgut als Vergnügungsaufenthalt.

221,20 *Flattieren Sie sich nur nicht:* (frz.) Machen Sie sich nur keine Hoffnungen.

222,3 *Roman:* hier: Liebesgeschichte, Liebesaffäre.

223,11 *Kappen:* Kapuzenmäntel ohne Ärmel.

224,12 *Logis:* (frz.) Unterkunft, Wohnung.

224,27 *seiter wenn:* seit wann.

225,5 *mausig machen:* sich wichtig machen.

225,23 *Impertinenzien:* (frz.) Ungezogenheiten, Unverschämtheiten.

226,13 *Antolagenhemd:* (frz.) Spitzenhemd.

226,21 *Montierungsstücken:* Uniformen, Uniformteilen.

226,23 *Petschaft:* Siegelstempel.

227,6 *Alteration:* (frz.) Bestürzung, Gemütsbewegung.

227,9 *Kaution:* (lat.) Bürgschaft.

228,5 *Post:* Postkutsche.

228,20 *Kontorsionen:* (lat.) Zuckungen, Krämpfe.

229,27 *malhonett:* (frz.) unehrenhaft, ehrlos.

230,10 *gemault:* geschmollt.

230,12 *Hundstagen:* vgl. Anm. zu 32,23.

230,13 *Nesseltuch:* dünner (Baumwoll-)Stoff.

230,20 *schagrinieren:* (von frz. *chagrin* ›Kummer‹) ärgern.

230,35 *ennuyiert:* (frz.) langweilt.

231,3 *Aye!:* (engl. *ay*) hier: Ausruf der Verwunderung und des Schmerzes.

232,2 *Bälge:* hier: Dirnen, Huren.

233,22 f. *Folgen des ehlosen Standes der Herren Soldaten:* Soldaten war es üblicherweise verboten zu heiraten.

233,24–26 *Schon Homer ... Soldat:* Eine solche Stelle ist bei Homer, dem sagenhaften griechischen Epiker des 8. Jh.s v. Chr., weder in der *Ilias* noch der *Odyssee* nachweisbar; Lenz mag an Hektors Abschied von seiner Familie gedacht haben (*Ilias* 6,390–495), worauf eine briefliche Bemerkung an Herder vom 20. November 1775 deutet: »Ordentliche Soldatenehen wollen mir nicht in den Kopf. Soldaten können und sollen nicht mild sein, dafür sind sie Soldaten. Hektor im Homer hat immer recht gehabt, wären der Griechen Weiber mit ihnen gewesen, sie hätten Troja nimmer erobert« (WB III, S. 353).

233,28 *Andromeda:* In der griechischen Mythologie sollte die Königstochter Andromeda einem Ungeheuer geopfert werden, das das Land bedrohte. Sie wurde gefesselt ausgesetzt, aber von Perseus gerettet, der sie dann zur Frau nimmt (vgl. Ovid, *Metamorphosen* 4,670–739).

234,1 f. *Pflanzschule von Soldatenweibern:* Diese etwas drastische Idee wird von Lenz in seiner Schrift *Über die Soldatenehen* (WB II, S. 787–827) insofern modifiziert, als er dort dafür plädiert, den Soldaten eine Ehe zu gestatten und ihnen zu erlauben, während der Wintermonate mit ihren Familien zu leben.

234,8 *Amazonen:* in der griechischen Mythologie ein kriegerisches Frauenvolk, das unter seiner Herrscherin Penthesilea vor Troja kämpfte.

234,10 *Delikatesse:* (frz.) Feingefühl, Zartheit.

234,16 *die Kinder gehörten ihm:* Findel- oder Waisenkinder »gehörten« bis ins 19. Jh. dem König, d. h., er hatte fast absolute Verfügungsgewalt über sie.

235,19 *Begine:* Angehörige einer klosterähnlichen Gemeinschaft, der sich Frauen anschlossen, ohne ein Gelübde abzulegen. Vielfach dienten die Beginenhöfe unverheirateten Frauen als Ausweichmöglichkeit.

236,19 *Konkubinen:* (lat./frz.) Nebenfrauen, außereheliche Lebensgefährtinnen.

236,20 f. *jene medischen Weiber unter dem Cyrus:* Der persische Herrscher Kyros II. (gest. 529 v. Chr.) eroberte 550 das Medische Reich.

## Pandämonium Germanikum

Entst. 1775. *E: Pandaemonium Germanicum: Eine Skizze. Aus dem handschriftlichen Nachlasse des verstorbenen Dichters,* hrsg. von Georg Friedrich Dumpf, Nürnberg: Friedrich Campe, 1819. Dumpf druckte die jüngere Handschrift. *D:* J. M. R. Lenz, *Pandaemonium Germanicum (1775), nach den Handschriften herausgegeben und erläutert [von Erich Schmidt],* Berlin 1896. Schmidt druckt die jüngere der beiden erhaltenen Handschriften und weist Varianten im Apparat nach; zur älteren Fassung vgl. WB I, S. 247–271. Die spätere Handschrift ist im Ton etwas gemildert, gibt den Eindruck einer weiteren Überarbeitung, bei der freilich manche interessante Anspielung wegfiel. Der Druck unterblieb auf Einwände von Goethe (vgl. Damm, 1985, S. 152–154).

237,1 *Pandämonium Germanikum:* (lat.) Tempel der deutschen Halbgötter; hier: Aufenthaltsort der Dichter Deutschlands.

237,3 *Difficile est satiram non scribere:* (lat.) Es ist schwer, keine Satire zu schreiben (Juvenal, *Satiren* 1,30).

237,8 *Dunsiadisch Spottgedicht:* Anspielung auf Alexander Popes (1688–1744) Literatursatire The Dunciad (»Die Dummkopfiade«, 1728).

238,2 *Der steil Berg:* der Musenberg; nach der griechischen Mythologie lebten die Musen auf den Bergen Helikon und Parnaß. – Die Ortsangabe ist wohl auch eine versteckte Anspielung auf die *Kritischen Nachrichten vom Zustand des teutschen Parnaß,* die Christian Heinrich Schmid (vgl. Anm. zu 255,22) 1774 in Wielands *Teutschem Merkur* veröffentlicht hatte; in der 3. Fortsetzung (Bd. 8, 3. Stück, Dezember 1774, S. 164–201) behandelte er auch ausführlicher Werke von Goethe und Lenz.

238,20 *wenn wir zusammen blieben wären:* Lenz hatte Goethe 1771, wenige Monate vor dessen Abreise aus Straßburg, dort noch kennengelernt; bis zu ihrem erneuten Zusammentreffen im Sommer 1775 standen sie in regem Briefwechsel und tauschten Manuskripte aus.

238,25 *handhohen:* Lenz war von kleinem Wuchs.

238,31 *Klopstock:* Friedrich Gottlieb Klopstock (1724–1803), der von den Sturm-und-Drang-Autoren verehrte Dichter.

239,12 *was Teutscher:* hier: was zum Teufel.

239,23 *denn:* wie oft noch bei Lenz: dann.

239,30 f. *Pickelhäring:* urspr. eine komische Figur der englischen Komödianten des 17. Jh.s; im deutschen Theater entspricht ihr die Figur des Hanswurst, die auch in Goethes *Jahrmarktsfest zu Plundersweilern* (1774) auftritt. Lenz kannte wohl auch das um 1775 entstandene Fragment *Hanswursts Hochzeit* (vgl. Damm, 1985, S. 155), das jedoch erst aus Goethes Nachlaß veröffentlicht wurde.

240,5 *Lorgnette:* (frz.) kleines Fernrohr.

240,19 *Aye!:* (engl.) hier: Ausruf des Schmerzes.

240,32 *einen zweiten Aetna:* In der griechischen Mythologie wird einer der Giganten, die sich gegen die olympischen Götter erhoben hatten, unter Felsbrocken begraben, aus denen Sizilien entstand; sein Haupt liegt unter dem Ätna (vgl. Ovid, *Metamorphosen* 5,346–353).

240,33 *Apoll:* in der griechischen Mythologie der Gott der Weisheit und der musischen Künste.

241,2 *sie bedeuten:* sie zurechtweisen, belehren.

241,7 *Kapriolen:* (ital.) Luftsprüngen.

241,10 *Schwernotsberg:* vgl. Anm. zu 196,1.

241,11 *komplimentieren sie:* begrüßen sie mit Höflichkeitsbezeugungen.

241,12 f. *seinen Nachahmer, den Lenz:* selbstironische Anspielung auf einen schon von den Zeitgenossen erhobenen Vorwurf.

241,28 *impertinent:* (frz.) ungezogen, anmaßend.

241,30 f. *junges aufkeimendes Genie aus Kurland:* Lenz zitiert hier Christian Friedrich Daniel Schubarts (1739–91) Korrektur in der von ihm herausgegebenen *Deutschen Chronik* (47. Stück, 8. September), daß nicht, wie zuvor berichtet, Goethe, sondern der bislang unbekannte Lenz der Verfasser des *Hofmeisters* sei.

242,2 *Philister:* (Studentenspr.) abwertend: Bürger, Spießer.

242,8 *unter einem andern Namen:* Die ersten 1774 anonym erschienenen Werke von Lenz, wie *Der Hofmeister* und *Die Lustspiele nach dem Plautus*, wurden von Lesern und Kritikern mehrfach Goethe zugeschrieben.

242,18 *Fama:* in der römischen Mythologie Verkörperung des Gerüchts, der Nachrede.

242,29 f. *will gar nicht rezensiert sein:* Zitat der Schlußzeile (»Der Bengel! – schmeißt ihn tod den Hund! er ist ein / Autor, der nicht kritisiert will seyn«) von Heinrich Leopold Wagners (1747–79) Gedicht »Der Sudelkoch« (1774), das satirisch den Schluß von Goethes Invektive gegen Literaturkritiker, »Recensent« (1774), parodierte: »Schlagt ihn tot, den Hund! er ist ein Rezensent«.

243,12 f. *wie die bösen Geister im Noah:* Im 5. Gesang des biblischen Epos *Der Noah* (1752) des Schweizer Dichtungstheoretikers und Schriftstellers Johann Jakob Bodmer (1698–1783) wird beschrieben, wie die abgefallenen Engel ein auf Wolken fliegendes Kriegsschiff bauen, um den Giganten die Erstürmung des Paradiesberges zu ermöglichen.

243,27 *Geist des Geists:* Ein Werk mit dem Titel *L'esprit des Journalistes* (frz., »Der Geist der Journalisten«) war in den den Sturm-und-Drang-Autoren nahestehenden *Frankfurter Gelehrten Anzeigen* 1772 (Nr. 13, 14. Februar) als Beispiel einer überflüssigen Aufsatzsammlung aus einer Zeitschrift verspottet worden.

243,28 *pränumerieren:* (lat.) vorausbezahlen, subskribieren.

244,1 *Schmeißfliegen:* Vgl. das Epigramm, das Lenz im April 1775 an Lavater sandte: »Gotter: Es wimmelt heut zu Tag von Sekten / Auf dem Parnaß / Lenz: Und von Insekten« (WB III, S. 307).

244,10 *Alexander:* Alexander der Große (356–323 v. Chr.), makedonischer König und Welteroberer.

*Cäsar:* Gaius Julius Caesar (100–44 v. Chr.), römischer Staatsmann und Feldherr.

244,11 *Friedrich:* Gemeint ist der preußische König Friedrich II., der Große (1712–86).

*Pygmäen:* afrikanisches Zwergvolk; hier: kleine Leute.

244,13 *Shakespeare:* William Shakespeare (1564–1616), englischer Dramatiker.

*Voltaire:* Voltaire (d. i. François Marie Arouet, 1694–1778), französischer Aufklärer und Schriftsteller.

*Rousseau:* Jean-Jacques Rousseau (1712–78), französischer Kulturphilosoph und Schriftsteller.

244,15 *Ovid:* Publius Ovidius Naso (43 v. – 18 n. Chr.), römischer Dichter.

*Virgil:* Publius Vergilius Maro (70–19 v. Chr.), römischer Dichter; sein Hauptwerk ist das Epos *Aeneis* über die mythische Herleitung Roms von Troja.

*Homer:* vgl. Anm. zu 233,24–26.

244,19 *die schwere Not:* vgl. Anm. zu 196,1.

244,31 f. *Antwort, die der König von Preußen einem gab:* Nach einer Anekdote erwiderte Friedrich II. von Preußen, als ihn ein Pfarrer Dietrich mit den Worten »Halber Gott, großer Friedrich« anredete, »Ganzer Narr, kleiner Dietrich« (vgl. Karl Freye [Hrsg.], *Sturm und Drang. Dichtungen in der Geniezeit*, 4 Tle., Berlin [o. J.], T. 4, S. 490).

245,11 *Verfall der Künste:* wohl Anspielung auf Johann Gottfried Herders (1749–1803) Preisschrift *Ursachen des gesunkenen Geschmacks bei den verschiednen Völkern, da er geblühet* (1775).

245,13 f. *mit Rousseau … auf allen vieren:* Rousseau hatte im *Discours sur les sciences et les arts* (»Abhandlung über die Wissenschaften und die Künste«, 1749) die Frage verneint, daß der Fortschritt der Künste und Wissenschaften zu einer Verbesserung der Sitten beigetragen habe. – In seiner satirischen Komödie *Les Philosophes* (1760) läßt Charles Palissot de Montenoy (1730–1814) eine Figur auf allen Vieren auftreten (III,9), die unschwer als eine Karikatur Rousseaus zu entschlüsseln ist.

245,19 *Aristophanes:* griechischer Komödiendichter (um 445–385 v. Chr.).

*Plautus:* Titus Maccius Plautus (um 250–184 v. Chr.), römischer Komödiendichter, von dem Lenz mehrere Stücke übersetzte und bearbeitete (*Lustspiele nach dem Plautus fürs deutsche Theater*, 1774).

245,24 *Tempel des Ruhms:* Die Szenenangaben greift eine im 18. Jh.

schon konventionell gewordene Vorstellung auf; vgl. Alexander Pope (1688–1744), *The Temple of Fame* (1713), und Immanuel Jakob Pyra (1715–44), *Der Tempel der wahren Dichtkunst* (1737).

245,26 *Hagedorn:* Friedrich von Hagedorn (1708–54), anakreonti-scher Lieder- und Fabeldichter.

246,1 *Lafontaine:* Jean de La Fontaine (1621–95), französischer Dichter, dessen *Fabeln* (1668–94) in ganz Europa gelesen wurden.

246,3 *Bon! bon! cela passe!:* (frz.) Gut! gut! das geht!

246,4 *Philosoph:* Gemeint ist Christian Fürchtegott Gellert (1715 bis 1769), der als Professor der Beredsamkeit und Moral in Leipzig lehrte und auf dessen *Fabeln und Erzählungen* (1746–48), dessen Lustspiel *Die Betschwester* (1745) und *Geistliche Lieder* (1757) hier angespielt wird. Er galt als Hypochonder.

*ducknackigt:* mit krummen Rücken.

246,17 *Ansehen:* Aussehen.

246,19 *zutätiger:* zudringlicher.

246,29 *Oh l'original!:* (frz.) Oh das Original! – Von Friedrich II. von Preußen gefragt, ob er nicht La Fontaine nachahme, soll Gellert geantwortet haben: »Nein, ich bin ein Original!« (vgl. *Sturm und Drang. Dichtungen und theoretische Texte,* hrsg. von Heinz Nicolai, München 1971, Bd. 2, S. 1853).

246,30 *Moliere:* Molière (d. i. Jean-Baptiste Poquelin, 1622–73) war der bedeutendste Lustspieldichter des französischen Klassizismus.

246,30–33 *Je ne puis ... maudite timidité:* (frz.) Ich begreife diese Deutschen nicht. Er macht sich ein Verbrechen daraus, einen solchen Erfolg zu haben. Er bräuchte nur nach Paris zu kommen, und er würde bald diese verdammte Schüchternheit ablegen.

246,34 *Weisse:* Weisse (vgl. Anm. zu 111,24) reiste mehrfach nach Paris; seine Werke stehen unter dem Einfluß des französischen Klassizismus.

246,35 *Steinschnallen:* mit Edelsteinen besetzte Schuhschnallen.

*Billet:* (frz.) Fahrschein.

247,10 *Il est fou cet homme:* (frz.) Er ist närrisch, der Mensch.

247,12 *C'est un ange:* (frz.) Es ist ein Engel.

247,14 *Rabener:* vgl. Anm. zu 111,23.

247,18 *zylindrischen Spiegel:* hier: Zerrspiegel. Vgl. das Lob des Karikaturenmalers in den *Anmerkungen übers Theater* (S. 381).

247,27 *Rabelais:* François Rabelais (1494–1553), französischer Schriftsteller, Verfasser des phantastisch-satirischen Romans *Gargantua und Pantagruel* (5 Bücher, 1532–64; dt. 1575).

*Scarron:* Paul Scarron (1610–60), französischer Schriftsteller, Verfasser komisch-satirischer Werke.

247,27 f. *Au lieu ... mieux fait:* (frz.) Anstelle des Spiegels hätte er besser daran getan, wenn er die Hosen heruntergelassen hätte. – Rabeners harmlose Satire wird hier mit dem sinnlichen Grobianismus (besonders bei Rabelais) kontrastiert.

247,29 *Liskov:* Christian Ludwig Liscow (1701–60), der seine scharf-kritischen und persönlichen Satiren gegen mittelmäßige Autoren richtete.

*Waisenhäuserstudenten:* wohl Anspielung auf Liscows Satiren gegen den hallischen Professor der Beredsamkeit Johann Ernst Philippi.

248,1 *Klotz:* Christian Adolf Klotz (1738–71), Professor der Philosophie und Herausgeber einflußreicher literaturkritischer Zeitschriften.

248,4 *Jokus:* (lat.) Scherz.

248,5 *honette:* ehrbare.

248,9 *Anakreons Leier:* Liebe und Wein sind die hauptsächlichen Themen der Lieder des griechischen Dichters Anakreon (6. Jh. v. Chr.); er ist das Vorbild der sogenannten Anakreontiker, deren deutsche Hauptvertreter Johann Joachim Rost (1717–65), Johann Ludwig Gleim (1719–1803) und Johann Peter Uz (1720–96) im folgenden auftreten.

248,16 f. *Voilà qui ... d'Allemands là:* (frz.) O das macht Spaß ... Allmählich bekommen sie Witz, diese merkwürdigen Deutschen. *Chaulieu und Chapelle:* Guillaume Amfrye Abbé de Chaulieu (1639–1720) und Chapelle (d. i. Claude-Emmanuel Lhuillier, 1626–86), französische Anakreontiker.

248,18–20 *Voilà ... un peu:* (frz.) Und hier ist einer, der kein Wort spricht, aber jeden anlächelt. Er scheint ein braves Kind zu sein, seht nur, man muß ihn ein wenig wach machen.

248,22 f. *Gleim ... erhitzt, in Waffen:* Gleim veröffentlichte 1758 seine damals populären patriotischen *Preußischen Kriegslieder in den Feldzügen von 1756 und 1757, von einem Grenadier.*

248,25 *Utz:* vgl. Anm. zu 111,24.

248,26 f. *Ein junger Mensch:* Gemeint ist der junge Christoph Martin Wieland (1733–1813), der unter dem Einfluß Bodmers die Anakreontiker heftig wegen ihrer angeblichen Unmoral angriff. Später schrieb er selbst erotisch-galante Dichtungen, wofür er wiederum als Verführer der Jugend von Lenz und anderen Sturm-und-Drang-Autoren angegriffen wurde.

248,29 *Ω πω ποι!:* (griech.) Wehe!

248,29 f. *zahmlose:* hier: zügellose.

248,34 *usurpiert:* (lat.) unrechtmäßig einnehmt.

248,37–249,2 *Ein paar Priester ... hinaus:* Wieland forderte in der Vorrede zu *Empfindungen eines Christen* (1756) kirchliche Behörden in Preußen auf, gegen die von ihm als unsittlich denunzierten Anakreontiker einzuschreiten.

249,5–9 *Womit kann ich den Damen ... Tragödie?:* Lenz bezieht sich im folgenden auf einige frühe Werke von Wieland: *Sympathien* (1756), *Briefe von Verstorbenen an Hinterlassene Freunde* (1753), das Epenfragment *Cyrus* (1759) und die Tragödien *Lady Johanna Gray* (1758) und *Clementia von Poretta* (1761).

249,17 *findt die zerbrochene Leier:* Anspielung auf Wielands Hinwendung zur anakreontischen Dichtung, wie sie sich etwa in den wegen ihrer erotischen Zweideutigkeiten von den Zeitgenossen kritisierten *Comischen Erzählungen* (1765) kundtat.

249,24–26 *Oh le gaillard! ... au moins:* (frz.) O der durchtriebene Kerl! Die anderen amüsierten sich mit den Grisetten, dieser verdirbt die ehrenwerten Damen. Aber er hat für sich immerhin die richtige Wahl getroffen.

249,27–29 *Ah ça ... la machine:* (frz.) Also lassen wir unseren Kleinen herunter, das wird die Szenerie verändern.

249,30 *Jakobi:* Johann Georg Jacobi (1740–1814), anakreontischer Dichter, auf dessen »Das Lied der Grazien« (1770) angespielt wird. Vgl. zur Beschreibung seines Erscheinens auch den auf ihn gemünzten Spottvers in dem Gedicht »Schwergereimte Ode. An Reimbold« von Johann Heinrich Voss (1751–1826): »Oft liedelst auch von Amorino, / (Kein Braga, kein Apollos lehrt's) / Und singst zum Knabenviolino / Empfindsamkeit und gutes Herz« (*Göttinger Musenalmanach* 1775, S. 89).

249,32 *Papillons:* (frz.) Schmetterlinge; sie gehörten, wie Amorputten und verniedlichende Diminutive, zu den Versatzstücken anakreontischer Gedichte. Für Jacobi waren Schmetterlinge weniger Symbol der Flatterhaftigkeit »als Sinnbild der entschwebenden unsterblichen Seele« (Erich Schmidt); vgl. sein Gedicht »Der Schmetterling«.

249,36 *Von Grazie hab ich auch noch ein Wort zu sagen:* Anspielung auf Wielands Versdichtungen *Musarion, oder die Philosophie der Grazien* (1768) und *Die Grazien* (1770). Vgl. den Abschnitt »Die Grazien« in Lenzens Satire auf Wieland *Eloge de feu Monsieur \*\*nd* (WB III, S. 164 f.).

250,1 *minaudieren:* (frz.) zieren sich.

250,5 f. *Kokarden:* (frz.) Hutschleifen, Abzeichen am Hut.

250,9 f. *Eine Dame … hinter Wielands Rücken:* Wieland hatte Sophie von La Roches (vgl. Anm. zu 173,18) Roman *Geschichte der Fräulein von Sternheim* (1771), der sich dann großer Beliebtheit erfreute, mit einer etwas herablassenden Vorrede herausgegeben, wofür ihn Lenz hier kritisiert.

250,15 *Palatine:* (frz.) Halspelze, Halstücher.

250,19 f. *le moyen … plus ravissant:* (frz.) so können wir noch etwas Entzückenderes hören.

250,22 f. *eine Reliquie eurer Vorfahren:* Gemeint ist Goethes Schauspiel *Götz von Berlichingen* (1773), das Wieland nicht ohne Vorbehalte rezensierte.

250,27 *Hecktor:* bei Homer ein trojanischer Held, den der griechische Held Achill tötete und an dessen Füßen um die Mauern der Stadt Troja schleifte.

250,28 f. *Zieht ihn an den Haaren herum:* wohl Anspielung auf Goethes gegen Wieland gerichtete Farce *Götter, Helden und Wieland* (1774), die Lenz in Druck gegeben hatte.

250,32 *Ich will euch spielen:* Gemeint ist Goethes Roman *Die Leiden des jungen Werthers* (1774), zu dem Wilhelm Heinse (1746–1803) in seiner Rezension (*Iris*, Dezember 1774, S. 78–81) schrieb, daß »brennende Wonneglut« die Seele Werthers durchglüht habe. Wieland (*Teutscher Merkur*, Bd. 8, 1774, S. 241–243) selbst nahm den Roman nicht ganz so enthusiastisch auf, wie seine Worte hier ausdrücken.

251,3 *Chapeaux:* (frz.) Kavaliere.

251,4 *Pistolen an die Köpfe:* Anspielung auf Werthers Selbstmord.

251,6 *Dritte Szene:* Lenz gibt in dieser Szene eine Satire auf die Proteste der theologischen Orthodoxie gegen Goethes Roman.

251,10 *Antichrist:* der Widersacher des christlichen Erlösers, der am Ende der Zeiten auftreten wird (vgl. 2. Thess. 2,3–12).

251,17 f. *das ganze Ministerium:* hier: alle geistlichen Kollegen.

251,25 *Schwarzkünstler:* einer, der die schwarze (teuflische) Magie praktiziert.

251,33 *bestürzt darauf:* versessen darauf.

252,1 f. *In Böhmen ... Baurenkrieg:* Darüber berichtet Schubart in der *Deutschen Chronik* vom 4. und 20. April und 1. Mai 1775.

252,12 *den Glauben:* das Glaubensbekenntnis.

252,15 *Te Deum laudamus:* (lat.) Dich, Gott, loben wir; Ambrosianischer Lobgesang.

252,19 f. *Goethe ... zeichnete:* Die *Frankfurter Gelehrten Anzeigen* brachten am 14. Februar 1772 eine lobende Besprechung (von Goethe?) zum 2. Band von Sophie von La Roches Roman.

252,31 *Danaen:* Die 1773 erschiene Fassung seines Romans *Agathon* (zuerst 1766–67), hatte Wieland um die »Geschichte der Danae«, einer schönen und gebildeten griechischen Hetäre, erweitert.

253,3 *Platons Tugend:* Nach der Lehre des griechischen Philosophen Platon (427–347 v. Chr.) ist Tugend Ordnung und Harmonie der Seele.

253,19 *vorspückte:* vorspukte.

253,28 f. *Sprüchlein Lutheri:* Das hier Luther zugeschriebene Sprichwort war seit dem 17. Jh. verbreitet; vgl. etwa Goethes Gedicht »Bürgerpflicht« (1832).

254,5 *Prometheus:* Er bringt in der griechischen Mythologie den Menschen das Feuer; hier: Anspielung auf Heinrich Leopold Wagners (1747–79) Satire *Prometheus, Deukalion und seine Recensenten* (1775) gegen die Kritiker des *Werther*, in der Goethe als Prometheus erscheint.
*Proteus:* in der griechischen Mythologie ein Gott, der sich in beliebige Gestalten verwandeln kann; hier wohl ein bewußter Versprecher, um Unkenntnis anzudeuten.

254,9 f. *Mühlstein ... geärgert:* nach Mt. 18,6.

254,26 *Schwager:* hier in zweideutigem Sinn: Hausfreund.

255,15 *Drap d'ornen Weste:* (frz.) eine Weste aus golddurchwirktem Stoff.
*englische Perücke:* Weisse bearbeitete Stoffe Shakespeares nach dem Muster französischer Dramen.

255,16 *Scharrfüßen:* vgl. Anm. zu 10,24 f.

255,19 *repetierte:* (lat.) wiederholte.

255,19 f. *hell! destruction! damnation!:* (engl.) Hölle! Vernichtung! Verdammnis!

255,21 *Kontorsionen:* (lat.) hier: Grimassen.

255,22 *Schmidt:* Christian Heinrich Schmid (1746–1800), Literaturhistoriker und damals einflußreicher Kritiker, der in seiner

*Theorie der Poesie* (Bd. 1, Leipzig 1767, S. 495 f.) Weisse sehr rühmte.

255,24 *Gärriken:* Der englische Schauspieler David Garrick (1716 bis 1779) war berühmt als Shakespeare-Darsteller.

255,25 *Michaelis:* Der Anakreontiker und Singspieldichter Johann Benjamin Michaelis (1746–72) nannte Weisse in einem Theaterprolog »Deutschlands Shakespeare« (vgl. WS II, S. 748).

256,3 *Aristarch:* Aristarch von Samothrake (217–145 v. Chr.), griechischer Philologe und Bibliothekar in Alexandria.

256,6 *Skaligers:* Julius Caesar Scaliger (1484–1558), italienisch-französischer Philologe, dessen klassizistische *Poetik* (1561) bis ins 18. Jh. großen Einfluß behielt.

256,7 f. *mit meinem Urteil immer nach der allgemeinen Stimme:* indirektes Zitat nach Schmids *Theorie der Poesie nach den neuesten Grundsätzen und Nachricht von den besten Dichtern nach den angenommenen Urtheilen* (1767).

256,10 *Pedellen:* Dienern, Hausmeistern an Universitäten.

256,13 *noch ein Pröbchen:* Die folgenden französischen Zitate parodieren den Ton der Singspiele von Weisse, die französischen Operetten nachgebildet waren.

256,15 f. *Mais mon Dieu ... sot animal:* (frz.) Aber mein Gott! ... Ihr seid ein dummes Tier.

256,16 *Monseigneur, voyez mes larmes:* (frz.) Mein Herr, sehen Sie meine Tränen; so beginnt eine Arie in dem Singspiel *Annette et Lubin* (1763) von Charles-Simon Favart (1710–92), das Weisses *Die Liebe auf dem Lande* (1768) zugrunde liegt (vgl. WS II, S. 749).

256,23 f. *beurteilen vor meinem Tode:* Michaelis hatte 1769 in den *Einzelnen Gedichten* auch eine poetische Epistel »An Herrn D. Schmid« veröffentlicht, die mit einer Todesahnung schließt; Schmid schrieb dann nach dessen Tod die kleine Biographie *Joh. Benj. Michaelis Leben* (1775).

256,29 *Klotz:* Klotz (vgl. Anm. zu 248,1) hatte 1767 in der von ihm herausgegebenen *Deutschen Bibliothek* (I,1) Schmids *Theorie der Poesie* sehr kritisch besprochen.

256,30 *Herr Lessing:* Lessing hatte im Vorbericht zu seinen *Vermischten Schriften* (1771) kritisiert, daß Schmid in seine *Anthologie der Deutschen* (1770–72) zwei frühe Dramen Lessings aufgenommen hatte, die dieser inzwischen verworfen hatte.

256,35 *zehn Stücke in eins:* Anspielung auf Schmids Trauerspiel *Die*

*Gunst der Fürsten* (1773), in dem er Motive aus vier englischen Stücken verarbeitete, wozu ihn nach der Vorrede die Analyse eines englischen Dramas in Lessings *Hamburgischer Dramaturgie* angeregt hatte.

257,5–7 *Bon voyage ... vos politesses:* (frz.) Gute Reise, mein lieber Freund! Ich bin Ihnen sehr verbunden für alle Ihre Höflichkeiten.

257,8 *Literaturbriefen:* Lenz bezieht sich hier wohl auf den 81. Brief der *Briefe, die Neueste Literatur betreffend* (1759–65), in dem Lessing Weisses Trauerspiele kritisch beleuchtete.

257,26 *Crayonniert:* (frz.) Zeichnet mit Kreide.

257,27 *nach Plautus:* Lessing hatte 1750 eine *Abhandlung von dem Leben, und den Werken des Marcus Accius Plautus* sowie eine Übersetzung der Komödie *Captivi* (»Die Gefangenen«) des römischen Dichters (vgl. Anm. zu 245,19) veröffentlicht.

257,29 *Kopei:* Kopie.

257,33–258,1 *Minna von Barnhelm:* vgl. Anm. zu 34,34.

258,16 f. *Ach meine Griechen:* Anspielung auf Klopstocks zwiespältiges Verhältnis zu Shakespeare, wie er es etwa in dem Epigramm »Darstellung ohne Schönheit« zum Ausdruck bringt.

258,19 *Ruderbank:* Die französischen Klassizisten und deren Nachahmer werden mit den Rudersklaven auf einer Galeere (vgl. Anm. zu 127,24 f.) verglichen.

258,20 f. *denen Franzosen Gesichter schneidt:* Gemeint sind wohl die *Anmerkungen übers Theater*, in denen Lenz gegen das klassizistische französische Theater polemisiert (s. S. 388 ff.).

258,27 *Primaner:* vgl. Anm. zu 387,26 f.

258,28 *Primus:* (lat.) der erste; mit dem hageren Primus ist wohl Voltaire gemeint.

258,33 *Rotwelsch:* Gaunersprache; als Rotwelsch bezeichnete Wieland in seiner Besprechung der *Anmerkungen übers Theater* die Sprache von Lenz (*Teutscher Merkur*, Bd. 9, 1775, 1. Stück, S. 96).

259,11 *keichend:* keuchend.

259,17 *bürgerlich Trauerspiel:* Lessing wurde mit seinem Drama *Miß Sara Sampson* (1755) zum eigentlichen Begründer des deutschen bürgerlichen Trauerspiels, das tragische Konflikte in einer bürgerlich geprägten Umwelt ansiedelte und in der 2. Hälfte des 18. Jh.s zunehmend in der Dramenliteratur in den Vordergrund trat.

259,18 f. *Kothurn ... Sokkus:* hoher bzw. flacher Schuh, den im antiken Theater die Schauspieler in der Tragödie bzw. Komödie trugen.

259,26 *Staffel:* Stufe.

259,31 *biblische, wie dieser tat:* Hinweis auf Klopstocks biblische Dramen *Der Tod Adams* (1757), *Salomo* (1764) und *David* (1772).

260,35 f. *geskizzen wor nit gemolen:* alte sprichwörtliche Redewendung: geschissen ist nicht gemalt; Kritik an der genialischen Regellosigkeit mancher Produkte der jungen Sturm-und-Drang-Autoren.

261,5 f. *Machen Künst und Wissenschaften glücklich?:* vgl. Anm. zu 245,13 f.

261,10 *Weltgeist:* Geist der Welt, weltlicher Geist.

261,22 *Säkulum:* (lat.) Jahrhundert.

261,23 *Lenz aus dem Traum erwachend:* Ähnlich erwacht auch Wieland am Ende von Goethes Satire *Götter, Helden und Wieland* (1774).

## Moralische Bekehrung eines Poeten

Entst. Frühjahr/Sommer 1775. In den fiktionalisierten »Selbstunterhaltungen« reflektiert Lenz seine Neigung zu Cornelia Schlosser (1750–77), der Schwester Goethes. Lenz hatte Cornelia zunächst indirekt über deren Briefe an seine Wirtin Luise König (1742–1801), dann aber auch persönlich bei Besuchen in Emmendingen kennengelernt (vgl. Damm, 1985, S. 130–141).
*E/D:* Goethe-Jahrbuch 10 (1889) S. 46–70.

265,4 *Auszug einer Stelle der allgemeinen Einleitung:* Das Zitat ist, leicht gekürzt, der Vorrede der dreibändigen deutschen Übersetzung von John Hawkesworths *Geschichte der See-Reisen und Entdeckungen im Süd-Meer* (Berlin 1774, Bd. 1, S. 7) entnommen.

265,5 *Banks' und Solanders:* Die beiden Naturwissenschaftler John Banks (1744–1820) und der Schwede David Solander (1736–82) begleiteten James Cook (1728–79) auf seiner ersten Weltumsegelung (1769–71).

266,2 *liebenswürdiger L.:* Gemeint ist der mit Lenz befreundete Johann Caspar Lavater (1741–1801), der 1771 anonym ein *Geheimes Tagebuch. Von einem Beobachter seiner Selbst* veröffentlicht hatte, dem 1773 ein 2. Teil unter dem Titel *Unveränderte Fragmente aus dem Tagebuche eines Beobachters seiner Selbst* folgte.

266,8 *Meine letzte Reise:* wohl der erste Aufenthalt (vermutlich Ende April / Anfang Mai 1775) von Lenz bei Johann Georg und Cornelia Schlosser in Emmendingen.

266,8 f. *Epoche ... machen:* epochemachend sein, eine neue Epoche einleiten.

266,22 *romantischen Kreuzzügen:* Lenz spielt hier auf seine Affäre mit Cleophe Fibich an, die er für Goethe im *Tagebuch* (1774; WB II, S. 289–329) darstellte.

266,23 *Amadis und Idris:* Figuren aus Christoph Martin Wielands (s. Anm. zu 248,26 f.) Versepen *Der Neue Amadis* (1771) und *Idris und Zenide* (1768).

266,32 *C.:* Cleophe Fibich.

266,33 *wie Shakespear sagt:* Vgl. *Love's Labour's Lost* (V,2), von Lenz unter dem lateinischen Titel *Armor vincit omnia* (»Die Liebe überwindet alles«) übersetzt: »die Narrheiten des Narren sind bei weitem so gefährlich nicht, als die Narrheiten des Witzes, denn alle Kräfte die er hat bietet er auf, seinen Rasereien das Ansehen der Vernunft zu geben« (WB II, S. 649).

267,5 *Armiden:* So nannte Lenz Cleophe Fibich im *Tagebuch.*

267,12 *eines meiner besten Freunde:* Gemeint ist Johann Georg Schlosser (1739–99), mit dem Lenz schon seit längerem in Kontakt stand.

267,13 f. *Er selbst führte sie hieher:* Demnach begegneten sich Lenz und Cornelia Schlosser erstmals in Straßburg.

267,21 *unglücklichen Herzen:* Cornelia fühlte sich im kleinstädtischen Emmendingen nicht wohl, auch war ihre Ehe mit Schlosser keine glückliche (vgl. Sigrid Damm, *Cornelia Goethe*, Frankfurt a. M. 1988, S. 161–205).

267,28 *Effronterie:* (frz.) Frechheit; hier wohl: Mut, Zuversicht.

267,34 *Was für Briefe!:* Vom Briefwechsel zwischen Lenz und Cornelia Schlosser ist nichts erhalten.

268,34 *Traktaten:* hier: Verhältnisse, Verträge.

269,1 *Venus von Florenz:* Gemeint ist wohl die Mediceische Venus, jetzt in den Uffizien zu Florenz.

269,6 *Delila:* Sie verriet den in ihrem Schoß schlafenden Simson, der ihr das Geheimnis seiner Kraft offenbart hatte, an die Philister (vgl. Ri. 16,4–22).

269,28 *ärgsten Todfeindes:* Gemeint ist der jüngere Baron von

Kleist, im *Tagebuch* »Schwager« genannt, der sich nach der Abreise seines mit Cleophe Fibich verlobten älteren Bruders in dessen Braut verliebte.

270,34 *aus dem Magnifique:* Gemeint ist die Komödie *Le Magnifique* (»Der Herrliche«, 1773) von Michel-Jean Sedaine (1719 bis 1795).

271,10 *Circe:* in der antiken Mythologie eine zaubermächtige Göttin, die die Gefährten des Odysseus in Schweine, einen anderen, der ihre Liebe verschmähte, in einen Vogel und dessen Begleiter in wilde Tiere verwandelte (vgl. Ovid, *Metamorphosen* 13,968–14,74 und 14,244–415).

271,15 *S.:* Cornelia Schlosser.

271,20 *erhaben:* erhoben.

271,20 f. *Engel des Himmels:* dahinter ist »bestimmt« einzufügen.

271,28 *mein Auge hatte den Star:* mein Blick war getrübt.

272,18 *E.:* Emmendingen.

272,33 *in ihr Zimmer:* Nach der Geburt ihres ersten Kindes war Cornelia Schlosser 1774 lange krank; sie starb an den Folgen der Geburt ihres zweiten Kindes Anfang Juni 1777.

273,12 f. *der kostbare Augenblick:* Vgl. hierzu das Gedicht »Der verlorne Augenblick / Die verlorne Seligkeit«, S. 359 f.

273,26 *kostete mir:* hier: kostete mich viel, fiel mir schwer.

274,15 f. *zerfallnen Schloß:* die Ruine des Hochburger Schlosses bei Emmendingen; vgl. auch den Anfang von Lenzens Aufsatz *Das Hochburger Schloss* (1777; WB II, S. 753–760).

274,21 *in einem Briefe an Deine Freundin:* Cornelia Schlosser wechselte Briefe mit Luise König, der langjährigen Wirtin von Lenz in Straßburg; sie gewährte, wie damals mit privaten Briefen durchaus üblich, Lenz Einblick in ihre Korrespondenz mit Cornelia und anderen.

275,7 f. *kennt mich nicht wird nie mich kennen lernen:* Vgl. hierzu auch das Gedicht »Urania« (WB III, S. 138).

275,9 *bedeutendes:* hier wohl: andeutendes.

275,22 f. *ein Frauenzimmer:* Anspielung auf Henriette von Waldner (1754–1803), die Lenz um 1775 zunächst aus Briefen an deren Freundin Luise König, dann auch persönlich kennenlernte und unglücklich verehrte.

276,2 *Nachtsünden:* erotisch-sexuelle Phantasien.

276,34 *dissonierenden:* (lat.) nicht zusammenstimmenden, einander widersprechenden.

277,5 *für:* vor.

277,13 *Empfindbarkeit:* hier: Feinfühligkeit.

277,15 *Urania:* (lat.) die Himmlische; Beiname der Venus, hier: als Göttin der reinen, himmlischen Liebe; vgl. auch Lenzens Gedicht »Urania« (1775; WB III, S. 138), das wohl Cornelia Schlosser zugeeignet ist.

277,18 *am Münster:* Gemeint ist das Straßburger Münster.

278,18 f. *hast Du denn nur einen Segen?:* Vgl. 1. Mose 27,38: »Esau sprach zu seinem Vater: Hast du denn nur einen Segen, mein Vater? Segne mich auch, mein Vater! und hob auf seine Stimme und weinte.«

279,16 *zu laxieren:* (lat.) hier: zur Erleichterung.

281,9 f. *nivellieren:* auf eine Ebene bringen, angleichen.

281,25 f. *vis centrifuga:* (lat.) die vom Mittelpunkt wegstrebende Kraft, Fliehkraft. In dem Essay *Supplement zur Abhandlung vom Baum des Erkenntnisses Gutes und Bösen* nennt Lenz Gottes Verbot, die Frucht vom Baum zu pflücken, die »vis centrifuga die Gott dem menschlichen Wesen eindrückte« (WB II, S. 516).

282,10 f. *Ruhm seiner Zeitverwandten:* Ruhm unter seinen Zeitgenossen.

282,12 *meine Werke zuschreibt:* vgl. Anm. zu 242,8.

282,17 *meinen Unterhalt:* Lenz verdankte seinen anfänglichen Erfolg zu einem guten Teil Goethe, der sich früh bei seinen Freunden für Lenz einsetzte und auch die Verbindung zu dem Leipziger Verlagsbuchhändler Christian Friedrich Weygand vermittelte, der die ersten Bücher von Lenz verlegte. Daß Goethe Lenz auch finanziell unterstützte, wie Klinger, ist nicht bekannt.

282,18 *Satisfaktion:* (lat.) Genugtuung.

282,19 *zu dürfen:* hier: zu müssen.

282,19 f. *meinem Genio zu indulgieren:* (lat.) Nachsicht mit meinem Genie zu haben.

282,22 f. *Insolenz:* (lat.) Anmaßung, Ungebührlichkeit.

282,30 *nagende Geier:* In der griechischen Mythologie bestrafte Zeus Prometheus dafür, daß er den Menschen das Feuer lieferte, indem er ihn an den Kaukasus schmiedete und jeden Tag von seinem Adler die Leber zerhacken ließ, die über Nacht wieder nachwuchs.

282,34 f. *Götz ... Werther:* die beiden Werke, die Goethes Ruhm begründeten, das Drama *Götz von Berlichingen* (1773) und der Roman *Die Leiden des jungen Werthers* (1774).

282,36 *Philistergeschmeiß:* vgl. Anm. zu 242,2 und 244,1; gemeint sind hier die Kritiker.

283,4 f. *mein Dasein hört auf ein Gericht zu sein:* Vgl. hierzu Lenzens Selbstbetrachtung seiner Lage in einem Brief an Herder vom 28. August 1775: »Ach so lange ausgeschlossen, unstet, einsam und unruhvoll! Den ausgestreckten Armen grauer Eltern, all' meinen lieben Geschwistern entrissen, meinen edelsten Freunden ein Rätsel, mir selbst ein Exempel der Gerichte Gottes, der nie unrecht richtet, und selbst wenn er züchtigt, einen Heraufblick zu ihm erlaubt« (WB III, S. 333).

283,5 *Silhouette:* (frz.) Schattenrißzeichnung.

283,9 f. *bekomplimentieren sich:* erweisen sich Höflichkeiten.

283,13 *S.:* der Aktuar Johann Daniel Salzmann (1722–1812), ein Mentor und Freund von Lenz in Straßburg.

283,15 *Briefen an ein Frauenzimmer über die Leiden etc.:* Diese *Briefe an eine Freundin über die Leiden des jungen Werthers* (1775), eine der vielen zeitgenössischen Anti-Werther-Schriften, hatte der physiokratische Nationalökonom Johann August Schlettwein (1731–1802) verfaßt.

284,4 *Außenbleiben:* Ausbleiben.

284,5 f. *ihre unglückliche Situation:* Anspielung auf das Cleophe Fibich von Baron von Kleist gegebene und dann gebrochene Heiratsversprechen.

284,27 *Minerva:* lateinischer Name der griechischen Göttin des Kriegs und des Friedens Athene; zu ihren Attributen gehört ein Schild.

285,36 *Negligée:* (frz.) Morgenmantel.

286,12 *Juliens Tod in der Heloise:* im 2. Brief des 6. Teils von Rousseaus Briefroman *Julie ou la Nouvelle Héloïse* (vgl. Anm. zu 39,26).

286,28 *Ott:* Johann Michael Ott (geb. 1752), Lenzens Straßburger Studienfreund.

287,2 *mit G. in E.:* Vom 27. Mai bis 5. Juni 1775 hielt sich Lenz mit Goethe bei den Schlossers in Emmendingen auf.

287,3 *heiliger Schutzgeist:* So nennt Lenz Cornelia Schlosser noch nach ihrem Tod in einem Gedicht: »Mein Schutzgeist ist dahin, die Gottheit die mich führte / Am Rande jeglicher Gefahr / Und wenn mein Herz erstorben war / Die Gottheit die es wieder rührte« (an Sarasin, August 1777; WB III, S. 545).

287,16 *Konkupiszenz:* (lat.) Verlangen, Begierde, Gelüst.

287,22 *Dein Porträt:* Offenbar hatte Lenz doch noch ein Bild von Cornelia Schlosser erhalten, entweder von ihr selbst oder, wie er später anzudeuten scheint, von Goethe.

*Deinen Petrarca:* Cornelia Schlosser hatte Lenz in Emmendingen eine Petrarca-Ausgabe gegeben; sie schrieb ihm auch Verse des Dichters beim Weggang in sein Stammbuch. Vgl. auch Lenzens Gedicht »Petrarch« (1775; WB III, S. 124–136), das durch das Buchgeschenk angeregt worden war.

287,29 *fatigant:* (frz.) ermüdend, langweilig.

288,11 *Anmerkung:* hier: Beobachtung.

288,13 *Prätentionen:* (lat.) Anmaßungen.

288,22 *der S.:* wohl: der Straßburgerinnen.

289,10 *resigniere mich:* (lat.) ergebe mich meinem Schicksal.

289,20 *Sokrates:* griechischer Philosoph (um 470–399 v. Chr.).

289,21 *Fatum:* (lat.) Schicksal.

289,33 *Erzählung des Turms von Siloa:* Jesus weist in einer Bußpredigt den Gedanken zurück, daß ein Unglück unbedingt auf besondere Schuld hinweise: »Oder meinet ihr, daß die achtzehn, auf welche der Turm von Siloah fiel und erschlug sie, seien schuldig gewesen vor allen Menschen, die zu Jerusalem wohnen?« (vgl. Lk. 13,4).

291,2 *versiegele:* unter dem Siegel der Wahrheit schreibe.

291,9 f. *bei seinem Hiersein ... geschlafen:* Goethe und Lenz verbrachten auf ihrem Weg nach Emmendingen eine Nacht in der Ruprechtsau bei Straßburg; vgl. Lenzens Gedicht »Der Wasserzoll« (WB III, S. 122).

291,11 *Plan:* Platz.

*Ach ich muß von ihm:* bezieht sich auf Lenzens damaligen Plan, einen jungen Mann für drei Jahre auf einer Reise zu begleiten (vgl. Briefe zwischen Juli und Dezember 1775).

## Der Waldbruder

Entst. Sommer/Herbst 1776 in Weimar und Berka. Erste Pläne waren schon in Straßburg entstanden. Lenz verarbeitet hier seine unglückliche Liebe zu Henriette von Waldner und reagiert auf seine enttäuschenden Erfahrungen am Weimarer Hof. In Rothe, zu dem Goethe Züge lieh, und Herz, einem Selbstporträt, stellt Lenz zwei gegensätzliche Lebenshaltungen gegeneinander.

*E/D: Die Horen,* 1797, 4. Stück, S. 85–102; 5. Stück, S. 1–30. Lenz
hatte das Manuskript Goethe überlassen, der es postum auf Wunsch
Schillers in die *Horen* gab.

293,1 *Waldbruder:* Einsiedler.

293,2 *Pendant zu Werthers Leiden:* ein Gegenstück zu Goethes
Roman *Die Leiden des jungen Werthers* (1774); der Untertitel
geht wohl auf Lenz selbst zurück; vgl. den Brief an Heinrich
Christian Boie vom 11. März 1776, in dem von ihm »ein kleiner
Roman in Briefen von mehreren Personen, der einen wunderba-
ren Pendant zum Werther geben dürfte«, angekündigt wird (WB
III, S. 403).

293,27 *Unbehelfsamkeit:* Unbeholfenheit.

294,1 f. *seit Petrarchs Zeiten:* Der italienische Dichter Francesco
Petrarca (1304–74) besang und idealisierte in vielen seiner Gedichte die für ihn unerreichbare Geliebte »Madonna Laura«; vgl.
hierzu auch Lenzens fragmentarisches Gedicht »Petrarch« (1775;
WB III, S. 124–136).

294,11 *Schatouilleuse:* Den Namen (von frz. *chatouilleux* ›heikel,
empfindlich‹) hat Lenz wohl aus Wielands Versepos *Der Neue
Amadis* (vgl. Anm. zu 248,26 f. und 266,23) übernommen.

294,12 *Frühlingskur zu trinken:* eine Heilwasserkur zu machen; im
vorangehenden und im 3. Brief wird allerdings erwähnt, daß es
Winter ist.

294,15 f. *Bedienung bei der Kanzlei:* Anstellung bei einem Amt
oder in der Schreibstube eines Amtes.

294,20 *Zornau:* fiktiver Ort.

295,11 f. *schelmischen:* hier: schurkischen, betrügerischen.

295,29 f. *was Rousseau an einem Ort sagt:* Lenz bezieht sich hier
auf die Überzeugung Rousseaus (vgl. Anm. zu 244,13), daß die
Stärke eines Menschen im Gleichgewicht von Können und Wollen
beruht, wie er es etwa im Anfangsteil des 2. Buches des erzähle-
risch angelegten pädagogischen Lehrwerks *Emile ou de l'éduca-
tion* (1762) darlegt.

296,7 f. *eine ewige Kluft unter uns befestigte:* Vgl. Lk. 6,26: »Und
über das alles ist zwischen uns und euch eine große Kluft befestigt, daß die da wollten von hinnen hinabfahren zu euch, könnten
nicht, und auch nicht von dannen zu uns herüberfahren.«

296,11 *Ixion an Jupiters Tafel:* In der griechischen Mythologie war
Ixion einer der Sterblichen, die zur Tafel der Götter zugelassen

waren, wo er sich in Hera (röm. Juno), die Gattin des Zeus (röm. Jupiter) verliebte; für diese Vermessenheit wurde er in der Unterwelt auf ein sich ewig drehendes Rad gebunden. Vgl. dazu das Dramolett *Tantalus* (1776; WB III, S. 198–204), in dem Lenz diesen Stoff auf Tantalus bezieht.

296,12 *Tantalus in dem Acheron:* Tantalus, ein anderer Sterblicher, der zur Tafel der Götter zugelassen war und dort Opfer seiner Vermessenheit wurde; zur Strafe für sein Vergehen mußte er, von Durst gequält, im Wasser stehen, das zurückwich, sobald er zu trinken versuchte. Lenz identifiziert dieses Wasser mit dem Acheron, einem der Flüsse in der Unterwelt.

296,22 *Attitüde:* (frz.) Haltung, Körperausdruck.

297,7 *Qui pro quo:* (lat., ›wer für wen‹) Verwechslung.

297,8 *Stella:* Den Namen wählte Lenz wohl nach der Heldin von Goethes gleichnamigem »Schauspiel für Liebende« (1776).

297,27 *wie Shakespeare sagt:* vgl. Anm. zu 266,33.

298,10 *insanire cum ratione volunt:* (lat.) sie wollen mit Verstand verrückt sein; Zitat aus der Komödie *Der Eunuch* (V. 63) von Terenz (vgl. Anm. zu 41,20).

299,15–32 *Denke Dir alles ... möchte!:* Vgl. hierzu auch die noch enthusiastischere Beschreibung des Urbilds der Figur, Henriette von Waldners (1754–1803), in einem Brief an Johann Caspar Lavater vom Januar 1776 (WB III, S. 370).

300,14 f. *menschenliebiger:* menschenliebender.

300,15 *Don Quischotte:* Der in idealistischen Illusionen befangene Don Quichote (vgl. Anm. zu 165,14) zieht aus, um das Unrecht in der Welt zu bekämpfen.

300,27 *reu zu machen:* bereuen zu lassen.

301,5 *Epikureismus:* Streben nach Wohlleben und Genuß; nach dem griechischen Philosophen Epikur (341–271 v. Chr.).

301,23 *Schlaraffenland:* hier: Phantasiewelt.

302,1 *glasierten:* hier: mit Eis überzogenen.

302,28–31 *Du nicht glücklich, kümmernd Herz? ...:* Dieses Gedicht ist auch in einer textlich leicht abweichenden Fassung mit dem Titel »Die erwachende Vernunft« überliefert; dort lautet die erste Zeile: »Du nicht glücklich? stolzes Herz« (WB III, S. 171).

303,24 *Idris:* Idris, der Held in Wielands fragmentarischem Versepos *Idris und Zenide* (1768), sucht zu seiner im Traum erblickten Geliebten das leibhaftige Original; Wielands Epos bricht ab, als

Idris sich einer in ihn verliebten Nymphe hingibt, in der der Held seine Geliebte gefunden zu haben glaubt.

304,34 *sie affektiere:* (lat.) sie ziere sich, sie tue vornehm.

305,5 *Ostermesse:* Gemeint ist wohl die Leipziger Ostermesse, die seit dem 16. Jh. eine der wichtigsten Handelsmessen in Deutschland war.

306,1 *in meinem Vaterlande:* Herz stammt aus Rußland (vgl. S. 323 f.).

306,8 *Liverei:* Livree (frz.): uniformartige Kleidung herrschaftlicher Diener.

307,4 *Braunsberg:* halbfiktive Ortsangabe; es gibt eine Stadt mit diesem Namen in Ostpreußen.

307,9 *geschraubt:* hier: gedrängt.

308,4 *Megäre:* böse, häßliche Frau; urspr. Name einer der drei Erinnyen, der griechischen Rachegöttinnen.

308,8 f. *wie Moses:* Vgl. 2. Mose 34,29: »Da nun Mose vom Berge Sinai ging, hatte er die zwei Tafeln des Zeugnisses in seiner Hand und wußte nicht, daß die Haut seines Angesichts glänzte davon, daß er mit ihm [Gott] geredet hatte.«

308,14 *Medusenkopf:* In der griechischen Mythologie war Medusa ein weibliches Ungeheuer, deren abstoßendes Antlitz jeden, der es erblickte, in Stein verwandelte.

308,27 *Olinde:* Figur aus Wielands Versepos *Der Neue Amadis,* die sich durch Witz, Klugheit und Tugend auszeichnet, aber durch einen Zauber zeitweise abschreckend häßlich ist (vgl. Gesang 17, Stanze 8–11).

309,2 *informieren:* (lat.) als Hauslehrer Privatunterricht erteilen.

309,22 f. *Sisyphus-Arbeit:* Sisyphus, eine Gestalt der griechischen Mythologie, war dazu verdammt, in der Unterwelt einen Felsen einen Berg hinaufzuwälzen, der jedoch kurz vor dem Gipfel immer wieder herunterrollt.

310,6 *Bettstollen:* Bettpfosten.

310,13 *er erschießt sich:* spöttische Anspielung auf Werthers Selbstmord (vgl. Anm. zu 250,32 und 251,4).

310,15 *Flockseide:* billige Seidenart, Floche- oder Filetseide.

310,15 f. *die Chinesischen Blumen:* die künstlichen Blumen, Papierblumen.

310,17 *judenmäßig:* wucherisch.

310,20 *es ist etwas auf dem Tapet:* hier: es gibt etwas zu berichten.

311,21–23 *in hessischen Diensten ... nach Amerika:* Während des amerikanischen Unabhängigkeitskriegs 1775–83 kämpften auf seiten der Kolonialmacht England auch 17000 kurhessische Soldaten, deren Dienste von ihrem Landesherrn verkauft worden waren.

311,22 *Adjutant:* (lat.) beigeordneter Offizier eines höherstehenden Befehlshabers.

311,25 *Staffel:* Stufe.

312,14 *erledigten:* frei gewordenen.

312,15 *Zelle:* Die niedersächsische Stadt Celle gehörte im 18. Jh. zum Kurfürstentum Hannover, dessen Kurfürst seit 1714 zugleich König von England war.

313,14 *elysische:* (von griech. *Elysion* ›Wohnsitz der Seligen‹) himmlische.

313,17 *Chimären:* (griech.) Trugbilder, Hirngespinste.

314,6 *Komplotts:* (frz.) Anschlags, Verschwörung, Komplotts.

316,19 *Campagne:* (frz.) Feldzug.

316,20 *Kolonisten:* Bewohner europäischer Abstammung der englischen Kolonien in Nordamerika.

318,12 *Terzianfieber:* (von lat. *tertiana febris* ›Fieber, das alle drei Tage wiederkehrt‹) Malaria, ›kaltes Fieber‹.

318,23 *Anzügliches:* Anziehendes.

318,24 *Kommissionen:* (lat.) hier: Geschäfte.

319,30 *zu affektieren:* hier: vorzutäuschen.

319,33 f. *besser humorisiert:* angeregter, besser gelaunt.

322,25 *sie sich nicht entbrechen kann:* sie nicht umhin kann.

322,33 *Delikatesse:* (frz.) Empfindlichkeit.

323,29 *unechte Sohn:* illegitime, außereheliche Sohn.

323,29–31 *einer verstorbenen großen Dame ... regierte:* Gemeint ist offenbar die Zarin Elisabeth (1741–62).

324,5 *wunderbaren:* merkwürdigen, sonderbaren.

324,10 *ausholen:* hier: erhalten.

324,10 f. *à l'aventure:* (frz.) aufs Geratewohl.

325,4 *Bankerut:* (nach frz. *banqueroute*) Bankrott.

325,10 *wo Peter der Große Schiffszimmermann gewesen:* Der russische Zar Peter I. (1682–1725) hatte in Holland den Schiffbau erlernt.

325,13 *ins Clevische:* in die Gegend des ehemaligen Herzogtums Cleve am Niederrhein.

325,25 *zum Hochgericht:* zur Richtstätte, zum Galgen.

327,15 *Nymphe des Telemachs:* Im 7. Buch des seinerzeit vielgelesenen Romans von François de Salignac de la Mothe Fénelon (1651–1715) *Les Aventures de Télémaque* (»Die Abenteuer des Telemach«, 1699) verliebt sich der Titelheld in die Nymphe Eucharis; diese von Venus veranlaßte Versuchung droht Telemach von seinem eigentlichen Ziel abzubringen, seinen Vater Odysseus wiederzufinden.

327,16 *exponierte:* (lat.) las und kommentierte.

327,19 *Lion:* Lyon, bedeutende französische Handelsstadt im Rhônetal.

327,21 *Ninon:* Ninon de Lenclos (1620–1702), eine durch ihre Schönheit und Klugheit bekannte Pariser Kurtisane; in ihrem Salon verkehrten zahlreiche berühmte Persönlichkeiten.

327,24 *Klopstocks Cidli:* Cidli, die tugendhafte Geliebte von Semidas, wird im 4. Gesang von Klopstocks Versepos *Der Messias* (1751–73) beschrieben (vgl. Anm. zu 238,31).

327,33 *künstliche Agnese:* falsche Unschuld. Wohl auch Anspielung auf das Lustspiel *La fausse Agnèse* (1736) von Philippe Néricault Destouches (1680–1754). – Die heilige Agnese (griech., ›die Keusche‹) hatte sich als junges Mädchen Christus als ihrem Bräutigam geweiht; für ihre Weigerung zu heiraten erlitt sie den Märtyrertod; sie ist die Schutzheilige der Jungfrauen.

328,3 f. *jene Belagerten sich mit griechischen Bildsäulen verteidigten:* Auf welches Ereignis, das Lenz auch in dem Märchen *Die Fee Urganda* (Lenz, *Gesammelte Schriften*, hrsg. von Ernst Lewy, Bd. 4, München 1909, S. 133) erwähnt, hier anspielt, läßt sich nicht mit Bestimmtheit sagen; vielleicht handelt es sich um eine ungenaue Lektürereminiszenz nach *Bella* (»Die Kriege«, 545–553 n. Chr.) des byzantinischen Historikers Prokopius, der im 5. Buch (22,22) schildert, wie die Römer die Goten bei der Belagerung der Engelsburg (537 n. Chr.) abwehrten, indem sie Statuen zerbrachen und in Brocken auf die andrängenden Feinde warfen.

328,18 *Ideen seiner Jugendjahre und seiner Geburt:* die Erinnerung an seine Jugendzeit und das Wissen um seine Herkunft.

329,3 *irrenden Ritter:* Don Quichote (vgl. Anm. zu 165,14).

329,24 *Kommissionär:* (frz.) Beauftragter, Bevollmächtigter.

## Gedichte

Die Anordnung der Gedichte folgt – soweit möglich – der Chronologie ihrer Entstehung.

333 *Auf die Augen der Camilla*

Entst. Königsberg 1770. *E/D:* J. M. R. Lenz, *Belinde und der Tod. Carrikatur einer Prosepopee,* hrsg. und mit einem Nachw. von Verena Tammann-Bertholet und Adolf Seebaß, Basel 1988, S. 36 bis 43.

333,4 *Eurus:* (griech./lat.) in der antiken Mythologie der Ostwind.

333,6 *Plejaden:* in der griechischen Mythologie die sieben Töchter des Atlas, die von Zeus als Siebengestirn an den Himmel versetzt wurden.

334,24 *Perpetuus Dictator:* (lat.) ewiger, beständiger Alleinherrscher.

335,2 *Lukretius:* Carus Titus Lucretius (um 99–55 v. Chr.), römischer Dichter, der in seinem Lehrgedicht *De rerum natura* (»Von der Natur der Dinge«), Ideen des griechischen Philosophen Epikur (vgl. Anm. zu 301,5) folgend, das Wesen der Natur aus ihrer eigenen Kausalität deutet.

335,6 *lobesan:* löblich, lobenswert.

335,10 *Ikarus:* (griech.) Der Sohn des Erfinders Daedalus kam auf der Flucht mit seinen künstlichen Flügeln zu nahe an die Sonne, so daß das Wachs schmolz, das die Federn zusammenhielt, und er ertrank (vgl. Ovid, *Metamorphosen* 8,195–235).

336,2 *Stax:* (lat.) satirischer Typenname für einen pedantisch eingebildeten Dummkopf.

336,6 *Satyren:* Satiren.

336 *Piramus und Thisbe*

Entst. Sommer 1772. Lenz schickte diese bänkelsängerische Romanze Mitte September 1772 an den Aktuar Salzmann. *E:* Stöber, S. 67–71. *D:* WS I, S. 142–145.

336,17 *Piramus und Thisbe:* Die Geschichte des babylonischen Liebespaares wird in Ovids *Metamorphosen* (4,55–161) erzählt und als komödienhaftes Zwischenspiel von Shakespeare in *Ein Sommernachtstraum* (V,1) dargestellt.

337,21 *Nini Grabe:* Ninus: sagenhafter assyrischer König und
Erbauer der Stadt Ninive.

339,9 *Zephir:* (griech.) in der antiken Mythologie der Westwind.

340 *Wo bist du itzt, mein unvergeßlich Mädchen*

Entst. Sommer 1772. Lenz hatte das Gedicht Friederike Brion ge-
schenkt, als sie mit ihrer Mutter nach Saarbrücken reiste. Das Ge-
dicht galt zunächst als ein Gedicht Goethes.
*E: Blätter für literarische Unterhaltung,* 5. Januar 1837, S. 18. *D:*
WS I, S. 108. Großschreibung der Anredeformen nach Vonhoff,
S. 194.

340 *Fühl alle Lust, fühl alle Pein*

Entst. 1774. Die Verse finden sich in einem Brief an den Bruder
Johann Christian Lenz vom 7. November 1774.
*E:* Weinhold, S. 122. *D:* Karl Freye / Wolfgang Stammler (Hrsg.),
*Briefe von und an J. M. R. Lenz,* Leipzig 1918, S. 85.

341 *Gibst mir ein, ich soll dich bitten*

Entst. Sommer 1774. *E: Goethe und Lavater. Briefe und Tagebü-
cher,* hrsg. von Heinrich Funck, Weimar 1901, S. 297. *D:* WS I,
S. 105.

341,2 *König Salomo:* vgl. 1. Kön. 3,5.
341,7 *Bruder Goethen:* So adressiert Lenz Goethe auch in *Pandämonium Germanikum* (vgl. S. 245).

341 *Die Demut*

Entst. um 1774 in Straßburg. *E: Christliches Magazin,* hrsg. von
Johann Konrad Pfenninger, Bd. 1,1, Zürich 1779, S. 165–168. *D:*
WS I, S. 89–92. Mit Korrekturen nach der bei Vonhoff (S. 208 bis
214) wiedergegebenen Handschrift.

341,24 *geschlenkt:* hier: gezaust, geschüttelt.
342,25 *Wüste:* hier im Sinne der im Pietismus gebräuchlichen Metapher: Ort der Gottesferne (vgl. August Langen, *Der Wortschatz
des deutschen Pietismus,* Tübingen ²1968, S. 171).
343,18 *gerösteter Laurentius:* Der heilige Laurentius, ein römischer
Diakon im 3. Jh., starb als Märtyrer auf einem glühenden Rost,
weil er sich weigerte, Kirchenschätze herauszugeben.

344,10 *Lilienmädchen:* In der christlichen Kunst ist die Lilie das Sinnbild der Keuschheit, Unschuld und Reinheit.

344,24 f. *Hier wo Jesus ... Bis ins dreißigste Jahr:* Nach Lk. 3,23 brach Jesus in seinem dreißigsten Jahr von Nazareth auf und begann sein Wirken unter der Bevölkerung in Galiläa.

345 *Ausfluß des Herzens*

Entst. um 1775. *E: Urania für Kopf und Herz*, hrsg. von Johann Ludwig Ewald, Hannover 1793, S. 46–48. *D:* WS I, S. 93 f.

345,6 *esoterische:* hier: nur für die, für die sie bestimmt, verständlich ist.

345,17 *durch schauen:* durch und durch (er)schauen.

346 *Über die deutsche Dichtkunst*

Entst. 1775. *E:* Tieck III, S. 254–256. *D:* WS I, S. 160–162.

346,25 *Hetrurier:* Etrusker, antike Bewohner einer Landschaft in Mittelitalien, der heutigen Toscana; Lenz meint hier die Dichter der italienischen Renaissance, von denen einige im folgenden genannt werden.

346,28 *der Sabiner sein Mädchen:* irrtümliche Anspielung auf die Sage vom Raub der Sabinerinnen durch die Römer, um dem bei ihnen herrschenden Mangel an Frauen abzuhelfen.

347,10 *Ossian:* sagenhafter gälischer Sänger des 3. Jh.s. Sein Name verbindet sich mit dem erwachenden Interesse an ursprünglicher, volkstümlicher Dichtung (vgl. Herders Aufsatz *Auszug aus einem Briefwechsel über Oßian und die Lieder alter Völker*, 1773), nachdem der schottische Dichter James Macpherson (1736–96) eigene Werke als Übersetzungen aus den Werken Ossians ausgegeben hatte. Lenz selbst übersetzte einige der Gesänge als *Ossian für Frauenzimmer* für Johann Georg Jacobis Zeitschrift *Iris*, die dort ab Juni 1775 in mehreren Fortsetzungen erschienen.

347,11 *Dante:* Dante Alighieri (1265–1321), italienischer Dichter; sein Hauptwerk ist das epische Gedicht *Divina Commedia* (»Die göttliche Komödie«, 1307–21).
*Ariosto:* Ludovico Ariosto (1474–1533), italienischer Dichter, Verfasser des Renaissance-Epos *Orlando furioso* (»Der rasende Roland«, 1521).
*Petrarca:* vgl. Anm. zu 294,1 f.

347,12 *Sophokles:* griechischer Tragödiendichter (um 496 – um 406 v. Chr.).

*Milton:* John Milton (1608–74), englischer Dichter; sein bekanntestes Werk ist *Paradise Lost* (»Das verlorene Paradies«, 1667).

347,13 *Pope:* Alexander Pope (1688–1744), englischer Essayist und Satiriker.

*Horaz:* Quintus Horatius Flaccus (65–8 v. Chr.), römischer Dichter.

*Polizian:* Angiolo Poliziano (1454–94), italienischer Dichter.

*Prior:* Matthew Prior (1664–1721), englischer Epigrammatiker und Dichter.

*Waller:* Edmund Waller (1605–87), englischer Dichter.

347,24 *Wenn ich dichte und − −:* zu ergänzen ist wohl: Goethe.

347,31 *Lieflands Stolz:* Lenz kam aus Livland.

348,9 *englischem:* engelgleichem.


349                          *Nachtschwärmerei*

Das Gedicht ist wohl Teil eines Briefes, den Lenz im Februar 1775 an Goethe schickte.
*E:* Zoeppritz II, S. 314–317. *D:* WS I, S. 199–201.

350,19 *plauz:* Interjektion, die einen heftigen Knall lautmalend kommentiert.

350,36/351,14 *Albertine / Doris:* Hinter den mit fiktiven Namen angesprochenen Frauen verbergen sich wohl Reminiszenzen an Friederike Brion und Cornelia Schlosser.


351                        *Freundin aus der Wolke*

Entst. 1775. *E: Iris,* 1. Juli 1775, S. 72. *D:* WS I, S. 107. Als das Ich in dem Rollengedicht ist wohl die von Goethe verlassene Friederike Brion zu denken.

351,28 *Meinst:* Willst, strebst.


352                            *An die Sonne*

Entst. um 1775. *E: Baltische Monatsschrift* 9 (1864) S. 521. *D:* WS I, S. 99.

352,21 *hier dir näher:* Vgl. den Beginn des Gedichtes »An meinen Vater. Von einem Reisenden«: »In wärmern Gegenden näher der Sonne / Am Ufer des vielentscheidenden Rheins« (WB III, S. 185).

352 *An das Herz*

Entst. um 1775. *E: Musenalmanach für 1777,* hrsg. von Johann Heinrich Voss, Hamburg 1777, S. 28. Eine frühere, längere Fassung des Gedichts war schon in der Straßburger Zeitschrift *Der Bürgerfreund,* 1. März 1776, S. 142–144, erschienen. Diese Fassung deutet auch auf Lenzens Beziehung zu Cleophe Fibich als den biographischen Hintergrund zu diesem Gedicht. *D:* WS I, S. 110.

353,7 *O ihr Strahlen:* In einer handschriftlich überlieferten Fassung heißt es deutlicher: »Lieber schmelzt mein Herz zu Glas, / Meines Schicksals heiße Strahlen« (WS I, S. 601).
353,12 *Quark:* im Livländischen: Kot, Nichtswürdigkeit.

353 *Die erste Frühlingspromenade*

Entst. um 1775. *E: Taschenbuch für Dichter und Dichterfreunde,* Bd. 6, Leipzig 1776, S. 114. *D:* WS I, S. 112.

353,16 *zwittert:* zwitschert.
353,20 *Die Weisheit:* Gemeint ist wohl Lenzens Mentor und Freund, der Aktuar Johann Daniel Salzmann (1722–1812).
354,3 *Phyllis:* Hinter dem auch in anderen Gedichten (z. B. »An –«; WB III, S. 106) erscheinenden Schäferinnennamen ist wohl Cleophe Fibich zu denken.
354,3 f. *Knaben / In Sturmhaub:* Anspielung auf die Militärs, mit denen Lenz in seiner Straßburger Zeit lange lebte.

354 *Auf ein Papillote*

Entst. um 1775. *E:* Zoeppritz II, S. 310 f. *D:* WS I, S. 113 f.

354,11 *Papillote:* (frz.) eingewickeltes Bonbon.
354,27 *Federmesser:* kleines Messer zum Beschneiden einer Schreibfeder.

356                                  *An* **

Entst. um 1775. *E: Heidelberger Taschenbuch*, hrsg. von Aloysius
Wilhelm Schreiber, Stuttgart 1812, S. 209. *D:* WS I, S. 115.

356,16 *Brände:* hier: Brandreste.


356                        *Impromptü auf dem Parterre*

Entst. wohl um 1775. *E:* Tieck III, S. 247. *D:* WS I, S. 116.

356,18 *Impromptü:* (frz.) Gelegenheitsgedicht.
       *Parterre:* (frz.) Zuschauerraum des Theaters.


357              *Ich suche sie umsonst die heilige Stelle*

Entst. 1775. *E:* Tieck III, S. 253. *D:* WS I, S. 98 f.


358               *Eduard Allwills erstes geistliches Lied*

Entst. 1775/76. *E:* Tieck III, S. 256 f. *D:* WS I, S. 95 f.

358,1 *Eduard Allwills:* Bezug zum Titelhelden von Friedrich Hein-
      rich Jacobis (1743–1819) Briefroman *Aus Eduard Allwills Papie-
      ren* (1781), von dem erste Teile 1775 und 1776 in den Zeitschriften
      *Iris* und *Teutscher Merkur* erschienen waren.


359      *Der verlorne Augenblick / Die verlorne Seligkeit*

Entst. 1775. Überliefert sind zwei Handschriften (H$^1$ und H$^2$).
Abgedruckt ist hier H$^1$, die wohl ältere Fassung; beide Fassungen
sind nebeneinander abgedruckt bei Vonhoff, S. 225–227.
*E:* Tieck III, S. 249 f. *D:* WS I, S. 118–121. Korrekturen nach
Vonhoff.

359,15 *Predigt:* hier in weiter gefaßter Bedeutung: nachdrückliche
       Rede, Ermahnung (Vonhoff, S. 306).
       *Text:* vgl. Mt. 22,8.
359,24 *im Himmel:* hier: im himmlischen Hochgefühl (vgl. Von-
       hoff, S. 121).

361                    *Lied zum teutschen Tanz*

Entst. um 1776. *E:* Weinhold, S. 120 f. *D:* Vonhoff, S. 228.

361,1 *teutschen Tanz:* Walzer; er wurde nach der Jahrhundertmitte
   zum eigentlichen bürgerlichen Gesellschaftstanz.

361                    *Die Liebe auf dem Lande*

Entst. wohl um 1776 (vgl. WS I, S. 608). Der Titel spielt wohl auch
auf Weisses (vgl. Anm. zu 111,24) gleichnamiges Singspiel von 1768
an.
*E: Musen-Almanach für das Jahr 1798*, hrsg. von Friedrich Schiller, S. 74–79. *D:* WS I, S. 139–141.

362,13 *schlecht:* hier: schlicht.
362,19 *eräschert:* müde, bleich.
363,7 *Kalchas:* Seher der griechischen Sage, Priester bei der Opfe-
   rung Iphigenies in Aulis.
364,1 *knirrt:* knurrt.

364                    *Ach du um die die Blumen sich*

Entst. 1776. Das Gedicht bezieht sich auf Henriette von Waldner.
*E:* Weinhold, S. 160. *D:* WS I, S. 125.

365                    *Schinznacher Impromptüs*

Entst. 1777. Lenz antwortet hier auf zwei satirische Gedichte auf
ihn, das eine von Johann Caspar Lavater (1741–1801), das andere
von Gottlieb Konrad Pfeffel (1736–1809); vgl. WB III, S. 814 f. Alle
vier Gedichte waren während der Tagung der Helvetischen Gesellschaft in Bad Schinznach im Mai 1777 entstanden.
*E: Jupiter und Schinznach. Drama per Musica*, [o. O.] 1777, S. 20 f.,
23. *D:* WS I, S. 198.

365,3 *Archiater:* (griech.) Leibarzt, Oberarzt.
365,4 *Prokurater:* (lat.) Prokurator, hier: Fürsorger.
365,5 *Pia-Mater:* (lat.) Heilige Mutter.
365,7 *Frater:* (lat.) Bruder.
365,9 *Kalfater:* Kalfakter (lat.); hier: Gehilfe, Diener.
365,11 *Nuntius a Later:* (lat; richtig: *a Laterano*) Botschafter vom
   päpstlichen Palast.

365,12 *Stater:* griechische Goldmünze; Lenz bezieht sich hier auf eine Anweisung von Jesus an Petrus: »gehe hin an das Meer und wirf die Angel, und den ersten Fisch, der herauffährt, den nimm; und wenn du seinen Mund auftust, wirst du einen Stater finden« (Mt. 17,27).

365,16 *Qui grecaijait comme on dit à Paris:* (frz.) Die gräzisiert, wie man in Paris sagt.

365 *Willkommen kleine Bürgerin*

Entst. Sommer 1777. Das Lied ist der am 10. Mai 1777 geborenen Tochter Johann Georg und Cornelia Schlossers gewidmet; Cornelia Schlosser starb wenige Wochen später an den Folgen der Geburt. *E:* Alfred Nicolovius, *J. G. Schlossers Leben und literarisches Wirken,* Bonn 1844, S. 68. *D:* WS I, S. 101. Korrektur nach Vonhoff, S. 235.

366,8 *blind:* geblendet.
366,10 *fürchterlichen:* furchterregenden, unheimlichen.

*Anmerkungen übers Theater*

Entst. 1771–73. Teile des Essays hatte Lenz in der Straßburger »Société de philosophie et de belles-lettres« (vgl. Anm. zu 369,4) vorgetragen.
*E/D: Anmerkungen übers Theater nebst angehängten übersetzten Stück Shakespears,* Leipzig: Weygand, 1774. Den Druck der anonym veröffentlichten Schrift hatte Goethe vermittelt.

369,2 f. *Deutschen Art und Kunst:* Gemeint ist die von Herder herausgegebene Aufsatzsammlung *Von deutscher Art und Kunst. Einige fliegende Blätter* (1773); Lenz denkt dabei besonders an Herders Aufsatz *Shakespear.*
369,3 *Götz von Berlichingen:* Goethes Schauspiel war 1773 erschienen.
369,4 *Gesellschaft guter Freunde:* der seit 1767 in Straßburg bestehenden *Société de philosophie et de belles-lettres,* bei der Lenz seit dem Sommer 1771 mitwirkte.
369,5 *Belliteratur:* (frz.) schöne Literatur.
369,7 *Räsonnement:* (frz.) Überlegung.

369,8 f. *rhapsodienweis:* hier: bruchstückhaft.

369,10 *M. H.:* Meine Herren.

369,11 f. *Nec minimum ... Horat.:* (lat.) Zitat aus den *Episteln*
(2,3,286 f.) des Horaz: »[die römischen Dichter] haben nicht ihren
geringsten Ruhm sich erworben, als sie es wagten, die Spuren der
Griechen zu verlassen.«

369,16 *captationem benevolentiae:* (lat.) Bitte um das Wohlwollen
der Zuhörer.

369,18 *komplimentieren:* (frz.) hier: höflich um Nachsicht bitten.

369,27 *Gellius:* Aulus Gellius (um 130 – nach 170 n. Chr.), römischer Schriftsteller, in dessen Sammelwerk *Attische Nächte* (6,5)
sich eine Anekdote über den griechischen Schauspieler Polos
findet.

369,28 *Departement:* (frz.) Abteilung, Bereich; Lenz spricht wenig
später synonym von »Kammer«.

369,29 *Ovids:* vgl. Anm. zu 244,15; seine in der Antike berühmte
Tragödie *Medea* ist nicht erhalten.
*Seneka:* Lucius Annaeus Seneca (um 4 v. – 65 n. Chr.), römischer
Philosoph und Dramatiker.
*Plautus:* vgl. Anm. zu 245,19.

369,30 *Terenz:* vgl. Anm. zu 41,20.
*Roscius:* Gallus Quintus Roscius (gest. um 62 v. Chr.), berühmter
römischer Schauspieler, den der römische Philosoph und Schriftsteller Marcus Tullius Cicero (106–43 v. Chr.) in seiner Abhandlung *De oratore* (»Über den Redner«) mehrfach erwähnt (1,59;
2,57; 3,26).

370,1 f. *die drei Schauspieler ... in eine Rolle teilen:* bezieht sich
hier mißverständlich oder mutwillig übertreibend auf die einflußreiche kunsttheoretische Abhandlung von Jean Baptiste Dubos'
(1670–1742) *Réflexions critiques sur la poësie et sur la peinture*
(1719, [7]1770), wo erwähnt wird (Bd. 3, Kap. 11), daß in der
Antike Aktion und Rede einer Person durch zwei verschiedene
Schauspieler ausgeführt wurden.

370,2 *Larven:* hier: die Masken im antiken Theater (vgl. Dubos,
Bd. 3, Kap. 12).

370,3 *Apparatus:* (lat.) hier: Spielweise, Theatereinrichtung.

370,6 *Parterre:* (frz.) hier: die Zuschauer im Theater.

370,13 *Bachus:* lateinischer Name des griechischen Gottes Dionysos; die dionysischen Kultfeste gelten als ein Ursprung des antiken
Theaters.

370,16 *Akteurs:* (frz.) Schauspieler.

370,21 *Orpheus den dreiköpfigten Cerberus:* In der antiken Mythologie darf der Sänger Orpheus in die Unterwelt, vorbei am
dreiköpfigen Höllenhund Cerberus, um seine verstorbene Frau
Eurydike zurückzuholen; doch muß sie zurückbleiben, als er
verbotenerweise zurücksieht.

370,24 f. *das vierte Departement:* das französische.

370,27 *der rasende Oedip:* In der griechischen Sage tötet Oedipus
unwissentlich seinen Vater und heiratet seine Mutter; nach Auf-
deckung dieser Greuel blendet er sich selbst. Dieser Stoff wurde
seit der Antike vielfach bearbeitet; Lenz denkt hier an die Dramen Pierre Corneilles (1606–84), *Oedipe* (1659), und Voltaires
(1694–1778), *Oedipe* (1719).

370,28 *Imperatoren:* (lat.) Oberbefehlshaber des Heeres.

371,3 f. *Homer ... trojanischen Offiziere:* Homer (vgl. Anm. zu
233,24–26) schilderte in dem Epos *Ilias* die Ereignisse des zehn-
jährigen Krieges zwischen Griechen und Trojanern.

371,5 *Merkure:* Anspielung auf die Zeitschrift *Teutscher Merkur*,
die Wieland seit 1773 herausgab.

371,17 *Königin Elisabeth:* Elisabeth I. (1533–1603), englische Königin.

371,21 *Gärrick:* vgl. Anm. zu 255,24. Auch in seinen Bearbeitungen von Shakespeare-Stücken werden Konzessionen an den Geschmack und die Moralnormen der Zeit gemacht.

371,22 f. *drei Grazien:* römische Göttinnen der Anmut und Schönheit.

371,28 *Sophokles:* vgl. Anm. zu 347,12.

371,30 *Metastasio:* Pietro Metastasio (1698–1782), italienischer
Dichter und Opernlibrettist.

371,33 *Cluvers:* Philipp Cluverius (1580–1622), Begründer der
historischen Geographie; ein Titel *Orbis antiquus* (lat., »Der
antike Erdkreis«) ist von ihm nicht überliefert, gemeint ist wohl
sein Werk *Germania antiqua* (lat., »Das alte Germanien«, 1616).
*Heraldik:* (frz.) Wappenkunde.

372,6 *hinaufglurt:* hinaufstarrt.

372,17 *Auditorium:* (lat.) Zuhörer(schaft).

372,29 *etcetera:* (lat.) und so weiter.

372,36 *Bunian in seinem Heiligen Kriege:* Gemeint ist die Erbau-
ungsschrift *The Holy War* (engl., »Der heilige Krieg«, 1682, dt.
1715) des puritanischen Schriftstellers John Bunyan (1628–88).

373,21 f. *Aristoteles ... Poetik:* Die *Poetik* des Aristoteles ist eine der theoretischen Grundlagen der klassizistischen Regelpoetik (vgl. Anm. zu 170,30).

373,31 f. *Peter Ramus:* Der französische Humanist Pierre de la Ramée (1515–72) bekämpfte die aristotelisch-scholastische Philosophie. Lenz spielt auf seine Ermordung in der Bartholomäusnacht (1572) an.

374,7 *Herr Sterne:* Laurence Sterne (1713–68), englischer Romanschriftsteller, aus dessen *The Life and the Opinions of Tristram Shandy, Gentleman* (»Das Leben und die Meinungen des Tristram Shandy«, 1759–67; dt. 1774) Lenz hier (Buch 3, Kap. 40) zitiert.

374,8 *in seine siebente Bitte:* Die siebte Bitte im Vaterunser lautet: »Erlöse uns von dem Übel«.

374,28 *beklapst:* abgeklopft.

374,33 *keichenden:* keuchenden.

375,2 *Milton:* Milton (vgl. Anm. zu 347,12) schrieb sein Epos *Paradise Lost* als völlig Erblindeter.

375,5 *Adamsribbe:* Nach biblischer Überlieferung wurde Eva aus einer Rippe Adams erschaffen (vgl. 1. Mose 2,22); hier wohl Metapher für: schöpferische Empfindung, Intuition.

375,19 *Hypochondristen:* (griech.) Schwermütigen.

375,20 *amicus certus in re incerta:* (lat.) ein sicherer Freund bei einer unsicheren Sache (Cicero, *Laelius* 17,64).

375,26 f. *Camera obscura:* (lat.) Lochkamera; Urform der fotografischen Kamera.

376,9 *Folie:* hier: was den Glanz gibt, was erhöht.

376,10 *Horatz vivida vis ingenii:* (lat.) Das Zitat »die lebendige Kraft des Geistes« stammt nicht von Horaz, sondern von Lukrez (um 98–55 v. Chr.), *De rerum natura* (»Von der Natur der Dinge«, 1,72).

376,13 *nota diacritica:* (lat.) das unterscheidende Zeichen.

376,15 f. *auf Belsazers Waage:* hier: im Urteil der Geschichte; vgl. Dan. 5,27: »man hat dich in einer Waage gewogen und zu leicht gefunden.«

376,22 f. *die schöne Natur:* hier: Natur nach dem klassizistischen französischen Geschmack.

376,32 *Columbus' Schifferjungen:* Es war ein Matrose, der bei der ersten Atlantiküberquerung (1492) durch Kolumbus als erster Land des bislang unentdeckten amerikanischen Kontinents erblickte.

376,35 *Parnas:* Parnaß: ein dem Apollo und den Musen heiliger Berg in Mittelgriechenland.

377,12 *Phlegma:* (griech.) Leidenschaftslosigkeit.

377,15 *Batt:* Charles Batteux (1713–80), französischer Ästhetiker, der in seiner Schrift *Die schönen Künste, auf ein Prinzip zurückgeführt* (1746) die Theorie verfocht, daß die Kunst allein die ›schöne Natur‹ nachahmen soll. Vgl. auch 432,26–31.

377,27 *Longin:* Gemeint ist das dem griechischen Schriftsteller Cassius Longinos (um 213–273 n. Chr.) fälschlicherweise zugeschriebene Werk *Über das Erhabene*, das die Literaturästhetik bis ins 18. Jh. beeinflußte.

*Home:* Henry Home, Lord Kames (1696–1728), englischer Ästhetiker, dessen *Elements of Criticism* (»Grundsätze der Kritik«, 1762–65; dt. 1763–66) Kant und Schiller beeinflußten; vgl. auch 432,32–35.

377,30 *Toilette:* (frz.) hier: Ankleidetisch, Toilettentisch.

377,33 *Korollarien:* (lat.) Folgerungen, Erläuterungen.

379,36 *Principium:* (lat.) hier: Grund.

380,16 *Räsonnement:* (frz.) Erwägung, Überlegung.

380,35 f. *unekle:* hier: sich nicht scheuende und selbstlose (vgl. hierzu Käser, 1987, S. 255).

381,2 *Grandison:* tugendhafte Titelgestalt aus Samuel Richardsons (1689–1761) Roman *Sir Charles Grandison* (1754; dt. 1754–55).

381,3 *Rebhuhn:* Gemeint ist der Dorfschulmeister Partridge, dessen Namen Lenz hier eindeutscht, eine Figur aus Henry Fieldings (1707–54) Roman *Tom Jones* (1749; dt. 1771).

381,4 *Rousseau:* vgl. Anm. zu 39,26; Lenz kann hier nicht die erst postum veröffentlichten *Bekenntnisse* meinen, sondern bezieht sich wohl auf den Roman *Julie ou la Nouvelle Héloïse*.

381,12 *Simson:* vgl. Anm. zu 269,6.

381,20 *Zeuxes:* griechischer Maler (5. Jh. v. Chr.), berühmt wegen seiner illusionistischen Darstellungen.

*Polygnotus:* griechischer Maler (um 500–447 v. Chr.), der nach Aristoteles schöne Menschen gemalt hat (*Poetik*, Kap. 2).

381,24 *hyperbolisch:* (griech.) übertrieben.

381,31 *Apelles':* griechischer Maler (4. Jh. v. Chr.).

381,35 f. *Thespis' Karre:* die primitive Wanderbühne des sagenhaften griechischen Tragödiendichters Thespis (vgl. Horaz, *Episteln* 2,3,275–277).

382,10 *Dictione et moribus:* (lat.) in Ausdrucksweise und Charakteren.

382,15 f. *famam sequere ... finge:* (lat.) folge der Sage (oder) erdichte, was in sich stimmig ist (vgl. Horaz, *Episteln* 2,3,119).

382,16 f. *servetur ad imum:* (lat.) es soll bis zum Ende (sich gleich) bleiben (vgl. Horaz, *Episteln* 2,3,126).

382,17 *Journal Encyclopédique:* einflußreiche französische Zeitschrift, die 1756–93 in Liège erschien und in der 1774 auch Goethes *Götz von Berlichingen* rezensiert worden war (Bd. 4, S. 562 f.).

382,17 f. *soutenir les caractères:* (frz.) den Charakteren treu bleiben.

382,36 *Sentiments:* (frz.) Gefühle; hier: Furcht und Mitleid, die nach Aristoteles von der Tragödie bei den Zuschauern erweckt werden sollen.

*Melopöie:* (griech.) hier: Tonsetzung, rhythmisch-musikalische Ausdrucksweise.

383,9 f. *je ne sais quoi:* (frz.) ich weiß nicht was.

383,18 *Bulle von den drei Einheiten:* vgl. Anm. zu 170,30.

383,23 *Ist es ... beliebig:* beliebt es.

383,25 f. *Familienstücke:* Gemeint sind die konventionell angelegten, sentimentalen Familienstücke der Zeit; vgl. auch Goethes Kritik am bürgerlichen Drama der 70er Jahre in *Dichtung und Wahrheit* (12. Buch).

383,30 *da mihi figere pedem et terram movebo:* (lat.) Gib mir einen festen Standpunkt, und ich werde die Welt bewegen; angeblicher Ausspruch des griechischen Mathematikers Archimedes (285–212 v. Chr.), des Entdeckers des Hebelgesetzes.

383,36–384,1 *Liebe Herren ... selig werdet?:* parodistisches Bibelzitat nach Apg. 16,30.

384,16 f. *Fabula autem ... circa unum sit:* (lat.) Die Fabel aber ist nicht einheitlich, wenn sie sich, wie einige glauben, um eine Person dreht (Aristoteles, *Poetik* 8,1).

384,19 *bongré malgré:* (frz.) sie mag wollen oder nicht.

384,27 f. *fabula est una si circa unum sit:* (lat.) die Fabel ist einheitlich, wenn sie sich um eine Person dreht.

384,35 *Chors:* der Sprechergruppe in der antiken Tragödie.

385,4 f. *causa prima und remotior:* (lat.) der nächstliegende und der entferntere Grund.

385,8 *Epopee:* (griech.) Epos, epische Dichtung.

385,16 f. *unus solis ambitus:* (lat.) ein einziger Sonnenumlauf, ein Tag.

385,17 f. *differentia specifica:* (lat.) besonderen Unterscheidung.

386,2 ὦ πόποι: o weh; Klageruf in der griechischen Tragödie. *Philister:* hier: Bürger, Spießer.

386,6 *Galeere:* vgl. Anm. zu 127,24 f.

386,19 *zum Bösewicht afterredet:* als Bösewicht in Verruf bringt.

386,28 f. *ihr Mäcenen! ihr Auguste!:* Anspielung auf Gaius Cilnius Maecenas (um 69–8 v. Chr.), den Förderer von Vergil und Horaz, und den Kaiser Augustus (63 v. Chr. – 14 n. Chr.), unter dessen Herrschaft römische Kunst und Wissenschaft blühten.

386,29 *non saginandi:* (lat.) man darf sie nicht mästen; dt. lautet die bei Dubos (vgl. Anm. zu 370,1 f.), Bd. 2, S. 108, lateinisch zitierte Sentenz: »Pferde und Dichter soll man ernähren, aber nicht mästen.«

386,34 *carmen lyricum:* (lat.) lyrisches Gedicht.

387,1 f. *Cäsar ... Shakespears:* Vgl. die Totenrede des Marcus Antonius in Shakespeares *Julius Caesar* (III,2).

387,16 *Flor:* dünnes, durchsichtiges Tuch.

387,19 *Venus Urania:* vgl. Anm. zu 277,15.

387,26 f. *Primaner aus den Jesuiterkollegien:* Gemeint sind Corneille und Voltaire, die beide auf Jesuitenschulen erzogen worden waren.

387,28 *Dante:* vgl. Anm. zu 347,11.

387,29 *Klopstock:* vgl. Anm. zu 238,31.

387,30 *Prisma:* hier: Linse, Brille.

388,1 *Bardiet:* Klopstocks Bezeichnung (nach den keltischen Sängern, den Barden) für ein vaterländisches Drama mit Gesangseinlagen, zu dem er selbst mit seinem Drama *Hermanns Schlacht* (1769) ein Muster gab.

388,2 f. *Voltaire wider den la Motte:* Voltaire attackierte den französischen Dramatiker und Ästhetiker Antoine Houdart de la Motte (1672–1731), Gegner des höfischen Klassizismus, in der Vorrede von 1729 zu seinem Drama *Oedipe*; das folgende Zitat ist daraus entnommen.

388,4–7 *Les François ... enfin de tout:* (frz.) Die Franzosen sind die ersten, die diese gelehrten Regeln des Theaters wiederbelebt haben, die anderen Völker – Aber da dieses Joch richtig war und die Vernunft schließlich über alles triumphiert –

388,23 *suavi sermone:* (lat.) in süßer, angenehmer Rede.

388,26 *Madame Dacier:* vgl. Anm. zu 41,20 f.; Lenz bezieht sich hier auf die Vorrede zu ihrer Terenz-Ausgabe.

388,36 *Dido:* Königin Karthagos, die in Vergils *Aeneis* (vgl. Anm. zu 244,15) den aus Troja geflohenen Aeneas aufnimmt und sich in ihn verliebt.

389,1–6 *Talis Dido erat...:* (lat.) So war Dido zu schaun, so trat sie mit fröhlichem Antlitz / Durch das Gedräng', antreibend das Werk und die künftige Herrschaft. – / Jetzt an der Pforte der Göttin, bedeckt vom Gewölbe des Tempels, / Saß sie, mit Waffen umschart auf des Thrones hochtragendem Sessel. – / Urteil sprach sie den Männern und Recht; und die Mühe der Arbeit / Teilte sie gleich – (Vergil, *Aeneis* 1,503–508; Übers. von Johann Heinrich Voß).

389,30 *trifles light as air:* (engl.) Kleinigkeiten, leicht wie Luft (Shakespeare, *Othello* III,3, V. 323).

390,3 f. *partium agentium:* (lat.) der handelnden Parteien.

390,9 *Parallelbiographen:* Anspielung auf die *Parallelbiographien* des griechischen Historikers Plutarch (um 46–120 n. Chr.), in der Caesars Biographie mit der Alexanders des Großen gepaart wird.

390,14 *Kalumnie:* (lat.) Verleumdung.

390,20 *personifizierte Gemeinplätze über den Geiz:* Lenz denkt hier an typisierende Charakterstücke, wie etwa Molières Lustspiel *Der Geizige* (1668).

391,3 *Contretänze:* Kontertänze; von England her im 18. Jh. verbreiteter, urspr. ländlicher Reihentanz.

391,7 *Lukan:* Marcus Annaeus Lucanus (39–65 n. Chr.), römischer Schriftsteller.
   *Seneka:* vgl. Anm. zu 369,29.

391,8 *Euripides:* griechischer Tragiker (um 485–406 v. Chr.).

391,10 *suavi sermone:* vgl. Anm. zu 388,23.

391,12 *summum oder maximum:* (lat.) das Höchste oder Größte.

391,20 *Fond:* (frz.) Grund, Kern.

391,21 *Voltairens:* vgl. Anm. zu 244,13.

391,23 f. *Rousseau ... Heloise:* vgl. Anm. zu 39,26.

391,30 f. *Palast der Armide:* Hier wird, verführt von der Zauberin Armida, der Kreuzfahrer Rinaldo, einer der Helden in dem Epos *La Gerusalemme liberata* (»Das befreite Jerusalem«, 1581) des italienischen Dichters Torquato Tasso (1544–95), eine Zeitlang festgehalten.

391,31 *Nektar:* (griech.) in der antiken Mythologie der Trank der Götter.

392,5 *Pradon und Racine:* Der französische Dramatiker Nicolas Pradon (1632–98) ließ nur zwei Tage nach der erfolgreichen Uraufführung von Jean Racine (1639–99) Meisterwerk *Phèdre et Hippolyte* (1677) seine gleichnamige Tragödie aufführen.

392,6–11 *La conduite … plus différents:* (frz.) Die Anlage dieser beiden Werke … ist ungefähr gleich. Mehr noch: die Personen der beiden Stücke befinden sich in den gleichen Situationen, sagen beinahe dasselbe; aber man unterscheidet gerade da den großen Menschen und den schlechten Dichter: dort wo Racine und Pradon dasselbe denken, sind sie doch am verschiedensten (Zitat aus der »Vorrede des Autors« zu Voltaires Tragödie *Mariamne* (1725; vgl. *Œuvres Complètes*, hrsg. von Louis Moland, Bd. 2, Paris 1877, Repr. Nendeln 1967, S. 163).

392,23 *Residuum:* (lat.) was übrig bleibt; Rückstand.

392,34 *examen:* (lat.) Untersuchung.

*remarques:* (frz.) Anmerkungen.

392,36 *plädierte:* (frz.) verteidigte.

*per syllogismum:* (lat.) durch logischen Schluß vom Allgemeinen auf das Besondere.

393,5 *Nägelchen:* Gewürznelke.

393,6 f. *Voltaire und Shakespear … Tod des Cäsars:* Voltaire orientierte sich bei seiner Tragödie *La Mort de César* (»Der Tod Caesars«, 1733) besonders in den Schlußszenen eng an Shakespeares *Julius Caesar* (1599).

393,10 *Quo me … plenum?:* (lat.) Wohin reißt du mich, Bacchus, deiner voll? (Horaz, *Oden* 3,25,1 f.).

393,11 *berühmter Kunstrichter:* Voltaire veröffentlichte in der Buchausgabe seiner Tragödie *Der Tod Caesars* als Vorwort in der Originalsprache ein Schreiben des italienischen Schriftstellers Francesco Conte Algarotti (1712–64).

393,11–13 *il nostro poeta … di Ennio:* (lat.) Unser Dichter hat denselben Gebrauch von Shakespeare gemacht wie Vergil von Ennius. – Der römische Dichter Quintus Ennius (239–169 v. Chr.) hatte in seinen *Annalen* schon vor Vergil (vgl. Anm. zu 244,15) den Aeneas-Stoff bearbeitet.

393,18 *ferocità:* (ital.) Wildheit.

393,19 f. *Wenn der Fuchs die Trauben nicht langen kann –:* Anspielung auf die berühmte Äsopische Fabel vom Fuchs und den

Trauben, einer Parabel über das Herabsetzen dessen, was man nicht erreichen kann.

393,25 *Portia:* bei Shakespeare die Gemahlin des Brutus; Voltaire hat keine Frauenrollen in seinem Stück.

*V.:* Voltaire.

393,30 f. *lorsque Racine … plus différents:* vgl. Anm. zu 392,6–11.

393,34 *Minerva:* vgl. Anm. zu 284,27.

394,10 *präambuliert:* (lat.) vorausgeht.

394,22 *(Wiel. Übers.):* Lenz zitiert hier aus der Prosaübersetzung (1764) Wielands des *Julius Cäsar* (II,1) von Shakespeare (vgl. *Wielands Übersetzungen*, hrsg. von Ernst Stadler, Berlin 1909, Bd. 2, S. 221–223).

394,27 *Cholera:* (griech.) hier: aufbrausendes Temperament, Jähzorn.

394,32 *Addisons Seraph:* Anspielung auf die Tragödie *Cato* (1713) des englischen Schriftstellers Joseph Addison (1672–1719), dessen Titelheld, Marcus Porcius Cato der Jüngere (95–46 v. Chr.), als ein Verteidiger der Freiheit gegen Caesar von Lenz hier mit einem Seraphen, einem biblischen Lichtengel, verglichen wird.

395,4 *Parther:* Anspielung auf die Kriege zwischen Römern und Parthern seit dem 1. Jh. v. Chr.

395,8 f. *Tu veux … barbare:* (frz.) Du willst ein Held sein, aber du bist nur ein Barbar. – Diese Worte werden nicht von Brutus, sondern von Antonius gesprochen (vgl. *La Mort de César* II,1).

395,10 *Champagnerbouteille:* (frz.) Champagnerflasche.

395,11–14 *Quelle bassesse … Horace, Decius:* (frz.) Welche Niedertracht … o Himmel! und welche Schmach, das also sind deine Helfer … das eure Nachfolger, Horaz, Decius. – *Horace, Decius:* Gemeint sind zwei legendäre römische Helden: Horatius, der die drei Kuratier tötete (vgl. Livius, *Ab urbe condita* 1,24 f.), und Decius Mus, ein Konsul, der sich im 4. Jh. v. Chr. im Krieg gegen die Samniter opferte, um den Sieg der Römer zu sichern.

395,15 *Pompejus:* Gnaeus Pompeius Magnus (›Der Große‹, 106–48 v. Chr.), römischer Feldherr und zeitweiliger Verbündeter von Caesar.

395,16 *in loco:* (lat.) auf der Stelle.

395,16–18 *Que vois … autre billet:* (frz.) Was seh ich, großer Pompejus – Du schläfst, Brutus – Rom, meine auf dich gerichteten Augen werden immer offen sein … Aber was für ein anderer Brief.

*ein Wortspiel:* mit der Bedeutung von frz. *ouvert* ›offen, wachsam‹ und übertr. ›offenherzig, freimütig‹.

395,27 *Erzählung des Casca im S.:* Vgl. Shakespeare, *Julius Caesar* I,2.

395,29 *Glosse:* Anmerkung.

395,30 *Cato aus Utika:* vgl. Anm. zu 394,32.

395,30 f. *Sa mort … grand homme:* (frz.) Sein Tod ist nutzlos gewesen – und das ist der einzige Fehler, den dieser große Mann machte.

395,34–396,1 *Jurez donc … Pompée:* (frz.) Schwört also … mit mir, schwört … auf dieses Schwert, beim Blute Catos … bei dem des Pompejus.

396,3 f. *allons … arrêter:* (frz.) wohlan, bereiten wir uns vor, wir haben uns schon zu lange aufgehalten.

396,7 *chymische:* chemische.

396,9 *Solution:* (lat.) Lösung.

*Acidum:* (lat.) Säure.

396,10 *Rezipienten:* (lat.) hier: Behälter, Empfänger.

396,12 *Signor Conte:* vgl. Anm. zu 393,11.

396,13 f. *il nostro …. di Ennio:* vgl. Anm. zu 393,11–13.

396,14 f. *quo nunc se proripit ille?:* (lat.) wohin eilt nun jener? (Vergil, *Eklogen* 3,19).

396,21 ἦϑος: (griech.) Wesensart, Ethos.

396,24 *fatum:* (lat.) Schicksal.

396,29 *Oedip:* vgl. Anm. zu 370,27.

396,30 *Diomed:* einer der griechischen Helden im Kampf um Troja, der sogar gegen Götter, so mit Aphrodite und Ares, dem Kriegsgott, kämpfte (Homer, *Ilias* 5,330–352 und 846–867).

396,34 *secundum autem sunt mores:* (lat.) das zweite aber sind die Charaktere (Aristoteles, *Poetik* 6).

397,2 *haut goût:* (frz.) pikanter, ausgeprägter Geschmack.

397,9 *gegründet:* hier: ergründet.

397,10 *Meßmusikant:* hier wohl: Jahrmarktsmusikant.

397,12 *impitoyables dieux … les vôtres:* (frz.) mitleidslose Götter, meine Verbrechen sind die euren (Voltaire, *Oedipe* V,4).

397,24 *Jokasta:* die Mutter und spätere Gattin von Oedipus. Die Eltern hatten den Sohn als Kind ausgesetzt, weil ihnen vom Delphischen Orakel geweissagt war, der Sohn werde den Vater töten und die Mutter heiraten. Oedipus aber wurde von einem Hirten gerettet und aufgezogen.

398,14 *Madame Dacier:* vgl. Anm. zu 41,20 f.

398,28 f. *Hanns Sachse ... Griselda:* Lenz bezieht sich auf den 2. Akt der Komödie *Die gedultig und gehorsam marggräfin Griselda* (1546) von Hans Sachs (1494–1576).

398,33 f. *alle Sachen ... Schaden geschicht:* Lenz zitiert hier frei die Schlußverse aus dem Prolog zur *Tragedia ... die Virginia* (1530) von Hans Sachs.

399,6 *spezereit:* mit aromatischen Kräutern versieht.

399,13 f. *selig sind ... haben:* Anspielung auf Lk. 10,23: »Selig sind die Augen, die da sehen, was ihr sehet.«

400,11 *oratorische:* (lat.) rhetorische.

400,22 *qui hedera non egent:* (lat.) die keines Efeus bedürfen, d. h. kein Lob brauchen.

400,23 f. *Gastmahl des Trimalchion:* die in sich abgeschlossene Erzählung aus dem Abenteuer- und Schelmenroman *Satyricon* des römischen Schriftstellers Gaius Petronius Arbiter (gest. 66 n. Chr.).

400,25 *Saturnalien:* ausgelassenes römisches Volksfest (zu Ehren des Saturn als Gott des Ackerbaus), während dessen der Unterschied zwischen Herr und Sklave aufgehoben war.

400,26 *Purganz:* Abführmittel.

400,28 f. *bisher unübersetzten ... Komödie von Shakespearn:* Im Anhang zu den *Anmerkungen übers Theater* veröffentlichte Lenz seine Übersetzung der Komödie *Love's Labour's Lost* unter dem Titel *Amor vincit omnia* (lat., »Alles besiegt die Liebe«; vgl. WB I, S. 607–666); Wieland hatte das Stück in seiner Shakespeare-Ausgabe ausgelassen (vgl. Anm. zu 394,22).

401,4 *Vapeurs:* (frz.) Mißlaunen, Grillen.

401,5 *Formularen:* hier: Redewendungen.

401,6 *Wohlstand:* hier: Anstand.

401,11 *spasmatisches Gelächter:* Lachkrampf.

401,12 f. *eheu discrimina rerum:* (lat.) o die Unterschiede der Dinge.

401,14 f. *Herkules ... im Hemd der Dejanira:* In der griechischen Mythologie sandte die Königstochter Deianeira ihrem untreuen Gatten Herkules ein Zauberhemd, das ihn ihr wieder zurückgewinnen sollte, Herkules jedoch tötete.

## Über Götz von Berlichingen

Entst. wohl 1774. Offenbar als Vortrag für die »Société de philosophie et de belles-lettres« (vgl. Anm. zu 369,4) konzipiert.
*E:* Erich Schmidt, »Lenziana«, in: *Sitzungsberichte der Königlich Preußischen Akademie der Wissenschaften zu Berlin* 41 (1901) S. 994–996. *D:* WS I, S. 378–382.

403,1 *Götz von Berlichingen:* erschienen im Juni 1773.

403,19 *Philosophen:* Lenz denkt hier offenbar an Philosophen wie den französischen Materialisten Julien Offray de La Mettrie (1709–51), der das Werk *L'Homme machine* (»Der Mensch, eine perfekte Maschine«, 1748) schrieb, und den französischen Aufklärungsphilosophen Claude Adrien Helvétius (1715–71).

403,23 *ein Ball anderer:* vgl. 447,9–27.

403,25 *künstlichere:* hier: kunstvollere.

403,31 *handeln, handeln die Seele der Welt:* Diesen Zentralgedanken seiner Philosophie hat Lenz in seinem Werk immer wieder variiert (vgl. etwa 124,35 und 450,22–451,10).

403,33 f. *der unaufhörlich handelt:* Vgl. Immanuel Kant (1724 bis 1804), *Allgemeine Naturgeschichte und Theorie des Himmels* (Königsberg/Leipzig 1755, S. 121): »Bleibt Gott in einer unaufhörlichen Schöpfung geschäftig.«

404,12 *wüste und leer:* vgl. 1. Mose 1,2.

404,13 *dir nachahmend:* vgl. 376,17–30 und 381,29–382,3.

404,35 *Cui bono?:* (lat.) Wem zum Nutzen?

405,12 f. *Bouteille:* (frz.) Flasche.

405,16 f. *der prometheische Funken:* vgl. Anm. zu 254,5.

405,33 *antiken deutschen:* altdeutschen.

406,13 *wo mehr Freiheit ist:* Götz stirbt mit den Worten »Himmlische Luft – Freiheit! Freiheit!« (letzte Szene).

406,32 f. *aus unsern Mitteln:* aus unsrer Mitte.

407,10 f. *Ausspruch des Apostels Pauli:* Das folgende Zitat paraphrasiert 1. Kor. 13,11.

407,16 *Außenwerke:* Äußerlichkeiten.

407,20 *Eleusis:* Gemeint sind die jährlichen Mysterienfeste in Eleusis zu Ehren von Demeter, der griechischen Göttin des Ackerbaus.

407,24 *Tantum:* (lat.) so weit!, Ende.

### Über die Veränderung des Theaters im Shakespear

Entst. 1776. Überarbeitete Fassung eines Vortrags, den Lenz vor der »Deutschen Gesellschaft« im Januar 1776 hielt; eine Vorstufe unter dem Titel *Von Shakespears Hamlet* ist in WB II, S. 737–744, abgedruckt.

*E/D: Flüchtige Aufsätze*, S. 86–95.

409,4 *über die Freiheiten:* Lenz bezieht sich hier auf die zeitgenössische Kritik an den sogenannten Unregelmäßigkeiten in Shakespeares, aber auch in seinen und Goethes Stücken.

409,10 *Aristophanes:* vgl. Anm. zu 384,35.

409,10 f. *wegen des Chors:* vgl. Anm. zu 384,35.

409,23 *ad libitum:* (lat.) nach Belieben.

410,3 *Interesse:* Lenzens Gedanken sind hier wohl inspiriert von Louis-Sébastien Merciers (1740–1814) *Du Théâtre ou nouvel essai sur l'art dramatique* (»Über das Theater oder neuer Versuch über die dramatische Kunst«, 1773), das der mit Lenz befreundete Heinrich Leopold Wagner (1747–79) damals gerade übersetzte (*Neuer Versuch über die Schauspielkunst*, 1776, Repr. Heidelberg 1967).

410,24 *Urkunde:* hier: Beleg.

410,29 *Pinselstrich wie der:* Vgl. *Hamlet*, IV,4; der Schauplatz dieser Szene ist freilich nicht, wie Lenz angibt, in England, sondern »eine Ebene in Dänemark«.

411,10 f. *Tugendhaften Verbrechers:* Gemeint ist das Stück *L'Honnête criminel* (1767) von Charles-Georges Fenouillot de Falbaire (1727–1800). Lenz hat offensichtlich in Straßburg eine Aufführung des Stückes gesehen.

411,22 f./412,5 *Cidelise / Olbanen:* Figuren aus dem genannten Stück.

411,28 *Oßian:* vgl. Anm. zu 347,10.

412,5 f. *Cette Scène ... vraisemblable:* (frz.) Diese Szene ist zu wahr, um wahrscheinlich zu sein.

412,7 *m. H.:* meine Herren.

412,19 *pour mon Père:* (frz.) für meinen Vater.

412,20 *le voici:* (frz.) da ist es.

412,22 *récits:* (frz.) Erzählungen.

412,24 *contes de ma mère oye:* (frz.) Märchen der Mutter Gans; Ammenmärchen.

**412,28** *Konklusionen:* (lat.) Folgerungen.

**413,11** *Ei der Leda:* In der griechischen Mythologie wird die Königstochter Leda von Zeus in der Gestalt eines Schwanes verführt; sie ›gebar‹ daraufhin zwei Eier, wobei aus dem einen Castor und Klytämnestra, aus dem anderen Pollux und Helena kamen.

**413,18** *sympathetischer:* (griech.) auf Sympathie beruhender, mitfühlender.

### Rezension des Neuen Menoza

**Entst.** 1775. Lenz schrieb die Selbstrezension aus Enttäuschung über die Aufnahme des Stücks durch die Kritik. Er reagiert hier vor allem auf Wielands kurze Besprechung im *Teutschen Merkur* (Bd. 8, 3. Stück, Dezember 1774, S. 241), zugleich entwickelt er hier seine Gedanken zum Drama fort.

*E/D:* Frankfurter Gelehrte Anzeigen, 1775, Nr. 55/56 (11. Juli) S. 459–466.

**415,7 f.** *Guckucken:* hier – in Analogie zum Ruf des Kuckucks –: ein Mensch, der sich selber lobt.

**415,10 f.** *andre mit ihrem Selbst ... nicht unverdienten Dienst:* Lenz hat immer wieder seine Freunde, wie etwa Goethe und Herder, gegen Kritik verteidigt, und so hatte er wohl auch auf deren Beistand gehofft; nur Johann Georg Schlosser setzte sich in seiner kleinen Schrift *Prinz Tandi an den Verfasser des neuen Menoza* (1775) öffentlich für das Stück ein.

**415,21** *einen Freund:* Goethe, der den Druck des *Hofmeisters,* der *Lustspiele nach dem Plautus* und des *Neuen Menoza* beförderte; diese anonym veröffentlichten Werke wurden daher auch zunächst von manchen Kritikern Goethe zugeschrieben.

**416,29** *als der Herr v. Biederling:* II,4 (vgl. S. 117–121).

**416,34 f.** *Anzügliches:* Anziehendes.

**417,2** *ohne Absichten schätzt:* unvoreingenommen betrachtet.

**417,34** *schöne Natur:* im Gegensatz zu den klassizistischen Ästhetikern; vgl. Anm. zu 377,15.

**418,6** *Popens Geißel:* vgl. Anm. zu 347,13.

**418,9** *waisenhäuserische Freudenhässer:* Anspielung auf pietistische Strenge in den Franckeschen Erziehungsanstalten zu Halle.

**418,11 f.** *Anstrich von der orientalischen Modeliteratur:* In der Nachfolge der französischen Übersetzung der *Erzählungen aus*

*1001 Nacht* (1704–08) und von Montesquieus *Persischen Briefen* (1721) wurde der Orient zu einer beliebten literarischen Szenerie, so noch bei Wieland im *Goldenen Spiegel* (vgl. Anm. zu 111,25) und in der *Geschichte des Weisen Danischmed und der drei Kalender* (1775).

418,14 f. *neuen Auflage des Menoza:* Lenz beschäftigte sich damit, sie kam aber nicht zustande.

418,20 f. *sanguinischen ... melancholischen ... hypochondrischem:* lebhaften ... trübsinnigen ... schwermütigen.

418,22 f. *Herr Wieland ... in keiner andern Maske:* Wieland schrieb in seiner Kritik des *Menoza:* »So sehr auch der Verfasser in der Person des Bürgermeisters aller Kritik und Regeln spottet [...].«

418,25 *Rotwelsch:* Gaunersprache; Lenz bezieht sich im folgenden auf Wielands Kritik (im *Teutschen Merkur,* Bd. 9, 1. Stück, Januar 1775, S. 94 f.) zu den *Anmerkungen übers Theater* (418,27 »A. ü. d. Th.«).

418,29 *ihn ausgeschrieben:* von ihm abgeschrieben.

418,33 *zu Romantische:* zu Romanhafte, zu Unnatürliche; Wieland schreibt in der angeführten Kritik: »Unsre Dramenschreiber haben das Romantische schon zu sehr in unsre Schauspiele gebracht, als daß wir nöthig hätten, unsre Lustspiele so unwahrscheinlich zu machen, als wir das Trauerspiel wahrscheinlich zu machen suchen.«

419,13 f. *Sukzessionspulver:* vgl. Anm. zu 106,4.

419,19 f. *der geschwungnen Phantasei:* dem Schwung der Phantasie.

419,24 f. *zu ernsthaft für eine Komödie:* Lenz reagiert hier auf Wielands Bemerkung zum *Menoza,* man sollte das Stück »lieber Mischspiel als Komödie heißen«, d. h. eine Tragikomödie (*Der teutsche Merkur,* Bd. 8, 3. Stück, Dezember 1774, S. 241).

419,27 *Ich nenne durchaus Komödie:* Vgl. hierzu auch seine Unterscheidung von Komödie und Tragödie in den *Anmerkungen übers Theater* (399,25–400,13).

420,7 *der französischen weinerlichen Dramen:* Lustspiele nach dem französischen Vorbild der Comédie larmoyante.

420,12 *Plautus:* vgl. Anm. zu 245,19.

420,13 *Terenz:* vgl. Anm. zu 41,20 und 41,20 f.

*Moliere:* vgl. Anm. zu 246,30.

*Destouches:* vgl. Anm. zu 327,33.

420,13 f. *Beaumarchais:* Pierre-Augustin Caron de Beaumarchais (1732–99), französischer Komödiendichter.

420,15 *komisch und tragisch zugleich:* Vgl. hierzu auch Lenzens
ursprünglichen Untertitel »Lust und Trauerspiel« zum *Hofmeister.*

420,34 f. *angustam amice pauperiem pati:* (lat.) freudig die Enge der
Armut zu ertragen (Horaz, *Oden* 3,2,1).

*Über die Bearbeitung der deutschen Sprache im Elsaß,
Breisgau, und den benachbarten Gegenden*

Entst. 1775. Ein früheres Manuskript ist erhalten; Varianten daraus werden nach dem Kommentar von WS I, S. 685–688, zitiert.
*E/D: Flüchtige Aufsätze,* S. 55–69.

421,4 *In einer Gesellschaft:* als Vortrag auf der Gründungssitzung
der »Deutschen Gesellschaft« am 2. November 1775.

421,8 f. *aus einigen Ihrer Vorlesungen:* Die neugegründete Gesellschaft setzte sich im wesentlichen aus Mitgliedern der »Société de
philosophie et de belles-lettres« (vgl. Anm. zu 369,4) zusammen.

421,14 *kindischen:* hier: kindlichen.

421,19 *m. H.:* meine Herren.

421,20 *Kaffern:* Volksstamm im südlichen Afrika.

421,21 *in Diderots Insel der Glückseligkeit:* In der zweiten Unterredung im Anhang zu Denis Diderots (1713–84) Drama *Le fils
naturel ou les épreuves de la vertu* (»Der natürliche Sohn oder die
Prüfungen der Tugend«, 1757) wünscht sich einer der Gesprächs-
partner auf die Insel Lampedouse im südlichen Mittelmeer, um
dort »fern von dem festen Lande, mitten in den Wellen des
Meeres, ein kleines glückliches Volk [zu] stiften« (dt. von Lessing,
*Das Theater des Herrn Diderot,* 1760, in: *Werke,* hrsg. von Julius
Petersen, Tl. 11, Berlin 1925, S. 113).

422,15 *Geschwätz ausartet:* Die Handschrift fährt fort: »Wie wir
schon die Beispiele an den sächsischen modernen Autoren haben«
(nach WS I, S. 686).

422,17 *unserer Nachbaren:* in der Handschrift: »der Italiener und
Franzosen« (WS I, S. 686).

422,20 *Lakonismus:* (griech.) Wortkargheit.

422,28 *Affektation:* (lat.) Ziererei, Affektiertheit.

422 Anm. *coupierten Styles:* coupiert (frz.): abgeschnitten; Lenz

meint hier das übertriebene Benutzen von umgangssprachlichen Elisionen in den Werken der Sturm-und-Drang-Autoren, was diesen auch schon von zeitgenössischen Kritikern vorgehalten wurde.

423,7 *durch berühmte Schriftsteller:* In der Handschrift wendet sich Lenz spezifischer gegen das zur Norm erhobene »elende Obersächsische oder Märkische Deutsch« (WS I, S. 687), zielt also wohl vor allem gegen einflußreiche und beliebte Schriftsteller wie Johann Christoph Gottsched (1700–66), Christian Fürchtegott Gellert (1715–69) und Friedrich Nicolai (1733–1811).

423,11 *Münzfuß:* Währungseinheit.

423,24 *Turm zu Babel:* vgl. 1. Mose 11,1–9.

424,12 f. *frappieren:* (frz.) überraschen, bestürzt machen.

424,13 *saisieren:* (frz.) etwas rasch ergreifen, schnell auffassen.

424,16 f. *kompromittieren:* (frz.) durch Wort oder Handlung in Verruf bringen.

424,20 *Kameralisten:* (griech.) Staatsökonomen, Staatswissenschaftler.

424,30 *Ich bin auf diese Ausdrücke eifersüchtiger:* In der Handschrift findet sich anstelle dieses Abschnittes die folgende Passage: »Haben wir nicht unsere Alten, die unsere Freiheit (auf welche Freiheit sollten wir eifersüchtiger sein als auf die des Geistes) gegen geist- und weltliches Ansehen so ritterlich verfochten haben. Sollten wir aus dem Luther, der Königen und Kaisern, Päbsten und Kardinälen seine Meinung derb und deutsch ins Gesicht sagte, und aus seiner unschätzbaren Bibelübersetzung dem einzigen Buch aus dem wir die Mannheit der alten Sprache noch beurteilen können, nicht zu unendlich vielen Bedürfnissen der Seele Ausdrücke genug noch erobern können, retten können, möchte ich sagen, gegen die allerorten überschwemmende Glätte und Seichtigkeit unbedeutender und kraftloser Einschläferer des Publikums« (WS I, S. 687).

425,13 f. *ut silvae pronos mutantur in annos:* (lat.) wie sich die Wälder im Laufe der Jahre wandeln (vgl. Horaz, *Episteln* 2,3,60).

425,20 f. *Jugendkützel:* Jugendübermut.

425,23 *Witzes:* hier: Verstandes, Wissens.

*Gotisch:* hier: Mittelalterlich, altertümlich.

425,31 *Idiotikon:* (griech.) Mundartwörterbuch.

425,33 f. *auf einem Klopstockischen Landtage:* Vgl. den 2. Teil »Geschichte des letzten Landtags« in Klopstocks *Deutscher Ge-*

*lehrtenrepublik* (1774); in diesem idealen Ständestaat, werden alle
wichtigen Entscheidungen in einem alten Eichenhain in öffent-
licher Versammlung, dem Landtag oder der Landgemeine, entschieden.

426,9 *Sokrates:* vgl. Anm. zu 289,20.

426,21 *Plautinischen Stücken:* vgl. Anm. zu 245,19.

426,21 f. *Horatz ... fand sie platt:* vgl. *Episteln* 23,270–274.

426,23 *stoische Philosophie:* Richtung der griechisch-römischen Philosophie, die um 300 v. Chr. in Athen entstand und in ihrer Ethik
forderte, in Übereinstimmung mit der Natur zu leben.
*karglaut:* wortkarg.

426,24 f. *epikureische:* vgl. Anm. zu 301,5.

426,31 *Boileau:* der französische Ästhetiker und Satiriker Nicolas
Boileau-Despréaux (1636–1711).
*Popen:* vgl. Anm. zu 237,8 und 347,13.

427,14 *Operetten:* hier: die zeitgenössischen Singspiele.

428,2 *Glossarien:* (griech.) Wörterverzeichnisse mit Erklärungen.

428,11 f. *das hülfloseste unter allen Tieren, der Mensch:* Vgl. Herders *Abhandlung über den Ursprung der Sprache* (1772), wo der
Mensch als »nacktes, instinktloses Tier betrachtet [...] das elendeste der Wesen« genannt wird (*Werke*, Bd. 1, hrsg. von Ulrich
Gaier, Frankfurt a. M. 1985, S. 769).


## Versuch über das erste Principium der Moral


Entst. um 1772. Wohl zuerst als Vortrag vor der »Société de
philosophie et de belles-lettres« (vgl. Anm. zu 369,4) gehalten.
*E: Johann Gottfried Röderer von Straßburg und seine Freunde*,
hrsg. von August Stöber, Colmar 1874, S. 183–200. *D:* WS I,
S. 483–500.

429,1 *Principium:* (lat.) hier: Grund, Grundsatz.

429,7 f. *Lehre von der Bestimmung des Menschen:* wohl Anspielung
auf die seinerzeit weitverbreitete Schrift *Gedanken über die Bestimmung des Menschen* (1748) des protestantischen Theologen
Johann Joachim Spalding (1714–1804).

429,23 *m. H.:* meine Herren.

429,28 *Sokrates:* vgl. Anm. zu 289,20.

429,29 *in den Sphären:* Der griechische Philosoph Platon (427–347

v. Chr.), ein Schüler von Sokrates, vertrat die in der Antike verbreitete Lehre des griechischen Philosophen Pythagoras (580 bis 500 v. Chr.) von der Harmonie der die Erde umkreisenden Planetensphären als Ausdruck der Ordnung des Universums.

429,30–32 *gestehen mußte … daß er nichts wisse:* Zu diesem vielzitierten Eingeständnis des Sokrates vgl. Platon, *Apologie* 21 bis 23B.

430,6 f. *die Sprache verwirren:* Vgl. die alttestamentarische Geschichte vom Turmbau zu Babel (1. Mose 11).

430,17–19 *Prometheus … schmiedete:* vgl. Anm. zu 282,30.

430,31 *als Theseus dem Faden der Ariadne:* In der griechischen Mythologie gab Ariadne, die Tochter des Königs von Minos, Theseus einen Wollknäuel, mit dessen Hilfe er seinen Weg aus dem Labyrinth fand, nachdem er dort den Minotauros getötet hatte.

431,2 *εὕρηκα:* (griech.) ich habe es gefunden; angeblicher Ausruf des Archimedes (vgl. Anm. zu 383,30), als er das Gesetz des spezifischen Gewichtes entdeckte.

431,9 *summum bonum:* (lat.) das höchste Gut, Gott.

431,10 *Diogenes in den Kot:* Der griechische Philosoph Diogenes von Sinope (412–323 v. Chr.) forderte und führte selbst ein selbstgenügsames und asketisches Leben.
*Zeno:* Zenon (um 490–430 v. Chr.), griechischer Philosoph, erster Dialektiker.

431,11 *Epikur:* vgl. Anm. zu 301,5.

431,13 *Budsdo:* Gemeint ist wohl der indische Religionsstifter Buddha (Siddharta Gautama, um 560–480 v. Chr.).

431,18 *Emblem:* (frz.) Sinnbild.

431,30–32 *Diogenes … am sichersten:* Schon in der Antike zirkulierten zahlreiche Anekdoten, die den Witz und die Schlagfertigkeit dieses Philosophen belegen.

431,34 *Dreifuß:* Anspielung auf die Priesterin des Apollon in Delphi, die auf einem Dreifuß sitzend ihre Orakel verkündete.

432,12 *Zirbeldrüse:* Der französische Philosoph René Descartes (1596–1650) lokalisierte hier den Sitz des psychischen Vermögens.

432,19 *Hermaphroditen:* (griech.) zweigeschlechtliche Wesen; nach dem Sohn des Hermes und der Aphrodite in der antiken Mythologie.

432,21 *Newton:* Der englische Mathematiker, Physiker und Astronom Sir Isaac Newton (1643–1727) entdeckte die Gravitationsgesetze, die es ermöglichten, etwa die Planetenbewegungen und den Zusammenhang von Ebbe und Flut erstmals zutreffend zu erklären.

432,26 *Batteux:* vgl. Anm. zu 377,15.

432,32 *Home:* vgl. Anm. zu 377,27.

432,33 *daucht:* dünkt, deucht.

433,31–434,7 *[Sie werden ... Bedeutung hat.]:* Der Text in eckigen Klammern ist keine Einfügung des Herausgebers; die Markierung geht auf Lenz zurück.

434,9 f. *nach der Baumgartischen Art:* nach dem Ästhetiker Alexander Gottlieb Baumgarten (1714–62), einem Schüler des Aufklärungsphilosophen Christian Wolff (1679–1754).

434,21 *mit Ossian:* vgl. Anm. zu 347,10. Das Zitat ist nicht nachgewiesen.

435,26 *Begriff des höchsten Schönen:* Vgl. dazu Lenzens Brief an Johann Daniel Salzmann, Oktober 1772, in dem er die »Schönheit« als seine »Lieblingsidee« bezeichnet: »So viel ist gewiß, daß die letztere die einzige Idee ist, auf die ich alle andern zu reduzieren suche. Aber es muß die echte Schönheit sein, die auf Wahrheit und Güte gegründet ist, und in der höchsten und faßlichsten Übereinstimmung – der Henker mag sie definieren; ich fühle sie und jag ihr nach; freilich tritt sie mir oft hinter eine Wolke, aber ich werde sie einmal finden – diese allein kann mein Herz mit Liebe gegen Gott (die Schönheit in abstracto) und gegen alles was geschaffen (die Schönheit in concreto) füllen« (WB III, S. 286).

435,36 *Seraph:* vgl. Anm. zu 163,24.

436,23 *Abhandlung des Herrn Salzmann:* Lenz bezieht sich hier vermutlich auf die 1776 veröffentlichte Abhandlung von Salzmann *Über die Liebe,* die Lenz zuvor schon in der »Société de philosophie et de belles-lettres« als Vortrag gehört hatte.

436,31 *je ne sais quoi:* (frz.) ich weiß nicht was.

437,13 *gleichgültige:* gleichgeltende, identische.

437,21 *ontologische:* (griech.) das Sein betreffende.

437,24 *status:* (lat.) Zustand, Lage.

438,8 f. *Miltons Chaos:* Im 7. und 8. Buch seines Epos *Paradise Lost* schildert John Milton (vgl. Anm. zu 347,12) die Erschaffung der Erde aus dem Chaos.

438,18 *Rousseau:* Lenz bezieht sich hier auf Rousseaus (vgl. Anm. zu 244,13) Gedanken, daß wahre Glückseligkeit in innerer Ausgeglichenheit und Seelenruhe, d. h. im Gleichgewicht von Macht und Begierden liege (vgl. etwa *Emile*, München 1979, S. 68 f.).

438,23 *Der höchste Zustand der Bewegung:* Vgl. *Über Götz von Berlichingen*, 403,30–404,14.

439,2 f. *De gustibus non est disputandum?:* (lat.) Über Geschmäcker läßt sich nicht streiten?

438,5 *heben:* beheben.

438,14 *Persuasion:* (lat.) Überredung.

441,7 *Henoch:* vgl. 1. Mose 5,21–24.

441,10 *David:* Lenz zitiert im folgenden einen Psalm Asaphs (Ps. 73,25 f.)

442,23 f. *in unser Herz geschrieben:* vgl. Jer. 31,33.

442,26 f. *nicht das Gesetz aufzuheben:* Vgl. Mt. 5,17: »Ihr sollt nicht wähnen, daß ich gekommen bin, das Gesetz oder die Propheten aufzulösen; ich bin nicht gekommen aufzulösen, sondern zu erfüllen.«

442,33 *wenn er die Pharisäer tadelt:* vgl. Mt. 12,38 f.

442,35–443,2 *Wer den Willen tut ... von Gott sei:* vgl. Joh. 7,17.

443,14 f. *Seid vollkommen ... ist:* vgl. Mt. 5,48.

443,16 *Trachtet ... nach dem Reich Gottes:* vgl. Mt. 6,33.

443,20 f. *Sorget nicht ... bedürfet:* vgl. Mt. 6,25–32.

443,26 f. *an Gebärden als ein Mensch:* vgl. Phil. 2,7.

443,27 *nahm zu an Alter:* vgl. Lk. 2,52.

443,29 f. *wo er sein Haupt hinlegte:* vgl. Mt. 8,20.

443,30 *suchte nicht seine eigne Ehre:* vgl. Joh. 8,50.

444,1 f. *von Gott verlassen:* vgl. Mt. 27,45 f.

444,5 *gottseliges ... Geheimnis:* vgl. 1. Tim. 3,16. *kündlich:* kindlich.

444,6 *die Engel zu schauen gelüstet:* vgl. 1. Petr. 1,12.

444,15 f. *wenn ihr alles getan habt:* vgl. Lk. 17,10.

444,31 f. *Complementum moralitatis:* (lat.) Ergänzung zur Moral.

445,19 f. *der da wohnet in einem Licht:* vgl. 1. Tim. 6,16.

## Über die Natur unsers Geistes

Entst. wohl zwischen 1771 und 1773. Konzipiert als Vortrag vor der »Société de philosophie et de belles-lettres« (vgl. Anm. zu S. 369,4).
*E/D:* WS I, S. 572–578.

447,2 *Prophetenausspruch:* Vgl. Joël 3,1: »Und nach diesem will ich meinen Geist ausgießen über alles Fleisch, und eure Söhne und Töchter sollen weissagen; eure Ältesten sollen Träume haben, und eure Jünglinge sollen Gesichte sehen«; vgl. auch Apg. 2,17.

447,4 *vom Laien:* Der Aufsatz steht in engem Zusammenhang mit Lenzens moralisch-theologischer Schrift *Meynungen eines Layen den Geistlichen zugeeignet. Stimmen des Layen auf dem letzten theologischen Reichstag im Jahre 1773* (1775; vgl. WB II, S. 522 bis 618).

448,19 *Helvetiusse:* Anhänger des französischen Philosophen Helvétius (vgl. Anm. zu 403,19).

448,30 *Stoiker:* vgl. Anm. zu 426,23.

449,17 *Independenz:* (lat.) Unabhängigkeit.

449,18 f. *affizierenden:* (lat.) reizenden; hier: interessierenden.

449,32 *vertauben:* taub, gefühllos werden.

450,3 *Strauß:* Kampf.

450,12 f. *maschinenhaft wirkenden Haufen:* Vgl. *Über Götz von Berlichingen*, 403,1–18.

451,31 *mit den Pharisäern wütete:* Die Pharisäer, strenggläubige Juden, griffen Jesus wegen seiner Lehren an und bezweifelten seine Göttlichkeit.

451,32 *mit Ischariot bereute:* Judas Ischariot verriet Jesus für dreißig Silberlinge an die Hohenpriester; nachdem Jesus zum Tode verurteilt war, bereute er und erhängte sich (vgl. Mt. 26,14–16 und 27,3–5).

451,34 *Aber einer unter euch:* nach Mt. 26,21: »Einer unter euch wird mich verraten.«

452,3 f. *fühlbar:* hier: mitfühlend.

452,8 *Es ist vollbracht:* die letzten Worte Jesu am Kreuz nach Joh. 19,30.

452,8 f. *so rette ich meinen Geist in deine Hände:* Vgl. die letzten Worte von Jesus am Kreuz nach Lk. 23,46: »Vater, ich befehle meinen Geist in deine Hände!«

452,20 *in dem die Fülle der Gottheit war:* Vgl. Kol. 2,9: »Denn in ihm wohnt die ganze Fülle der Gottheit leibhaftig.«

452,33 *nicht auf das Fest:* Vgl. Mt. 26,4 f.: Die Hohenpriester »hielten Rat, wie sie Jesum mit List griffen und töteten. Sie sprachen aber: Ja nicht auf das Fest, auf daß nicht ein Aufruhr werde im Volk!«

453,3 f. *schon unterm Herodes:* Der jüdische König Herodes (73–4

v. Chr.) ließ nach biblischer Überlieferung alle Kleinkinder in Bethlehem ermorden, um den von den drei Weisen angekündigten neugeborenen »König der Juden« zu töten (vgl. Mt. 2,1–16).

### Briefe eines jungen L. von Adel an seine Mutter

Entst. 1776/77. Das fragmentarische Prosastück entstand wohl etwa zeitgleich mit der Erzählung *Der Landprediger* (1777; vgl. WB II, S. 413–463).

*E/D:* J. M. R. Lenz, *Gesammelte Schriften*, hrsg. von Franz Blei, Bd. 4, München 1910, S. 288–291.

455,1 *L.:* Livländers.

455,15 f. *Der Herr Professor sagt:* wohl Anspielung auf die Schrift *Die wichtigsten Angelegenheiten für das ganze Publikum, oder die natürliche Ordnung in der Politik überhaupt* (1772) des Nationalökonomen Johann August Schlettwein (1731–1802), in der er sein physiokratisches Konzept einer Reform der Landwirtschaft darlegte.

455,19 *nach Ruten und Schuhen:* ehemalige deutsche Längenmaße, wobei auf eine Rute 10 bzw. 12 Schuhe oder Fuß kamen; die Länge einer Rute schwankte – je nach Region – zwischen 2,8 und 5,3 m.

455,31 *d-Fuß:* wohl: deutschem Fuß (ca. 0,3 m).

455,32 *honett:* (frz.) ehrenhaft, anständig.

455,33 *Fronen:* unentgeltliche Arbeiten und Dienstleistungen; sie konnten manchmal auch durch Abgaben in Naturalien entgolten werden.

456,2 *ad unguem:* (lat.) bis aufs Haar, aufs genaueste.

456,34 *verfumfeit:* (niederd.) verdorben.

457,1 *Verkehr:* hier: Handel.

457,2 *milche:* melke.

457,4 *Zehnten:* der zehnte Teil (bäuerlicher Erzeugnisse) als Abgabe an den Grundherrn.

457,14 f. *ein paar Kuverts offene Tafel:* einen Mittags- oder Abendtisch mit einigen zusätzlichen Gedecken für Besucher. *Kuverts:* (frz.) Gedecke.

457,25 *Jalousie:* (frz.) Eifersucht.

457,29 *hanteiert:* (von frz. *hanter* ›oft besuchen‹) hier etwa: oft, regelmäßig gemacht.

*Anonymer Schattenriß*
*des jugendlichen Dichters (wohl vor 1770)*

# Daten zu Leben und Werk

1751     23. Januar (12. Januar des alten russischen Kalenders): Jakob Michael Reinhold Lenz in Seßwegen (Livland) als viertes von acht Kindern des Pastors Christian David Lenz (1720–98) und seiner Frau Dorothea (1721–78) geboren.

1759     Übersiedlung der Familie nach Dorpat (Livland). Besuch der Lateinschule.

1766     Erste Gedichtveröffentlichung: *Der Versöhnungstod Jesu Christi*; Drama *Der verwundete Bräutigam*.

1767     *Dina*, ein Trauerspiel nach einem biblischen Stoff (verloren).

1768     Im Herbst Beginn des Theologiestudiums in Königsberg.

1769     Die umfangreiche, noch in Dorpat entstandene Hexameter-Dichtung *Die Landplagen* erscheint.

1770     Gratulationsgedicht an Immanuel Kant zur Ernennung als Professor; das komische Kleinepos *Belinde und der Tod*.

1771     Im Frühjahr Abbruch des Studiums und Reise über Berlin und Leipzig nach Straßburg als Begleiter der Barone von Kleist. Bekanntschaft mit Johann Daniel Salzmann (1722–1812) und Verkehr in dessen ›Tischgesellschaft‹, wo er mit Goethe, der freilich schon im August Straßburg verläßt, Heinrich Leopold Wagner, Johann Heinrich Jung-Stilling u. a. bekannt wird.

1772     Im Frühjahr (bis August) hält sich Lenz mit Ernst Nikolaus von Kleist in der Rheinfestung Fort Louis auf. Besuche im Hause des Pfarrers Brion in Sesenheim; Freundschaft mit Friederike. Bis zum Jahresende mit Kleist in Landau, wo der *Hofmeister* beendet wird. Reger Briefwechsel mit Salzmann. Ehrenmitglied der Straßburger »Société de philosophie et de belles-lettres«, deren treibende Kraft er bald wird.

1773     Es werden fertiggestellt und entstehen die Plautus-Bearbeitungen, der *Menoza* neben theologisch-moralischen (*Meinungen eines Laien*) und literarischen Aufsätzen und Vorträgen für die Sozietät. Briefwechsel und Manuskriptaustausch mit Goethe; *Über unsere Ehe* (verloren).

*Kupferstich von G. F. Schmoll (um 1774)*

1774    Im Frühjahr erscheint durch Goethes Vermittlung die Komödie *Der Hofmeister*, der im Sommer und Herbst die *Lustspiele nach dem Plautus fürs deutsche Theater*, die Komödie *Der neue Menoza* und *Anmerkungen übers Theater* mit der beigefügten Übersetzung von Shakespeares *Love's Labor's Lost* folgen. Gefühlswirren um Cleophe Fibich (*Tagebuch*). Im Juni besucht Lavater Lenz. Kontakte zu Merck, Boie und Schlosser, im Frühsommer trennt sich Lenz von den Baronen von Kleist und lebt fortan als ›freier‹ Schriftsteller; Lebensunterhalt durch Stundengeben. Beginn der Arbeit an den *Soldaten*.

1775    Brieffreundschaften mit Herder und Sophie von La Roche. Die *Meinungen eines Laien* erscheinen; zu seinen Lebzeiten ungedruckt bleiben: *Briefe über die Moralität der Leiden des jungen Werthers* und die Literatursatire *Pandämonium Germanikum*. Ende Mai / Anfang Juni mehrtägiger Besuch mit Goethe bei Cornelia und Georg Schlosser in Emmendingen; verehrende Liebe zu Cornelia (*Moralische Bekehrung eines Poeten*). Im Juli erneutes Zusammentreffen mit Goethe in Straßburg. Literarische Fehde mit Wieland (*Die Wolken*, verloren). Im Spätherbst Gründung der »Deutschen Gesellschaft«, vor der Lenz im folgenden mehrere Vorträge hält. Zunehmende Armut und Schulden. Leidenschaft für Henriette von Waldner. Entwürfe zu einer Schrift über die Reform des Soldatenwesens, Übersetzungen: *Ossian für Frauenzimmer* und Shakespeares *Coriolan*.

1776    Es erscheinen die Dramen *Die Soldaten*, *Die Freunde machen den Philosophen*, *Die beiden Alten* und die Erzählung *Zerbin oder Die neuere Philosophie*. Christoph Philipp Kayser gibt die *Flüchtigen Aufsäzze von Lenz* heraus; diese Arbeiten finden nur geringe kritische Resonanz. Arbeit an den Fragment gebliebenen Dramen *Catharina von Siena*, *Der tugendhafte Taugenichts* und an der Schrift *Über die Soldatenehen*. Kontakte zu Maler Müller und Klinger. Anfang April kommt Lenz nach Weimar, Versöhnung mit Wieland. Im Juni zieht er sich enttäuscht nach Berka zurück (Arbeit am Prosafragment *Der Waldbruder*), September / Oktober Aufenthalt in Kochberg als Gesellschafter von Charlotte von Stein,

*Zeichnung von Johann Konrad Pfenninger (um 1775)*

Rückkehr nach Berka, Ende November Zerwürfnis mit Goethe, was seine Ausweisung aus Weimar zur Folge hat. Rückkehr nach Süddeutschland.

1777    Bis in den Sommer lebt Lenz bei Schlosser in Emmendingen, wo die Erzählung *Der Landprediger* entsteht; in diesem Jahr erscheint auch das schon 1775 entstandene Drama *Der Engländer*. Im Juni Wanderung in den Schweizer Bergen bis zum Gotthard, von August bis in den November bei Lavater in Zürich; im November erleidet Lenz in Winterthur bei Christoph Kaufmann einen »Unfall«, wohl erste akute Anzeichen der Krankheit.

1778    Ende Januar / Anfang Februar Aufenthalt im elsässischen Walderbach bei Pfarrer Oberlin, Wahnsinnsanfälle und Selbstmordversuche (vgl. Georg Büchners *Lenz*-Novelle), erneute Aufnahme bei Schlosser in Emmendingen, weitere schwere Anfälle. Schlosser gibt ihn in die Obhut eines Schusters, später zu einem Förster in Wiswyl.

1779    Januar bis Juni zur Pflege im südbadischen Dorf Hertingen, wo ihn der jüngere Bruder Karl abholt; Wanderung durch Deutschland nach Travemünde, Schiffsreise nach Riga, wo Lenz am 23. Juli ankommt. Vater wird Generalsuperintendent von Livland. Verschiedene Versuche, eine Anstellung zu finden, scheitern.

1780    In Deutschland erscheinen die *Philosophischen Vorlesungen für empfindsame Seelen*; Lenz ist dort schon so gut wie vergessen. Ein Dreivierteljahr lang versucht Lenz in Petersburg Fuß zu fassen, im Herbst zeitweilige Rückkehr nach Livland.

1781    In der livländischen Zeitschrift *Für Leser und Leserinnen* erscheinen die Prosaarbeiten *Entwurf einiger Grundsätze über die Erziehung*, *Empfindsamster aller Romane*. Im Frühjahr zweiter Aufenthalt in Petersburg, ohne eine feste Anstellung zu finden. Ab dem Sommer lebt Lenz – meist angewiesen auf die Unterstützung von adligen Gönnern – in Moskau. Lenz ist immer wieder als Hauslehrer und Hofmeister tätig, zeitweilig unterrichtet er auch in öffentlichen Lehranstalten.

1782    Das *Liefländische Magazin* veröffentlicht die Dramen *Die Sizilianische Vesper* und *Myrsa Polagi*. Auch in

Moskau entstehen noch schriftstellerische Arbeiten, so schrieb Lenz ein verlorengegangenes Drama über Boris Godunow und übersetzt aus dem Russischen ins Deutsche. Lenz verkehrt im Kreis um Nikolaj Iwanowitsch Nowikow (1744–1818), den führenden Kopf der Aufklärer und Freimaurer in Moskau. Zeitweilig lebt Lenz in dessen Haus.

1785/86    Beginn der Freundschaft mit dem russischen Dichter Nikolaj Michajlowitsch Karamsin (1766–1826).

1787    Es erscheint die Übersetzung von Sergej Pleschtschejews *Übersicht des Russischen Reiches nach seiner gegenwärtigen neueingerichteten Verfassung.*

1789    Erneute Wahnsinnsanfälle, abnehmende Gesundheit. Wie schon in den vorangehenden Jahren lebt Lenz in mehrfach wechselnden Wohnungen bei und mit Freunden.

1792    Am 3. oder 4. Juni (23./24. Mai des alten russischen Kalenders) wird Lenz tot auf einer Moskauer Straße gefunden. Sein Grab ist unbekannt.

# Literaturhinweise

Da zu Lenz zwei neuere Bibliographien vorliegen (Benseler, 1970; Winter, 1987), werden von den älteren Ausgaben und Arbeiten zu Lenz nur solche aufgeführt, die für die Wirkungsgeschichte bedeutsam wurden.

## 1. Ausgaben

Gesammelte Schriften. Hrsg. von Ludwig Tieck. 3 Bde. Berlin 1828. [Zit. als: Tieck.]

Dramatischer Nachlaß von J. M. R. Lenz. Zum ersten Mal hrsg. und eingel. von Karl Weinhold. Frankfurt a. M. 1884.

Gesammelte Schriften. Hrsg. von Franz Blei. 5 Bde. München/Leipzig 1909–13.

Gesammelte Schriften. Hrsg. von Ernst Levy. 4 Bde. Berlin 1909. ²1917.

Werke und Schriften. Hrsg. von Britta Titel und Hellmut Haug. 2 Bde. Stuttgart 1966–67. [Zit. als: WS.]

Gesammelte Werke in vier Bänden. Mit Anm. hrsg. von Richard Daunicht. Bd. 1. München 1967. [Mehr nicht ersch.].

Werke und Briefe in drei Bänden. Hrsg. von Sigrid Damm. München 1987. [Zit. als: WB.]

Dramen des Sturm und Drangs. Hrsg. von Erich Unglaub. München/Zürich 1988. [Zit. als: Unglaub.]

Der Engländer. Der Tugendhafte Taugenichts. Die Aussteuer. Dramen und Gedichte. Ausgew. und mit einem Nachw. von Ulrich und Bettina Hohoff. Frankfurt a. M. 1986.

Der Hofmeister. Synoptische Ausgabe von Handschrift und Erstdruck. Hrsg. von Michael Kohlenbach. Basel/Frankfurt a. M. 1986.

Der neue Menoza. Text und Materialien zur Interpretation bes. von Walter Hinck. Berlin 1965.

Der neue Menoza. Text und Materialien hrsg. von Erich Unglaub. München 1987.

Erzählungen. Zerbin. Der Waldbruder. Der Landprediger. Hrsg. von Friedrich Voit. Stuttgart 1988 [u. ö.].

Belinde und der Tod. Carrikatur einer Prosepopee. Reprint der Handschrift und Transkription. Hrsg. und mit einem Nachw. von Verena Tammann-Bertholet und Adolf Seebaß. Basel 1988.

## 2. Forschungsliteratur

### Zur Biographie und zum Werk

Benseler, David Price: J. M. R. Lenz. An Indexed Bibliography with an Introduction on the History of the Manuscripts and Editions. Diss. University of Oregon 1971. [Masch.]

Boetius, Henning: Der verlorene Lenz. Auf der Suche nach dem inneren Kontinent. Frankfurt a. M. 1985.

– Jakob Michael Reinhold Lenz. In: Grimm, Gunter E. / Max, Frank Rainer (Hrsg.).: Deutsche Dichter. Leben und Werk deutschsprachiger Autoren. Bd. 4: Sturm und Drang, Klassik. Stuttgart 1989 [u. ö.]. S. 175–188.

Chantre, Jean Claude: Les considération religieuses et esthétiques d'un »Stürmer und Dränger«. Etudes des écrites théoriques de J. M. R. Lenz (1751–1792). Bern 1982.

Damm, Sigrid: Vögel, die verkünden Land. Das Leben des Jakob Michael Reinhold Lenz. Berlin / Weimar 1985.

– Jakob Michael Reinhold Lenz. Ein Essay. In: Werke und Briefe in drei Bänden. Hrsg. von S. D. München 1987. Bd. 3. S. 687–768.

Diffey, Norman R.: Jakob Michael Reinhold Lenz und Jean-Jacques Rousseau. Bonn 1981.

Genton, Elisabeth: Jacob Michael Reinhold Lenz et la scène allemand. Paris 1966.

Girard, René: Lenz 1751–1792. Genèse d'une dramaturgie du tragicomique. Paris 1968.

– Lenz ou l'inquiétante étrangeté. In: Etudes Germaniques 43 (1988) H. 1. S. 15–24.

Guthrie, John: Lenz and Büchner. Studies in Dramatic Form. Frankfurt a. M. [u. a.] 1984.

Hassenstein, Friedrich: Ein bisher unbekannter Brief von J. M. R. Lenz aus Petersburg. In: Jahrbuch des Freien Deutschen Hochstifts. 1990. S. 112–117.

Hoffmann, Gert: Die Rückkehr des verlorenen Jakob Michael Reinhold Lenz nach Riga. In: Gerhard Köpf: Ein Schriftsteller schreibt ein Buch. Frankfurt a. M. 1984. S. 9–37.

Hohoff, Curt: Jakob Michael Reinhold Lenz in Selbstzeugnissen und Bilddokumenten. Reinbek bei Hamburg 1977.

Inbar, Eva Maria: Shakespeare in Deutschland. Der Fall Lenz. Tübingen 1982.

Käser, Rudolf: Die Schwierigkeit, ich zu sagen. Rhetorik der Selbstdarstellung in Texten des »Sturm und Drang«: Herder – Goethe – Lenz. Bern [u. a.] 1987.

Keller, Mechthild: Verfehlte Wahlheimat: Lenz in Rußland. In: M. K. (Hrsg.): Russen und Rußland aus deutscher Sicht. München 1985. S. 516–535.

Leidner, Alan C.: The Dream of Identity: Lenz and the problem of »Standpunkt«. In: German Quarterly 59 (1986) S. 387–400.

Luserke, Matthias / Weiß, Christoph (Hrsg.): Lenz-Jahrbuch. Sturm-und-Drang-Studien 1 (1991).

Menz, Egon: Lenzens Weimarer Eselei. In: Goethe-Jahrbuch 106 (1989) S. 91–105.

Osborne, John: J. M. R. Lenz. The Renunciation of Heroism. Göttingen 1975.

Pope, Timothy F.: J. M. R. Lenz's »Literarischer Zirkel« in Straßbourg. In: Seminar 20 (1984) S. 235–245.

Preuß, Werner H.: Selbstkastration oder Zeugung neuer Kreatur. Zum Problem der moralischen Freiheit in Leben und Werk von J. M. R. Lenz. Bonn 1983.

– Drei unbekannte poetische Werke von J. M. R. Lenz. Die Elegie »Ernstvoll – in Dunkel gehüllt ...«, die Posse »Der Tod der Dido« und der Lukianische Dialog »Der Arme kömmt zuletzt doch eben so weit«. In: Wirkendes Wort 35 (1985) H. 5. S. 257 bis 266.

– »Lenzens Eseley«: »Der Tod der Dido«. In: Goethe-Jahrbuch 106 (1989) S. 53–90.

Rector, Martin: La Mettrie und die Folgen. Zur Ambivalenz der Maschinenmetapher bei J. M. R. Lenz. In: Erhard Schütz (Hrsg.): Willkommen und Abschied der Maschinen. Essen 1988. S. 23–41.

Rosanow, M[atvej] N.: Jakob M. R. Lenz, der Dichter der Sturm-und-Drangperiode. Sein Leben und seine Werke. Deutsch von Carl von Gütschow. Leipzig 1909. Nachdr. Leipzig 1972.

Rudolf, Ottomar: Jakob Michael Reinhold Lenz. Moralist und Aufklärer. Bad Homburg [u. a.] 1970.

Schöne, Albrecht: Säkularisation als sprachbildende Kraft. Studien zur Dichtung deutscher Pfarrersöhne. Göttingen [2]1968. S. 92 bis 138.

Scholz, Rüdiger: Zur Biographie des späten Lenz. In: Lenz-Jahrbuch 1 (1991) S. 106–134.

Schwarz, Hans-Günther: Dasein und Realität. Theorie und Praxis des Realismus bei J. M. R. Lenz. Bonn 1985.

– Büchner und Lenz: Paradigmen des Realismus im modernen Drama. In: Monumentum dramaticum. Festschrift für Eckehard Catholy. Hrsg. von Linda Dietrick und David G. John. Waterloo 1990. S. 324–338.

Stephan, Inge / Winter, Hans-Gerd: ›Ein vorübergehendes Meteor‹? J. M. R. Lenz und seine Rezeption in Deutschland. Stuttgart 1984.

Unglaub, Erich: »Das mit dem Finger deutende Publikum.« Das Bild des Dichters Jakob Michael Reinhold Lenz in der literarischen Öffentlichkeit 1770–1814. Frankfurt a. M. / Bern 1983.

Winter, Hans-Gerd: J. M. R. Lenz. Stuttgart 1987.

Wirtz, Thomas: ›Halt's Maul.‹ Anmerkungen zur Sprachlosigkeit bei J. M. R. Lenz. In: Der Deutschunterricht 40 (1989) H. 6. S. 88–107.

## Zu einzelnen Werken

Albert, Claudia: Verzeihungen, Heiraten, Lotterien. Der Schluß des Lenzschen »Hofmeisters«. In: Wirkendes Wort 39 (1989) H. 1. S. 63–71.

Becker-Cantarino, Barbara: Jakob Michael Reinhold Lenz, »Der Hofmeister«. In: Dramen des Sturm und Drang. Stuttgart 1987. S. 33–56.

Bohnen, Klaus: Irrtum als dramatische Sprachfigur. Sozialzerfall und Erziehungsdebatte in J. M. R. Lenz' »Hofmeister«. In: Orbis Litterarum 42 (1987) S. 317–331.

Gerth, Klaus: »Vergnügen ohne Geschmack«. J. M. R. Lenz' »Menoza« als parodistisches »Püppelspiel«. In: Jahrbuch des Freien Deutschen Hochstifts. 1988. S. 35–56.

Guthke, Karl S.: Lenzens »Hofmeister« und »Soldaten«. Ein neuer Formtypus in der Geschichte des deutschen Dramas. In: Wirkendes Wort 9 (1959) S. 274–286.

Guthrie, John: Revision und Rezeption: Lenz und sein »Hofmeister«. In: Zeitschrift für deutsche Philologie 110 (1991) S. 181 bis 201.

Haffner, Herbert: Lenz. »Der Hofmeister« – »Die Soldaten«. Mit Brechts »Hofmeister«-Bearbeitung und Materialien. München 1979.

Hill, David: ›Das Politische‹ in »Die Soldaten«. In: Orbis Litterarum 43 (1988) S. 299–315.

Höllerer, Walter: Lenz, »Die Soldaten«. In: Das deutsche Drama. Hrsg. von Benno von Wiese. Bd. 1. Düsseldorf 1959. S. 127–146.

Kitching, Laurence Patrick Anthony: »Der Hofmeister«. A Critical Analysis of Bertolt Brecht's Adaptation of Lenz' Drama. München 1976.

Koneffke, Marianne: Der ›natürliche‹ Mensch in der Komödie »Der neue Menoza« von J. M. R. Lenz. Frankfurt a. M. / Bern 1990.

Kopfermann, Thomas: Bürgerliches Selbstverständnis. Jakob Michael Reinhold Lenz: Der Hofmeister – Gotthold Ephraim Lessing: Emilia Galotti – Friedrich Schiller: Kabale und Liebe. Stuttgart 1988.

Krämer, Herbert: Jakob Michael Reinhold Lenz: Die Soldaten. Erläuterungen und Dokumente. Stuttgart 1974 [u. ö.].

Liewerscheidt, Dieter: J. M. R. Lenz »Der neue Menoza«, eine apokalyptische Farce. In: Wirkendes Wort 33 (1983) S. 144–152.

Luserke, Matthias / Weiß, Christoph: Arbeit an den Vätern. Zur Plautus-Bearbeitung »Die Algierer« von J. M. R. Lenz. In: Lenz-Jahrbuch 1 (1991) S. 59–91.

Lützeler, Paul Michael: J. M. R. Lenz, »Die Soldaten«. In: Dramen des Sturm und Drang. Stuttgart 1987. S. 129–159.

McInnes, Eduard: »Ein ungeheures Theater«. The Drama of the Sturm und Drang. Frankfurt a. M. [u. a.] 1987.

Morton, Michael: Exemplary Poetics. The Rhetoric of Lenz's »Anmerkungen übers Theater« and »Pandaemonium Germanicum«. In: Lessing Yearbook 20 (1988) S. 121–151.

Pastoors-Hagelüken, Marita: Die ›übereilte Comödie‹. Möglichkeiten und Problematik einer neuen Dramengattung am Beispiel des »Neuen Menoza« von J. M. R. Lenz. Frankfurt a. M. / Bern 1990.

Pelzer, Jürgen: Das Modell der »alten« Komödie. Zu Lenz' »Lustspiele nach dem Plautus«. In: Orbis Litterarum 42 (1987) S. 168 bis 177.

Petersen, Peter / Winter, Hans-Gerd: Lenz-Opern. Das Musiktheater als Sonderzweig der produktiven Rezeption von J. M. R. Lenz' Dramen und Dramentheorie. In: Lenz-Jahrbuch 1 (1991) S. 9–58.

Rector, Martin: Götterblick und menschlicher Standpunkt. J. M. R.

Lenz' Komödie »Der neue Menoza« als Inszenierung eines Wahrnehmungsproblems. In: Jahrbuch der deutschen Schillergesellschaft 33 (1989) S. 185–209.

Rector, Martin: Anschauendes Denken. Zur Form von Lenz' »Anmerkungen übers Theater«. In: Lenz-Jahrbuch 1 (1991) S. 92 bis 105.

Rühmann, Heinrich: »Die Soldaten« von Lenz. Versuch einer soziologischen Betrachtung. In: Diskussion Deutsch 2 (1971) S. 131–143.

Stipa Madland, Helga: Non-Aristotelian Drama in Eighteenth Century Germany and its Modernity. J. M. R. Lenz. Frankfurt a. M. / Bern 1982.

– A question of norms. The stage reception of Lenz's »Hofmeister«. In: Seminar 23 (1987) S. 98–114.

Unglaub, Erich: Werkimmanente Poetik als Dramenschluß. Zur Frage nach dem ursprünglichen Schluß der Komödie »Der neue Menoza« von J. M. R. Lenz. In: Text und Kontext 15 (1987) S. 182–187.

– »Ein neuer Menoza? Die Komödie »Der neue Menoza« von Jakob Michael Reinhold Lenz und der »Menoza«-Roman von Erik Pontoppidan. In: Orbis litterarum 44 (1989) S. 10–47.

Voit, Friedrich: Jakob Michael Reinhold Lenz: Der Hofmeister. Erläuterungen und Dokumente. Stuttgart 1986 [u. ö.].

Vonhoff, Gert: Subjektkonstitution in der Lyrik von J. M. R. Lenz. Mit einer Auswahl neu herausgegebener Gedichte. Frankfurt a. M. / Bern 1990.

– Kunst als ›fait social‹. Lenz' »Dido« – auch eine Kritik am Melodram. In Lenz-Jahrbuch 1 (1991) S. 135–146.

Werner, Franz: Soziale Unfreiheit und »bürgerliche Intelligenz« im 18. Jahrhundert. Der organisierende Gesichtspunkt in J. M. R. Lenzens Drama »Der Hofmeister oder die Vortheile der Privaterziehung«. Frankfurt a. M. 1981.

Wiesmeyer, Monika: Gesellschaftskritik in der Tragikomödie. »Der Hofmeister« (1774) und »Die Soldaten« (1776) von J. M. R. Lenz. In: New German Review 2 (1986) S. 55–68.

Wurst, Karin A.: Überlegungen zur ästhetischen Struktur von J. M. R. Lenz »Der Waldbruder ein Pendant zu Werthers Leiden«. In: Neophilologus 74 (1990) S. 70–86.

# Nachwort

Unter andern Verhältnissen
wäre Lenz unsterblich geworden.
*Karamsin*

Die Dramen, Gedichte, Erzählungen und Essays in der
vorliegenden Ausgabe sind Werke eines jungen Schriftstellers. Sie alle entstanden während einer knapp siebenjährigen
intensiven Schaffensphase zwischen 1770 und 1777, die mit
dem psychischen Zusammenbruch des erst sechsundzwan-
zigjährigen Autors zu einem tragischen Ende kam. Getrieben von einer außerordentlichen dichterischen Begabung,
schuf Jakob Michael Reinhold Lenz mit geradezu selbstzer-
störerischer Kompromißlosigkeit und stets unter bedrängenden äußeren Umständen innerhalb nur weniger Jahre ein
großes und vielfältiges Œuvre. Das Unfertige und die Rast-
losigkeit, die Leben und Schaffen dieses Dichters kennzeich-
nen, wird nicht nur in der großen Zahl dramatischer Fragmente und kaum ausgeführter Pläne sichtbar, sondern auch
in den von ihm publizierten Werken, wie er selbst nur zu
genau wußte: »Meine Gemälde«, schreibt er am 14. März
1776 an Merck, »sind alle noch ohne Stil, sehr wild und
nachlässig aufeinander gekleckt, haben bisher nur durch das
Auge meiner Freunde gewonnen. Mir fehlt zum Dichter
Muße und warme Luft und Glückseligkeit des Herzens, das
bei mir tief auf den kalten Nesseln meines Schicksals halb im
Schlamm versunken liegt und sich nur mit Verzweiflung
emporarbeiten kann.«

Keiner der jugendlichen Schriftsteller, die sich zu Beginn
der siebziger Jahre des 18. Jahrhunderts um den jungen
Goethe scharten, gab der Aufbruchstimmung des ›Sturm
und Drang‹ und den Wünschen, Hoffnungen und Widersprüchen der jungen Intelligenz um 1780 so vehementen
Ausdruck wie Lenz. Kaum ein anderer stellte gesellschaft-

liche und literarische Konventionen so bewußt und radikal in Frage und suchte wie er nach neuen und anderen Wegen: »Ich liebe alle seltsamen Einfälle; sie sind das Zeichen nicht gemeiner Herzen. Wer in dem gebahnten Wege forttrabt, mit dem halte ich's keine Viertelstunde aus« (an Sophie von La Roche, Juli 1775). Gerade aber das Neuartige, gelegentlich auch Seltsame in seinen Werken, wie die szenische Zerrissenheit der an Shakespeare orientierten offenen Form seiner Dramen, das irritierende Verletzen von Tabus (Heirat eines Kastraten oder zwischen Bruder und Schwester) und gar der ›verrückte‹ Vorschlag einer Pflanzschule für Soldatenfrauen, stieß schon bei manchen Zeitgenossen auf verwunderte Ablehnung. Fataler jedoch erwies sich, daß Kritiker lange Zeit in der Nachfolge von Goethes einflußreichem Lenz-Porträt in *Dichtung und Wahrheit* das Unkonventionelle bei Lenz aus der Perspektive der späteren Erkrankung und Wahnsinnsanfälle deuteten; zu oft ließ man sich verleiten, im Ungewöhnlichen bloß »kuriose dramatisch-problematische Aktualitäten« (Gundolf) oder sogar bereits Spuren geistiger Gestörtheit zu sehen und nicht den radikalen, sich sowenig wie seine Umwelt schonenden Versuch, persönlichen und sozialen Widersprüchen, ideologischen Verwerfungen und ethischen Wertkonflikten seiner Epoche literarische Gestalt zu geben.

In seiner äußeren Erscheinung und mehr noch seinem inneren Wesen nach war Lenz, den schon Goethe[1] als »seltsamstes und indefinibelstes Individuum« charakterisierte, für die Nachwelt nicht immer leicht faßbar. Die wenigen erhaltenen Porträts – sie stammen fast alle aus den Jahren 1774–77 – scheinen nicht dieselbe Person darzustellen. Der Kupferstich von G. F. Schmoll (S. 548) zeigt das Profil eines eher länglichen Gesichts mit großen, offenen Augen, einer etwas stumpfen Nase und weichem Mund; das Antlitz drückt Selbstbewußtsein und Offenheit aus. Ein

---

1 Vgl. *Biographische Einzelheiten. Erlebnisse und Begegnungen: Lenz.*

Brustbild im Halbprofil (S. 550), das der mit Lenz und Lavater befreundete Johann Konrad Pfenninger zeichnete, zeigt dagegen ein rundes, breites Gesicht, dessen Blick, auf den Beschauer gerichtet, Zurückhaltung und Freundlichkeit ausstrahlt. Auf einer Bleistiftzeichnung eines unbekannten Künstlers (Umschlagabbildung) scheint die Kopfform zu Pfenningers Porträt zu stimmen, doch bei dem im Profil gezeichneten Gesicht liegen die Augen zurück, erscheinen kleiner und ist die Nase spitz, hierin wiederum ähnlich einem kleinen Profilbild aus dem Besitz J. G. Röderers (S. 546).[2] Die Bleistiftzeichnung ist wohl das späteste Bild, das wir von Lenz besitzen, und der Ausdruck des Gesichts scheint von der Schwermut des erkrankten Dichters geprägt zu sein.

Anders als etwa bei Goethe und Herder fügen sich bei Lenz Werke, Porträts und Beschreibungen seiner Persönlichkeit kaum zu einer einheitlichen physiognomischen Kontur. So erging es bereits zeitgenössischen Lesern, die sich den Dichter nach seinen veröffentlichten Werken als »starken, kraftvollen Menschen« (Küttner an Bertuch, 11. Mai 1777) imaginiert hatten und dann bei persönlicher Begegnung eine kleingewachsene, zierliche, in ihrem Umgang freundliche, schüchtern zurückhaltende Person trafen – kein Kraftgenie, eher einen »Shakespearschen Armor« (Werthes an Friedrich Heinrich Jacobi, 18. Oktober 1774). Seine Wesensart aber, eine »seltsame Komposition von Genie und Kindheit« (Wieland an Merck, 9. September 1776), konnte selbst engste Freunde befremden; man anerkannte sein außerordentliches poetisches Talent, wurde jedoch

---

2 Das Porträt ist reproduziert in *Gesammelte Schriften*, hrsg. von Franz Blei, Bd. 2, S. 257. Eine Lenz-Silhouette findet sich auch im Jahrgang 1778 der Zeitschrift *Olla Potrida*; fraglich scheint mir freilich die handschriftliche Zuschreibung zweier Schattenrisse in Lavaters *Physiognomischen Fragmenten*, einmal in Band 3, 1777, S. 36 (vgl. hierzu Charlotte Steinbrucher, *Lavaters physiognomische Fragmente im Verhältnis zur bildenden Kunst*, Berlin 1915, S. 247), dann im Handexemplar Lavaters (Bd. 4, 1778, Repr. Zürich 1969, S. 16).

immer wieder von seiner frappierenden Naivität und seinen Unbesonnenheiten überrascht. In der Rückschau vermag auch Goethe das Andersartige, ja Wunderliche in Lenzens Charakter nur schwer in Worte zu fassen; er behilft sich, indem er ins Englische ausweicht: »Für seine Sinnesart wüßte ich nur das englische Wort whimsical, welches, wie das Wörterbuch ausweist, gar manche Seltsamkeit in einem Begriff zusammenfaßt.«[3] Moderne Psychopathologie oder sozialhistorische Untersuchungen wie etwa Foucaults[4] richtungweisende Studie über den Zusammenhang von ›Verrücktheit‹ und Gesellschaft mögen uns heute erlauben, differenzierter zu urteilen und in Leben und Werk von Lenz nicht allein das tragische Scheitern eines Dichters, sondern ebenso auch den Reflex einer Wirklichkeit zu erkennen, die in manchen Einstellungen von unserer eigenen vielleicht weniger weit entfernt ist, als wir uns eingestehen wollen.

Jakob Michael Reinhold Lenz wurde am 23. Januar 1751 in Seßwegen geboren, einem kleinen Ort in Livland, das seit 1721 zu Rußland gehörte; kulturell bestimmte damals eine kleine deutschstämmige Oberschicht aus Adel, Bürgertum und Geistlichkeit das Land, während die einheimische Bevölkerung der Letten und Esten, als Bauern vielfach noch Leibeigene, politisch ohne jeden Einfluß blieb. Der Vater, Christian David Lenz (1720–98), war als junger, pietistischer Theologe aus Pommern eingewandert, diente zunächst als Hofmeister, ehe er seine erste Gemeinde erhielt und die livländische Pfarrerstochter Dorothea Neoknapp (1721–78) heiratete. Jakob, der zweite Sohn, war das vierte von insgesamt acht Kindern. In der bäuerlichen Umwelt von Seßwegen verbringt Lenz seine Kindheit, ehe die Familie 1759 nach Dorpat umzieht, wo der Vater eine Stadtpfarre erhalten hatte. Für Christian David Lenz bedeutete dies nicht allein

---

3 *Dichtung und Wahrheit*, 11. Buch.
4 Michel Foucault, *Wahnsinn und Gesellschaft. Eine Geschichte des Wahns im Zeitalter der Vernunft*, Frankfurt a. M. 1969.

einen Fortschritt in seiner Karriere, die ihn 1779 bis zur Würde des Generalsuperintendenten von Livland führte, sondern Dorpat bot noch die Möglichkeit einer besseren Erziehung für seine Kinder, woran ihm sehr lag. Lenz besuchte hier die Lateinschule, lernte die alten Sprachen und unter der strengen Aufsicht des Vaters auch Französisch; sogar ein Klavierlehrer wurde für die Kinder engagiert.

Der Heranwachsende findet Kontakt zu den wenigen Literaten Dorpats, die seine literarische Begabung erkennen und fördern. Seinen Lesehunger kann er in der umfangreichen Privatbibliothek des Aufklärungsschriftstellers und späteren Bürgermeisters von Dorpat Friedrich Konrad Gadebusch (1719–88) stillen, der an Nicolais *Allgemeiner Deutscher Bibliothek* mitarbeitete und so auch zu Neuerscheinungen Zugang hatte. Hier dürfte Lenz die ersten Gesänge von Klopstocks *Messias*, die Lyrik Ewald von Kleists und ein Modebuch der Zeit, die *Nachtgedanken* Edward Youngs, kennengelernt haben. Diese Werke lieferten ihm die Muster zu eigenen ersten lyrischen Versuchen. Ein längeres Gedicht des gerade Fünfzehnjährigen, das mit dem biblischen Pathos Klopstocks den »Versöhnungstod Jesu Christi« besingt, beeindruckt so sehr, daß man es in die *Gelehrten Beyträge zu den Rigischen Anzeigen* einrückt. Der junge Poet liefert aber auch Hochzeitscarmina, und es entstehen erste dramatische Versuche. Erhalten ist ein Rührstück *Der verwundete Bräutigam*, das einen lokalen Vorfall behandelt, die Rache eines gedemütigten Bedienten an seinem Herrn; die Darstellung der tränenseligen Sympathie für das adlige Opfer hält Lenz jedoch nicht davon ab, Unterdrückung und ungerecht harte Bestrafung des selbstbewußten Dieners als das Motiv für die Tat herauszustellen. In der Kleinstadt ist man stolz auf den jugendlichen Dichter und wünscht – so das Vorwort zum »Versöhnungstod Jesu Christi«, daß sich »solch seltenes Genie zur Ehre des Vaterlandes entwickeln möge«. Die frühe Anerkennung und Ermutigung muß Lenz schon in Dorpat darin bestärkt haben, Schreiben und Dichten als seine eigentliche Berufung zu begreifen. Selbstbewußt widmet er seine erste Buchveröffentlichung, die 1769 in Königsberg erschienene, doch noch in Dorpat entstandene Hexameterdichtung *Die Landplagen*, der Zarin Katharina II. und schickt über den Vater ein kostbar gebundenes Exemplar an den Hof nach Petersburg.

Der Vater, der anfangs seinen dichtenden Sohn wohl ebenfalls ermunterte und sich durch das Lob, das die ersten Dichtungen im Freundes- und Bekanntenkreis fanden, auch geschmeichelt gefühlt haben dürfte, ist die schicksalsprägende Figur für Lenz. Als konservativ-orthodoxer Prediger, der seine Ansichten energisch und oft rechthaberisch durchzusetzen versteht, hat er Gewicht im öffentlichen Leben; als ebenso geliebtes wie gefürchtetes Familienoberhaupt beherrscht er seine Familie mit unangefochtener patriarchalischer Autorität. Wenig wissen wir über die Mutter, die schon 1778 starb; nur ein Brief an den Sohn hat sich erhalten, in dem sie ihn bittet, den väterlichen Ermahnungen Folge zu leisten. Daß er seine literarische Karriere gegen den ausdrücklichen Willen der Eltern verfolgte, empfand Lenz immer als ein Vergehen, dem er sich aber gleichsam durch die von ihnen ererbte Veranlagung nicht zu entziehen vermochte: »Meiner Mutter hab ich alle mein Phlegma – mein ganzes Glück – meinem Vater alle mein Feuer – mein ganzes Unglück – zu danken. Beide verehre ich als in ihrer Sphäre die würdigsten Menschen, die je gelebt haben. Beide hab ich Armer beleidiget – muß sie beleidigen« (an Sophie von La Roche, September 1775). Dieses Schuldgefühl begleitet Lenz bis an sein Lebensende und läßt ihn sich den Eltern gegenüber immer wieder als ›verlorenen Sohn‹ sehen.

Der Vater hatte ihn zum Theologen bestimmt und im Herbst 1768 zusammen mit dem um ein Jahr jüngeren Bruder Johann Christian, der Jurist werden sollte, zum Studium nach Königsberg geschickt. Zweieinhalb Jahre lebt Lenz in der Handels- und Universitätsstadt, damals mit etwa 50000 Einwohnern das politische und kulturelle Zentrum Ostpreußens. Die kargen Stipendien privater Gönner und des Rats der Stadt Dorpat, aufgestockt durch gelegentliche Zuwendungen des Vaters, erlauben ein nur sehr bescheidenes Auskommen; für ein halbes Jahr verdient sich Lenz ein Zubrot als Hofmeister. Das verordnete Theologiestudium scheint er von Anfang an nicht sonderlich eifrig betrieben zu haben, beeindruckt hat ihn nur ein Lehrer, der Magister Kant, zu dessen Ernennung zum Professor Lenz ein enthusiastisches Gedicht verfaßt. Sein eigentliches Interesse gilt der Literatur und Philosophie. Lenz liest extensiv antike und zeitgenössische europäische und deutsche Autoren. Durch Kantlektüre wird er mit den Schriften Jean-Jacques Rousseaus und Alexander Popes bekannt, dessen *Essay on Criticism* (1711) er übersetzt haben soll. Neben der Lektüre beschäftigten ihn aber vor allem »eigne poetische Ausarbeitungen«, wie ein Kommilitone, der spätere Komponist Johann Friedrich Reichardt, berichtet.[5] Erst 1988 wurde das Autograph einer kleinen, 1770 entstandenen Dichtung *Belinde und der Tod* bekannt, die zeigt, wie weit sich der junge Dichter seit seinen Dorpater Anfängen weiterentwickelt hat. In dieser »Carricatur einer Prosepopee« verspottet Lenz auf amüsante Weise die galant-verspielte Rokokolyrik, deren Formen und Versatzstücke er mittlerweile kennt und parodierend beherrscht; dem Spott fehlt hier aber noch die vernichtende Schärfe, mit der er dann in seiner großen Literatursatire *Pandämonium Germanikum* den Anakreontikern zu Leibe rücken wird.

Über andere Arbeiten, die der Student schrieb, sind wir nicht zuverlässig informiert. Die Übersetzung von Shakespeares *Love's Labour's Lost* könnte noch in Königsberg entstanden sein, ebenso erste Plautus-Bearbeitungen, vielleicht auch schon Entwürfe zum *Hofmeister*. Jedenfalls weist alles jedoch darauf hin: Lenz möchte Schriftsteller werden. Gegen den drängenden Befehl des Vaters, das Stu-

---

5 Vgl. *Berlinisches Archiv der Zeit und ihres Geschmackes*, Jg. 1796, S. 213.

dium abzuschließen und nach Livland zurückzukehren, wo für ihn schon eine Hofmeisterstelle arrangiert war, bricht Jakob im Frühjahr 1771 sein Studium ohne Examen ab; zu verlockend ist die Chance, als sprachkundiger (neben den alten Sprachen versteht und spricht er Französisch, Italienisch und Englisch) Begleiter zweier wohlhabender Mitstudenten, der Barone Ernst Nikolaus und Friedrich Georg von Kleist aus Kurland, nach Straßburg reisen zu können.

Die Abreise aus Königsberg bedeutet den offenen Bruch mit dem Vater, ist eine Flucht vor einem Leben in der intellektuellen Einöde Livland. Lenzens Aufbruch nach Westen erinnert an den Herders, der nur zwei Jahre zuvor eine vielversprechende Karriere in Livland aufgab und nach Frankreich und Deutschland fortzog. Anders aber als der vierundzwanzigjährige Herder, der bereits als Schriftsteller und Prediger einen Namen hatte, war der erst zwanzigjährige Lenz kaum mehr als ein verbummelter Student, der wenig vorzuweisen hatte und sich, erfüllt vom Selbstbewußtsein seiner Begabung, eine literarische Karriere erträumte, eine Lebensmöglichkeit, für die die Bedingungen zu jener Zeit in Deutschland noch nicht gegeben waren.

Auf seiner Reise nach Straßburg kommt Lenz über Berlin, wo er Ramler und Nicolai ohne Erfolg für ein Manuskript zu interessieren sucht; auch in Leipzig scheint er sich kurz aufgehalten zu haben, ehe er Ende Mai oder Anfang Juni in Straßburg eintrifft. Die Stadt, Berührungspunkt französischer und deutscher Kultur, beherbergte neben ihren etwas mehr als 40000 Einwohnern damals zugleich über 10000 Soldaten und Militärs. Lenz teilt mit den Baronen von Kleist, die sich hier bei französischen Regimentern zu Offizieren ausbilden, die Unterkunft, ist gegen freie Kost und Logis deren Diener. Trotz dieser Abhängigkeit hat Lenz Freiheit und Muße, seinen eigenen literarischen Interessen nachzugehen, zu lesen und zu schreiben.

Als entscheidender Glücksfall erwies sich für Lenz, daß er in Straßburg jungen Schriftstellern begegnete, die ähnlich dachten und empfanden und für die er selbst bald zum gedankenreichen Anreger wurde. Im Hause des Aktuars Johann Daniel Salzmann traf sich zu Beginn der siebziger Jahre eine lockere Tischgesellschaft von Studenten und Intellektuellen, die zu einer Keimzelle der aufkommenden Literaturbewegung des Sturm und Drang werden sollte. Hier fand die für Goethe so folgenreiche Begegnung mit Herder statt, hier verkehrten Jung-Stilling und Heinrich Leopold Wagner. Es bedarf keiner Phantasie, um sich auszumalen, was für Lenz der Umgang mit diesem Kreis bedeutete, zu dem er schon bald Zutritt fand. Bei seiner Ankunft war Herder zwar schon abgereist, aber Goethe traf er noch, ehe dieser Anfang August 1771 die Stadt verließ.

In Salzmann, der nur zwei Jahre jünger ist als sein Vater, findet Lenz einen väterlichen Mentor, der ihm besonders während der ersten Zeit im Elsaß vertrauter Ansprechpartner im intellektuellen wie persönlichen Leben wird. Mit ihm erörtert er theologische und moralphilosophische Fragen, ihm legt er als erstem den *Hofmeister* vor, ihm beichtet er seine Liebesqualen und -freuden, als er im Sommer 1772 die Sesenheimer Pfarrerstochter Friederike Brion kennenlernt und sich in sie verliebt, wie ein Jahr vor ihm Goethe. Wie dieser beschenkte auch er Friederike mit Gedichten. Lange war man unschlüssig, welche der Gedichte aus Friederikes *Sesenheimer Liederheft* von Goethe, welche von Lenz stammten, so nahe sind sie sich in ihrer Subjektivität und ihrem lyrischen Ausdruck.

Lenz hält sich nicht immer in Straßburg auf, da er die Barone auch ins Feldlager begleiten muß. Von Frühjahr bis in den August 1772 ist er in Fort Louis, nur eine Wegstunde entfernt von Sesenheim, wo er häufig bei der Pfarrersfamilie zu Gast ist; einmal predigt er sogar in der Dorfkirche. Die Sommerliebe endet, als er im August mit einem der Barone nach Landau gehen muß, wo er wohl bis über Neujahr blieb, ehe er in die Garnison nach Straßburg zurückkehrte. Während seiner Abwesenheit hält er brieflich Verbindung mit Salzmann und den Freunden in Straßburg, die ihn in Abwesenheit zum Ehrenmitglied der *Société de philosophie et de belles-lettres* ernannt hatten. Zurückgekehrt, wird er rasch eines der rührigsten Mitglieder der Gesellschaft. Die meisten seiner in Straßburg entstandenen Essays basieren auf Vorträgen, die er in der Société und dann in der von ihm selbst 1775 initiierten *Deutschen Gesellschaft* hielt.

Kurz nach Erscheinen des *Götz von Berlichingen* im Sommer 1773 schickt Lenz an Goethe einen verlorengegangenen Essay *Über unsere Ehe*, in dem er, wie Goethe schrieb, »mein Talent und das seinige nebeneinanderstellte«[6] und sich Goethe als Mitstreiter in der Rebellion gegen das literarische Establishment anbot. Zwischen beiden entwickelte sich ein offenbar reger Briefwechsel, in dem sie sich über ihre Pläne und Arbeiten austauschten. Im Hochgefühl von gegenseitiger Anerkennung und Zuneigung blieben die Gegensätze ihrer Herkunft, Persönlichkeit und literarischen Ambitionen zunächst verdeckt – Gegensätze, an denen diese für das Leben und Nachleben von Lenz so folgenschwere Freundschaft wenige Jahre später zerbrechen sollte. Goethe hat die Briefe von Lenz und seine an ihn, die er wieder zurückerhalten hatte, vernichtet. Dieser Verlust ist um so gravierender, da sich auch sonst nur wenige Zeugnisse aus der Zeit erhalten haben, als Lenz seine ersten bedeutenden Werke fertigstellte.

Die Arbeitsleistung von Lenz, solange er bis zum Herbst 1774 im Dienst der Barone von Kleist steht, ist umfänglich und vielfältig. Neben dem *Hofmeister* (1771/72) entstehen nicht nur die *Lustspiele nach dem Plautus* (*Das Väterchen*, *Die Aussteuer*, *Die Entführungen*, *Die Buhlschwester*, *Die Türkensklavin*, 1771–73), sondern auch moralisch-theologische und literaturkritische Essays und Vorträge, darunter die *Anmerkungen übers Theater* (1771–73) und *Meinungen eines Laien den Geistlichen zugeeignet* (1772/73), eine Reihe

6 *Dichtung und Wahrheit*, Buch 14.

von Gedichten, sowie die Prosadichtung *Das Tagebuch*
(1774), in der er Goethe seine eigene amouröse Verwicklung
in die Verführung der Straßburger Juwelierstochter Cleophe
Fibich durch einen der Barone schildert. Lenz scheint sich
um die Publikationen seiner Arbeiten anfangs wenig bekümmert zu haben; dies nämlich überließ er den Freunden, allen
voran Goethe, der den Verlag für den *Hofmeister* und die
*Anmerkungen übers Theater* vermittelte, während die Plautus-Bearbeitungen auf Kosten der Société gedruckt wurden.
Alle drei Arbeiten erscheinen im Frühjahr und Sommer
1774; im Herbst des gleichen Jahres folgt noch *Der neue
Menoza*.

Diese vier Publikationen, die wir heute als den Durchbruch des neben Goethe wichtigsten Sturm-und-Drang-
Autors sehen, blieben zwar nicht unbemerkt, sie machten
sogar – wie der *Hofmeister* und die *Anmerkungen übers
Theater* – einige Furore, aber sie brachten Lenz keine weite
Anerkennung oder gar Popularität, von der er wie jeder
junge Autor träumte. Gelobt wird er unter Freunden und
in einem begrenzten Zirkel ähnlichgesinnter Literaten. Die
Rezensenten der wichtigsten literarischen Zeitschriften bleiben dagegen zurückhaltend, wenn nicht abwehrend gegenüber der ›shakespeareisierenden‹ Form, den anstößigen
Inhalten der Dramen wie den kaum ausformulierten Gedanken der *Anmerkungen*. Zu der ambivalenten Aufnahme trug
bei, daß man die anonym erschienenen Arbeiten zum Teil
Goethe zuschrieb und, nachdem man den Irrtum erkannte,
Lenz als minderbegabten Jünger, wenn nicht gar als Nachahmer Goethes etikettierte. Die gesuchte Nähe und die
Förderung durch Goethe wurden für Lenz schon im Beginn
seiner schriftstellerischen Laufbahn auch zu einem immer
fataleren Hindernis: was man anerkannte, rechnete man
Goethe an, was man kritisierte, ihm selbst.

Welch hohe Hoffnungen Lenz mit seinen ersten Buchver-
öffentlichungen verband, wird darin deutlich, daß er nun
den Baronen den Dienst aufkündigte und den Versuch

wagte, als ›freier‹ Schriftsteller zu leben. Die neue Unabhängigkeit hatte freilich ihre Einschränkungen; ohne Vermögen und nennenswertes Einkommen aus seinen literarischen Arbeiten ist Lenz darauf angewiesen, seinen Unterhalt durch Stundengeben zu verdienen; obgleich er »vom Morgen bis in die Nacht Informationen« (an Gotter, 23. Oktober 1775) erteilt, reichen seine Einnahmen nicht, und er muß sich immer wieder Geld borgen. Allein die Postgebühren für seine nun anwachsende Korrespondenz mit neuen Freunden und Bekannten außerhalb Straßburgs müssen ihn ein kleines Vermögen gekostet haben. Enge Verbindungen bestehen zu Goethes Schwester Cornelia und ihrem Mann Johann Georg Schlosser, der als Hofrat und Oberamtmann der badischen Markgrafschaft Hochberg in Emmendingen residiert, ebenso zum Kreis um den Physiognomen Lavater in Zürich; er ist befreundet mit Herder und Merck, und er korrespondiert mit Sophie La Roche, der geschätzten Autorin der *Geschichte des Fräuleins von Sternheim* (1771), mit Gotter, Boie und vielen anderen.

Trotz der bedrängenden äußeren Umstände bleibt Lenz auch während der beiden letzten Jahre seines Aufenthaltes in Straßburg rastlos produktiv. Sein bedeutendstes Schauspiel *Die Soldaten* beginnt er wohl schon um die Jahreswende 1774/75; nochmals thematisiert er hier die Affäre um das Eheversprechen zwischen dem älteren Baron von Kleist und Cleophe Fibich, doch diesmal umgeformt in ein sozialkritisches Drama, das inhumane Kastenmoral adliger Offiziere und bürgerliche Eitelkeit in gleicher Weise bloßstellt. Neben und nach diesem Stück entstehen einige kleinere Dramen: *Die Freunde machen den Philosophen*, *Freundschaft geht über Natur oder: Die Algierer* (nach den *Captivi* von Plautus), *Die beiden Alten* und *Der Engländer*, dessen Held auf beklemmende Weise in manchem Lenzens Schicksal vorwegnimmt, sowie die szenisch angelegten Literatursatiren *Pandämonium Germanikum* und *Die Wolken*. Neue Gedichte zirkulieren nicht mehr nur im engen Kreis der

Freunde, sie erscheinen jetzt auch in Musenalmanachen und Zeitschriften. Seine Prosa erfährt in dieser Zeit eine markante Entwicklung, indem er sich neue Formen und Themen erschließt. Die *Moralische Bekehrung eines Poeten*, in der Lenz seiner Zuneigung zu Cornelia Schlosser Ausdruck gibt, schließt sich im Autobiographischen an das frühere *Tagebuch* an, doch die konzise literarische Gestaltung leitet schon zur fiktionalen Prosa über, der er sich mit der Erzählung *Zerbin oder die neuere Philosophie* erstmals zuwendet. Diese »Erzählung in Marmontels Manier« (an Boie, Dezember 1775) verdankt ihre Entstehung nicht zuletzt der finanziellen Misere ihres Autors, der hier erfolgreich mit dem Modeetikett ›moralische Erzählung‹ auf eine schnelle und gutdotierte Veröffentlichung in einer Zeitschrift spekulierte. Bereits die im Sommer 1775 in Jacobis *Iris* erschienene Prosaübersetzung des *Ossian für Frauenzimmer* war wohl eine solche Brotarbeit. In seinen Essays und Vorträgen beschäftigt sich Lenz in diesen Jahren überwiegend mit literarischen Themen, wobei er immer wieder in aktuellen Literaturdisputen entweder Freunden zur Seite trat (wie in dem Aufsatz *Nur ein Wort über Herders Philosophie der Geschichte* und den *Briefen über die Moralität der Leiden des jungen Werthers*) oder sich mit der Kritik an eigenen Werken auseinandersetzte (etwa in der Selbstrezension des *Menoza* und der merkwürdigen *Verteidigung des Herrn W. gegen die Wolken von dem Verfasser der Wolken*, mit der Lenz seine Polemik gegen Wieland in konziliantere Bahnen lenkte).

Die *Verteidigung* erschien anstelle der in letzter Minute unterdrückten und schließlich verlorengegangenen *Wolken*. Nach allem, was wir über den Inhalt dieser satirischen Komödie wissen, hatte Lenz hier seine Attacken gegen Wieland so weit getrieben, daß Lavater und andere Freunde von einer Veröffentlichung abrieten. Lenz sah in Wieland, wie viele der jugendlichen Sturm-und-Drang-Schriftsteller, den sprachgewandten Rokokodichter, der – als Antipode

zum verehrten ernst-religiösen Klopstock – mit frivol-eroti-
schen Dichtungen die Sittlichkeit der Leser verderbe. Der
auch als einflußreicher Kritiker gefürchtete Wieland – einige
harsche Urteile hatten Lenz empfindlich getroffen – wurde
damals in einer Reihe von Satiren verspottet, unter denen
eigentlich nur Goethes *Götter, Helden und Wieland* (1774)
und Lenzens *Pandämonium Germanikum* (1775) noch unser Interesse finden. Den Entschluß, auf die Publikation
der *Wolken* zu verzichten, hatten nicht allein Einwände
anderer bewirkt, sondern wohl ebenso Goethes gewandelte
Haltung, der sich bald nach seiner Umsiedlung nach Weimar
mit dem zuvor geschmähten Dichter versöhnt hatte. Lenz
ergeht es genauso: als er 1776 Wieland persönlich kennenlernt, wird ihm der vermeintliche Gegner schon nach kurzer
Zeit zum geachteten und persönlichen Freund.

Noch in Straßburg muß Lenz erkennen, daß trotz unab-
lässiger Produktivität und vielfältiger Kontakte das Wagnis
einer Existenz als ›freier‹ Schriftsteller nicht den ersehnten
Durchbruch brachte. Er, der sich als sein »Publikum das
ganze Volk« (an Sophie von La Roche, Juli 1775) wünschte,
fand mit seinen Büchern keine breite Rezeption. Von seinen
Dramen wird zu seinen Lebzeiten nur der *Hofmeister* in
einer freilich völlig entstellenden Bearbeitung aufgeführt;
keines seiner Bücher erlebt eine zweite Auflage. Auch blieben gewichtige Arbeiten wie die *Briefe über die Moralität
der Leiden des jungen Werthers* oder das *Pandämonium
Germanikum* ungedruckt. Die mangelnde Resonanz und
seine immer prekärer werdende finanzielle Lage beginnen
sein Selbstbewußtsein zu unterminieren und geben ihm das
Gefühl zu scheitern: »ich bin auf der Hälfte des Weges der
meine Laufbahn endet – und komme zu kurz« (an Zimmermann, 15. März 1776).

Anders als Goethe, Wagner oder Klinger bemühte sich
Lenz lange nicht ernsthaft um eine feste Anstellung oder
Karriere, die ihm ein Auskommen und einen gesellschaft-
lichen Status gewährt hätten. Schon im Oktober 1772

bekannte er Salzmann, daß er sich nicht zum Theologen berufen fühle: »Dies ist [...] kein dunkles, sinnliches – sondern das Gefühl meines ganzen Wesens, das mir so gut als Überzeugung gilt«; der auf Salzmanns Anraten erwogene Plan eines Jurastudiums wird schon bald wieder fallengelassen. Als er im Frühjahr 1776 sogar eine wohldotierte Professur der Beredsamkeit am Dessauer Philanthropin ausschlägt, stößt dies bei den Straßburger Freunden nur auf besorgtes Unverständnis. Hinter Lenzens Abwehr gegenüber einer respektablen bürgerlichen Laufbahn steht die Furcht, als kleines Rädchen in die große Maschine, »die wir Welt, Weltbegebenheiten, Weltläufe nennen«, eingepaßt zu werden und so eine »selbstständige Existenz, den Funken von Gott« zu verfehlen (*Über Götz von Berlichingen*). Eigensinnig und unbeirrt beharrte Lenz gegen die Realitäten des Literaturmarktes auf seinem Traum einer unabhängigen Schriftstellerexistenz: »Ich habe meinen Beruf insgeheim«, so versichert er sich auf einem im Nachlaß gefundenen Zettel, »er ist mir von den Edlen bestätigt, tu ich einen Schritt zurück oder verzage aus übertriebener Moralität, so bin ich dieses Berufs nicht wert. Dagegen muß ich mich getrost und herzhaft ganz hineinwerfen« (Damm, 1985, S. 170). Solche Entschiedenheit führte Lenz mehr und mehr in eine Außenseiterposition und Isolation.

Anfang 1776 eröffnete sich für Lenz die Möglichkeit einer Reise nach Weimar und mit ihr die Hoffnung eines Auswegs aus der Straßburger Bedrängnis. Hier lebte Goethe seit Anfang November 1775 auf Einladung des jungen Herzogs Carl August, dem auch Lenz wenige Monate zuvor in Straßburg vorgestellt worden war und von dem er sich eine ähnlich großzügige Aufnahme erhoffte. Die Aussicht auf ein erneutes und längeres Zusammensein und direkten Austausch mit dem bewunderten und brüderlich geliebten Goethe zog Lenz immer ungeduldiger an den Weimarer Musenhof. Mit kurzen Aufenthalten bei (Maler) Müller in Mannheim, Merck in Darmstadt und Goethes Mutter in

Frankfurt reiste er in die kleine mitteldeutsche Residenz-
stadt, wo er am 2. April eintraf und mit einem kleinen
Gedicht launig bescheiden beim Herzog um Aufnahme bat:

*Placet*

Ein Kranich lahm, zugleich Poet
Auf einem Bein Erlaubnis fleht
Sein Häuptlein dem der Witz geronnen
An Eurer Durchlaucht aufzusonnen.
Es kämen doch von Erd' und Meer
Itzt überall Zugvögel her
Auch wollt' er keiner Seele schaden
Und bäte sich nur aus zu Gnaden
Ihn nicht in das Geschütz zu laden.

Die ersten Wochen schienen alle Erwartungen zu erfüllen;
Lenz genießt die Anerkennung, die er an diesem der Literatur und Kunst ungewöhnlich aufgeschlossenen Hof findet, den beinahe zwanglosen Umgang mit dem Herzog
und seiner Familie und die fast täglichen Begegnungen mit
Goethe, Wieland und anderen Literaten, die in Weimar
lebten oder es besuchten. Von finanziellen Sorgen ist er
befreit, da die herzogliche Schatulle für seinen Unterhalt
aufkommt. Die anfängliche Euphorie, als ihm seine Existenz
»halb wie ein angenehmer Traum« (an Boie, 30. April 1776)
vorkommt, weicht aber schon bald einer zunehmenden
Ernüchterung. Man schätzt ihn, lacht über seine Einfälle
und gesellschaftlichen Fauxpas, doch man nimmt ihn nicht
ernst in seiner unbekümmerten Gradlinigkeit: »Lenz am
Hofe – was dünkt Euch dazu? Seit er hier ist, ist kaum ein
Tag vergangen, wo er nicht den einen oder anderen Streich
hätte ausgeführt, der jeden andern als ihn in die Luft ge-
sprengt hätte. Dafür wird er nun freilich auch was Rechtes
geschoren; aber das ficht ihn nichts an. Er geht seinen Weg
fort und wischt sein Vidle ans Thor wie die Schweizer
sagen« (Wieland an Merck, 13. Mai 1776). Lenz kann sich

nicht in den Ton und die Spielregeln der Hofgesellschaft einfügen. Sein Schaffen zielt auf eingreifendes Wirken, nicht auf Unterhaltung. Er bleibt ein Fremdkörper und spürt das auch selbst. Bereits nach vier Wochen möchte er, wie er Boie Ende April mitteilt, »einen Monat aufs Land gehn um zu meinen Arbeiten wiederaufzuwachen«.

Erst zwei Monate später geht Lenz aufs Land nach Berka, einem Dorf einige Wegstunden südlich von Weimar entfernt; enttäuscht, da er, so eine kurze Abschiedsnotiz an Goethe vom 27. Juni, »bei Euch nichts tun kann«. Das ist zwei Tage, nachdem Goethe sein neues Regierungsamt angetreten hat. Hinweise in Briefen lassen vermuten, daß Lenz damals ebenfalls eine Stelle angeboten worden war, doch ist nicht bekannt, um welche Tätigkeit es sich dabei gehandelt haben könnte; was immer die Gründe, es wurde nichts daraus. Der Beginn von Goethes politischer Laufbahn, die ihn nach außen wenigstens für eine Reihe von Jahren von der Literatur fernhalten sollte, und Lenzens gleichzeitiger Rückzug nach Berka dokumentieren, wie sich die Wege und die Ziele der beiden Freunde getrennt haben. Goethe läßt den Sturm und Drang endgültig hinter sich, Lenz will schreiben und dichten, dazu muß er wieder zu sich finden. Zwei Monate haust er einsiedlerisch in Berka, weilt dann bis Ende Oktober in Kochberg, wohin ihn Charlotte von Stein eingeladen hat; den November verbringt er wieder in Berka. Die Verbindung nach Weimar bricht nicht ab, Briefe und Pakete gehen hin und her, mehrfach besucht ihn Goethe in Berka, aber Lenz selbst kommt nun nur noch zu kurzen Aufenthalten nach Weimar. Die Freunde haben für Lenzens Flucht in die Einsamkeit nur wenig Verständnis, sehen es als unvernünftiges Handeln eines seelisch Gestörten, der sich nicht zu arrangieren versteht und dem man nicht recht zu helfen weiß. Lenz wird zur Last.

Während der ersten Weimarer Zeit schreibt Lenz einige für den Esprit dieses Hofes charakteristische Gedichte wie jenes »Auf die Musik zu Erwin und Elmire«, in dem er galant und geistreich der Herzogin Anna Amalia, der Komponistin zu diesem kleinen Singspiel Goethes, huldigt. Sonst arbeitet er zunächst vor allem an einer militärischen Reformschrift *Über die Soldatenehen*, zu der erste Entwürfe noch in Straßburg entstanden waren. Er wollte diese Schrift dem Herzog und am französischen Hof vorlegen, so bedeutsam und drängend schienen ihm die dort gemachten Vorschläge, wie etwa der in der Tat zukunftsweisende Gedanke der Umwandlung der stehenden Söldnerarmeen in Volksheere, in denen der Bürger als Soldat sein eigenes Vaterland verteidigt. Zugleich hoffte er wohl, sich mit dieser Schrift als militärischer Berater zu präsentieren. Doch wie die anderen größeren Arbeiten, die er sich in Weimar und Berka vornahm, wird auch diese Schrift nicht abgeschlossen. Die Flucht aufs Land bringt nicht die erhoffte Erneuerung seiner Schaffenskraft, im Gegenteil, seine Konzentration und Energie scheinen in dem Maße zu zerfasern, wie er in Berka das beklemmende Scheitern seines Weimarer Aufenthaltes spürt. Vier größere Dramenprojekte, die ebenfalls noch in die Straßburger Zeit zurückreichen, bleiben Fragment: das Künstlerdrama *Catharina von Siena*, bei dem allein vier Bearbeitungsstufen erkennbar sind; das Schauspiel *Der tugendhafte Taugenichts*, das – nach einer Anregung Schubarts, die dann auch Schiller in den *Räubern* aufgriff – eine Anekdote über zwei ungleiche Brüder und ihre Beziehung zum Vater als Drama gestaltet; die Komödie *Die Kleinen*, in der sich ein junger Adliger unter die kleinen Leute mischt, um von ihnen zu lernen, sowie das Stück *Henriette von Waldeck oder Die Laube*, zu dem Lenzens schwärmerische Verehrung für Henriette von Waldner in sehr freier Weise den Hintergrund einer Liebe zwischen einem Adligen und ihrem verarmten Vetter abgibt. Vollendet werden zwei kleine satirische Dramolets *Der Tod der Dido*[7] und *Tanta-*

---

7 Zu dieser in keiner der gängigen Ausgaben zugänglichen Satire vgl. Werner H. Preuss, »Lenzens Eseley«: »Der Tod der Dido«, in: *Goethe-Jahrbuch* 106 (1989) S. 53–90, und Vonhoff, 1991, S. 135–146.

*lus*, jenes eine Posse auf höfisches Amateurtheater, das andere ein desillusioniertes Porträt der Weimarer Hofgesellschaft im Gewand antiker Mythologie, das er wohl bereits während der ersten Wochen in Berka schrieb; er selbst erscheint hier in der Rolle des Tantalus, der einsehen muß, daß er lediglich »den Göttern zur Farce« diente.

Noch deutlicher sind die autobiographischen Bezüge in dem Prosafragment *Der Waldbruder*, in dem sich Lenz klarsichtig mit seiner eigenen Existenzlage auseinandersetzt. Kaum verhüllt thematisiert er hier den immer offenkundigeren Gegensatz zwischen ihm und Goethe in den heterogenen Lebenshaltungen der beiden Hauptfiguren Herz, der lieber »schwach, halb unbrauchbar bleiben will« als sich und seiner imaginären Liebe untreu werden, und Rothe, seinem weltgewandten und genußfrohen Freund und Gegenspieler. Obgleich hinter fast jeder Figur das wirkliche Vorbild durchscheint, ist dies kein bloßer Schlüsseltext, sondern viel mehr ein kunstreicher Versuch, gesellschaftliche Bedingungen, Moralität und Motive in den Interaktionen einer Gruppe aus den Perspektiven sehr verschiedener Individualitäten darzustellen.

Als Lenz sich Ende November wieder in Weimar aufhält, kommt es zu einem Eklat mit Goethe. Es ist viel darüber spekuliert worden, was sich hinter »Lenzens Eseley« verbirgt, die Goethes Tagebuchnotiz vom 26. November 1776 vermerkt. Sie muß Goethe in solcher Weise verletzt und gekränkt haben, daß er auf Lenzens umgehende Ausweisung aus Weimar drängte. Über den Vorfall wahrten Beteiligte und Mitwisser strengste Verschwiegenheit; schriftliche Zeugnisse wurden nachträglich systematisch zensiert oder beseitigt. Man hat vermutet, Lenz habe durch eine grobe Taktlosigkeit Goethes Verhältnis zu Charlotte von Stein oder dessen delikate Beziehung zur jungen Herzogin Luise kompromittiert. Doch weder das eine noch das andere läßt sich schlüssig beweisen. Was immer die »Eseley« war, sie gab wohl nur den letzten Anlaß zum Bruch der längst zum

Zerreißen gespannten Freundschaft. Die Gründe reichen weiter zurück.

Lenz hatte die dichterische Überlegenheit des Freundes immer anerkannt, und er porträtierte ihn bereits in *Padämonium Germanikum* als den künftigen Vollender der literarischen Erneuerung, um die er selbst so sehr rang. Aber schon in Straßburg scheint er gefürchtet zu haben, daß sich Goethe dieser Aufgabe zu entziehen drohte. Neuere Untersuchungen von Egon Menz und Werner H. Preuß legen nahe, daß Lenz in Weimar verschiedentlich Goethes höfischen Lebenswandel und dessen in seinen Augen leichtgewichtige Singspieldichtung in satirischen Gedichten und Pasquillen attackierte, in der wohlmeinenden, wenngleich vermessenen Absicht, Goethe an seine eigentliche Berufung zu gemahnen. Ähnliche Vorhaltungen hatten nur wenige Monate zuvor zum Zerwürfnis Goethes mit Klopstock geführt. Die Solidarität und Freundschaft zwischen Goethe und Lenz zerbricht an immer evidenteren menschlichen und künstlerischen Differenzen. Goethes Reaktion auf die »Eseley« ist hart und entschieden; alle Vermittlungsversuche weist er zurück, mit Lenz möchte er nichts mehr zu tun haben: »Wegen Lenzen bitte ich Sie zu verfahren, als wenn ich gar nicht existiere« (an den Verleger Reich, 13. Januar 1777).

»Ausgestoßen aus dem Himmel als ein Landläufer, Rebell, Pasquillant« (an Herder, 29. oder 30. November), verläßt Lenz am 1. Dezember Weimar. Unter dem Schock der Vertreibung irrt er tagelang umher, ehe er Mitte Dezember in Emmendingen bei Schlosser Aufnahme findet. Hier, wo er bis zum Sommer lebt, schreibt er die Erzählung *Der Landprediger*, die ab April 1777 in Boies *Deutschem Museum* erscheint. Mit dieser Geschichte eines Reformers, der mit Einfühlungsgabe und der Autorität seines Wissens als patriarchalisches Familienoberhaupt seinen Hausstand und als Landwirt und Pfarrer das Leben wie die Arbeit seiner Gemeinde nach sozialutopischen Vorstellungen bürgerlicher Volksaufklärung neu gestaltet, wollte sich Lenz

wohl auch selbst eine Art Rechenschaft seiner gesellschaftlichen Überzeugungen geben. Sonst entstehen in diesem Jahr
nur einige Gedichte, die kurze *Geschichte des Felsen Hygillus*, in der er – wieder in antiker Einkleidung – das Weimarer
Debakel verarbeitet, sowie kleinere Aufsätze.

Wie sehr Lenz nach der demütigenden Ausweisung aus
Weimar den Boden unter den Füßen verloren hat, offenbart
die Rast- und Ziellosigkeit, die in den darauffolgenden Mo-
naten sein Leben kennzeichnet. Er ist ständig unterwegs.
Von Emmendingen aus reist er mehrfach ins Elsaß und in die
Schweiz, zu kürzeren Besuchen bei Pfeffel in Colmar, bei
Lavater in Zürich und nach Basel zu Jakob Sarasin, einem
wohlhabenden Kaufmann und Freund Lavaters, für dessen
Frau er ein Lustspiel schreiben möchte; im Mai nimmt er
teil an der Konferenz der Helvetischen Gesellschaft in Bad
Schinznach, im Juni zieht er mit Philipp Christoph Kayser zum ersten Mal ins Schweizer Hochgebirge; zwischen
August und November lebt er dann meist bei Lavater. Der
Plan, einen Adligen nach Italien zu begleiten, wird schon
nach wenigen Tagen aufgegeben; noch in der Schweiz trennen sich ihre Wege wieder. Diese Unrast scheint noch
gesteigert, als Cornelia Schlosser im Juni stirbt, kurz nach
der Geburt ihrer zweiten Tochter, deren Pate Lenz werden
sollte; er verliert abermals eine Bezugsperson, der er sich auf
innigste Weise emotional verbunden fühlt.

Ihr Tod hat Lenz tief erschüttert: »Mein Schutzgeist ist
dahin, die Gottheit die mich führte« (an Jakob und Gertrud
Sarasin, August 1777). Wie alle Frauen, die im Leben von
Lenz Bedeutung gewannen, hatte er auch Cornelia – wie
zuvor Cleophe Fibich und dann Henriette von Waldner – in
ein Bild idealisierter Weiblichkeit transformiert, auf das er
seine unerfüllten erotischen Sehnsüchte projizieren konnte.
Eine erfüllte Beziehung zu einer Frau gab es für Lenz nicht,
konnte es nach seiner religiös fundierten rigiden und skru-
pulösen Moralität, wie er sie etwa in seinen *Lebensregeln*
(vgl. WB II, S. 487–499) niederlegte, außerhalb der Ehe

nicht geben. Da ihm seine Mittellosigkeit eine Ehe verbot
und die Frauen, denen er sich zuwandte, für ihn unerreichbar waren, blieb ihm in seinen Liebesnöten nur ein moralisch-theologisch verbrämtes Verzichten, freudlose Flucht in
die Imagination oder, wie bei Cornelia, die Erhöhung zur
unberührbaren reinen Seele.

Gegen Ende des Jahres 1777 wird Lenzens äußere und
innere Situation prekärer als je zuvor: »Ich bin ein Fremder,
wie Schlosser sagt, unstet und flüchtig und habe soviele die
mit mir unzufrieden sind« (an Gertrud Sarasin, 28. September 1777). Es entgeht Lenz nicht, der praktisch keine Einkünfte hat und auf die Gastlichkeit und Hilfe anderer angewiesen ist, daß er den Freunden beschwerlich wird. Sie
borgen ihm und bezahlen seine Schulden, da sie spüren, wie
sehr er selbst unter seiner Mittellosigkeit leidet. Dabei
drängt man ihn, sich endlich um eine feste und auskömmliche Beschäftigung zu bemühen. Es muß seinen Stolz besonders gekränkt haben, daß ihm selbst seine Freunde sein
Festhalten an einer selbständigen Schriftstellerexistenz als
Faulenzerei vorhielten. Den ungelösten und für ihn unlösbaren, längst vor sich selber eingestandenen Konflikt zwischen
den selbst gestellten und an ihn herangetragenen Erwartungen kann Lenz schließlich nicht mehr bewältigen.

Im November kommt es in Winterthur zu einem »Unfall«; was damals geschah, ist im einzelnen nicht bekannt,
doch läßt sich aus der Reaktion und der Sorge der Freunde
schließen, daß es sich hier um erste akute Symptome der
Gemütskrankheit handelte: »Lenzen müssen wir nun Ruhe
schaffen, es ist das einzige Mittel ihn zu retten, ihm alle
Schulden abzunehmen und ihn zu kleiden« (Lavater an Jakob Sarasin, Dezember 1777). Zur Ruhe aber kommt er
nicht mehr; nach einer »kleinen Streiferei an den Bodensee,
durch St. Gallen nach Appenzell« im Dezember weilt er
übers Jahresende bei Christoph Kaufmann in Winterthur;
mit ihm geht er Anfang Januar nach Emmendingen, von wo
er sich allein nach kurzem Aufenthalt ins elsässische Steintal

aufmacht, um den Pfarrer Oberlin aufzusuchen, von dem er sich wohl Hilfe und Rat erhoffte. Dort jedoch kommt es zum Ausbruch der Psychose. Wahnsinnsanfälle quälen ihn, und mehrfach legt er Hand an sich selbst. Es war ein Glücksfall der Literaturgeschichte, daß Büchner auf Oberlins Aufzeichnungen über Lenzens zwanzigtägigen Aufenthalt stieß und sie zur Grundlage seiner Novelle *Lenz* (1835) nahm, die in der halbdokumentarischen Beschreibung des psychischen Zusammenbruchs auch die gesellschaftliche Problematik von Lenzens individueller Tragödie eindringlich und präzise herausstellt. Oberlin dagegen sah in Lenzens Erkrankung nur dessen privates Versagen: die traurigen »Folgen seines Ungehorsams gegen den Vater, seiner herumschweifenden Lebensart, seiner unzweckmäßigen Beschäftigungen, seines häufigen Umgangs mit Frauenzimmern«; sein dichterisches Werk kannte er nicht.

Von Oberlin wird Lenz unter Bewachung nach Straßburg gebracht, dann nach Emmendingen zu Schlosser, der ihn umgehend zu seinem Vater nach Livland schicken möchte. Lenz reagiert auf dieses Ansinnen mit Schüben neuer Anfälle, bäumt sich instinktiv gegen die kaum verdrängten Schuldgefühle auf. Kuren werden an ihm versucht, er selbst scheint sich durch exzessives Schreiben gegen die Depression zu wehren; sogar eine Einlieferung in die Frankfurter Irrenanstalt wird erwogen, dazu in Weimar, Basel und Zürich bereits Beiträge für die Unterbringung gesammelt. Besonders erbost es Schlosser, daß der Vater auf seine Bitten, den Sohn zu sich zu holen, ihn zunächst nur mit »langen Predigten« (an Herder, 8. November 1778) und Hinhaltungen abspeist. Schlosser kümmert sich unter großen persönlichen Opfern fast anderthalb Jahre um Lenz und tut, was dem Kranken wirklich Besserung verschafft: er verhilft ihm zu Ruhe, verbunden mit einer Art Beschäftigungstherapie; zunächst lebt Lenz für drei Monate bei einem Schuster in Emmendingen, dann bis zum Ende des Jahres bei einem Förster im benachbarten Wiswyl. Ein neuer förmlicher, fast unterwürfiger Ton in Briefen an Sarasin, in denen sich der selbst so hilfebedürftige Lenz in jenen Monaten für seinen »besten Freund und Kameraden«, den Schusterburschen Conrad Süß, einsetzt, läßt ahnen, wie innerlich bedrückt und niedergebeugt er sich zu jener Zeit selbst befindet. Anfang 1779 wird Lenz bei einem Arzt in Hertingen untergebracht, einem Dorf nahe der Schweizer Grenze, wo ihn sein Bruder Karl, der in Jena studierte, im Frühsommer 1779 abholt, um mit ihm nach Livland zurückzukehren.

Karl findet den Bruder »bis auf eine unglaubliche Schüchternheit, völlig wiederhergestellt« (an Salzmann, 3. Juli 1779). Dies mag eine beschönigende Beschreibung sein, doch immerhin ist Lenz physisch und psychisch wieder so stabil, daß beide Brüder die lange Reise antreten können. Zum Teil zu Fuß durchqueren sie Deutschland, von Lübeck nehmen sie dann ein Schiff nach Riga, wo sie am 23. Juli eintreffen. Wenig später kommt der Vater ebenfalls in die Hafenstadt, wohin er gerade als neuer Generalsuperintendent von Livland berufen worden war. Obgleich Lenz alles anfremdet, scheint er sich wohler zu fühlen, glaubt er die Krankheit überstanden zu haben. Diesen Eindruck teilen offenbar seine Familie und Freunde, denn man hält ihn, der ohne jeglichen Abschluß zurückkehrte, für geeignet, die vakante Rektorenstelle an der Domschule in Riga zu übernehmen. Die Anstellung, die ihm nun selbst »die wünschenswerteste wäre« (an Herder, 2. Oktober 1779), aber scheitert, weil Herder eine Empfehlung verweigert: »er taugt nichts zur Stelle, so lieb ich ihn habe« (an Hartknoch, etwa Dezember 1779).

Danach richten sich seine Hoffnungen auf Petersburg, wohin man ihm ebenfalls »verschiedene Vorschläge« gemacht habe (an Herder, 2. Oktober 1779). Ein Dreivierteljahr antichambriert er dort um eine Anstellung, doch ohne Erfolg, da er keine Empfehlungen vorzuweisen hat, nicht einmal der Vater gibt ihm eine. Das Stigma des Versagers und des Gestörten wird zum unüberwindbaren Hinder nis. Klinger, der in diesem Jahr gleichfalls nach Petersburg kommt, findet eine Stellung und macht Karriere; den früheren Freund hat er dort gemieden. Enttäuscht sieht sich Lenz im Herbst 1780 gezwungen, eine Hofmeisterstelle in der Nähe von Dorpat anzunehmen, die er jedoch bereits nach wenigen Wochen wieder aufgeben muß, als er sich – wie Läuffer aus seinem *Hofmeister* – unglücklich in ein adliges Fräulein verliebt. Im Frühjahr 1781 lebt Lenz nochmals für mehrere Monate in Petersburg und findet jetzt eine Beschäftigung als persönlicher Sekretär des Generals Bauer beim Kadettenkorps; er kann aber auch diese Stelle nicht lange halten. Im Herbst bekommt August Kotzebue diesen Posten und beginnt damit seine Karriere am russischen Hof. Lenz war zu diesem Zeitpunkt schon weitergezogen – nach Moskau.

Während dieser beiden Jahre, als er in Riga und Petersburg immer verzweifelter eine feste Anstellung sucht, bemüht er sich ebenso, literarisch wieder Fuß zu fassen. Lavater und Wieland, den einzigen der früheren Freunde, die mit ihm noch Kontakt halten, teilt er 1780 mit, daß er eine verbesserte Ausgabe seiner Stücke plane; sie kommt jedoch nicht zustande. Aber einige neue Arbeiten, von denen manche wohl bereits in Deutschland entstanden oder entworfen waren, erscheinen zwischen 1780 und 1782 in dem Mitauer Journal *Für Leser und Leserinnen* und im *Lieffländischen Magazin der Lektüre*. Wenngleich diese Werke nicht an die früheren heranreichen, zeigen sie doch, daß Lenz seine schöpferische Kraft keineswegs verloren hatte. Aufmerksamkeit verdienen besonders zwei Prosatexte *Empfindsamster aller Romane*, eine groteske Märchendichtung über die Reise zweier Schildkröten von Polen nach Paris, und *Etwas über Philothas Charakter*, das Porträt eines kurz zuvor verstorbenen empfindsamen und gebildeten jungen Mannes in Briefen an einen Freund; kaum mehr erkennbar dagegen ist der innovative Dramatiker in den beiden Stücken *Die Sizilianische Vesper*, einer freien Bearbeitung eines bekannten tragischen Stoffes, des Blutbads von Messina im Jahre 1282, und *Myrsa Polagi oder Die Irrgärten*, das in der Verkleidung eines ›Lustspiels à la chinoise‹ abermals Weimarer Vorgänge behandelt. Diese zum Teil anonym publizierten Arbeiten finden, wie seine letzte Buchpublikation in Deutschland, die *Philosophischen Vorlesungen für empfindsame Seelen* (1780), keine kritische Resonanz. Erst lange nach seinem Tod werden sie überhaupt erst wiederentdeckt. Auch als Schriftsteller gibt es für Lenz in Livland keinen Neuanfang; in Deutschland wie in seiner Heimat verschwindet er bereits zu Lebzeiten aus dem Bewußtsein der literarischen Öffentlichkeit.

Weshalb der dreißigjährige Lenz, der die russische Sprache nur unzureichend beherrschte, 1781 nach Moskau ging, das er bis zu seinem Tod 1792 nicht mehr verlassen wird, liegt wie vieles aus den letzten Jahren seines Lebens im dunkeln. Die ersten beiden Jahre lebt er im Hause des Historikers Gerhard Friedrich Müller, später gewähren ihm Gönner aus den Adelskreisen, in denen er verkehrt, immer wieder Unterkunft. Die Hoffnung auf irgendeine »Art fixer Existenz« (an den Vater, 18. November 1785) erfüllt sich aber in Moskau genausowenig. Er wird bisweilen als Hauslehrer oder Hofmeister engagiert und scheint für einige Zeit sogar an öffentlichen Lehranstalten unterrichtet zu haben. Ein Auskommen findet er dabei kaum, so daß er weiterhin auf die Unterstützung von Freunden und der Familie angewiesen ist.

Lenz hört auch in Moskau nicht auf zu schreiben, doch nimmt sein Schaffen eine andere Richtung. Er engagiert sich als Vermittler zwischen der deutschen und russischen Literatur. Seine Übertragung von Pleschtschejews *Übersicht des Russischen Reiches* erscheint 1787, und er übersetzt Teile der *Russiade* von Michael Cheraskow, die aber auf dem Weg zu Boie verlorengehen; der über mehrere Jahre verfolgte Plan einer Anthologie russischer Dichtung in deutscher Übersetzung bleibt unausgeführt, ebenso wie die dramatische Bearbeitung des Boris-Godunow-Stoffes, zu der sich im Nachlaß ein kleines Szenenfragment erhalten hat. Eigene Arbeiten beschränken sich im wesentlichen auf wenige Gelegenheitsgedichte und verschiedene Aufsätze, meist zu Erziehungs- und Bildungsfragen. Lenzens schriftstellerische Gestaltungskraft läßt in den letzten Lebensjahren offensichtlich nach: »Alles, was er zuweilen schreibt«, so der damals mit Lenz enger befreundete Karamsin, »zeigt an, daß er jemals [!] viel Genie gehabt hat; aber jetzt ...« (an Lavater, 20. April 1787).

Auf den jungen Karamsin, der mit ihm zeitweilig im selben Haus wohnte, hatte Lenz einen nachhaltigen Einfluß. Ihm verdankte Karamsin viel seiner Kenntnis der zeitgenössischen deutschen Literatur, auch seine Begeisterung für Shakespeare erfuhr wohl manche Anregung von Lenz. In seinen *Briefen eines russischen Reisenden* (1791/92) berichtet Karamsin über seine Besuche in Weimar und Zürich und bezeugt, wo er auf Lenz zu sprechen kommt, wie vertraut er mit dessen Leben und Wirken in Deutschland war.

Begegnet sind sich beide im Kreis um den russischen Schriftsteller und Reformer Nowikow. Lenz, der in Riga Mitglied einer Freimaurerloge geworden war, kam in Moskau bald in Kontakt mit den führenden russischen Freimaurern, Iwan G. Schwarz und Nowikow, deren sozialreformerisches und philanthropisches Wirken seiner eigenen Einstellung entsprach. Wie weit Lenz selbst in freimaurerische Aktivitäten einbezogen war, läßt sich nur vermuten, doch einige in seinen Briefen erwähnte Projekte deuten durchaus darauf hin. Auch wird Lenz der Nowikowschen »Gelehrten Gesellschaft der Freunde« angehört und dort materiellen wie intellektuellen Rückhalt erhalten haben.

Körperlich und geistig baut Lenz in Moskau mehr und mehr ab: »Eine tiefe Melancholie, die Folge vielen Unglücks, hatte seinen Geist zerrüttet« (Karamsin an Pleschtschejew, 31. Mai 1789); er selbst klagt in seinen Briefen zuletzt immer öfter über Erkrankungen und Zerstreutheit; auch akute Anfälle scheint er wieder erlitten zu haben. Das Leben wird ihm nun innerlich und äußerlich zur Qual. Um die Jahreswende 1792 erkrankt er schwer und ist dem Tode »bisweilen nahe« (an Baron Stiernheim, 14. Januar 1792); nur wenige Monate später wird er in der Nacht vom 23. auf den 24. Mai tot auf einer Moskauer Straße gefunden. Wo er begraben liegt, ist unbekannt. So erbärmlich die äußeren Umstände seines Todes waren, einen Rest wenigstens des stolzen Bewußtseins, sich selbst und seiner Bestimmung treu geblieben zu sein, hat er sich, wie der Nachruf des Moskauer Pastors Jerczembski[8] betont, bis zu seinem Ende bewahrt: »Er starb von wenigen betrauert, von keinem vermißt. [...] Von allen verkannt gegen Mangel und Dürftigkeit kämpfend, entfernt von allem, was ihm teuer war, verlor er doch nie das Gefühl seines Wertes.«

Die Gefahr, als Dichter zu scheitern, sah Lenz schon zu Beginn seiner Karriere, als er die *Anmerkungen übers Theater* in der Straßburger Société vortrug und sich – seiner Ideen und Ziele noch kaum gewiß – anschickte, seinen Platz in der Literatur zu erobern; er nahm damals diese Gefahr als das Risiko des Avantgardisten mit jugendlicher Unbekümmertheit und forciert messianischem Selbstbewußtsein in Kauf: »Noch weiß ich's selber nicht, aber Land wittere ich schon, bewohnt und unbewohnt, ist gleichgültig. Der Parnaß hat noch viel unentdeckte Länder, und willkommen sei mir, Schiffer! der du auch überm Suchen stürbest. Opfer für der Menschen Seligkeit! Märtyrer! Heiliger!« Ein solches Selbstverständnis des Dichters als Entdecker und Kartograph von poetischem Neuland, wie es auch das Motto zu *Moralische Bekehrung eines Poeten* impliziert, spiegelt zeittypische Genieattitüde und Originalitätsanspruch, die Lenz durch den genuin schöpferischen Impetus und das Gewicht

---

8 *Intelligenzblatt der Allgemeinen Literaturzeitung*, 18. August 1792, zit. nach: Fritz Waldmann, *Lenz in Briefen*, Zürich 1894, S. 110 f.

der Werke, die während seiner kreativsten Jahre entstehen, einlöst.

Die Fülle und Vielschichtigkeit seines Œuvres läßt sich nur mit dem des jungen Goethe vergleichen. Wie dieser versucht er sich in einer ganzen Reihe von literarischen Gattungen: er schreibt Dramen, Lyrik, erzählende Prosa und Essays, wobei er unablässig neue Ausdrucksweisen, Tonlagen und Gestaltungsformen erprobt. Dem korrespondiert die Breite des thematischen Spektrums seiner Dichtungen, das auf der einen Seite bestimmt wird von Lenzens gesellschaftskritischem, moralphilosophischem und schriftstellerischem Engagement und auf der anderen von seiner Neigung zu Selbstanalyse. Erweiterung, nicht Variation kennzeichnet sein Schaffen, das so divergent und ungerundet wie sein Leben ist.

Wer dem Dichter Lenz gerecht werden möchte, darf über die großen epocheprägenden Dramen seine bislang weniger beachteten Arbeiten, besonders die Erzählprosa und die Gedichte, nicht vergessen. Er bewies hier ebenfalls seine eigentümliche und innovative Begabung. Die vorliegende Auswahl ist bestrebt, Lenzens literarische Physiognomie zu umreißen, indem sie neben den dramatischen Hauptwerken wichtige und charakteristische Beispiele seiner Prosa, Lyrik und seiner theoretischen Schriften bietet.

Seine Bedeutung als einer der Begründer des modernen Dramas ist heute unangefochten und beruht hauptsächlich auf den sozialkritischen Dramen *Der Hofmeister*, *Die Soldaten* und – in zunehmendem Maße – *Der neue Menoza*. Bereits ein zeitgenössischer Kritiker hatte darauf hingewiesen, Lenz habe »das Lustspiel auf eben die Art reformirt, wie Goethe [mit dem *Götz von Berlichingen*] das Trauerspiel«.[9] Doch das richtungweisende Neue der dramaturgischen Struktur dieser Stücke fand breitere Anerkennung erst

9 Christian Heinrich Schmid, »III. Fortsetzung der kritischen Nachrichten vom Zustand des teutschen Parnasses,« in: *Der teutsche Merkur*, Bd. 8, 3. Stück (Dezember 1774) S. 182 f.

im 20. Jahrhundert. Alle drei Dramen bezeichnete Lenz als Komödien, obgleich ihm bewußt war, daß weder ihre Form noch ihr Inhalt den damaligen Erwartungen an ein Lustspiel entsprachen. Sie sind Paradigmen eines neuen Komödienkonzepts, das er tastend in den *Anmerkungen übers Theater* entwarf: »Meiner Meinung nach wäre immer der Hauptgedanke einer Komödie eine S a c h e, einer Tragödie eine P e r s o n.« Gegen Aristoteles und Lessing, der noch 1768 in der *Hamburgischen Dramaturgie* das Primat des Charakters im Lustspiel betonte, setzte Lenz als »Hauptempfindung in der Komödie« die Begebenheit oder Situation, während die Tragödie vom Charakter her zu entwickeln sei.

Mit den anderen Stürmern und Drängern verwirft Lenz unter Berufung auf Shakespeare die bis dahin normsetzende klassizistische Poetik des Dramas und vor allem die als unnatürliche Beschränkung gescholtene Forderung nach den drei dramatischen Einheiten der Handlung, der Zeit und des Schauplatzes. Shakespeares Dramen geben die neuen Muster, an ihnen lernt man die ›offene Form‹ (Klotz) mit ihrer Eigenständigkeit der Szene als Handlungssegment und das Überschreiten der dramatischen Gattungsgrenzen innerhalb ein und desselben Stückes; in Shakespeares Figuren und ihrer reichen Sprachgestik sieht man den ›Ausdruck wahrer Natur‹ und hält sie dem als gestelzt, bloß rhetorisch empfundenen Pathos des nun bekämpften französischen Versdramas entgegen. Aber nicht allein von Shakespeare läßt sich Lenz inspirieren. Anregen läßt er sich ebenso von der antiken Komödie, vor allem von Plautus (von dem er eine Reihe von Stücken bearbeitet und ihre Handlung in ein deutsches bürgerliches Milieu überträgt), der Commedia dell'arte, der sächsischen Typenkomödie und sogar dem Puppentheater. Seine Dramen sollen volkstümlich sein, mit ihnen möchte er alle erreichen, denn sie wollen erziehend wirken; und das schien ihm in seiner Zeit nur mit der Komödie möglich, da das breite Publikum für die Tragödie noch zu ungebildet sei: »Daher müssen«, so fordert er, »unsere deutschen Komödienschreiber komisch und tragisch zugleich schreiben, weil das Volk, für das sie schreiben, oder doch wenigstens schreiben sollten, ein solcher Mischmasch von Kultur und Rohigkeit, Sittigkeit und Wildheit ist. So erschafft der komische Dichter dem tragischen sein Publikum« (*Rezension des Neuen Menoza*, S. 420). Betrachtet man die drei Komödien, die heute Lenz' Bedeutung als Dramatiker begründen, in ihrer Entstehungsfolge, so läßt sich beobachten, wie er seine Form der Komödie entwickelte und verfeinerte.

Bei seinem ersten wichtigen Stück, *Der Hofmeister oder Vorteile der Privaterziehung*, war sich Lenz anfangs über die Gattungsbezeichnung nicht schlüssig; noch im Manuskript nennt er es »Lust und Trauerspiel«. In ihm behandelt er eine gesellschaftliche Problematik, die ihn selbst unmittelbar betraf: die begrenzten Möglichkeiten mittelloser Theologieabsolventen, deren Karriere meist mit einer Anstellung als Hofmeister bei einer adligen oder wohlhabenden bürgerlichen Familie begann. Die Geschichte des Hofmeisters, der seine adlige Schülerin verführt, dabei aber nur Ersatz ist für den abwesenden Liebhaber Fritz, der im fernen Halle studiert, wird in einer losen Folge von Tableauszenen dargestellt, die an einer Vielzahl von Orten und über einen Zeitraum von mehr als zwei Jahren spielen; das Geschehen wechselt hin und her zwischen Szenen in Ostpreußen und Sachsen. Die Komödie kommt fast ohne satirische Überspitzung aus und gewinnt ihre kritische Schärfe aus der nüchtern-realistischen Beschreibung der dissonanten Wirklichkeit und den gegenläufigen Handlungsmotiven der Figuren, die Gefangene ihres Standes und ihrer Situation sind. Die Kritik richtet sich in dem Stück eigentlich nicht gegen pädagogische Inhalte der zeitgenössischen Erziehungsinstitutionen, es geht Lenz vielmehr um die Lebensumstände der Betroffenen: die demütigende Abhängigkeit der Hofmeister, die, auch gegenüber ihren Zöglingen, wenig mehr als Bediente sind, um die ungezügelte Freiheit der Studenten und die unwürdige Armseligkeit der Dorfschulmeisterexistenz. Im Hintergrund der Beziehungen erscheint dabei der schicksalsbestimmende Einfluß der Väter (Mütter nehmen nur eine periphere Rolle ein) im Leben ihrer Kinder; solche Generationsverhältnisse werden in verschiedenen Konstellationen durchgespielt und führen in jeder Variation vor, welche Kluft zwischen dem patriarchalischen Familienideal und der familialen Wirklichkeit lag. Diese Misere gewinnt an Schärfe durch das scheinharmonische Happyend, das dem gefallenen Gustchen und dem von eigener Hand entmannten Läuffer jeweils einen standesgemäßen Ehepartner beschert.

Das ausufernde Geschehen, das den *Hofmeister* gelegentlich zu sprengen droht, vermied Lenz in seinem nächsten Stück *Der neue Menoza oder die Geschichte des cumbanischen Prinzen Tandi*. Mit nur zwei Handlungssträngen – einer empfindsamen Liebesgeschichte und einer recht grausigen Betrugs- und Racheintrige – ist diese Komödie wesentlich konziser angelegt und bleibt bei den Schauplätzen, trotz häufiger Wechsel, auf die Gegend um Naumburg, Dresden und Leipzig begrenzt. Die Charaktere dieses Stückes sind, worauf schon die sprechenden Namen Biederling, Graf Camäleon oder Zierau hindeuten, in Anlehnung an populäre Lustspielkonventionen stark und zum Teil karikierend überzogen typisiert. Der Titel spielt auf einen damals verbreiteten, heute längst vergessenen dänischen Roman an, dem Lenz jedoch lediglich ein paar Details entnahm. Als ein neuer Menoza gehört Tandi in die Reihe jener edlen Wilden, die man sich im 18. Jahrhundert als Gegenbild zum Unbehagen an der Unnatürlichkeit der eigenen Kultur schuf. Die von Tandi gelebte Einheit von sittlichem Handeln und natürlichem Empfinden kontrastiert mit der bloß oberflächlich angepaßten Wohlanständigkeit der Biederlings wie mit der flachen Glücksphilosophie Zieraus, der bigotten Weltfeindlichkeit Bezas und der brutalen Amoralität des Grafen. Diese kulturkritische Thematik beherrscht das Stück aber weniger, als es der Titel vermuten läßt; Lenz kam es mindestens genauso sehr auf die Darstellung von heftigen Gemütsbewegungen und Gefühlsumschwüngen an, die die immer turbulenter werdende Handlung vorantreiben, in deren Verlauf drei Figuren Identität und Stand wechseln; denn Prinz Tandi entpuppt sich als der verloren geglaubte Sohn Biederlings und die spanische Gräfin als dessen Tochter, die bei der Geburt mit Wilhelmine, die ihrerseits zur Gräfin aufsteigt, vertauscht worden war. Obgleich Lenz den *Menoza* in seiner Selbstrezension gegen die Einwände der Kritiker öffentlich verteidigte, gestand er sich doch ein, es sei »ein übereiltes Stück, an dem nichts als die Idee schätzbar ist« (an Sophie von La Roche, Juli 1775). Doch gerade das Unfertige der abrupt mechanischen Dramaturgie und die Verbindung heterogener Komponenten – ernsthafte Kulturkritik, literarische Satire, Melodrama, Empfindsamkeit eingebettet in eine Folge abgerissener Szenen – sprachen dann die Romantiker an und lassen uns in der Komödie den Vorgriff auf das grotesk-absurde Theater unserer Zeit erkennen.

Die in den beiden vorangehenden Stücken nicht befriedigend gelungene Integration der Handlungs- und Strukturelemente meistert Lenz in seinem reifsten Drama *Die Soldaten*. Typisierung in der Namensgebung – Stolzius, Desportes (von frz. *déportement* ›schlechter Lebenswandel‹), Eisenhardt oder Rammler – verbindet sich hier mit differenzierter Durchgestaltung der ständisch determinierten Mentalität der Charaktere und der psychischen und sozialen Bedingungen ihres Handelns. Das Geschehen spielt fast ausschließlich an zwei Orten, Lille und Armentières im französischen Flandern, wobei die einzelnen Szenen, in ihrer Folge streng aufeinander bezogen, den Handlungsablauf aus wechselnder Perspektive – der des verführten Mädchens, der Offiziere und des verlassenen Liebhabers – entwickeln. Noch während der Drucklegung erwog Lenz, die Gattungsbezeichnung ›Komödie‹, die er nun als zu barock, d. h. zu eigenwillig empfand, gegen ›Schauspiel‹ auszutauschen; er befürchtete, daß der tragische Ausgang des Stücks, die Zerstörung der Existenz von Marie und Stolzius als Opfer des brutalen Zynismus der Offiziere, den gewohnten Rahmen des Genres zu sehr überschreite und das Stück mißverstanden werden könnte. Als die anonym gedruckten *Soldaten* 1776 erschienen, hatte die Sturm-und-Drang-Bewegung ihren Höhepunkt überschritten; nur noch vier Zeitschriften zeigten das Stück an. Lenz war über die ausbleibende kritische Resonanz in diesem Falle nicht unglücklich; denn er selbst hintertrieb aus Rücksicht gegen Straßburger Bekannte, die sich im geschilderten Geschehen wiedererkennen konnten, die Publizität seines Schauspiels, von dessen Dauerhaftigkeit er jedoch selbst überzeugt war: »Es ist wahr und wird bleiben, mögen auch Jahrhunderte über meinen Schädel verachtungsvoll fortschreiten« (an Herder, 23. Juli 1775).

Anders als diese Dramen war die Literatursatire *Pandämonium Germanikum* von vornherein weder für die Bühne noch für das breite Publikum gedacht. Diese anspielungsreiche Streitschrift setzt Vertrautheit mit den zeitgenössischen Literaturzwistigkeiten voraus und porträtiert höchst witzig und lebendig die verschiedenen Gruppierungen der literarischen Szene der siebziger Jahre; dem Spott preisgegeben werden die tändelnden Rokokodichter und die Verfechter des französischen Geschmacks, denen Shakespeare, Lessing, Klopstock, Herder und die beiden jüngsten Vertreter der neuen literarischen Bewegung, Goethe und Lenz, entgegentreten. Es ist eine der frühesten Apotheosen Goethes; Lenz läßt ihn leichtfüßig den Parnaß erklimmen, während er selbst nur mühsam »auf allen vieren« und einen eigenen Weg suchend hinaufsteigt. In dieser dramatischen ›Skizze‹ sucht Lenz zugleich seinen eigenen Ort zu bestimmen, indem er seine eigenen schriftstellerischen Ambitionen und Selbstzweifel offen und kritisch darstellt und seinen Anspruch auf eine Nische im Tempel des Ruhms geltend macht – als Vorkämpfer eines neuen Dramas.

Wie in seinen Dramen thematisiert Lenz auch in seiner besten erzählenden Prosa immer wieder mehr oder minder unverstellt persönliche Erfahrungen und Konflikte. Anders als die Dramen las man seine Prosadichtungen lange fast ausschließlich als autobiographische Zeugnisse, während man ihre formalen Gestaltung zu Unrecht weit weniger beachtete.

Will man Goethe glauben, so hatte er Lenz angeregt, die »Irrgänge seiner Kreuz- und Querbewegungen« in der Liebesaffäre um Cleophe Fibich zum Vorwurf eines kleinen Romans zu nehmen;[10] Lenz schrieb dann aber ein *Tagebuch*, das als kaum verschlüsseltes und nur für den Freund vorgesehenes Privatdokument den Eindruck der Intimität und Authentizität der geschilderten Begebenheiten bewußt wahrt. Aus demselben Grund verbot sich gleichfalls die Veröffentlichung seines zweiten größeren Prosatextes *Moralische Bekehrung eines Poeten*, in dem Lenz sich und Cornelia Schlosser als imaginärer Zuhörerin von seinen »Empfindungen, ihrem Wechsel, Veränderung und Fortgang Rechenschaft« (S. 265 f.) ablegt. Der Text beruft sich auf Lavaters *Geheimes Tagebuch. Von einem Beobachter seiner Selbst* (1771) und reiht sich somit in die reiche Bekenntnisliteratur der Epoche ein, die unter dem Einfluß des Pietismus, der Empfindsamkeit und in der Nachfolge von Rousseaus *Confessions* (1765–70) entstand. In den fünfzehn »Selbstunterhaltungen« bekennt der Poet der »moralischen Freundin und Lenkerin seines Herzens« Cornelia seine zwischen erotischer und platonischer Liebe schwankende Verehrung, die ihm half, seine törichte Liebe zu Cleophe Fibich zu überwinden. Der offenbar nicht völlig ausgearbeitete, doch klar durchkomponierte Text beschreibt kaum Ereignisse, sondern gestaltet aus der Doppelperspektive des introvertierten Selbstgesprächs und der Partneranrede die eindringliche Analyse einer komplexen Gefühlslage.

10 *Dichtung und Wahrheit*, Buch 14.

Mit den auf das *Tagebuch* und die *Moralische Bekehrung eines Poeten* folgenden Prosaarbeiten verläßt Lenz die Sphäre privater Kommunikation. Was sie an Autobiographischem enthalten, wird nun konsequent fiktionalisiert und geht vor allem ein in das Erleben und die psychische Struktur der Titelfiguren: des Magisters der Philosophie Zerbin, des Waldbruders Herz und des Landpredigers Mannheim. In diesen Erzählungen nimmt Lenz geläufige narrative Muster der Zeit – ›Charaktergemälde‹, ›moralische Erzählung‹ und Briefroman – auf, Formen, die seiner psychologischen und realitätsbezogenen Schreibintention entgegenkommen. Diesen Psychogrammen gegenüber, die dem verhängnisvollen Zusammenspiel von innerer Disposition und äußeren Verhältnissen einfühlsam, wirklichkeitsnah und scharfsichtig nachspüren, fallen die parabelhaften Prosatexte, wie die *Geschichte des Felsen Hygillus*, das Märchen *Die Fee Urganda* oder der phantastisch-groteske *Empfindsamste aller Romane*, die Lenz nach der Vertreibung aus Weimar und der Rückkehr nach Livland schreibt, in ihrer erzählerischen Kraft und Konzentration deutlich ab.

Die gelungenste Prosadichtung, obgleich sie Fragment blieb und ihr offensichtlich der Schluß fehlt, ist *Der Waldbruder, ein Pendant zu Werthers Leiden*. Lenz zeichnet hier das nuancierte Porträt eines Außenseiters und einer bürgerlich-aristokratischen Gruppe von Menschen, in die sich jener Waldbruder nicht mehr einzufügen versteht. Der kleine Roman behauptet neben den Wertheriaden der Zeit durchaus seine Eigenständigkeit; mit Goethes Werther verbindet Lenzens Held, der sich den Namen »Herz« selbst gewählt hat, die Verabsolutierung der eigenen Gefühlswelt und das Leiden an einer Gesellschaft, deren Vergnügungen und Werte er nicht mehr teilen kann, aber seine Ich-Bezogenheit erscheint im Vergleich zu Werther viel stärker als krankhafte Obsession und idiosynkratische Donquichoterie. Herz, der »so ganz« ist, »was er sein will«, verfehlt über seine illusorischen Liebes- und Lebensträume das wirkliche

Leben. Durch die multiperspektivische Darstellung in Briefen verschiedener Verfasser, die alle in das zunächst kaum durchschaubare Geschehen verwickelt sind, setzt Lenz die Leser in die Position, sich selbst ein Urteil über die Beteiligten, deren unterschiedliche Standpunkte und Motive bilden zu müssen. Während Werthers Briefe bei Goethe zu sympathisierender Identifikation einladen, zwingt die narrative Struktur von Lenz' *Waldbruder* zur Auseinandersetzung mit der Widersprüchlichkeit des Werther-Syndroms, seiner moralischen Wahrheit und dem ihm inhärenten Narzißmus.

Zu wenig bekannt sind noch immer die Gedichte von Lenz, was daran liegen mag, daß die Eigentümlichkeit seiner Lyrik nicht so sehr in der Mannigfaltigkeit der verwendeten Formen und Ausdrucksweisen liegt. Lenz, dessen lyrische Anfänge im Zeichen Klopstocks und aufklärerischer Traditionen stehen, öffnet sich in seinen Gedichten produktiv fast allen lyrischen Strömungen der siebziger Jahre – der Anakreontik, der Empfindsamkeit, der Hinwendung zum Volkslied bis hin zur Exaltation des Sturm und Drang. Er verfügt über ein beeindruckend breites Formenrepertoire, das liedhafte und balladeske Texte, elegische Alexandriner und Knittelverse ebenso einschließt wie strophisch unregelmäßige Kompositionen und feierlich-erhabene freie Rhythmen.

Ihren eigenen Charakter erhalten die Gedichte durch ihre Thematik und das in ihnen sprechende Ich, das nicht abläßt, emphatisch das Anrecht des Individuums auf Selbstverwirklichung einzufordern, auch und gerade wenn sie ihm durch persönliche und gesellschaftliche Umstände verwehrt wird. Am häufigsten findet diese Diskrepanz zwischen Wunsch und Sein ihren Ausdruck in Klagen über die Unerreichbarkeit der Geliebten oder die Trennung von ihr, wobei das Liebesleid nicht nur beklagt wird, sondern andererseits Wert und Intensität des eigenen Lebens bestätigt (»An das Herz«). Aber selbst wo dieses Ich seine erotischen Wünsche nur im Tod glaubt freisetzen zu können (»Auf ein Papillote«), ist die Erfüllung an das Diesseits und den »Himmel auf Erden« (»Der verlorne Augenblick«) gebunden. Satirisch distanziert und doch mitleidsvoll schildert Lenz »jener Träume Wirklichkeit« im Gedicht »Die Liebe auf dem Lande«, das im Los einer verlassenen Pfarrerstochter – dem Willen des Vaters gehorchend, heiratete sie einen ungeliebten und wenig liebenswerten Kandidaten – das ganze Elend der emotionalen Unterdrückung einer jungen Frau aufzeigt. Andere Gedichte behandeln das Auseinanderklaffen von Hoffnung und Realität (»Die Demut«, »Nachtschwärmerei«) und die Angst des Ungenügens (»Über die deutsche Dichtkunst«) als bedrängende existentielle Konflikte. Ein einziges Mal nur, in dem »Lied zum teutschen Tanz«, bringt Lenz das überwältigende Glücksgefühl der Identität von Ich und Welt in ein dichterisches Bild: die schwindelnde und flüchtige Euphorie im Miteinander des Tanzes. In der bruchlosen Einheit von Form, Rhythmus und Inhalt ist dieses kleine Liedchen eines seiner vollkommensten Gedichte. In ihm wird für einen Moment Lebensangst und atemraubende Enge überwunden und macht der Illusion göttergleicher, autonomer Freiheit Platz, die dem Ich der übrigen Gedichte in »der wilden Schule der Menschen« (»Nachtschwärmerei«) vorenthalten bleibt.

Der dem menschlichen Dasein wesenhafte Anspruch auf Selbstentfaltung beschäftigt Lenz ebenfalls intensiv in moralphilosophischen Vorträgen der frühen Straßburger Zeit, in denen er so etwas wie eine Philosophie des Handelns konzipiert: »unsere Seele ist nicht zum Stillsitzen, sondern zum Gehen, Arbeiten, Handeln geschaffen« (an Salzmann, Oktober 1772). Gegen gesellschaftlichen Anpassungszwang und die von ihm selbst allzu häufig gemachte bedrückende Erfahrung, abhängig und nur »ein Ball anderer« oder »der Umstände« zu sein, setzt Lenz das Gebot unablässigen selbständigen Tätigseins. Menschliches Handeln wird, wie er im *Versuch über das erste Principium der Moral* ausführt, von zwei Grundtrieben beherrscht, dem Trieb nach Vollkommenheit, d. h. dem »ursprünglichen Verlangen unsers Wesens, sich eines immer größern Umfanges unserer Kräfte und Fähigkeiten bewußt zu werden« (S. 434), und dem Trieb nach Glückseligkeit. Beide Triebe können jedoch nur im sozialen Miteinander verwirklicht werden, denn um das eigene Potential verwirklichen zu können, bedarf es äußerer Bedingungen, die allen anderen denselben Freiraum einräumen. Glück, der der »Vollkommenheit gemäßeste Zustand« (S. 445), kann nicht vom Glück der übrigen getrennt werden. Alles Handeln zielt daher gleichermaßen auf Selbstveränderung und auf die Veränderung der bestehenden Verhältnisse: »Wir müssen suchen«, so Lenz' moralischer Imperativ, »andere um uns herum glücklich zu machen [...]. Diese beständige wachsame und wirkende Sorgfalt für den Zustand meines Nebenmenschen wird auch das beste Mittel sein, hier in dieser Welt meine Fähigkeiten zu entwickeln, meine Vollkommenheit zu befördern« (S. 441). Der Realist Lenz übersah keineswegs den illusionär-utopischen Charakter seiner subjekt- und zugleich gesellschaftsbezogenen moralischen Prinzipien; sie fungierten als »Probierstein«, an dem sich die Wahrhaftigkeit des eigenen Handelns und jedes wahren Christen zu erweisen hat. Denn das unerreichbare Vorbild ist für ihn Jesus, »der auf der ganzen Erde Revolutionen zu machen die Kraft und den Beruf in sich spürte« (S. 452 f.) und dafür hingerichtet wurde; in seinem Wirken und Sterben hat er ein Symbol gegeben, »was den vollkommenen Menschen mache und wie der nur durch allerlei Art Leiden und Mitleiden werde und bleibe« (*Über die Natur unsers Geistes*, S. 452). So mündet diese zunächst psychologisch aus der Triebstruktur des Menschen abgeleitete Philosophie des aktiven und eingreifenden Handelns in eine christlich begründete Ethik ein, aus der er letztlich die Radikalität seines Insistierens auf Eigenständigkeit und diesseitigem Glück herleitet.

Lenz war, das zeigen alle seine theoretischen Schriften, kein systematischer Denker; sie dienen oft mehr der Selbstvergewisserung und Klärung der eigenen Position; diskursives Darlegen von Einsichten und Erkenntnissen lag ihm nicht: »meine philosophischen Betrachtungen dürfen nicht über zwo, drei Minuten währen, sonst tut mir der Kopf weh« (an Salzmann, Oktober 1772). In seinen Essays behält Lenz durchweg die eigenwillige Gesprächshaltung der ursprünglichen Vortragsform bei, in der er seine Ideen zuerst vor der Straßburger Société und der Deutschen Gesellschaft zu Gehör brachte; der rhapsodische Sprachstil, die assoziative und sprunghafte Gedankenfolge und beständiges Einbeziehen der Leser wahren bewußt den Anschein gedanklicher Spontaneität. Diese Art der engagierten Darbietung verleiht sogar den moralisch-theologischen Schriften, die sonst durch ihre Thematik heutigen Lesern eher fernstehen, noch Frische und Lebendigkeit.

Seine Aufsätze zum Drama und Theater, insbesondere den *Anmerkungen übers Theater*, dieser »Versuch der poetologischen Begründung einer neuen Form des Dramas«, wurden für die Folgezeit »ungemein fruchtbar« (Martini). Gerade die *Anmerkungen* gelten heute als einer der programmatischen Schlüsseltexte der Sturm-und-Drang-Bewegung. Lenz liefert auch in seinen theaterkritischen Schriften keine kohärente Theorie; dennoch läßt sich aus diesen Essays durchaus die Genese und die Grundkonzeption seiner dramatischen Vorstellungen erschließen, wie sie bereits in unseren Bemerkungen zu den Dramen skizziert wurden. Die schon von Herder betonte Historizität der Aristotelischen Regelpoetik gibt Lenz den Hebel, um deren Gültigkeit für seine Zeit zu verneinen. Jede Epoche, jede Nation, so argumentiert er, schafft sich ihre dramatischen Formen. Es kann daher die Schicksalstragödie des Altertums, gebunden an den antiken Fatums-Glauben, in einer Epoche, der dieser Glaube fremd ist, nicht mehr zum Vorbild genommen werden; Lenz verlangt, dem Subjektbewußtsein des 18. Jahrhunderts entsprechend, vielmehr nach einer Charaktertragödie, in deren Mittelpunkt eine Person als der »Schöpfer ihrer Begebenheiten« steht, wobei er als Beispiel Goethes *Götz von Berlichingen* vor Augen hatte (vgl. *Über Götz von Berlichingen*). Da die Komödie aber von der Situation und den Begebenheiten auszugehen hat, wird sie zum »Gemälde der menschlichen Gesellschaft«, und – so die entscheidende Ergänzung – »wenn die ernsthaft wird, kann das Gemälde nicht lachend werden« (*Rezension des Neuen Menoza*). Die Mischung von Komischem und Tragischem ist demnach keine willkürliche poetologische Festlegung, sondern bei Lenz notwendiges Resultat seiner Bindung der Komödie an die gesellschaftliche Wirklichkeit und deren innere Widersprüche. Mit dieser gattungsrevolutionierenden Erweiterung des traditionellen Begriffs der Komödie, den er ebenfalls in den eigenen Stücken zu realisieren sucht, bahnte Lenz der nichtklassizistischen Tradition des sozialkritischen Dramas, die über Büchner, Hauptmann, Brecht bis in die jüngste Gegenwart reicht, auch theoretisch den Weg.

Als Lenz 1792 starb, waren er und sein Werk beim literarischen Publikum so gut wie vergessen. Seine Wiederentdeckung vollzog sich langsam und bis weit ins 20. Jahrhundert meist aus dem speziellen Blickwinkel des Lenz-Porträts im 11. und 14. Buch von *Dichtung und Wahrheit*. Goethe reduzierte den Jugendfreund zu einer literarischen Randerscheinung seiner eigenen Biographie: »Lenz [. . .], als ein vorübergehendes Meteor, zog nur augenblicklich über den Horizont der deutschen Literatur hin und verschwand plötzlich, ohne im Leben eine Spur zurückzulassen.« Dieses harsche Urteil wird in den Literaturgeschichten des 19. Jahrhunderts unentwegt wiederholt und sogar verschärft; es kulminiert schließlich in Friedrich Gundolfs Verdikt, daß Lenzens Verdienst um die deutsche Literatur eben Goethes Porträt sei.[11] Lenz verdankt seine allmähliche Anerkennung nicht der etablierten Literaturkritik. Wiederentdeckt und

11 Friedrich Gundolf, *Shakespeare und der deutsche Geist*, [10. Aufl.] Godesberg 1947 [zuerst: 1911], S. 203.

am Leben gehalten wurde sein Werk über lange Zeit vor allem durch Autoren, Literaten und dann Theaterleute.

Einer der ersten Versuche, wieder an Lenz zu erinnern, war die Publikation einiger Lenziana aus Goethes Besitz in den *Horen* und dem *Musenalmanach* von 1798. Mit ihnen wollte der Herausgeber Schiller jedoch kaum neues Interesse wecken; denn diese Texte, darunter der *Waldbruder*, hatten für ihn nur noch »einen biographischen und pathologischen Wert« und dokumentierten eine »Empfindungsweise«, die beide Klassiker längst hinter sich gelassen hatten (an Goethe, 2. Februar 1797).

Ein wirkliches Bemühen um den vergessenen Dichter setzt erst bei den Romantikern ein. Brentano regt 1806 an, die längst nicht mehr erhältlichen Arbeiten von Lenz neu herauszugeben. Es verstrichen aber über zwanzig Jahre, ehe Tieck in einer dreibändigen Ausgabe 1828 wesentliche Werke von Lenz einer neuen Generation von Lesern wieder zugänglich macht, »um einen Genius«, wie das Vorwort unterstreicht, »kennen zu lernen, der es verdient, und ihn zu studieren, wenn man die Poesie für mehr als Zeitvertreib hält«. Für die Wirkungsgeschichte der folgenden Jahrzehnte hat diese Ausgabe, trotz ihrer philologischen Mängel, größte Bedeutung. Büchner und Hebbel wurden durch sie mit Lenzens Dramen bekannt.

Spuren der Beschäftigung mit Lenz finden sich in den Stücken und Briefen von Büchner, doch das überragende Dokument ist die Erzählung *Lenz*, die er 1835 im Straßburger Exil schreibt. Die Anregung dazu erhielt Büchner von dem elsässischen Freund August Stöber, der bereits 1831 im *Morgenblatt für gebildete Stände* Texte von Lenz und Auszüge aus Oberlins Bericht über Lenzens Besuch im Steintal veröffentlicht hatte. Büchners Novelle, die auf diesem Bericht basiert, weicht in ihrer einfühlsamen, zwischen Innen- und Außenperspektive oszillierenden Beschreibung des ausbrechenden Wahnsinns von der Darstellung Oberlins darin ab, daß sie für Lenz selbst in dessen Scheitern Partei

Wegbereiter des modernen Theaters. In einer seitde[m]
anwachsenden Zahl von Untersuchungen wurden Leb[en]
Schaffen von Lenz unter geistes- und sozialgeschichtl[i]
Aspekten und vor allem seine Dramen unter formana[ly]
schen und gattungstypologischen Gesichtspunkten neu a[u]
gelotet und so endlich die wirkliche Dimension seiner lite-
rarhistorischen Bedeutung erfaßt. Das Hauptaugenmerk der
Lenz-Forschung gilt nach wie vor dem dramatischen Werk,
doch haben gerade jüngere Arbeiten auch den originären
Charakter seiner fiktionalen Prosa und der Lyrik herausge-
stellt.

Wenn der vorangehende Blick auf markante Stationen und
Wendepunkte der Wirkungs- und Rezeptionsgeschichte von
Lenz etwas zeigt, so ist es die Überlebenskraft dieses Dichters, die sich in der produktiven Aneignung seiner Komödien durch nachfolgende Dramatiker und in der zunehmenden Anerkennung beweist, die sein Œuvre auf dem Theater,
in der Literaturwissenschaft und nicht zuletzt bei Lesern
findet. Lenz ist kein Klassiker und wird nie ein Klassiker
werden, aber solange unser Sinn für Literatur nicht schwin-
det, werden die gelungensten Werke von Lenz als literarisch
und menschlich beeindruckende Zeugnisse eines außerge-
wöhnlichen Dichterlebens vielleicht nicht ›unsterblich‹, aber
kaum mehr vergessen werden.

nimmt. Büchners Sympathie und Respekt drückt besonders
das berühmte, völlig frei erfundene ›Kunstgespräch‹ aus, in
dem Lenz seinen kritischen Realismus etwas anachronistisch
gegen den aufkommenden Idealismus der Klassik verteidigt;
in dieser Gegnerschaft, die es historisch so nicht gab, aner-
kennt Büchner den Sturm-und-Drang-Dichter als Vorläufer
seiner eigenen antiklassizistischen Ästhetik. Keine
deutschsprachige Erzählung des 19. Jahrhunderts ist von
Schriftstellern und Literaturwissenschaftlern so einmütig
gepriesen worden wie Büchners *Lenz*-Novelle; ihre schon
für sich genommen reiche und faszinierende Rezeptions-
und Wirkungsgeschichte[12] trug – seit der Wiederentdeckung
der Werke Büchners im Ausgang des 19. Jahrhunderts –
wesentlich zum Wandel des Lenz-Bildes bei.

Beide – Lenz und Büchner – werden noch vor der Jahr-
hundertwende zu Leitfiguren der Naturalisten in deren
Opposition gegen die Klassikerverklärung des jungen Kai-
serreiches. Der Dramatiker Max Halbe, der zum 100.
Todestag von Lenz eine ausführliche Würdigung schrieb,
sah in dessen Stücken die »Formel des naturalistischen Cha-
rakterdramas« und hofft, daß diese Dramen nun endlich auf
die Bühne gebracht werden. Obgleich es dazu zunächst
noch nicht kam, brach die produktive Auseinandersetzung
mit den Dramen von Lenz nun nicht mehr ab. Diese erhält
1909 wichtige neue Anstöße durch zwei umfangreiche Sam-
melausgaben, an deren Edition abermals Schriftsteller maß-
geblich beteiligt waren; die eine gab Franz Blei heraus, die
andere – angeregt von Frank Wedekind – Ernst Lewy.

Lewys Edition entsteht im Umkreis des einflußreichen
Münchener Theaterwissenschaftlers Arthur Kutscher, dessen Bearbeitung der *Soldaten* 1911 mit großem Erfolg aufgeführt wurde. Damit beginnt die eigentliche Bühnenge-
schichte von Lenz. *Die Soldaten* wurden seitdem immer
wieder inszeniert und sogar als Oper eingerichtet (Manfred

---

12 Vgl. Gerhard Schaub, *Georg Büchner, »Lenz«. Erläuterungen und Dokumente*, Stuttgart 1987, S. 88–142.

Gurlitt 1930, Bernd Alois Zimmermann 1968). Bis in die dreißiger Jahre werden dann auch weitere Stücke von Lenz gespielt, doch merkwürdigerweise nicht die beiden anderen Hauptwerke, *Der Hofmeister* und *Der neue Menoza*; eine Bearbeitung des *Hofmeisters* von Klabund, die in einem undatierten Bühnenmanuskript erhalten blieb, ist wohl unaufgeführt geblieben. Beide Stücke werden erst nach dem Zweiten Weltkrieg für das Theater gewonnen, als mit Brechts *Hofmeister*-Adaption 1950 eine intensive Phase der Aneignung von Lenz' Werk einsetzt.

Brecht lernte wohl schon als Student in München Dramen von Lenz kennen, doch eingehender beschäftigte er sich mit ihnen erst gegen Ende der dreißiger Jahre im Zusammenhang seiner Überlegungen zum Realismusbegriff, bei dem es ihm auf die Einstellung des Dichters gegenüber der Wirklichkeit ankommt; Lenz und sein *Hofmeister*, »dieses deutsche Standardwerk des bürgerlichen Realismus«, gelten ihm in den *Notizen über realistische Schreibweise* (1940) als ein aufschlußreiches Vorbild, das die Gründe bloßlegt, weshalb es in Deutschland – anders als in Frankreich – zu keiner bürgerlichen Revolution kam. Den äußeren Anlaß zu Brechts eigener *Hofmeister*-Bearbeitung gaben die Erziehungsreform in der DDR und konventionelle Klassikerinszenierungen aus Anlaß von Goethes 200. Geburtstag. Mit dem Rückgriff auf die Vorklassik verfolgte Brecht zwei Ziele: einerseits wollte er die anti-aristotelische Traditionslinie wieder etablieren, der sein eigenes episches Theater verpflichtet ist, und andererseits »das Moment des ›Versagens‹ der deutschen Klassik« (an Hans Mayer, 25. März 1950) aufzeigen. Aus der Perspektive seiner Gegenwart schrieb Brecht das Stück in ein satirisches »ABC der Teutschen Misere« um und machte aus ihm eine komische »Trauerspiel«-Parabel auf das deutsche Bürgertum, seine Anpassungsbereitschaft und Unfähigkeit zu revolutionärer gesellschaftlicher Umgestaltung.

Der Erfolg der Bearbeitung und die Wirkung der Doku-

mentation in dem Band *Theaterarbeit* (1952), in dem das Berliner Ensemble seine Inszenierungen vorstellte, brachten dann den entscheidenden Durchbruch. Der *Hofmeister* wurde in den folgenden Jahren sowohl in der Adaption Brechts wie im Original in West- und Ostdeutschland mehrfach nachgespielt – und daneben eine Reihe der anderen Stücke von Lenz. In der Nachfolge von Brecht und in dem Bestreben, den beiden anderen großen Dramen von Lenz ebenfalls einen festen Platz im Theaterrepertoire zu sichern, bearbeitete Heinar Kipphardt 1967 *Die Soldaten* und Christoph Hein 1980 den *Menoza*; anders als Brecht beschränkten sie sich aber in ihren inzwischen mehrfach aufgeführten Bearbeitungen im wesentlichen auf dramaturgische Eingriffe.

Zur Wirkungsgeschichte gehören die Verfilmung von Büchners *Lenz*-Novelle durch George Moorse (BRD, 1970) und die überaus erfolgreiche *Lenz*-Erzählung (1973) von Peter Schneider, die das spontane, schließlich an persönlichen Schwierigkeiten scheiternde Engagement eines jungen Intellektuellen in der linken Szene der späten sechziger Jahre schildert. Da der Film wie die Erzählung besonders bei der jüngeren Generation großen Anklang fand, öffneten sie dieser auch einen Zugang zum historischen Lenz.

Der Theaterpraxis etwas hinterherhinkend, kommt es gegen Ende der fünfziger Jahre in der Lenz-Forschung zu einer grundlegenden Neuausrichtung. Unter dem Einfluß der Wirkung Brechts, der noch 1950 die »Unterdrückung Lenzens durch die Literaturgeschichte« anprangerte, beginnt sich die akademische Auseinandersetzung mit Lenz aus dem Bann der auf Goethes Lenz-Porträt zurückgehenden Urteilstradition zu lösen. Die ersten Anstöße gab Brecht selbst in seinen Kommentaren zur *Hofmeister*-Bearbeitung; und mit dem enormen wissenschaftlichen Interesse, das Brechts Werk und Theatertheorie seit den fünfziger Jahren im In- und Ausland finden, verstärkt und internationalisiert sich die Beschäftigung mit Lenz als einem der

# Deutsche Dichter

## Leben und Werk deutschsprachiger Autoren

Herausgegeben von
Gunter E. Grimm und Frank Rainer Max

Band 1: Mittelalter

Band 2: Reformation, Renaissance und Barock

Band 3: Aufklärung und Empfindsamkeit

Band 4: Sturm und Drang, Klassik

Band 5: Romantik, Biedermeier und Vormärz

Band 6: Realismus, Naturalismus und Jugendstil

Band 7: Vom Beginn bis zur Mitte des 20. Jahrhunderts

Band 8: Gegenwart

Das achtbändige, insgesamt über 4000 Seiten umfassende
Werk *Deutsche Dichter* ist deutschsprachigen Autoren
vom Mittelalter bis zur jüngeren Gegenwart gewidmet.
Auf anschauliche Weise schreiben Fachleute in Beiträgen
von 5 bis zu 50 Seiten Umfang über Leben und Werk von
rund 300 bedeutenden Dichtern. Ein Porträt des Autors
und bibliographische Hinweise ergänzen die einzelnen
Darstellungen.

Philipp Reclam jun. Stuttgart

# Romane der deutschen Literatur

IN RECLAMS UNIVERSAL-BIBLIOTHEK

---

Arnim, *Die Kronenwächter*. Nachw. von P. M. Lützeler. 1504

Ebner-Eschenbach, *Das Gemeindekind*. Nachw. von K. Rossbacher. 8056

Eichendorff, *Ahnung und Gegenwart*. Hrsg. von G. Hoffmeister. 8229 – *Dichter und ihre Gesellen*. Hrsg. von W. Nehring. 2351

Fontane, *Cécile*. Hrsg. von Chr. Grawe. 7791 – *Effi Briest*. Nachw. von K. Wölfel. 6961 (auch als Reclam Lese-Klassiker) – *Frau Jenny Treibel*. Nachw. von W. Müller-Seidel. 7635 (auch als Reclam Lese-Klassiker) – *Graf Petöfy*. Hrsg. von L. Voss. 8606 – *Irrungen, Wirrungen*. 8971 – *Mathilde Möhring*. Nachw. von M. Lypp. 9487 – *Die Poggenpuhls*. Nachw. von R. Brinkmann. 8327 – *Schach von Wuthenow*. Nachw. von W. Keitel. 7688 – *Der Stechlin*. Nachw. von H. Aust. 9910 (auch als Reclam Lese-Klassiker) – *Stine*. Nachw. von D. Bode. 7693 – *Unwiederbringlich*. Nachw. von S.-A. Jørgensen. 9320

Gellert, *Leben der schwedischen Gräfin G\*\*\**. Hrsg. von J.-U. Fechner. 8536

Goethe, *Aus meinem Leben. Dichtung und Wahrheit*. Hrsg. von W. Hettche. Bd. 1: 8718. Bd. 2: 8719 – *Die Leiden des jungen Werther*. Nachw. von E. Beutler. 67 (auch als Reclam Lese-Klassiker) – *Die Wahlverwandtschaften*. Nachw. von E. Beutler. 7835 (auch als Reclam Lese-Klassiker) – *Wilhelm Meisters Lehrjahre*. Hrsg. von E. Bahr. 7826 (auch als Reclam Lese-Klassiker) – *Wilhelm Meisters theatralische Sendung*. Hrsg. von W. Köpke. 8343 – *Wilhelm Meisters Wanderjahre*. Hrsg. von E. Bahr. 7827

Moritz, *Anton Reiser*. Mit Textvarianten. Hrsg. von W. Martens. 4813 (auch als Reclam Lese-Klassiker)

Nicolai, *Sebaldus Nothanker*. Hrsg. von B. Witte. 8694

Novalis, *Heinrich von Ofterdingen*. Hrsg. von W. Frühwald. 8939

Raabe, *Die Akten des Vogelsangs*. 7580 – *Altershausen*. Nachw. von E. Oehlenschläger. 7725 – *Die Chronik der Sperlingsgasse*. Nachw. von U. Koller. 7726 – *Das Odfeld*. Nachw. von U. Dittmann. 9845 – *Stopfkuchen*. Nachw. von A. Ritter. 9393 (auch als Reclam Lese-Klassiker)

Reuter, *Schelmuffsky*. Hrsg. von I.-M. Barth. 4343

Rosegger, *Als ich noch der Waldbauernbub war*. Nachw. von W. Schober. 8563

Schlegel, *Lucinde*. Nachw. von K. K. Polheim. 320

Schnabel, *Insel Felsenburg*. Hrsg. von V. Meid und I. Springer-Strand. 8419

Sealsfield, *Das Kajütenbuch*. Hrsg. von A. Ritter. 3401

Stifter, *Die Mappe meines Urgroßvaters*. Hrsg. von K. Pörnbacher. 7963

Tieck, *Franz Sternbalds Wanderungen*. Hrsg. von A. Anger. 8715 – *Der Hexensabbat*. Hrsg. von W. Münz. 8478 (auch geb.) – *Vittoria Accorombona*. Hrsg. von W. J. Lillyman. 9458 – *William Lovell*. Hrsg. von W. Münz. 8328

Wieland, *Geschichte der Abderiten*. Nachw. von K. H. Bühner. 331 – *Geschichte des Agathon*. Hrsg. von F. Martini. 9933

Philipp Reclam jun. Stuttgart

Die umfangreiche Auswahl aus dem Werk des Sturm-und-Drang-Dichters Jakob Reinhold Michael Lenz enthält seine wichtigsten Dramen (*Der Hofmeister, Der neue Menzoa, Die Soldaten, Pandämonium Germanikum*), Prosa, Gedichte und theoretische Schriften (wie die *Anmerkungen übers Theater* oder *Über die Veränderung des Theaters im Shakespear*). – Anmerkungen, Daten zu Leben und Werk, Literaturhinweise und ein Nachwort komplettieren die Ausgabe.